Camilla Läckberg
Stenhuggaren

Forum

Bokförlaget Forum, Box 70321, 107 23 Stockholm
www.forum.se

Omslagsbild © Kville Hembygdsarkiv
Omslagsdesign Anders Timrén
Satt hos Ljungbergs sätteri i Köping
med 11/13 Goudy
Tryckt 2006 hos ScandBook AB i Smedjebacken
ISBN 91-37-12944-9

Till Ulle
Mesta möjliga lycka

Hummerfisket var inte längre som det var förr. Då var det hårt arbetande yrkesfiskare som jagade efter de svarta kräftdjuren. Nu var det sommargästerna som under en vecka fiskade hummer för sitt eget höga nöjes skull. Höll sig till reglerna gjorde de inte heller. Han hade sett åtskilligt genom åren. Borstar som diskret plockades fram för att avlägsna den synliga rommen på honorna och därmed få humrarna att se lovliga ut, vittjande av andras tinor och till och med dykare som gick ner och plockade humrarna med händerna från andras tinor. Ibland undrade han var det skulle sluta. Om det inte ens fanns någon heder bland hummerfiskare längre. Vid ett tillfälle hade det åtminstone legat en konjaksflaska i tinan han drog upp, istället för det okänt antal humrar som försvunnit ur den. Den tjuven hade ändå haft viss heder, eller åtminstone humor.

Frans Bengtsson suckade djupt där han stod och drog upp sina tinor, men ljusnade när han såg att det redan i den första fanns två präktiga humrar. Han hade ett gott öga för var de gick och en del riktiga smultronställen där tinorna kunde vittjas med samma fiskelycka år från år.

Tre tinor senare hade han fått en försvarlig hög med de dyrbara djuren. Själv förstod han inte riktigt varför de betingade sådana hutlösa priser. Inte för att de var otäcka på något sätt, men fick han välja tog han hellre sill till middag. Det var både godare och mer prisvärt. Men inkomsterna från hummerfisket var ett mer än välkommet tillskott till pensionen vid den här tiden på året.

Den sista tinan kärvade rejält och han tog stöd med foten mot relingen för att få lite mer stadga när han försökte rycka loss den. Sakta kände han hur tinan gav med sig och han hoppades bara att den inte blivit skadad. Han kikade över relingen på sin gamla snipa för att se vilket skick den kom upp i. Men det var inte tinan som kom först. En vit hand bröt den oroliga vattenytan och såg för ett ögonblick ut att peka mot himlen.

Hans första instinkt var att släppa repet han höll i och låta vad det än var som vilade under vattenytan försvinna ner i djupet igen tillsammans

7

med hummertinan. Men sedan tog erfarenheten över och han började åter dra i repet som var fäst vid tinan. Fortfarande satt det mycket styrka i kroppen och den behövdes. Han var tvungen att ta i för allt han var värd för att kunna baxa sitt makabra fynd över relingen. Först när den bleka, livlösa och våta kroppen med en duns föll ner på durken tappade han fattningen. Det var ett barn han fått upp ur vattnet. En flicka, med det långa håret klistrat runt ansiktet och läppar lika blå som ögonen som nu oseende stirrade upp mot skyn.

Frans Bengtsson kastade sig mot relingen, och spydde.

Patrik var tröttare än han någonsin trott sig kunna vara. Alla illusioner om att spädbarn sov mycket hade krossats grundligt de senaste två månaderna. Han drog händerna genom sitt korta, bruna hår, men lyckades bara förvärra sömnrufset. Och om han var trött kunde han inte ens föreställa sig hur Erica måste känna sig. Han slapp åtminstone de täta nattamningarna. Dessutom var han riktigt bekymrad för henne. Han kunde inte påminna sig att han sett henne le sedan de kom hem från BB, och ringarna under ögonen på henne var stora och svarta. När han såg förtvivlan i Ericas ögon på morgnarna var det svårt att lämna henne och Maja, men samtidigt var han tvungen att erkänna att han kände en stor lättnad över att kunna gå iväg till sin välbekanta vuxenvärld. Han älskade Maja över allt annat, men att få hem ett barn var som att kliva in i en främmande, obekant värld, med ständigt nya stressmoment lurande bakom hörnet. Varför sover hon inte? Varför skriker hon? Är hon för varm? För kall? Har hon inte fått några konstiga prickar? Vuxna busar var åtminstone något välbekant, något som han visste hur han skulle hantera.

Tomt stirrade han på papprena framför sig och försökte rensa spindelväven från hjärnan tillräckligt mycket för att kunna fortsätta jobba. En telefonsignal fick honom att hoppa högt i stolen och det hann ringa tre gånger innan han kom sig för med att svara.

"Patrik Hedström."

Tio minuter senare slet han åt sig jackan som hängde på en krok vid dörren, sprang över till Martin Molins rum och sa:

"Martin, en gubbe som var ute och drog hummertinor har fått upp ett lik."

"Var då?" Martin såg förvirrad ut. Det dramatiska tillkännagivandet bröt den stilla måndagslunken på Tanumshede polisstation.

"Utanför Fjällbacka. Han har lagt till vid bryggan vid Ingrid Bergmans torg. Vi måste sticka nu. Ambulansen är på väg."

Martin behövde inte uppmanas två gånger. Också han slet åt sig en jacka för att klara det bistra oktobervädret och följde sedan Patrik ut till bilen. Färden till Fjällbacka gick fort och Martin höll sig ängsligt i handtaget i taket när bilen slickade vägrenen i de skarpa kurvorna.

"Är det en drunkningsolycka?" frågade Martin.

"Hur fan ska jag veta det?" sa Patrik, men ångrade genast sitt vresiga tonfall. "Ursäkta, för lite sömn."

"Det är okej", sa Martin. Med tanke på hur sliten Patrik sett ut de senaste veckorna ursäktade han honom mer än gärna.

"Det enda vi vet är att hon hittades för en timme sedan och att hon enligt gubben inte såg ut att ha legat i vattnet särskilt länge, men det lär vi väl få se snart", sa Patrik medan de körde nedför Galärbacken mot bryggan där en träsnipa låg förtöjd.

"Hon?"

"Ja, det är en flicka, ett barn."

"Åh, fy fan", sa Martin och önskade att han följt sin första instinkt och stannat kvar i sängen hemma hos Pia, istället för att ge sig iväg till jobbet.

De parkerade vid Café Bryggan och skyndade sig bort till båten. Otroligt nog hade ingen ännu märkt vad som hänt och det fanns inget behov av att mota bort nyfikna.

"Hon ligger här i båten", sa gubben som kom och mötte dem på bryggan. "Jag ville inte röra tösen mer än nödvändigt."

Patrik kände väl igen den bleka nyansen i gubbens ansikte. Han såg den i sitt eget var gång han varit tvungen att titta på en död kropp.

"Var var det du fick upp henne?" frågade Patrik och sköt med frågan upp konfrontationen med den döda ytterligare några sekunder. Han hade inte ens sett henne än och redan rörde det sig olustigt i hans mage.

"Vid Porsholmen. Södersidan. Hon hade fastnat i repet till femte tinan jag drog upp. Annars hade det nog tagit en bra stund till innan vi fått se tösen. Kanske aldrig om strömmarna fört henne utåt havet."

Det förvånade inte Patrik att gubben kände till hur en kropp reagerade på havets inverkan. Alla av den gamla stammen var väl införstådda med att en kropp först sjönk, och sedan sakta steg upp till ytan allt eftersom den fylldes med gaser, innan den slutligen, efter ännu en tid, åter förpassades ner i djupet. Förr i tiden hade drunkning varit en högst verklig risk för en fiskare och Frans hade säkert varit med och sökt efter olycksaliga kamrater.

Som för att bekräfta det sa fiskaren: "Hon kan inte ha legat länge. Hon hade inte börjat flyta än."

Patrik nickade. "Du sa det när du ringde. Ja, det är väl lika bra att vi tittar då."

Sakta, sakta gick Martin och Patrik bredvid varandra fram mot änden av bryggan, där båten låg. Först när de hade kommit nästan ända fram fick de tillräcklig sikt över relingen för att kunna urskilja vad som låg på durken. Flickan hade hamnat på magen när gubben drog in henne i båten och allt de såg var ett rufsigt, blött hår.

"Nu kommer ambulansen, de får vända på henne."

Martin nickade bara svagt. Hans fräknar och rödlätta hår framstod som flera nyanser rödare mot hans vita ansikte och han kämpade för att hålla illamåendet i schack.

Vädrets gråhet och vinden som hade börjat piska upp sig rejält skapade en kuslig stämning. Patrik vinkade åt ambulansmännen som utan att göra sig någon brådska lastade ut en bår ur bilen och bar den mot dem.

"Drunkningsolycka?" Den förste av de två ambulanskillarna nickade frågande mot båten.

"Ja, det ser så ut", svarade Patrik. "Men det får obducenten avgöra. Det finns inget ni kan göra för henne i alla fall, mer än att transportera henne."

"Nej, vi hörde det", sa killen. "Då börjar vi med att lyfta upp henne på båren."

Patrik nickade. Han hade alltid tyckt att barn som for illa var det värsta man kunde råka ut för i tjänsten, men sedan han fått Maja hade det obehag han tidigare känt tusenfaldigats. Nu skar det i hjärtat på honom vid tanken på den uppgift som låg framför dem. Så snart flickan hade identifierats skulle de bli tvungna att rasera livet för hennes föräldrar.

Ambulansmännen hade hoppat ner i båten och förberedde sig för att lyfta upp flickan på bryggan. Den ene av dem började med att försiktigt vända över henne på rygg. Det blöta håret föll ner på durken som en solfjäder kring hennes bleka ansikte och ögonen såg ut att glasartat betrakta de framjagande grå skyarna.

Patrik hade först vänt sig bort, men nu tittade han motvilligt ner på flickan. Sedan grep en kall hand om hans hjärta.

"Å nej, å nej, helvetes fan."

Martin tittade bestört på honom. Sedan gick det upp ett ljus för honom. "Du vet vem hon är?"

Patrik nickade stumt.

Strömstad 1923

Hon skulle aldrig ha vågat säga det högt, men ibland tyckte hon att det var tur att hennes mor dog när hon föddes. På så sätt hade hon fått ha sin far för sig själv, och enligt vad hon hade hört om sin mor, skulle hon inte lika enkelt ha kunnat linda henne runt lillfingret. Men hennes far, han hade inte hjärta att neka sin moderlösa dotter någonting. Ett faktum som Agnes var väl medveten om och utnyttjade till fullo. Vissa välmenande släktingar och vänner hade försökt att påpeka detta för hennes far, men även om han gjorde halvhjärtade försök att säga nej till sin älskling, så vann förr eller senare hennes vackra ansikte med de stora ögonen, som så lätt kunde fälla tunga tårar som rann nedför kinderna. När det hade gått så långt, brukade hans hjärta vekna och hon fick vanligtvis som hon ville.

Som ett resultat av detta var hon nu, vid nitton års ålder, en exempellöst bortskämd flicka och många av de kamrater som passerat genom åren skulle nog drista sig till att säga att hon faktiskt hade ett elakt drag. Det var mest flickor som vågade påstå det. Pojkarna, hade Agnes upptäckt, tittade sällan längre än till det vackra ansikte, de stora ögon och det långa, tjocka hår som fått hennes far att skänka henne allt hon pekade på.

Villan i Strömstad var en av de pampigaste i staden. Den låg högt uppe på berget, med utsikt över vattnet, och hade betalats dels med hennes mors ärvda förmögenhet, dels med de pengar hennes far hade gjort sig inom stenindustrin. Han hade varit nära att mista allt en gång, under strejken 1914, då stenhuggarna mangrant reste sig mot de stora bolagen. Men ordningen återställdes och efter kriget hade affärerna på nytt börjat blomstra och inte minst stenhuggeriet i Krokstrand utanför Strömstad arbetade för högtryck med leveranser till främst Frankrike.

Agnes brydde sig inte så mycket om varifrån pengarna kom. Hon var född förmögen och hade alltid levt förmögen, och om pengarna var ärvda eller intjänade spelade ingen roll så länge hon kunde köpa smycken och fina kläder för dem. Alla såg det inte så, det visste hon. Hennes morföräldrar hade förfasat sig när dottern gifte sig med Agnes far. Hans pengar var ju nya, och hans föräldrar hade varit fattiga människor, sådana

12

som inte passade in på större tillställningar utan fick bjudas i all enkelhet då inga utom den närmaste familjen var närvarande. Och även dessa sammankomster var pinsamma. De stackars människorna visste ju inte hur man förde sig i de finare salongerna och konversationen blev hopplöst påver. Morföräldrarna hade aldrig förstått vad deras dotter kunde se hos August Stjernkvist, eller Persson, som var namnet han var född med. Hans försök att flytta upp sig på samhällsstegen genom ett simpelt namnbyte var inget de lät sig luras av. Men barnbarnet hade de åtminstone glädje av och de tävlade med hennes far om att skämma bort henne sedan dottern så hastigt gått bort i barnsäng.

"Hjärtat, jag åker ner till kontoret."

Agnes vände sig om när hennes far kom in i rummet. Hon hade suttit och spelat en stund på det stora pianot som stod vänt mot fönstret, mest för att hon visste hur väl hon tog sig ut där. Musikaliteten var det inget vidare bevänt med; trots de dyra pianolektioner som hon fått sedan hon var liten kunde hon bara hjälpligt ta sig igenom noterna på stället framför henne.

"Far, har du funderat på den där klänningen jag visade dig häromdagen?" Hon tittade bedjande på honom och såg hur han som vanligt slets mellan sin vilja att säga nej och sin oförmåga att göra detsamma.

"Lilla vännen, jag köpte ju nyss en klänning till dig i Oslo ..."

"Men den var ju fodrad, far, du kan väl inte förvänta dig att jag ska gå i en fodrad klänning till festen på lördag, när det är så här varmt ute?"

Hon rynkade förargat ögonbrynen och inväntade reaktionen. Om han mot förmodan bjöd på mer motstånd fick hon darra med läppen, och om inte det hjälpte, ja, då brukade lite tårar göra susen. Men i dag såg han trött ut och hon trodde inte att det skulle krävas mer. Som vanligt fick hon rätt.

"Ja, ja, spring ner till ekiperingen i morgon och beställ den då. Men du kommer att ge din gamle far gråa hår en dag." Han skakade på huvudet, men kunde inte låta bli att le när hon skuttade fram till honom och kysste honom på kinden.

"Seså, sätt dig nu och öva på skalorna. Det är ju inte omöjligt att de ber dig spela lite på lördag, så det är bäst att du är väl förberedd."

Förnöjt slog sig Agnes åter ner på pianopallen och började lydigt träna. Hon kunde redan se det framför sig. Allas blickar skulle vara fästade på henne där hon satt vid pianot i stearinljusens fladdrande sken, iklädd sin nya, röda klänning.

Migränen började äntligen lätta. Järnbandet kring hennes panna löstes gradvis upp och hon kunde försiktigt öppna ögonen. Det var tyst en trappa upp. Skönt. Charlotte vände sig om i sängen och blundade. Njöt av att känna smärtan försvinna och sakta ersättas av en avslappnad känsla i lemmarna.

Efter en stunds vila satte hon sig försiktigt upp på sängkanten och masserade tinningarna. De var fortfarande lite ömma efter attacken och hon visste av erfarenhet att det skulle hålla i sig ett par timmar.

Albin måste sova middag där uppe. Då kunde hon med gott samvete vänta lite med att gå upp. Gud skulle veta att hon behövde all avkoppling hon kunde få. Den ökande stressen de senaste månaderna hade gjort migränanfallen mer frekventa och de sög ur henne den sista energi hon hade.

Hon bestämde sig för att slå en signal till sin medsyster i nöd och höra hur det var med henne. Även om hon själv hade det stressigt för tillfället, kunde hon inte låta bli att bekymra sig över Ericas tillstånd. De hade inte känt varandra så länge, utan hade börjat prata när de upprepade gånger stött på varandra ute på promenad med barnvagnarna. Erica med Maja, och Charlotte med sin åtta månader gamle son Albin. Efter att de konstaterat att de bodde ett stenkast från varandra hade de träffats så gott som varje dag, men Charlotte hade börjat bli mer och mer orolig för sin nyfunna väninna. Hon hade visserligen aldrig träffat Erica innan hon fick barn, men hennes intuition sa henne att det inte var likt väninnan att vara så apatisk och nedstämd som hon oftast var nu. Charlotte hade till och med försiktigt tagit upp frågan om förlossningsdepression med Patrik, men han hade slagit bort det och sagt att det bara var omställningen och att det skulle ordna sig så fort de började få lite rutin.

Hon sträckte sig efter telefonen på nattduksbordet och slog Ericas nummer.

"Hej, det är Charlotte."

Erica lät sömndrucken och dämpad när hon svarade och oron grep åter Charlotte. Det var något som inte var bra. Inte bra alls.

Efter en stund lät Erica dock lite gladare. Även Charlotte tyckte att det kändes skönt att få prata bort några minuter och ännu ett litet tag skjuta upp det oundvikliga – att gå upp till våningen ovanför och verkligheten som väntade henne där.

Som om hon kände på sig vad Charlotte tänkte på, frågade Erica hur det gick med husletandet.

"Långsamt. Alldeles för långsamt. Niclas jobbar jämt verkar det som, och han har aldrig tid att åka runt och titta. Sedan finns det inte så mycket att välja på just nu, så vi blir nog fast här ett bra tag till." Hon undslapp sig en djup suck.

"Du ska se att det ordnar sig." Ericas röst var tröstande, men tyvärr satte Charlotte inte så mycket tilltro till hennes försäkran. Hon, Niclas och barnen hade redan bott ett halvår hos hennes mamma och Stig, och som det såg ut nu så skulle det bli minst ett halvår till. Det visste hon inte om hon skulle orka med. Det gick ju an för Niclas som var på läkarstationen från morgon till kväll, men för Charlotte som satt instängd med barnen var det olidligt.

I teorin hade det låtit så bra när Niclas föreslog det. En distriktsläkartjänst hade blivit ledig i Fjällbacka och efter fem år i Uddevalla hade de känt sig redo för ett miljöombyte. Dessutom var Albin på väg, tillkommen som ett sista försök att rädda deras äktenskap, och varför då inte byta liv helt, börja på ny kula. Ju mer han hade pratat, desto bättre hade det låtit. Och det där med att ha nära tillgång till barnvakt, nu när de skulle ha två barn, lät också lockande. Men verkligheten hade snabbt trängt sig på. Det tog inte mer än några dagar förrän Charlotte mindes exakt varför hon varit så ivrig att flytta hemifrån. Å andra sidan hade vissa saker förändrats på det sätt de hade hoppats. Men det var inget som hon kunde prata med Erica om, hur gärna hon än ville. Det måste förbli en hemlighet, annars kunde det krossa hela deras familj.

Ericas röst avbröt hennes tankar. "Hur går det med mamsen då? Driver hon dig till vansinne?"

"Minst sagt. Allt jag gör är fel. Jag är för sträng mot barnen, jag är för släpphänt mot barnen, jag klär på dem för lite, jag klär på dem för mycket, de får för lite att äta, jag proppar i dem för mycket, jag är för tjock, jag är för slarvig … Listan tar aldrig slut och det står mig upp i halsen."

"Niclas då?"

"Å nej, Niclas är perfekt i mammas ögon. Hon svassar och kuttrar kring honom och tycker synd om honom som har en så värdelös fru. Han kan inte göra något fel vad henne anbelangar."

"Men ser han inte hur hon behandlar dig?"

"Han är ju som sagt aldrig hemma. Och hon skärper sig när han är med ... Vet du vad han sa i går när jag råkade ha fräckheten att beklaga mig för honom? 'Men snälla Charlotte, kan du inte bjussa till lite?' Bjussa till lite? Om jag bjussar till mer blir jag fullkomligt utplånad. Jag blev så förbannad att jag inte har sagt ett ord till honom sedan dess. Så nu sitter han väl på jobbet och tycker synd om sig själv för att han har en så oresonlig fru. Inte konstigt att jag fick världens migränanfall nu på morgonen."

Ett ljud uppifrån fick Charlotte att motvilligt resa sig upp.

"Du, jag måste nog kila upp och ta över Albin. Annars hinner mamma köra hela martyrgrejen innan jag kommer upp ... Men du, jag tittar över i eftermiddag med lite fikabröd. Jag har bara pladdrat på om mitt och inte ens frågat hur du mår. Men jag kommer över sedan."

Hon lade på luren och kammade hastigt till håret innan hon tog ett djupt andetag och gick uppför trappan.

Det var inte så här det skulle vara. Det var inte alls så här det skulle vara. Hon hade plöjt mängder av böcker om att få barn och livet som förälder, men inget av det hon hade läst hade förberett henne på den verklighet hon mötte. Snarare upplevde hon det som om allt som skrevs var en del av en stor komplott. Författarna skrev om lyckohormonerna och hur man svävade som på rosa moln när man fick hålla sitt barn och självklart kände en totalt omstörtande kärlek till det lilla knytet redan vid första anblicken. Visst kunde det nämnas i en bisats att man troligtvis skulle vara tröttare än man någonsin varit tidigare, men även det omgavs av en romantisk gloria och tycktes vara en del av det underbara moderskapspaketet.

Skitsnack! var Ericas ärliga åsikt efter två månader som mamma. Lögn, propaganda och rent ut sagt nonsens! Hon hade aldrig i hela sitt liv känt sig så eländig, trött, arg, frustrerad och sliten som hon gjort sedan Maja kom. Och inte hade hon upplevt någon allomfattande kärlek när det röda, skrikande och, ja, faktiskt fula, knytet lades upp på hennes bröst. Även om moderskänslorna så sakteliga hade börjat komma smygande, kändes det ändå som om en främling hade invaderat hennes och Patriks hem, och ibland ångrade hon nästan deras tilltag att skaffa barn. De hade ju haft det så bra på egen hand, men drabbade av mänsklighetens egoism och önskan om att se sina egna förträffliga gener reproducerade hade de i ett slag förändrat sitt liv och reducerat henne till en dygnet-runt-arbetande mjölkmaskin.

Hur ett så litet barn kunde vara så glupskt övergick hennes fattningsförmåga. Ständigt hängde hon vid Ericas mjölkstinna barm, som dessutom hade exploderat i storlek så att det kändes som om hon bara var två stora, vandrande bröst. Hennes fysik i största allmänhet var heller inget att hurra över. När hon kom hem från BB såg hon fortfarande rejält gravid ut, och kilona hade inte försvunnit i den takt som hon önskat. Enda trösten var att Patrik också hade gått upp i vikt när hon var gravid och åt som en häst, och nu hade även han ett par extra kilon runt midjan.

Tack och lov hade smärtorna nästan helt försvunnit nu, men hon kände sig ständigt svettig, plufsig och allmänt risig. Benen hade inte sett en rakhyvel på åtskilliga månader och hon var i desperat behov av att klippa sig och kanske göra lite slingor för att få bort den musfärgade nyansen på hennes vanligtvis ljusa, axellånga hår. Erica fick något drömskt i blicken, men sedan trängde sig verkligheten på. Hur fan skulle hon kunna komma iväg och göra det? Åh, vad hon avundades Patrik, som åtminstone under åtta av dygnets timmar fick vara i den riktiga världen, de vuxna människornas värld. Själv umgicks hon nu mestadels med Ricki Lake och Oprah Winfrey, likgiltigt zappande med fjärrkontrollen medan Maja sög och sög och sög.

Patrik försäkrade henne om att han hellre skulle ha velat vara hemma hos henne och Maja än gå till jobbet, men hon såg i ögonen på honom att det han egentligen kände var lättnad över att få fly deras lilla värld en stund. Och hon förstod honom. Samtidigt fick det en känsla av bitterhet att växa fram. Varför skulle hon behöva dra ett så tungt lass i något som var följden av ett gemensamt beslut och borde ha varit ett gemensamt projekt? Borde inte han bära en lika stor del av bördan som hon?

Så varje dag höll hon noga reda på den tid då han lovat att han skulle komma hem. Om han var bara fem minuter sen kröp det i henne av irritation och om han dröjde ännu längre kunde han vänta sig en rejäl skopa ovett. Så fort han kom innanför dörren slängde hon över Maja i armarna på honom, om hemkomsten sammanföll med ett av de sällsynta avbrotten i sejourerna vid bröstet, och stöp i säng med öronproppar, för att under en liten stund få slippa ljudet av barnskrik.

Erica suckade där hon satt med telefonen i handen. Allt kändes så hopplöst. Men pratstunderna med Charlotte var ett välkommet avbrott i tristessen. Som tvåbarnsmor var hon en stadig klippa att luta sig mot och full av lugnande försäkringar. Skam till sägandes var det också rätt skönt att få höra om hennes vedermödor, istället för att bara fokusera på sina egna.

Det fanns förstås ytterligare en oroskälla i hennes liv. Systern Anna. Hon hade bara talat med henne vid enstaka tillfällen sedan Maja föddes och hon kände på sig att något inte var som det skulle. Anna lät dämpad och avlägsen när de pratade i telefon, men försäkrade att allt var bra. Och Erica var så innesluten i sina egna dimmor att hon inte orkade pressa systern. Men något var fel, det var hon säker på.

Hon slog bort de jobbiga tankarna och bytte bröst, vilket fick Maja att gny en aning. Håglöst tog hon upp fjärrkontrollen och bytte till den kanal som snart skulle börja visa Glamour. Det enda hon hade att se fram emot var eftermiddagens fika med Charlotte.

Med häftiga tag rörde hon om i soppan. Allt skulle hon göra här hemma. Laga mat, städa och passa upp. Men Albin hade åtminstone äntligen somnat. Hennes anletsdrag mjuknade vid tanken på dottersonen. Han var allt en riktig liten ängel. Gav knappt ett ljud ifrån sig. Inte alls som den andra. En rynka framträdde i pannan på henne och rörelserna blev ännu häftigare, vilket gjorde att små skvättar av soppa for över kanten och ner på spisen där de fräste till och brände fast.

Lilian hade redan förberett en bricka på diskbänken, med glas, djup tallrik och sked. Nu lyfte hon försiktigt kastrullen från spisen och hällde den heta soppan i skålen. Hon drog in doften som steg upp med ångorna och log förnöjt. Kycklingsoppa, det var Stigs favorit. Nu skulle han förhoppningsvis äta med god aptit.

Försiktigt balanserade hon brickan mellan sina händer och öppnade dörren upp till översta våningen med hjälp av armbågen. Ständigt detta flängande i trappor, tänkte hon irriterat. En dag skulle hon ligga där med brutet ben och då skulle de få se hur svårt det var att klara sig sig utan henne som gjorde allt åt dem likt en inneboende slav. Just i detta ögonblick låg till exempel Charlotte nere i källarvåningen och latade sig, med någon dålig ursäkt om migrän. Migrän pyttsan, om det var någon som hade migrän så var det väl hon själv. Hur Niclas stod ut, det förstod hon bara inte. Hela dagarna arbetade han hårt på läkarstationen och gjorde sitt bästa för att försörja familjen, för att sedan komma hem till källarvåningen där det såg ut som om en bomb briserat. Bara för att de bodde där tillfälligt, kunde man väl ändå begära att få ha lite snyggt och ordnat runt sig. Och Charlotte hade dessutom mage att kräva att han skulle hjälpa henne att ta hand om barnen när han kom hem på kvällen. Vad hon istället borde göra var att låta honom ta igen sig efter en hård arbetsdag, låta honom sitta i fred framför TV:n och hålla ungarna undan så gott det gick. Inte konstigt att den stora flickan var helt omöjlig. Hon såg väl med vilken bristande respekt hennes mor behandlade hennes far, och då kunde resultatet inte bli annorlunda.

Med bestämda kliv tog hon sig uppför de sista trappstegen till övervåningen och gick med brickan mot gästrummet. Där hade hon installerat Stig när han blev sjuk, det gick inte an att ha honom stånkande och stönande inne i sovrummet. Skulle hon orka sköta honom ordentligt var hon tvungen att se till att få sin nattsömn.

"Älskling?" Hon sköt försiktigt upp dörren. "Inte sova nu, här kommer jag med lite soppa. Det är din favorit. Kycklingsoppa."

Stig besvarade svagt hennes leende. "Jag är inte hungrig, kanske senare", sa han matt.

"Dumheter, du blir aldrig frisk om du inte äter ordentligt. Se så, sätt dig upp lite nu, så ska jag mata dig."

Hon hjälpte honom upp i halvsittande ställning och slog sig ner på sängkanten bredvid honom. Som om han vore ett barn matade hon honom med soppa och torkade med jämna mellanrum bort det som rann ut igen i mungiporna.

"Se där, det var väl inte så dumt? Jag vet precis vad det är min älskling behöver, och äter du bara ordentligt ska du se att du snart är på benen igen."

Åter igen samma matta leende till svar. Lilian hjälpte honom ner i liggande ställning igen och drog upp filten över benen på honom.

"Doktorn?"

"Men snälla raringen, har du helt glömt bort? Det är ju Niclas som är doktorn nu, så vi har en alldeles egen doktor här i huset. Han tittar säkert in till dig i kväll. Han skulle också gå igenom din diagnos igen, sa han, och konsultera någon kollega i Uddevalla, så det här ska nog snart ordna sig ska du se."

Med en sista beskäftig omstoppning av sin patient tog Lilian brickan med den nu tomma soppskålen och gick mot trappan. Hon skakade på huvudet. Nu var hon tvungen att vara sjuksköterska dessutom, ovanpå allt annat hon måste ta hand om.

En knackning annonserade att någon stod utanför dörren och hon skyndade sig nedför trappan.

Handen föll tungt mot dörren. Runt omkring dem hade vinden med förbluffande hastighet blåst upp sig till stormstyrka. Små fina vattendroppar föll över dem som regn, men de kom inte ovanifrån utan bakifrån, en tunn sky av vatten som stormbyarna piskat upp på land. Allt runt dem hade blivit grått. Himlen hade en ljust grå nyans med stråk av mörkare grå moln och det smutsbruna havet var långt ifrån sitt somriga, blåa gnistrande jag och hade nu vågtoppar prydda av vitt skum. Det gick vita gäss på havet, som Patriks mamma brukade säga.

Dörren öppnades framför dem och både Patrik och Martin drog djupt efter andan i ett försök att hitta den extra kraftreserv som skulle kunna finnas inuti dem. Kvinnan framför dem var huvudet kortare än Patrik, mycket, mycket smal och hade kortklippt, permanentat hår, jämnt tonat i en obestämbar brun nyans. Ögonbrynen var aningen för hårt plockade och hade ersatts med ett par streck med kajalpennan, vilket gav henne ett lätt komiskt utseende. Men inget var komiskt med den situation de stod inför.

"Hej, vi kommer från polisen. Vi söker Charlotte Klinga."

"Det är min dotter. Vad gäller saken?"

Hon hade aningen för gäll röst för att den skulle vara behaglig och Patrik hade hört tillräckligt om Charlottes mor genom Erica för att förstå hur påfrestande det måste vara att höra den hela dagarna. Men alla sådana futtigheter skulle snart komma att förlora sin betydelse.

"Vi skulle gärna vilja att ni hämtade henne."

"Ja, men vad är det fråga om?"

Patrik insisterade. "Vi vill gärna prata med er dotter först. Skulle ni kunna vara så snäll och ..." Han avbröts av steg i trappan och sekunden efteråt såg han Charlottes välbekanta ansikte dyka upp i dörröppningen.

"Nej, men hej, Patrik! Vad kul att se dig! Vad gör du här?"

Med ens drog oro över hennes ansikte.

"Har det hänt Erica något? Jag pratade ju med henne nyss och hon lät ganska okej, tyckte jag ..."

Patrik höll avvärjande upp handen. Martin stod tyst vid hans sida och hade fixerat blicken på ett kvisthål i golvet. Han älskade vanligtvis sitt yrke, men just i denna stund förbannade han det ögonblick då han valt det.

"Skulle vi kunna komma in?"

"Nu gör du mig orolig, Patrik. Vad är det som har hänt?" En tanke slog henne.

"Är det Niclas, har han råkat ut för någon bilolycka, eller?"

"Vi går in först."

Eftersom varken Charlotte eller hennes mor verkade förmögna att röra sig ur fläcken tog Patrik kommandot och gick före in i köket med Martin i släptåg. Han noterade förstrött att de inte tagit av sig skorna och säkert lämnade blöta och smutsiga fotspår efter sig. Men lite smuts skulle inte heller spela någon roll nu.

Han tecknade åt Charlotte och Lilian att sätta sig mittemot dem vid köksbordet och de lydde stumt.

"Jag är ledsen, Charlotte, men jag har …", han tvekade, "hemska nyheter att komma med." Orden rullade stelt över tungan. Ordvalet kändes redan fel, men fanns det något rätt sätt att säga det han måste säga?

"För en timme sedan fann en hummerfiskare en liten flicka, drunknad. Jag är så, så ledsen, Charlotte …" Sedan fann han sig oförmögen att fortsätta. Trots att orden fanns i hjärnan var de så fasansfulla att de vägrade komma ut. Men han behövde inte säga mer.

Charlotte drog efter andan, med ett rosslande, gutturalt ljud. Hon grep tag om bordsskivan med båda händerna, som för att hålla sig upprätt, och stirrade med tomma, uppspärrade ögon på Patrik. I stillheten i köket kändes det som om det enda, rosslande andetaget ljöd högre än ett skrik och Patrik svalde för att hålla borta tårarna och få rösten stadig.

"Det måste vara ett misstag. Det kan inte vara Sara!" Lilian tittade vilt fram och tillbaka mellan Patrik och Martin, men Patrik skakade bara svagt på huvudet.

"Jag är ledsen", upprepade han återigen, "men jag såg flickan nyss och det är ingen tvekan om att det är Sara."

"Men hon skulle ju gå över till Frida och leka, sa hon. Jag såg henne gå åt det hållet. Det måste vara ett misstag. Hon är säkert där och leker." Som i dvala reste sig Lilian från köksstolen och gick fram till telefonen som var upphängd på väggen. Hon kollade upp ett telefonnummer i adressboken som hängde bredvid och slog det rappt.

"Hej, Veronika, det är Lilian. Du, har du Sara där?" Hon lyssnade någon sekund och släppte sedan luren rakt ner, så att den blev hängande i sin sladd, vajande fram och tillbaka.

"Hon har inte varit där." Tungt satte hon sig ner igen vid bordet och tittade hjälplöst på poliserna mittemot henne.

Skriket kom som från ingenstans och både Patrik och Martin hoppade högt. Charlotte skrek rakt ut, utan att röra sig och med ögon som inte verkade se. Det var primitivt, högt och gällt och huden knottrade sig av den råa smärta som obarmhärtigt drev fram skriket.

Lilian kastade sig fram mot sin dotter och försökte lägga armarna om henne, men Charlotte slog bryskt bort dem.

Patrik försökte överrösta skriket. "Vi har försökt få tag på Niclas, men han var inte på läkarstationen, så vi fick lämna ett meddelande till honom om att han ska komma hem så fort han kan. Och prästen är på väg." Han riktade orden mer mot Lilian än Charlotte, som inte längre var kontaktbar. Patrik insåg att han hade skött det illa, han borde ha sett till att en läkare som kunde ge lugnande fanns till hands, men problemet var ju att flickans far var Fjällbackas läkare och att de inte hade lyckats få tag på honom. Han vände sig mot Martin.

"Ring läkarstationen och se om du kan få hit sköterskan omedelbart. Och be henne ta med lugnande."

Martin gjorde som han bad, lättad över att få en ursäkt att lämna köket ett ögonblick. Tio minuter senare klev Aina Lundby in utan att knacka. Hon gav Charlotte en lugnande tablett, ledde henne med hjälp av Patrik varligt in i vardagsrummet och lade henne på soffan.

"Ska inte jag också få något lugnande?" bad Lilian. "Jag har alltid haft dåliga nerver och något sådant här ..."

Distriktssköterskan, som såg ut att vara jämnårig med Lilian, fnyste bara och ägnade sig åt att med moderlig omsorg stoppa om Charlotte med en filt då hon låg och hackade tänder som om hon frös.

"Du klarar dig nog utan", sa hon och samlade ihop sina saker.

Patrik vände sig till Lilian och frågade lågt: "Vi skulle nog behöva prata med mamman till den kompis som Sara skulle gå till. Vilket hus är det?"

"Det blå här strax bredvid", sa Lilian utan att titta honom i ögonen.

När prästen knackade på dörren några minuter senare kände Patrik att han och Martin inte kunde göra mer. De lämnade huset som de genom sitt besked försatt i sorg och satte sig i bilen på uppfarten, men utan att starta den.

"Fy fan", sa Martin.

"Ja, fy fan", sa Patrik.

Kaj Wiberg kikade ut genom köksfönstret som vette mot Florins uppfart. "Vad har kärringen hittat på nu då?" sa han retligt.

"Vad då?" ropade hans hustru Monica från vardagsrummet.

Han vände sig till hälften åt hennes håll och ropade tillbaka: "Det står en polisbil parkerad utanför Florins. Jag kan ge mig fan på att det är något jäkelskap på gång. Den kärringen har jag fått för mina synders skull."

Monica kom oroligt in i köket. "Tror du verkligen det, att det är oss det gäller. Vi har ju inte gjort något." Hon höll på att kamma sin släta, blonda page, men hejdade sig med kammen i luften och kikade också hon ut genom fönstret.

Kaj fnös. "Försök tala om det för henne. Nåja, vänta bara tills kammarrätten ger mig rätt om balkongen, då står hon där med lång näsa. Hoppas det blir riktigt dyrt för henne att riva den."

"Ja, men gör vi verkligen rätt med det där, Kaj? Jag menar, den sticker bara några centimeter in över vår tomtgräns och den stör ju egentligen inte. Och nu när stackars Stig ligger sjuk och allt."

"Sjuk, jo, jag tackar, jag. Jag skulle också ha blivit sjuk om jag hade tvingats bo ihop med den där jävla satkärringen. Och rätt ska vara rätt. Bygger de en balkong som går in på våra ägor, så ska de betala för det också, eller riva fanskapet. De tvingade oss att hugga ner trädet, gjorde de inte? Vår fina gamla björk, reducerad till brasved, bara för att Lilian Florin tyckte att den skymde hennes havsutsikt. Eller var det inte så, har jag missuppfattat något?" Han vände sig hätskt mot sin hustru, uppeldad vid minnet av alla de oförrätter som begåtts under de tio år som de hade varit grannar med Florins.

"Jovisst, Kaj, du har rätt." Monica slog ner blicken, väl medveten om att reträtt var bästa försvar när hennes make blev på det här humöret. Lilian Florin var för honom vad ett rött skynke var för en tjur, och det gick inte att tala med honom om vett och reson när hon kom på tal. Fast Monica var tvungen att erkänna att det inte bara var Kajs fel att det hade blivit så mycket bråk. Hon var inte lätt att tas med, Lilian, och hade hon bara låtit dem vara i fred, så skulle det aldrig ha blivit så här. Istället hade hon dragit dem genom de rättsliga instanserna för alltifrån felaktigt dragna tomtgränser, en stig som gick genom hennes tomt på baksidan av huset, en friggebod som hon ansåg låg alldeles för nära hennes ägor och inte minst den fina björken som de hade tvingats hugga ner för ett par år sedan. Och alltihop hade satt igång när de började bygga det hus de nu bodde i. Kaj hade precis sålt sitt företag i kontorsmaterialbranschen för ett antal miljoner och de hade bestämt sig för att gå i tidig pension, sälja huset i Göteborg och slå sig ner i Fjällbacka där de alltid hade tillbringat somrarna. Men så värst mycket lugn hade de inte fått. Lilian hade haft tusen invändningar mot nybygget och fått igång protestlistor och överklaganden för att försöka hindra dem. När hon inte lyckades stoppa dem, så hade hon börjat bråka med dem om allt hon kunde hitta på. I kombination med Kajs häftiga humör, så hade det fått grannfejden att eskalera bortom all vett och sans. Balkongen som Florins byggt var bara det senaste tillhygget i kampen, men att familjen Wiberg såg ut att kunna få rätt hade gett Kaj ett överläge som han gärna utnyttjade.

Kaj viskade upphetsat där han stod och kikade bakom gardinen. "Nu kommer det två killar ut från huset och sätter sig i polisbilen. Nu ska du se att de kommer och knackar på hos oss vilken minut som helst. Nåja, vad det än gäller så ska de få höra hur det egentligen ligger till. Och Lilian Florin är inte den enda som kan göra en polisanmälan. Stod hon inte och skrek okvädingsord över häcken för ett par dagar sedan och sa att hon skulle se till att jag fick vad jag förtjänade? Olaga hot, tror jag sådant kallas. Det kan bli fängelse för sådant..." Kaj slickade sig om läpparna av upphetsning inför den förestående kampen och rustade till strid.

Monica suckade, retirerade in till sin plats i fåtöljen i vardagsrummet, plockade upp en damtidning och började läsa. Hon orkade inte bry sig längre.

"Ska vi inte lika gärna åka och prata med kompisen och hennes mamma? Vi är ju ändå här."

"Jovisst", suckade Patrik till svar och lade in backen. Det var egentligen onödigt att ta bilen, de skulle bara förflytta sig några uppfarter åt höger, men han ville inte blockera Florins garageuppfart om Saras pappa snart kom hem.

Med allvarliga miner knackade de på dörren till det blå huset, som låg bara tre hus bort. En flicka i uppskattningsvis samma ålder som Sara öppnade dörren.

"Hej, är det du som är Frida?" sa Martin med vänlig röst. Hon nickade bara till svar och steg åt sidan för att släppa in dem. De stod tafatta i hallen en stund medan Frida betraktade dem under lugg. Illa till mods sa Patrik till slut: "Har du mamma hemma?"

Inte heller nu sa flickan något, utan sprang in en bit i hallen och till vänster in i ett rum som Patrik gissade var köket. Ett lågt mumlande hördes och sedan kom en mörk kvinna i trettioårsåldern och mötte dem. Ögonen flackade oroligt och hon tittade med undrande blick på de två männen som stod i hennes hall. Patrik insåg att hon inte visste vilka de var.

"Vi är från polisen", sa Martin, som uppenbarligen fått samma tanke. "Skulle vi kunna få komma in? Och gärna prata lite i enskildhet någonstans." Han tittade menande på Frida, och hennes mamma bleknade när hon drog sina egna slutsatser om varför de inte ansåg att det de skulle prata om var lämpligt för dotterns öron.

"Frida, gå upp och lek på ditt rum."

"Men mamma ...", protesterade barnet.

"Inga protester. Gå upp på ditt rum och stanna där tills jag ropar på dig."

Flickan såg ut att ha god lust att fortsätta protestera, men en klang av stål i moderns röst talade om för henne att detta var en av de strider hon inte skulle komma att vinna. Surmulet släpade hon sig uppför trappan och slängde då och då ett hoppfullt ögonkast ner på de vuxna för att se om de möjligtvis ändrat sig. Ingen rörde sig förrän hon hade nått översta trappsteget och dörren till hennes rum hade slagit igen bakom henne.

"Vi kan sitta i köket."

Hon gick före och visade in dem i ett stort och trevligt kök, där tilllagandet av lunchen uppenbarligen hade påbörjats.

De tog artigt i hand och presenterade sig med namn och satte sig sedan vid köksbordet. Fridas mamma började plocka fram koppar ur skåpen, hälla upp kaffe och lägga fram kakor på ett fat. Patrik såg att hennes händer darrade när hon utförde sysslorna och han insåg att hon i ytterligare en kort stund ville skjuta upp vissheten om vad de kommit för att säga. Men till slut fanns ingen återvändo och hon satte sig tungt på en stol mittemot dem.

"Det har hänt Sara något, inte sant? Varför skulle Lilian annars ringa och lägga ifrån sig luren så där?"

Patrik och Martin satt tysta några sekunder för länge eftersom båda hoppades att den andre skulle börja, och bekräftelsen den tystnaden gav fick tårar att stiga upp i Veronikas ögon.

Patrik harklade sig. "Ja, tyvärr måste jag meddela att Sara har hittats drunknad nu på förmiddagen."

Veronika drog efter andan, men sa inget.

Patrik fortsatte: "Det verkar vara en olyckshändelse, men vi vill höra oss för lite, för att se om vi kan få klarhet i exakt hur det har gått till." Han tittade på Martin som satt redo med block och penna.

"Enligt Lilian Florin skulle Sara ha kommit hit och lekt med er dotter Frida i dag? Var det något som var överenskommet flickorna emellan, eller? Det är ju dessutom måndag, så varför var de inte i skolan?"

Veronika stirrade ner i bordet. "De var båda lite sjuka i helgen, så Charlotte och jag bestämde oss för att hålla dem hemma från skolan, men vi tyckte ändå att det var okej att de lekte med varandra. Sara skulle komma någon gång under förmiddagen."

"Men hon kom aldrig?"

"Nej, hon kom aldrig." Veronika fortsatte inte och Patrik var tvungen att själv fråga vidare för att få ett mer uttömmande svar.

"Undrade ni inte när hon inte dök upp? Varför ringde ni inte och frågade efter henne, till exempel?"

Veronika tvekade. "Sara var lite … vad ska jag säga … speciell. Hon gjorde lite vad som föll henne in. Det hände ganska ofta att hon inte kom hit som överenskommet och att hon plötsligt fick för sig att hon hellre ville göra något annat. Flickorna har av och till varit lite osams på grund av det där, tror jag, men jag har inte velat lägga mig i det. Enligt vad jag har hört så har Sara något av de där bokstavsproblemen och då ska man väl inte göra saken värre …" Hon satt och slet en servett i små, små bitar och en liten vit hög av papper hade bildats på bordet framför henne.

Martin tittade upp från blocket och rynkade ögonbrynen. "Bokstavsproblemen, vad menas med det?"

"Ja, du vet, det där som var och varannan unge verkar ha nuförtiden, DAMP, ADHD, MBD och allt vad det nu heter."

"Varför tror du att Sara hade det?"

Hon ryckte på axlarna. "Folk säger det. Och jag tyckte att det verkade stämma rätt bra. Sara kunde vara helt omöjlig att ha att göra med, så antingen var det det, eller så är det ingen som har uppfostrat henne ordentligt." Hon ryckte till när hon hörde sig själv tala så om en död flicka och slog hastigt ner blicken. Med än större frenesi återgick hon till att slita isär servetten och det fanns snart inte mycket kvar av den.

"Så ni har inte sett Sara överhuvudtaget på förmiddagen? Och inte hört ifrån henne på telefon heller?"

Veronika skakade på huvudet.

"Och du är säker på att detsamma gäller för Frida?"

"Ja, hon har varit hemma med mig hela tiden, så om hon hade pratat med Sara så skulle jag ha märkt det. Hon surade dessutom en del för att Sara aldrig dök upp, så jag är helt säker på att de inte talats vid."

"Ja, nej, då har väl inte vi så mycket mer att fråga om."

Med lätt darrande röst frågade Veronika: "Hur mår Charlotte?"

"Som man kan vänta sig under omständigheterna", var det enda svar Patrik kunde ge henne.

I Veronikas ögon såg han avgrunden öppnas som alla mödrar måste uppleva när de för en kort sekund ser sitt eget barn förolyckat. Och han såg också lättnaden över att det drabbat någon annans barn och inte hennes eget. Det var inget han klandrade henne för. Hans egna tankar hade alltför ofta gått till Maja under den senaste timmen och syner av hennes slappa och livlösa kropp hade trängt sig på och fått hans hjärta att hoppa över några slag. Också han var tacksam över att det var någon annans barn som drabbats och inte hans eget. Det var inte hedervärt, men mänskligt.

Strömstad 1923

Han gjorde en van bedömning av var stenen lättast skulle klyvas och lät sedan hammaren falla ner mot kilen. Mycket riktigt, graniten klöv sig precis där han beräknat. Det var något som erfarenheten hade lärt honom genom åren, men det kunde också till stor del tillskrivas naturlig fallenhet. Antingen hade man det eller också inte.

Anders Andersson hade älskat berget sedan första gången han fick komma och jobba i stenbrottet som liten pojke, och berget älskade honom. Men det var ett yrke som tog hårt på en man. Stendammet förstörde lungorna alltmer för vart år som gick och flisor sprang ur stenen och kunde förstöra synen på en dag, eller grumla den över tiden. På vintern frös man och då det inte gick att göra ett ordentligt jobb med vantar på, fick fingrarna frysa tills det kändes som om de skulle falla av, och på sommaren svettades man våldsamt i den stekande hettan. Ändå fanns det inget han hellre skulle göra. Vare sig han klöv tvåöringar, de fyrkantiga stenar som skulle läggas samman till vägar och även kallades knott, eller fick förmånen att arbeta med något mer avancerat, så älskade han varje arbetsam, smärtsam minut, för han visste att han gjorde det som han var född att göra. Ryggen värkte redan vid tjugoåtta års ålder och hostade som en tok gjorde han vid minsta väta, men koncentrerade han sig bara på uppgiften framför sig, så glömde han krämporna och kände bara stenens kantiga hårdhet under fingrarna.

Graniten var den vackraste bergart han visste. Han hade kommit till Bohuslän från Blekinge, så som många andra stenhuggare gjort genom åren. Graniten i Blekinge var betydligt mer svårbearbetad än i de norska gränstrakterna, och därför åtnjöt blekingarna högt anseende, tack vare den skicklighet de byggt upp genom att arbeta med ett räligare material. Tre år hade han varit här och graniten hade dragit honom till sig redan från början. Det var något med det rosa som stod mot det grå, och den finurlighet som krävdes för att klyva den rätt, som tilltalade honom. Ibland pratade han med den när han arbetade, lirkade med den om det var ett ovanligt komplicerat stenstycke, och smekte den kärleksfullt om den var lättarbetad och mjuk som en kvinna.

Inte för att han hade saknat erbjudanden från den äkta varan. Liksom de andra ogifta stenhuggarna hade han haft sina förlustelser när tillfälle bjöds, men ingen kvinna hade tilltalat honom så där så att hjärtat hoppade i bröstet. Och då fick det vara. Han redde sig bra på egen hand, och han var omtyckt av de andra karlarna i arbetslaget, så han bjöds ofta hem och fick sig ett mål tillagat av kvinnohand ändå. Och så hade han ju stenen. Den var både vackrare och trofastare än de flesta kvinnfolk han stött på, och de hade ett gott partnerskap.

"Hördu Andersson, kan du komma hit ett slag?"

Anders avbröt sitt arbete med det stora blocket och vände sig om. Det var förmannen som ropade på honom och som alltid fick det förväntan att blandas med skräck. Om förmannen ville en något var det antingen goda nyheter eller dåliga. Antingen mer jobb, eller besked att man fick gå hem från stenbrottet med mössan i hand. Anders trodde i och för sig mer på det förra alternativet. Han visste att han var duktig i sitt yrke och det fanns nog andra som borde få sparken före honom om arbetsstyrkan skulle skäras ner, men å andra sidan var det inte alltid logiken som fick råda. Politik och maktutövning hade skickat hem mången god stenhuggare, så säker kunde man aldrig vara. Hans starka engagemang i fackföreningsrörelsen gjorde honom dessutom sårbar när arbetsgivaren behövde göra sig av med folk. Politiskt aktiva stenhuggare stod inte högt i kurs.

Han slängde ett sista ögonkast på stenblocket innan han gick för att möta förmannen. Man arbetade på ackord, och varje avbrott i arbetet innebar minskad inkomst. För just det här arbetet fick han betalt två öre stenen, därav namnet tvåöring, och han skulle få jobba hårt för att ta igen förlorad tid om förmannen blev långrandig.

"God dag, Larsson", sa Anders och bockade med mössan i hand. Förmannen höll hårt på protokollet och att inte visa honom den respekt han ansåg sig förtjäna hade visat sig vara ett nog så gott skäl till avsked på grått papper.

"God dag, Andersson", muttrade den rundlagde mannen medan han drog sig i mustaschen.

Anders väntade spänt på fortsättningen.

"Jo, det är så att vi fått en order på en stor bautasten från Frankrike. Den ska bli staty och vi tänkte sätta dig på att hugga ut stenen."

Hjärtat hamrade av glädje i bröstet på honom. Men samtidigt kände han en ilning av skräck. Det var en stor möjlighet att få ansvaret för att hugga ut råmaterialet till en staty, det kunde ge betydligt mycket mer pengar än det vanliga arbetet och var både roligare och mer utmanande. Men samtidigt var det en enorm risk. Han stod som ansvarig fram till dess att statyn skeppats iväg och gick något fel fick han inte ett öre betalt för det arbete han lagt ner. Ryktet gick om en stenhuggare som hade fått två statyer att hugga och precis när han var i slutskedet av arbetet fick han felhugg på båda. Det sas att han hade blivit så förtvivlad att han tagit livet av sig och efterlämnat änka och sju barn. Men sådana var villkoren. Det var inget han kunde göra något åt och tillfället var för bra för att tacka nej till.

Anders spottade i näven och sträckte fram den åt förmannen, som gjorde detsamma så att händerna förenades i ett fast handslag. Så var det bestämt. Anders skulle basa över arbetet med bautastenen. Det oroade honom en aning vad de andra i brottet skulle säga. Det var många som hade betydligt fler år i yrket än vad han hade, och säkerligen skulle en och annan muttra att uppdraget borde ha gått till en av dem, särskilt som de till skillnad från honom hade familjer att försörja och skulle ha sett pengarna från beställningen som ett välkommet tillskott inför vintern. Samtidigt visste alla att den skickligaste stenhuggaren av dem alla var Anders, så ung han var, och den vetskapen skulle dämpa det mesta av förtalet. Anders skulle dessutom få välja ut några av dem till att arbeta med honom och han hade tidigare visat att han gjorde kloka avvägningar mellan vem som var skicklig och vem som var i störst behov av pengar.

"Kom ner på kontoret i morgon, så får vi prata om detaljerna", sa förmannen och tvinnade mustaschen. "Arkitekten kommer inte förrän framåt vårkanten, men vi har fått ritningarna och kan börja grovplaneringen."

Anders grinade illa. Det skulle säkert ta ett par timmar att gå igenom ritningarna och det betydde ännu mer avbrott i det arbete han höll på med för tillfället. Han skulle behöva varje öre nu, för villkoren var sådana att arbetet med bautastenen betalades i efterskott, när allt var klart. Det innebar att han skulle få vänja sig vid ännu längre arbetsdagar då han fick försöka hinna hugga knott vid sidan av. Men det ofrivilliga avbrottet var inte enda orsaken till att han inte var så glad över att behöva bege sig ner till kontoret. På något sätt kände han sig alltid obekväm när han kom in där. Människorna som jobbade där hade så lena, vita händer och de rörde sig så försiktigt i sina fina kontorskläder, medan han kände sig som en grovhuggen bjässe. Och trots att han var noga med renligheten, kunde det inte hjälpas att lorten liksom hade satt sig i skinnet på honom. Men det som måste göras, måste göras. Han fick masa sig ner dit och få det gjort, sedan kunde han gå tillbaka till brottet igen, där han kände sig hemma.

"Då ses vi i morgon då", sa förmannen och vägde fram och tillbaka på fötterna. "Vid sju. Var inte sen", sa han förmanande och Anders nickade bara. Det var ingen risk. En sådan här chans fick man inte ofta.

Med ny spänst i stegen gick han tillbaka till stenen som han arbetade med. Glädjen fick honom att klyva stenen som smör. Livet var gott.

Hon snurrade genom rymden. Fritt fall bland planeter och himlakroppar som spred ett milt sken runt omkring sig när hon for förbi dem. Drömscener blandades med små glimtar av verklighet. I drömmarna såg hon Sara. Hon log. Den lilla bebiskroppen hade varit så perfekt. Alabastervit med långa, känsliga fingrar på de små händerna. Redan under de första minuterna av sitt liv hade hon greppat tag om Charlottes pekfinger och hållit i det som om det var det enda som höll henne fast i den nya, skrämmande världen. Och kanske var det så. För det fasta taget om hennes pekfinger hade känts som ett i förlängningen ännu hårdare grepp om hennes hjärta. Ett grepp som hon redan då hade vetat skulle vara livet ut.

Nu passerade hon solen på sin väg över himlavalvet och dess starka sken påminde henne om färgen på Saras hår. Rött som eld. Rött som djävulen själv, hade någon sagt på skämt, och hon mindes i drömmen att hon inte hade uppskattat det skämtet. Det fanns inget djävulskt över barnet som hade legat i hennes armar. Inget djävulskt över det röda håret som i början stod rakt upp som på en punkare, men som med åren tjocknade och föll ner över axlarna allt eftersom det växte.

Men nu trängde mardrömmarna undan både känslan av barnets fingrar runt hennes hjärta och synen av det röda håret som dunsade mot Saras smala axlar när hon hoppat runt, full av liv. Istället såg hon håret mörkt av väta, flytande runt Saras huvud som en missbildad gloria. Det vajade av och an och under det såg hon långa, gröna armar av sjögräs som sträckte sig för att nå det. Också havet hade funnit behag i dotterns röda hår och krävt det som sitt. I mardrömmen såg hon det alabastervita mörkna till blått och lila och ögonen var stängda och döda. Sakta, sakta började barnet snurra i vattnet, med tårna pekande mot skyn och händerna knäppta över magen. Sedan ökade farten alltmer och när hon snurrade så fort att små svallvågor bildades på det gråa vattnet, drog sig de gröna armarna tillbaka. Barnet slog upp sina ögon. De var alldeles, alldeles vita.

Skriket som väckte henne verkade komma från en djup avgrund. Först

32

när hon kände Niclas händer på sina axlar som häftigt skakade henne, insåg hon att det var sin egen röst hon hörde. För en kort sekund vällde lättnaden över henne. Allt det onda hade varit en dröm. Sara var välbehållen och levande och det var bara mardrömmarna som hade spelat henne ett elakt spratt. Men så såg hon rakt in i Niclas ansikte och insikten det gav fick ett nytt skrik att byggas upp i bröstet. Han förekom det och drog henne intill sig, så att skriket förvandlades till djupa, hulkande ljud. Hans tröja var våt framtill och hon kände den obekanta lukten av hans tårar.

"Sara, Sara", jämrade hon sig. Trots att hon nu var vaken föll hon fortfarande fritt genom rymden och det enda som höll henne kvar var Niclas armar runt hennes kropp.

"Jag vet, jag vet." Han vaggade henne, och rösten var tjock.

"Var har du varit?" snyftade hon tyst, men han fortsatte bara vagga henne och strök henne med darrande hand över håret.

"Schhh, jag är ju här nu. Sov en stund till."

"Jag kan inte..."

"Jo, du kan. Schhh..." Och han vaggade henne rytmiskt tills mörkret och drömmarna åter föll in över henne.

Nyheten hade spritt sig på stationen medan de var borta. Det var sällsynt med döda barn, någon enstaka bilolycka med många år emellan, och det fanns inget som kunde lägga en sådan sorgestämning över hela huset.

Annika tittade frågande på Patrik när han och Martin passerade receptionen, men han orkade inte prata med någon utan ville bara gå in på sitt rum och stänga dörren om sig. De mötte Ernst Lundgren i korridoren, men inte heller han sa något, så Patrik slank snabbt in till tystnaden i sitt eget lilla krypin och Martin gjorde detsamma. Det fanns inget under yrkesutbildningen som förberedde en på sådana här situationer. Att lämna dödsbud tillhörde polisyrkets absoluta avskrädesuppgifter, och att lämna dödsbud till ett förolyckat barns föräldrar var värre än allting annat. Det trotsade allt vett och all anständighet. Ingen människa borde tvingas komma med sådana bud.

Patrik satte sig vid skrivbordet, vilade huvudet i händerna och blundade. Snabbt öppnade han ögonen igen, då det enda han såg i mörkret bakom ögonlocken var Saras blåaktigt bleka hud och hennes ögon som oseende stirrat upp i skyn. Istället lyfte han fotoramen som stod framför honom och förde glaset så nära ansiktet han kunde. Den första bilden av Maja. Trött och mörbultad, vilande i Ericas armar på BB. Ful, men ändå vacker, på det där unika sättet som bara de som själva sett sitt barn för första gången kan förstå. Och Erica, trött och matt leende, men med en ny rakhet i ryggen och stolthet över att ha presterat något som inte kunde beskrivas som något annat än ett mirakel.

Patrik visste att han var sentimental och patetisk. Men det var först nu under förmiddagen som han hade förstått vidden av det ansvar som ålagts honom i och med dotterns födelse och vidden av både den kärlek och den skräck som det medförde. När han såg den drunknade flickan ligga som en orörlig staty på durken önskade han för ett ögonblick att Maja aldrig hade fötts. För hur skulle han kunna leva med risken att förlora henne?

Han ställde försiktigt tillbaka fotografiet på dess plats på skrivbordet och lutade sig tillbaka i stolen med händerna knäppta bakom huvudet. Att fortsätta med de arbetsuppgifter han påbörjat innan de fick samtalet från Fjällbacka kändes plötsligt totalt meningslöst. Helst skulle han ha velat åka hem och lägga sig i sängen och dra täcket över huvudet resten av dagen. En knackning avbröt de dystra tankebanorna. Han ropade "Kom in!" och Annika sköt försynt upp dörren.

"Hej, Patrik, ursäkta att jag stör. Men jag ville bara säga att de ringde från Rättsmedicin och meddelade att de mottagit kroppen och att vi kommer få rapporten från obduktionen i övermorgon."

Patrik nickade trött. "Tack, Annika."

Hon tvekade. "Kände ni henne?"

"Ja, jag har träffat flickan, Sara, och hennes mamma rätt ofta på sistone. Charlotte och Erica har umgåtts en del sedan Maja föddes."

"Hur verkar det ha gått till?"

Han suckade och pillade planlöst med papprena framför sig utan att titta på Annika. "Hon har drunknat, som du säkert hört. Troligtvis har hon gått ner till bryggorna för att leka, trillat i och sedan inte kunnat komma upp. Vattnet är så kallt att hon säkert blev nedkyld rätt snabbt. Att åka och berätta för Charlotte, det var det jävligaste …" Rösten bröts och han vände sig bort för att Annika inte skulle se hur det hotade att svälla över i ögonvrån.

Försiktigt stängde hon dörren till hans rum och lät honom sitta i fred. Inte heller hon fick mycket gjort en dag som denna.

Erica tittade på klockan igen. Charlotte borde ha kommit för en halv-timme sedan. Hon makade försiktigt på Maja som låg och snusade vid bröstet och sträckte sig efter telefonen. Många signaler gick fram hem-ma hos Charlotte, men ingen svarade. Märkligt, hon måste ha gått ut och glömt att de skulle ses under eftermiddagen. Fast det var inte särskilt likt henne.

Det kändes som om de hade kommit väldigt nära varandra på kort tid. Kanske för att de båda befann sig i ett bräckligt skede av sitt liv, kanske för att de helt enkelt var lika varandra. Det var lustigt egentligen, hon och Charlotte var mycket mer som systrar än hon och Anna någonsin varit. Hon visste att Charlotte bekymrade sig för henne och det kändes tryggt mitt i kaoset. I hela sitt liv hade Erica oroat sig för andra, främst för Anna, och att för en gångs skull få vara den som var liten och rädd kändes underligt befriande. Samtidigt visste hon att Charlotte hade sina egna problem. Det var inte bara det att hon och hennes familj tvingades bo hemma hos Lilian, som inte verkade vara lätt att leva med, utan det kom också något osäkert och ansträngt över Charlottes ansikte varje gång hon pratade om sin man Niclas. Erica hade bara träffat honom som hastigast vid några enstaka tillfällen, men hennes spontana intryck var att det fanns något opålitligt över honom. Eller opålitligt var kanske ett för starkt ord, hon ville snarare beskriva det som en känsla av att Niclas var en av de där människorna som har goda intentioner men som i slut-ändan ändå låter de egna behoven och önskningarna gå före alla andras. En del av det Charlotte berättat hade bekräftat den bilden, även om det mest sas mellan raderna, då hon oftast pratade om sin man i dyrkande termer. Hon såg upp till Niclas och hade vid flera tillfällen sagt rent ut att hon inte kunde förstå vilken tur hon haft, att det var ofattbart att hon var gift med någon som honom. Och visst kunde Erica rent objek-tivt se att han fick högre poäng på utseendeskalan än Charlotte – lång, blond och ståtlig var damernas utlåtande om den nye doktorn – och visst hade han en akademisk utbildning till skillnad från sin fru. Men om man såg till de inre kvaliteterna ansåg Erica att det snarare var tvärtom. Niclas borde tacka sin lyckliga stjärna. Charlotte var en kärleksfull, klok och mjuk människa och så snart Erica lyckats ta sig ur sin apati, skulle hon göra allt för att få Charlotte att förstå det. Tyvärr orkade hon för till-fället inte göra mer än att fundera över väninnans situation.

Ett par timmar senare hade mörkret fallit och stormen uppnått full styrka utanför fönstret. Erica såg på klockan att hon måste ha slumrat till en timme eller två med Maja, som sovande använde henne som napp. Hon skulle precis sträcka sig efter telefonen och ringa Charlotte när hon hörde ytterdörren öppnas.

"Hallå?" Patrik borde inte vara hemma än på en timme eller två, kanske var det Charlotte som äntligen behagade dyka upp.

"Det är jag." Patriks röst hade en tom klang och Erica blev genast orolig.

När han kom in i vardagsrummet blev hon ännu mer bekymrad. Han var grå i ansiktet och ögonen hade ett dött uttryck som inte försvann förrän han fick syn på Maja som fortfarande låg och sov i Ericas famn. Med två stora kliv var han framme vid dem och innan Erica hann reagera hade han svept upp det sovande barnet i sina armar och höll henne hårt, hårt intill sig. Han slutade inte ens när Maja vaknade av chocken över att bli så hastigt upplyft och började skrika allt vad hon förmådde.

"Vad gör du? Du skrämmer ju Maja!"

Erica försökte ta det skrikande barnet från honom för att lugna ner henne, men han parerade hennes försök och kramade bara barnet ännu hårdare. Maja skrek nu hysteriskt och i brist på bättre idéer daskade Erica till Patrik på armen och sa: "Nu får du skärpa dig! Vad är det med dig? Ser du inte att hon är livrädd!"

Då var det som om han vaknade till och han tittade förvirrat ner på dottern som var högröd i ansiktet av ilska och panik.

"Förlåt." Han lämnade över Maja till Erica som desperat försökte vyssja henne till ro igen.

Efter några minuter lyckades hon och skriket övergick till låga snyftningar. Hon tittade på Patrik som hade satt sig i soffan och stirrade ut på stormen.

"Vad är det som har hänt, Patrik?" sa Erica, nu i ett mildare tonfall. Hon kunde inte hindra oron från att krypa in i rösten.

"Vi fick in en anmälan om ett drunknat barn i dag. Härifrån Fjällbacka. Jag och Martin åkte hit." Han tystnade, oförmögen att fortsätta.

"Åh, herregud, vad hade hänt? Vem var det?"

Sedan trillade tankarna ner i hennes huvud, som små brickor som alla föll på plats med en gång.

"Åh, herregud", upprepade hon, "det är Sara, inte sant? Charlotte skulle ha kommit hit och fikat i eftermiddag, men hon dök aldrig upp och ingen har svarat hemma hos henne. Det är så, inte sant, det var Sara ni fann, eller hur?"

Patrik förmådde bara nicka och Erica sjönk ner i fåtöljen för att hindra benen från att vika sig under henne. Framför sig såg hon Sara hoppande i deras vardagsrumssoffa, så sent som häromdagen. Med det långa röda håret flygande kring huvudet och skrattet som bubblade fram som en ostoppbar urkraft.

"Åh, herregud", sa Erica ännu en gång och satte handen för munnen medan hon kände hur hjärtat sjönk som en sten ner i hennes mage. Patrik stirrade envist ut genom fönstret, och hon såg i profil hur hans käkar arbetade.

"Det var så fruktansvärt, Erica. Jag träffade inte Sara så många gånger, men att se henne ligga där i båten, alldeles livlös... Jag såg Maja framför mig hela tiden. Sedan dess har tankarna malt i huvudet på mig, tänk om något sådant skulle hända med Maja. Och att åka och berätta vad som hänt för Charlotte..."

Erica undslapp sig ett kvidande, plågat ljud. Det fanns inga ord inom henne för att beskriva vidden av den medkänsla hon kände med Charlotte, och även med Niclas. Hon förstod med ens Patriks reaktion och fann sig själv trycka Maja hårdare och hårdare intill sig. Hon skulle aldrig släppa henne mer. Hon skulle sitta här med henne i famnen, där hon var trygg, för evigt. Maja vred sig oroligt, på barns känsliga vis uppfattade hon att saker och ting inte var som de skulle.

Utanför fortsatte stormen att rasa och Patrik och Erica bara satt där, länge, betraktande naturens vilda spel. Ingen av dem kunde släppa tankarna på barnet som havet tagit.

Rättsläkare Tord Pedersen tog sig an uppgiften med osedvanligt sammanbiten min. Efter många år i yrket hade han uppnått det antingen åtråvärda eller avskyvärda, beroende på hur man ville se det, förhärdade stadiet, där det mesta av de hemskheter som han bevittnade i arbetet inte lämnade några större spår vid dagens slut. Men det var någonting med att skära i barn som stred emot en urinstinkt inom honom, som övervann all rutin, all erfarenhet som åren som rättsläkare hade gett honom. Det värnlösa hos ett barn rev ner alla skyddsmurar som psyket kunde uppbringa och därför darrade handen lätt när han förde den mot flickans bröstkorg.

Drunknad var det preliminära besked han fått när hon lämnades in och det återstod för honom att bekräfta eller förkasta. Men än så länge fanns det inget han kunde se med blotta ögat som talade emot den dödsorsaken.

Det obarmhärtigt skarpa ljuset i obduktionssalen framhävde hennes blåa blekhet så att det såg ut som om hon frös. Den kalla aluminiumbänken under henne verkade reflektera kylan och Pedersen huttrade till i sina gröna operationskläder. Hon var naken där hon låg och han kände det som om han begick ett övergrepp mot henne när han bände och skar i den försvarslösa kroppen. Men han tvingade sig att skaka av sig den känslan. Han visste att den uppgift han utförde var viktig, både för flickan och hennes föräldrar, även om de kanske inte alltid förstod det själva. Det var nödvändigt för sorgens förlopp att få ett slutgiltigt besked om dödsorsaken. Även om det inte verkade finnas några konstigheter i det här fallet, fanns reglerna där av en orsak. Han visste det på det professionella planet, men som människa var han en far med två pojkar där hemma och han undrade vid tillfällen som detta hur mycket mänsklighet det låg i den syssla han utförde.

Strömstad 1923

"Agnes, jag har bara tråkiga möten i dag. Det är ingen idé att du kommer med."

"Men jag vill följa med i dag. Jag har så tråkigt. Jag har inget att göra."

"Men dina väninnor ..."

"Alla är upptagna", avbröt Agnes tjurigt. "Britta förbereder bröllopet, Laila skulle till Halden med sina föräldrar och hälsa på sin bror, och Sonja måste hjälpa sin mor." Hon tillade med sorgsen stämma. "Ja, tänk den som ändå haft en mor att hjälpa ..." Hon bligade under lugg på sin far. Jo, det tog skruv som vanligt.

Han suckade. "Nåväl, följ med då. Men du måste lova att sitta tyst och stilla och inte fara runt som ett yrväder och prata med personalen. Sist kollrade du fullkomligt bort de stackars gubbarna, det tog flera dagar innan det blev folk av dem igen." Han kunde inte låta bli att le åt sin dotter. Bångstyrig var hon, men grannare jänta kunde man inte hitta på den här sidan gränsen.

Agnes skrattade förnöjt sedan hon ännu en gång gått segrande ur diskussionen och belönade sin far med en kram och en klapp på den stora magen.

"Ingen har en sådan far som jag", kuttrade hon och August skrockade belåtet.

"Vad skulle jag ta mig till utan dig?" sa han halvt på allvar, halvt på skämt och drog henne intill sig.

"Åh, inte behöver du bekymra dig om det. Jag är inte på väg någonstans."

"Nej, inte för tillfället, nej", sa han sorgset och smekte henne över det mörka håret. "Men det dröjer nog inte länge innan det kommer någon karl och stjäl dig från mig. Om du nu kan hitta någon som duger", skrattade han. "Hittills har det varit kräset må jag säga."

"Ja, jag kan ju inte ta vem som helst", skrattade Agnes tillbaka. "Inte med en sådan förebild som jag har haft. Då är det ju inte att undra på att en flicka blir kräsen."

"Seså, flicka lilla, nog med smicker nu", kråmade sig August. "Sätt lite fart om du nu ska med till kontoret. Det duger inte att direktören kommer för sent."

Trots hans förmanande ord tog det nära på en timme innan de kunde komma iväg. Det var en massa bestyr med hår och kläder som först måste ordnas, men när Agnes väl var färdig kunde August inte säga annat än att resultatet var gott. En halvtimme försenade klev de så in på kontoret.

"Ursäkta min sena ankomst", sa August och svepte in i rummet där tre män satt och väntade. "Men jag hoppas ni förlåter mig när ni ser anledningen till min senfärdighet." Han visade med handen på Agnes som klev in tätt bakom honom. Hon var klädd i en röd dräkt, som smet åt kring kroppen och framhävde hennes smala midja. Trots att många flickor hade låtit håret falla för saxen i enlighet med 1920-talets mode, hade Agnes varit klok nog att stå emot, och hennes tjocka, svarta hår var fäst i en enkel chinjong i nacken. Hon visste mycket väl hur hon tog sig ut. Det hade spegeln där hemma talat om för henne och hon utnyttjade det till fullo när hon stannade framför männen, sakta tog av sig handskarna och sedan lät dem ta henne i hand, en efter en.

Med stor tillfredsställelse kunde hon konstatera att effekten inte uteblev. De satt som tre fiskar på rad, med gapande munnar, och de två första höll hennes hand aningen, aningen för länge. Men den tredje var det något annat med. Till sin stora förvåning kände Agnes hur det hoppade till i bröstet på henne. Den stora, grovhuggna mannen tittade knappt upp på henne, och fattade bara hennes hand helt kort. De två andra männens händer hade känts mjuka och nästan kvinnliga mot hennes, men den här mannens hand var annorlunda. Hon kunde känna valkarna som skrapade mot hennes handflata och fingrarna var starka och långa. För ett ögonblick övervägde hon att inte släppa hans hand, men hon sansade sig och nickade bara avmätt mot honom. Ögonen som endast hastigt blickade in i hennes var bruna, och hon gissade på vallonblod i släkten.

Efter att ha hälsat skyndade hon sig att sätta sig på en stol i hörnet och lade händerna i knät. Hon såg att hennes far tvekade. Helst hade han nog velat skicka ut henne ur rummet, men hon anlade sin allra blidaste min och såg bedjande på honom. Som vanligt gjorde han henne till viljes. Ordlöst nickade han att hon kunde stanna och hon beslutade att för ovanlighetens skull sitta tyst som en liten kyrkmus, för att inte riskera att bli utskickad som en barnunge. Det skulle hon inte vilja utsättas för inför den här mannen.

Vanligtvis skulle hon efter en timmes tyst deltagande ha varit gråtfärdig av leda, men inte denna gång. Timmen hade flugit snabbt förbi och när mötet avslutades var Agnes säker på sin sak. Hon ville ha den här mannen, mer än hon någonsin velat ha något.

Och det hon ville ha, det brukade hon få.

"Borde vi inte besöka Niclas?" Astas röst var bedjande. Men hon såg inga tecken på medkänsla i makens stenansikte.

"Han ska aldrig mer nämnas i mitt hus, har jag ju sagt!" Arne stirrade stint ut genom köksfönstret och i blicken fanns bara granit.

"Men efter det som hände med flickan ..."

"Guds straff. Har jag inte sagt att det skulle ske en dag. Nej, det här är hans egen skuld. Hade han lyssnat på mig så skulle det här aldrig ha hänt. Inget ont drabbar gudfruktiga människor. Och nu talar vi inte mer om det här!" Näven slog i bordet med en smäll.

Asta suckade inombords. Nog respekterade hon sin make, och han brukade ju alltid veta bäst, men i det här fallet undrade hon om han inte hade fel. Något i hennes hjärta sa henne att det inte kunde vara förenligt med Guds önskan att de skulle låta bli att hasta till sonens sida när ett så hårt slag drabbat honom. Visserligen hade hon aldrig fått lära känna tösungen, men det var ändå deras eget kött och blod och barn hörde ju Guds rike till, så stod det i Bibeln. Men detta var förstås bara tankar från en ringa kvinna. Arne var ju man och visste bäst. Så hade det alltid varit. Som så många gånger förr behöll hon sina tankar för sig själv och reste sig för att plocka undan efter maten.

Alltför många år hade gått sedan hon träffat sonen. Visst sprang de på varandra ibland, det var ju oundvikligt nu när han hade flyttat tillbaka till Fjällbacka, men hon visste bättre än att stanna och prata med honom. Han hade försökt någon gång, men hon tittade bort och gick bara raskt framåt, så som hon blivit tillsagd. Men hon hade inte slagit ner blicken tillräckligt fort för att undgå att se smärtan som fanns där i ögonen på honom.

Samtidigt stod det ju i Bibeln att man skulle hedra sin fader och sin moder, och det som hände den där dagen för så länge sedan var, såvitt hon kunde se, ett brott mot Guds ord. Därför kunde hon inte släppa in honom i sitt hjärta igen.

Hon betraktade Arne där han satt vid bordet. Fortfarande rak som en fura i ryggen och det mörka håret hade inte tunnats ut, utan hade bara fått gråa stänk, trots att de båda passerat de sjuttio. Jo minsann, tänkte hon, flickorna hade allt sprungit efter honom när de var unga, men Arne hade liksom aldrig varit lagd åt det hållet. Han hade gift sig med henne när hon bara var arton år och henne veterligen aldrig ens tittat åt ett annat håll. I och för sig hade han inte varit särskilt intresserad av det köttsliga hemmavid heller, men hennes mor hade alltid sagt att den delen av äktenskapet var en kvinnas plikt och inte något att glädjas åt, så Asta hade ansett sig lyckligt lottad som inte haft några större förväntningar på sig inom det området.

En son hade det i alla fall blivit. En stor, präktig, blond pojke, som hade varit sin mor upp i dagen men haft få drag efter sin far. Kanske var det därför det hade blivit så fel. Om han varit mer lik sin far, så hade kanske Arne knutit an till pojken mer. Nu hade det inte blivit så. Pojken hade varit hennes redan från första början och hon hade älskat honom så mycket som hon förmått. Men det hade inte räckt. För när den avgörande dagen hade kommit, då hon tvingades välja mellan pojken och hans far, hade hon svikit honom. Hur skulle hon ha kunnat göra annat? En hustru ska stå sin make bi, det hade hon lärt sig sedan barnsben. Men ibland, i mörka stunder, när lampan var släckt och hon låg i sängen och tittade upp i taket och funderade, då kom tankarna. Undringarna över hur någonting som hon lärt sig var rätt kunde kännas så fel. Det var därför det var så skönt att Arne alltid visste hur saker och ting skulle vara. Han hade många gånger talat om för henne att kvinnors vett inte var att lita på och att det därför var mannens uppgift att leda kvinnan. Och det fanns en trygghet i det. Hennes far hade i mångt och mycket varit lik hennes Arne, så en värld där mannen bestämde var den enda värld hon kände. Och han var ju så klok, hennes Arne. Det sa alla. Till och med den nye prästen hade talat väl om Arne häromsistens. Han hade sagt att Arne var den pålitligaste kyrkvaktmästare han någonsin haft förmånen att arbeta med, och att Gud kunde vara tacksam över att ha sådana tjänare. Det hade Arne berättat, pösande av stolthet, när han hade kommit hem. Men det var ju inte för inte som Arne hade varit kyrkvaktmästare i Fjällbacka i tjugo år. Ja, om man nu inte räknade de olycksaliga år då den där kvinnan var präst här. De åren skulle Asta inte vilja ha tillbaka för allt i världen. Tack och lov att hon till slut förstod att hon inte var önskvärd och flyttade på sig till förmån för en riktig präst. Vad stackars Arne hade sörjt under den tiden. För första gången på över femtio år som gifta hade hon sett honom få tårar i ögonen. Tanken

43

på en kvinna i predikstolen i hans älskade kyrka hade nära nog krossat honom. Men han hade också sagt att han litade på att Gud till slut skulle skicka månglarna ur templet. Och även denna gång hade Arne fått rätt.

Hon önskade bara att han på något sätt kunde finna rum i sitt hjärta för att förlåta sonen det som hände. Intill dess skulle hon aldrig mer uppleva en dag av lycka. Men hon insåg också att om han inte kunde förlåta sonen nu, efter det som hänt, så fanns det inget hopp om försoning.

Om hon bara hade hunnit lära känna flickan. Nu var det för sent.

Två dagar hade gått sedan de fann Sara och förstämningen som rått den dagen hade obönhörligen fått ge vika då de tvingats ta itu med de vardagliga uppgifter som inte försvann för att ett barn hade dött.

Patrik satt och skrev de sista raderna i en rapport om en utryckning gällande ett misshandelsfall, när telefonen ringde. Han såg på displayen var samtalet kom ifrån och lyfte luren med en suck. Lika bra att få det överstökat. Rättsläkare Tord Pedersens välkända stämma hördes i andra änden. De utbytte artiga hälsningsfraser innan de kom in på det egentliga ärendet. Första indikationen på att Patrik inte fick höra det han hade förväntat sig dök upp i form av en rynka mellan ögonbrynen. Efter ytterligare någon minut hade den fördjupats och när han fått veta allt som rättsläkaren hade att rapportera slängde han på luren så att det smällde i klykan. Han samlade sig under en minut, medan tankarna rusade härs och tvärs i hans huvud. Sedan reste han sig, tog anteckningsblocket som han gjort några korta noteringar på under samtalet och gick in till Martin. Egentligen borde han väl gå till Bertil Mellberg, chefen på polisstationen, först av alla, men han kände att han behövde dryfta den information han fått med någon han hyste förtroende för. Hans chef tillhörde tyvärr inte den kategorin och av kollegorna var det egentligen bara Martin som kvalade in i denna exklusiva liga.

"Martin?"

Kollegan satt i telefon när Patrik kom in genom dörren, men gestikulerade åt honom att sätta sig ner. Samtalet lät som om det gick mot sitt slut och Martin avslutade det kryptiskt nog med ett lågmält "hmm, jo, jag med, hmmm, detsamma", medan han rodnade från hårfästet och nedåt.

Trots sitt ärende kunde inte Patrik låta bli att retas lite med sin unga kollega. "Och vem pratade du med då?"

Till svar fick han ett ohörbart mummel från Martin, vars ansiktsfärg fördjupades ytterligare.

"Någon som ringde in och anmälde ett brott? Någon av kollegorna i Strömstad? Eller Uddevalla? Eller kanske Leif G. W. som var intresserad av att skriva din biografi?"

Martin vred sig i stolen, men mumlade sedan lite mer hörbart: "Pia."

"Jaså, PIA. Tänk, det hade jag aldrig kunnat gissa. Få se, vad blir det – tre månader, va? Det måste väl vara rekord för dig, eller hur", retades Patrik. Fram till den sommar som gått hade Martin varit känd som något av en specialist på korta och olyckliga kärlekshistorier, vanligtvis på grund av en osviklig förmåga att kära ner sig i redan upptagna objekt som mest var ute efter ett litet äventyr vid sidan om. Men Pia var inte bara ledig, utan dessutom en väldigt trevlig och seriös tjej.

"Vi firar tre månader på lördag." Det gnistrade till i Martins ögon. "Och vi ska flytta ihop. Hon ringde precis och sa att hon hittat en perfekt lägenhet i Grebbestad som vi ska åka och titta på i kväll." Rodnaden bleknade alltmer och han kunde inte dölja hur uppenbart stormförälskad han var.

Patrik mindes hur han och Erica hade varit i början av sitt förhållande. PB. Pre Bäbis. Han älskade henne vansinnigt, men den där stormande förälskelsen kändes med ens avlägsen som en luddig dröm. Bajsblöjor och vaknätter kunde visst ha den effekten.

"Själv då – när ska du göra en ärbar kvinna av Erica? Du kan ju inte låta henne sitta där med en oäkting…"

"Ja du, det är något du kan fundera på…", sa Patrik och flinade.

"Nå, kom du för att rota i mitt privatliv, eller hade du något ärende?" Martin hade morskat upp sig och betraktade lugnt Patrik.

Med ens blev Patriks ansiktsuttryck allvarligt. Han påminde sig om att de stod inför något som var så långt ifrån ett skämt som man kunde komma.

"Pedersen ringde nyss. Rapporten från Saras obduktion kommer i faxen, men han drog kort det som kommer att stå i den, och det han hade att säga innebär att hennes drunkning inte var någon olycka. Hon blev mördad."

"Vad fan säger du?" Martin välte omkull sitt pennställ när han slog ut med händerna i bestörtning, men han brydde sig inte om det utan lät pennorna ligga. Istället fokuserade han hela sin uppmärksamhet på Patrik.

45

"Först var han tydligen helt inne på vår linje, att det var en olyckshändelse. Inga synliga skador på kroppen, hon var fullt påklädd, med kläder som stämde överens med årstiden, förutom att hon saknade en jacka, men den kan ju ha flutit iväg. Men viktigast av allt: när han undersökte lungorna så fanns det vatten i dem." Han tystnade.

Martin slog ut med händerna igen och höjde ögonbrynen. "Så vad var det han hittade som inte stämde med en olycka då?"

"Badvatten."

"Badvatten?"

"Ja, hon hade inte havsvatten i lungorna som man hade kunnat förvänta sig om hon drunknat i havet, utan badvatten. Troligtvis badvatten, ska jag kanske säga. Pedersen fann i vilket fall som helst rester av sådant som tvål och schampo i vattnet, vilket pekar på att det är badvatten."

"Hon har alltså dränkts i ett badkar", sa Martin med ett klentroget tonfall. De hade varit så inställda på att det var en visserligen tragisk men ändå vanlig drunkningsolycka att han hade svårt att ställa om tankarna.

"Ja, det ser så ut. Det stämmer också med de blåmärken som Pedersen fann på kroppen."

"Men det fanns ju inga skador på kroppen, sa du?"

"Nej, inte vid första påseendet. Men när de lyfte på håret i nacken och kollade lite mer noggrant, så syntes det tydliga blåmärken som kan överensstämma med avtrycket från en hand. Handen på någon som med våld hållit hennes huvud under vattenytan."

"Åh, fy fan." Martin såg ut som om han skulle bli illamående. Patrik hade känt samma sak när han först hade fått höra det av rättsläkaren.

"Så det är alltså ett mord vi har att göra med", sa Martin, mer som ett sätt att få sig själv att inse fakta.

"Ja, och vi har redan förlorat två dagar. Vi måste börja knacka dörr, intervjua familj och närstående och ta reda på allt vi kan om flickan och hennes närmaste."

Martin grinade illa och Patrik förstod reaktionen. Det var inga trevliga uppgifter de hade framför sig. Familjen var redan förkrossad och nu skulle de bli tvungna att gå in och rota runt bland spillrorna. Alltför ofta var mord på barn begångna av någon av dem som borde sörja mest, och de kunde därför inte visa den medmänsklighet som man vanligtvis kunde förvänta sig i mötet med en familj som förlorat ett barn.

"Har du varit inne hos Mellberg ännu?"

"Nej", suckade Patrik. "Men jag ska gå in nu. Eftersom vi var de som åkte på utryckningen häromdagen tänkte jag be att du och jag får driva utredningen tillsammans. Har du något emot det?" Han visste att frågan enbart var retorisk. Ingen av dem ville se kollegorna Ernst Lundgren eller Gösta Flygare som ansvariga för något mer avancerat än cykelstölder.

Martin nickade bara kort till svar.

"Okej", sa Patrik, "då är det väl lika bra att få det överstökat då."

Kommissarie Mellberg betraktade brevet framför sig som om det var en giftig orm. Detta var något av det värsta som skulle ha kunnat hända honom. Till och med den där förargliga incidenten med Irina i somras bleknade i jämförelse.

Små svettpärlor hade bildats i pannan på honom, trots att temperaturen i hans rum snarare låg åt det kyliga hållet. Mellberg strök förstrött bort dem med handen och råkade samtidigt välta ner håret som han omsorgsfullt virat ihop på flinten. När han irriterat försökte lägga det på plats igen knackade det på dörren. Han lade skyndsamt sista handen vid sitt verk och ropade ett vresigt: "Kom in."

Hedström syntes oberörd av Mellbergs tonfall men hade en för honom osedvanligt allvarlig min. Annars ansåg kommissarien att Patrik var lite för mycket av en spelevink för hans smak. Han föredrog att arbeta med män som Ernst Lundgren, som alltid behandlade överordnade personer med den respekt de förtjänade. När det gällde Hedström hade han alltid en känsla av att han kunde räcka ut tungan åt honom så fort han vände sig om. Men tiden skulle sålla agnarna från vetet, tänkte Mellberg bistert. Med sin långa erfarenhet inom polisen visste han att mjukiskillarna och muntergökarna brukade vara de som bröts först.

För en sekund hade han lyckats glömma innehållet i brevet, men när Hedström slog sig ner i stolen på andra sidan skrivbordet kom han på att det låg fullt synligt framför honom och smusslade snabbt ner det i översta lådan. Tids nog fick han ta tag i den frågan.

"Nå, vad är det som står på?" Mellberg hörde själv att rösten fortfarande darrade en aning av chocken och tvingade sig själv att stabilisera den. Aldrig visa svaghet, var hans motto i livet. Blottade man strupen för underlydande satte de snart tänderna i en.

"Ett mord", sa Patrik kort.

47

"Vad är det nu då", suckade Mellberg. "Har någon av våra gamla bekanta med hårda nypor råkat slå frugan lite för hårt i skallen?"

Hedströms ansikte var fortfarande ovanligt sammanbitet. "Nej", svarade han, "det rör drunkningsolyckan häromdagen. Det har visat sig att det inte var en olycka trots allt. Flickan blev dränkt."

Mellberg visslade lågt. "Säger du det, säger du det", sa han vagt medan förvirrade tankar löpte runt i huvudet på honom. Å ena sidan blev han alltid upprörd över brott som begåtts mot barn, å andra sidan försökte han göra en snabb bedömning av hur den oväntade händelseutvecklingen påverkade honom i egenskap av polischef i Tanumshede. Det fanns två sätt att se det: antingen som en jäkla massa merarbete och administration, eller som ett karriärmässigt steg uppåt, tillbaka till hetluften i Göteborg. Visserligen var han tvungen att erkänna att de två lyckade mordutredningar som han hittills varit inblandad i inte hade gett den effekt han önskat, men förr eller senare skulle väl något övertyga hans överordnade om att det var på huvudkontoret han hörde hemma. Det här kanske var just det fallet.

Han insåg att Hedström väntade på någon annan form av reaktion från honom och lade skyndsamt till: "Har någon haft ihjäl en unge, menar du? Nåja, den uslingen ska inte komma undan." Mellberg knöt näven för att markera tyngden i sina ord, men lyckades bara framkalla ett bekymrat uttryck i ögonen på Patrik.

"Undrar du något över dödsorsaken?" frågade Hedström, som om han ville hjälpa honom på traven. Mellberg fann hans tonfall ytterst irriterande.

"Självklart, jag skulle just komma till det. Nå, vad sa rättsläkaren om saken?"

"Hon har drunknat, men inte i havet. Man fann bara sötvatten i lungorna på henne och eftersom man även fann tvålrester och sådant ansåg Pedersen att det troligtvis rör sig om badkarsvatten. Flickan, Sara, har alltså dränkts inomhus i ett badkar och sedan burits ner till havet och kastats i, i ett försök att få det att se ut som en olycka."

Bilden som Hedströms redogörelse frammanade för hans inre syn fick Mellberg att rysa till och för en sekund släppa tanken på sina egna befordringsmöjligheter. Han ansåg sig ha sett det mesta under sina år i tjänsten och satte en ära i att inte låta sig beröras, men det var något med mord på ungar som gjorde det omöjligt att förbli opåverkad. Det överskred liksom gränsen för all anständighet att ge sig på ett litet flickebarn, och känslan av indignation som det väckte inom honom var ovan men, var han faktiskt tvungen att erkänna, rätt skön.

"Ingen självklar gärningsman?" frågade han.

Hedström skakade på huvudet. "Nej, vi känner inte till några problem med familjen och vi har inga andra kända övergrepp mot barn i Fjäll-backa. Inget sådant. Så vi får börja med att prata med familjen, antar jag?" sa Patrik forskande.

Mellberg förstod genast vad han var ute efter. Inte honom emot. Det hade fungerat bra tidigare att låta Hedström göra fotarbetet och sedan ställa sig själv i strålkastarljuset när allt var avklarat. Inte för att det var något att skämmas för. Det var trots allt delegering som var nyckeln till ett lyckat ledarskap.

"Det verkar som om du vill hålla i den här utredningen?"

"Ja, jag har ju liksom redan börjat, i och med att det var Martin och jag som svarade på larmet när det kom och redan har träffat flickans fa-milj och så."

"Ja, det låter väl som en bra idé", sa Mellberg och nickade godkän-nande. "Se till att hålla mig underrättad bara."

"Bra", sa Hedström och nickade tillbaka, "då kör Martin och jag igång då."

"Martin?" sa Mellberg med ett försåtligt tonfall. Han retade sig fortfa-rande på den respektlösa tonen i Patriks röst och såg nu en chans att sät-ta honom på plats. Ibland uppförde Hedström sig som om det var han som var chef på den här stationen och detta var ett ypperligt tillfälle att visa vem det var som bestämde.

"Nej, Martin tror jag inte att jag kan undvara för tillfället. Jag satte honom på att undersöka en serie bilstölder i går, troligtvis en baltisk liga som opererar i trakten, så jag tror att han har fullt upp. Men", han drog på orden och njöt av plågan i Hedströms ansikte, "Ernst har inte så mycket arbete just nu, så det vore väl lämpligt om ni två jobbade ihop på det här fallet." Nu vred sig polismannen framför honom som i plågor, och Mellberg visste att han hade satt tummen på precis rätt ställe, mitt i ögat på honom. Han bestämde sig för att lindra Hedströms plåga något. "Fast jag sätter dig som ansvarig för utredningen, så Lundgren får rap-portera direkt till dig."

Även om Ernst Lundgren var en trevligare kollega att ha att göra med, var Mellberg inte dummare än att han var medveten om att karln hade vissa begränsningar. Det vore dumt att skjuta sig själv i foten…

Så fort dörren slagit igen bakom Hedström, plockade Mellberg fram brevet igen och läste det för minst tionde gången.

Morgan gjorde lite gymnastik med fingrarna och axlarna innan han satte sig framför dataskärmen. Han visste att han ibland kunde försvinna så djupt in i världen framför honom att han blev sittande i samma ställning i timtal. Han kollade noga att han hade allt han behövde framför sig, så att han inte skulle behöva resa sig förrän det var absolut nödvändigt. Jo, allt fanns där. En stor Colaflaska, en stor Dajm och en stor Snickers. På det skulle han stå sig ett bra tag.

Pärmen han hade fått från Fredrik var tung där den låg i knät. Den innehöll allt han behövde veta. Hela den fantasivärld han själv var oförmögen att skapa fanns samlad mellan pärmens hårda utsidor och skulle snart omvandlas till ettor och nollor. Det var något han behärskade. Känslor, fantasi, drömmar och sagor hade på grund av naturens nyck aldrig fått något utrymme i hans hjärna, istället behärskade han det logiska, det vackert förutsägbara i ettorna och nollorna, de små elektriska impulserna i datorn som omvandlades till något synbart på skärmen.

Ibland undrade han hur det kändes. Att som Fredrik kunna sitta och ur sin hjärna plocka fram andra världar, kunna skapa och leva sig in i andra människors känslor. Oftast ledde de funderingarna bara till att han ryckte på axlarna och avfärdade det som något oviktigt, men under de djupa depressioner han ibland drabbades av kunde han känna hela tyngden av sitt handikapp och förtvivla över att han skapats så annorlunda mot alla andra.

Samtidigt var det en tröst att veta att han inte var ensam. Han gick ofta in på hemsidor för sådana som han och hade mejlat en del med några av de andra. Vid ett tillfälle hade han till och med gått på en träff i Göteborg, men det ville han inte göra om. Att de var så väsensskilda från övriga människor gjorde att de hade svårt att relatera till varandra, och träffen hade varit misslyckad från början till slut.

Men det hade ändå varit skönt att uppleva att det fanns flera. Den vissheten räckte. Egentligen kände han ingen längtan efter den sociala gemenskap som verkade vara så viktig för de vanliga människorna. Bäst trivdes han när han var ensam i den lilla stugan med bara datorerna som sällskap. Emellanåt tolererade han föräldrarnas sällskap, men det var det enda. Dem var det tryggt att träffa. Han hade haft många år på sig att lära sig att läsa dem, att tyda det komplicerade icke uttalade språk i form av ansiktsuttryck och kroppsspråk och tusentals andra små signaler som hans hjärna helt enkelt inte verkade konstruerad för att kunna hantera. De hade också lärt sig att anpassa sig efter honom, att tala på ett sätt som gjorde att han förstod, åtminstone något så när.

Framför honom blinkade skärmen tom. Det här ögonblicket tyckte han om. Normala människor skulle kanske säga att de älskade i ett sådant ögonblick, men han var inte riktigt säker på vad älska innebar. Men kanske var det vad han kände just nu. Den där innerliga känslan av tillfredsställelse, av att höra hemma, av att vara normal.

Morgan började skriva med snabba fingrar på tangentbordet. Emellanåt kikade han ner i pärmen i knät, men oftast var blicken stadigt fäst på skärmen. Han upphörde aldrig att förvånas över att de problem han hade med att koordinera sin kropp och sina fingrar mirakulöst försvann när han arbetade. Plötsligt var han precis så smidig och så säker på handen som han alltid borde vara. Motoriska svårigheter kallades de problem han hade med att få fingrarna dit han ville när han skulle knyta skorna eller knäppa en skjorta. Det hörde till diagnosen, det visste han. Han förstod precis vad som skilde honom från de andra, men kunde inte göra något för att förändra det. Förresten ansåg han att det var fel att kalla de andra för normala och dem av hans sort för onormala. Egentligen var det bara samhällets normer som gjorde att man hävdade att det var honom det var fel på. Han var ju bara – annorlunda. Hans tankebanor rörde sig i andra spår helt enkelt. Inte nödvändigtvis sämre, men annorlunda.

Han tog en paus och drack en klunk Coca-Cola direkt ur flaskan, för att sedan åter låta fingrarna röra sig snabbt över tangenterna.

Morgan var tillfreds.

Strömstad 1923

Han låg på sängen med armarna under huvudet och stirrade upp i taket. Timmen var redan sen och han kände som alltid tyngden av en lång dags arbete i lederna. Men i kväll kunde han inte riktigt komma till ro. Det surrade så många tankar i hans huvud att det var som att försöka sova mitt i en flugsvärm.

Mötet om bautastenen hade förlöpt väl och det var en av anledningarna till hans många funderingar. Han visste att arbetet skulle bli en utmaning och han vände och vred på de olika alternativen, försökte bestämma sig för det bästa sättet att gå till väga. Han visste redan var han ville hugga ut den stora stenen ur berget. I det sydvästra hörnet av brottet fanns det en rejäl klippa som ännu var orörd och där trodde han sig kunna få hugga ut ett stort, fint stycke granit som med lite tur var fritt från de fel och svagheter som gjorde att det inte skulle hålla samman.

Den andra anledningen till hans fundersamhet var flickan med det mörka håret och de blå ögonen. Han visste att det var förbjudna tankar. Sådana flickor fick en sådan som han inte ens låta tanken snudda vid. Men han kunde inte hjälpa det. När han höll hennes lilla hand i sin hade han fått tvinga sig själv att släppa omedelbart. För varje sekund som han kände hennes hud mot sin blev det svårare att släppa taget, och han hade aldrig tyckt om att leka med elden. Hela mötet hade varit en plåga. Visarna på klockan på väggen hade krupit fram och han hade hela tiden fått lägga band på sig för att inte vända sig om och titta på henne där hon satt så stilla i hörnet.

Han hade aldrig sett något så vackert. Ingen av de flickor, eller kvinnor för den delen, som flyktigt passerat genom hans liv kunde nämnas på samma dag som hon. Hon tillhörde en helt annan värld. Han suckade och vände sig på sidan för att göra ett nytt försök att sova. Morgondagen skulle börja klockan fem, precis som alla andra dagar, och tog ingen hänsyn till att han låg vaken med sina funderingar.

Något smällde till. Det lät som en sten mot rutan, men ljudet kom och försvann så hastigt att han undrade om han hade inbillat sig. Det var i alla fall tyst nu, så han slöt åter ögonen. Men då kom ljudet igen. Det var ingen tvekan. Någon kastade sten mot hans ruta. Anders satte sig tvärt upp. Det måste vara någon av de kamrater som han ibland gick ut och svingade en bägare med, och han tänkte förgrymmat att om de väckte änkan han hyrde hos så skulle de få med honom att göra. Inhysningen hade fungerat väl under de senaste tre åren och han ville inte få några klagomål.

Försiktigt lossade han på hakarna och öppnade fönstret. Han bodde på nedre våningen, men en stor syrenbuske skymde sikten något och han kisade för att se vem det var i det svaga månljuset.

Sedan kunde han inte tro på sina ögons vittnesbörd.

Hon hade tvekat länge. Till och med tagit på sig jackan och sedan tagit av sig den igen i två omgångar. Men till slut bestämde Erica sig. Det kunde bara inte vara fel att erbjuda sitt stöd, sedan fick hon väl se om Charlotte orkade med ett besök eller inte. I vilket fall kändes det omöjligt att bara sitta hemma och stirra när hon visste att väninnan befann sig i sitt eget privata helvete.

Spår efter stormen två dagar tidigare fanns fortfarande kvar längs hennes promenadväg. Träd som blåst omkull, skräp och delar av saker som låg spridda här och var i små högar blandat med röda och gula löv. Men det var också som om stormen blåst bort en smutsig hösthinna som legat över samhället, nu doftade luften friskt och var klar som en välputsad glasskiva.

Maja skrek för full hals i barnvagnen och Erica skyndade på stegen. Av någon anledning hade barnet tidigt bestämt sig för att det var en fullkomligt meningslös sysselsättning att ligga i barnvagn i vaket tillstånd och hon protesterade högljutt. Hennes skrik fick Ericas hjärta att slå hårdare och små svettdroppar av panik bröt fram i pannan. En urinstinkt inom henne sa åt henne att hon genast måste stanna vagnen, lyfta upp Maja och rädda henne från vargarna, men hon stålsatte sig. Det var så kort väg att gå hem till Charlottes mamma och hon var snart framme.

Det var konstigt att en enstaka händelse så fullständigt kunde förändra hur man såg på världen. Erica hade alltid tyckt att husen i viken nedanför Sälviks camping låg som ett fridfullt, vackert pärlband utmed vägen, överblickande havet och öarna. Nu var det som om en dyster stämning hade lagt sig över hustaken och främst över familjen Florins hus. Hon tvekade ännu en gång, men nu hade hon kommit så nära att det kändes fånigt att vända om. De fick väl köra bort henne om de tyckte att hon kom olämpligt. I nöden prövades vännerna och hon ville inte tillhöra den kategori av människor som av överdriven omsorg och kanske till och med feghet drog sig undan från vänner som hade det svårt.

Hon sköt pustande barnvagnen framför sig uppför backen. Florins hus låg en liten bit upp och hon stannade en sekund på deras garageuppfart för att hämta andan. Majas skrik hade nått en decibelstyrka som skulle ha klassats som otillåten på en arbetsplats, så hon skyndade sig att parkera vagnen och lyfte upp henne i famnen.

Några långa sekunder stod hon med handen lyft framför dörren innan hon med bultande hjärta lät knogen falla mot trät. Det fanns en ringklocka, men att skicka in den gälla signalen i huset hade på något sätt känts för påträngande. En lång stund passerade i tystnad och Erica var precis på väg att vända och gå när hon hörde steg inifrån huset. Det var Niclas som öppnade.

"Hej", sa hon tyst.

"Hej", sa Niclas och de röda sorgkanterna runt hans ögon lyste i det bleka ansiktet. Erica tyckte att han såg ut som någon som redan hade dött men ändå vandrade kvar i jordelivet.

"Förlåt om jag stör, det är absolut inte meningen, jag tänkte bara…" Hon sökte efter orden men fann inga. Tystnaden lade sig kompakt mellan dem. Niclas höll blicken fäst på sina fötter och för andra gången sedan hon knackat på var Erica på väg att vända på klacken och fly hem igen.

"Vill du komma in?" sa han.

"Tror du att det skulle gå för sig?" frågade Erica. "Jag menar, tror du att det kan vara till någon…", hon sökte åter efter rätt ord, "nytta?"

"Hon har fått tunga lugnande medel och är inte riktigt…" Han avslutade inte meningen. "Men hon har sagt flera gånger att hon borde ha ringt dig, så det vore bra om du kunde lugna henne på den punkten."

Att Charlotte efter vad som hänt oroade sig för att hon inte ringt återbud till Erica sa något om hur förvirrad hon måste vara. Men när Erica följde efter Niclas in i vardagsrummet kunde hon ändå inte låta bli att undslippa sig ett chockat ljud. Om Niclas såg ut som en levande död, såg Charlotte ut som någon som redan hunnit ligga under jord ett tag. Inget av den energiska, varma, livliga Charlotte fanns kvar. Det var som om ett tomt skal låg på soffan. Hennes mörka hår, som annars brukade studsa lockigt kring ansiktet på henne, hängde nu i svettiga stripor. Den övervikt som hennes mor alltid pikade henne för hade i Ericas ögon bara varit klädsam och fått henne att se ut som en av Zorns frodiga kullor, men där hon nu låg hopkurad under filten hade hennes hy och kropp fått en degig, osund karaktär.

Hon sov inte. Men ögonen stirrade livlöst ut i tomma luften och under filten skakade hon lätt som av frossa. Fortfarande iförd ytterkläder rusade Erica instinktivt fram till Charlotte och ställde sig på knä på golvet framför soffan. Maja hade hon lagt ifrån sig på golvet och barnet verkade känna av stämningen och låg för ovanlighetens skull tyst och blickstilla.

"Åh, Charlotte, jag är så ledsen." Erica grät och tog Charlottes ansikte mellan sina händer, men inget rörde sig i den tomma blicken.

"Har hon varit så här hela tiden?" frågade Erica och vände sig mot Niclas. Han stod kvar mitt på golvet, lätt svajande. Till slut nickade han och strök sig trött över ögonen. "Det är tabletterna. Men så fort vi tar bort dem så bara skriker hon. Det låter som ett skadat djur. Jag klarar bara inte av det ljudet."

Erica vände sig mot Charlotte igen och strök henne ömt över håret. Hon verkade inte ha badat eller klätt om på flera dagar och en lätt doft av svett och ångest steg upp från hennes kropp. Munnen rörde sig som om hon ville säga något, men först gick det inte att uttyda något ur mumlet. Efter att ha övat en stund sa Charlotte lågt, med skrovlig stämma: "Kunde inte komma. Borde ringt."

Erica skakade häftigt på huvudet och fortsatte att stryka väninnan över håret.

"Det gör inget. Tänk inte på det."

"Sara, borta", sa Charlotte och fokuserade för första gången blicken på Erica. Det kändes som om den brände rakt in i hennes näthinna, så fylld av sorg var den.

"Ja, Charlotte. Sara är borta. Men Albin är här, och Niclas. Ni måste stötta varandra nu." Hon hörde själv att det lät som plattityder, det som kom ur hennes mun, men kanske kunde enkelheten i en klyscha nå fram till Charlotte. Men det enda resultatet var att Charlotte drog lätt på munnen och sa med en dov, bitter stämma: "Stötta varandra." Leendet såg ut som en grimas och det kändes som om det fanns ett underliggande budskap i Charlottes bittra tonfall när hon härmade Ericas ord. Men hon kanske inbillade sig. De starka lugnande medicinerna kunde framkalla märkliga effekter.

Ett ljud bakom dem fick Erica att vända sig om. Lilian stod i dörröppningen och såg ut som om hon skulle kvävas av ilska. Hon riktade sin ljungande blick mot Niclas.

"Sa vi inte att Charlotte inte skulle ta emot några besök!?"

Situationen kändes oerhört obehaglig för Erica, men Niclas såg inte ut att beröras av svärmoderns tonfall. I brist på svar från honom vände sig Lilian direkt till Erica där hon satt på golvet.

"Charlotte är alldeles för svag för att ha folk rännande här. Man skulle kunna tro att folk visste bättre!" Hon gjorde en åtbörd som om hon ville gå fram och vifta bort Erica från dottern som en fluga, men för första gången fick Charlottes ögon en gnutta liv i sig. Hon lyfte huvudet från kudden och tittade sin mor rakt i ögonen. "Jag vill ha Erica här."

Dotterns trots fick Lilians ilska att stegras ytterligare, men med en uppenbar viljeansträngning svalde hon det hon hade på tungan och stormade ut i köket. Tumultet fick Maja att vakna ur sitt ovanligt tysta tillstånd och hennes gälla stämma skar genom rummet. Mödosamt satte sig Charlotte upp i soffan. Niclas vaknade också han ur sin dvala och tog ett snabbt kliv fram för att hjälpa henne. Hon viftade bryskt bort hans arm och räckte den istället till Erica.

"Är du säker på att du orkar sitta upp? Ska du inte ligga ner och vila lite till?" sa Erica ängsligt, men Charlotte skakade bara på huvudet. Talet var aningen sluddrigt, men genom en synbar ansträngning lyckades hon få fram "...legat tillräckligt länge". Sedan fylldes ögonen av tårar och hon viskade: "Ingen dröm?"

"Nej, ingen dröm", sa Erica. Sedan visste hon inte vad hon skulle säga. Hon satte sig i soffan bredvid Charlotte, tog Maja i knät och lade ena armen om väninnans axlar. T-shirten kändes fuktig mot huden och Erica funderade på om hon skulle våga föreslå Niclas att han skulle hjälpa Charlotte att duscha och byta kläder.

"Vill du ha en tablett till?" sa Niclas, men vågade inte ens fästa blicken på sin hustru efter att ha blivit avvisad.

"Inga mer tabletter", sa Charlotte och skakade återigen häftigt på huvudet. "Måste vara klar i huvudet."

"Vill du duscha?" frågade Erica. "Niclas eller din mor hjälper dig säkert gärna."

"Kan inte du hjälpa mig?" sa Charlotte, vars stämma nu lät allt stabilare för var mening hon yttrade.

Erica tvekade en kort sekund, sedan sa hon: "Självklart."

Med Maja liggande på ena armen hjälpte hon Charlotte upp ur soffan och ledde henne ut ur vardagsrummet.

"Var finns badrummet?" frågade Erica. Niclas pekade stumt mot en dörr i änden av hallen.

Vägen fram till dörren kändes oändlig. När de passerade köket fick Lilian syn på dem och hon skulle precis öppna munnen och fyra av en sal-

57

va, när Niclas gick in till henne och tystade henne med en blick. Erica hörde hur ett upprört mumlande steg och sjönk från köket, men det brydde hon sig inte nämnvärt om. Huvudsaken var att Charlotte mådde bättre, och hon trodde fullt och fast på det välgörande i en dusch och en omgång rena kläder.

Strömstad 1923

Det var inte första gången hon smet ut ur huset. Det var ju så lätt. Hon öppnade bara fönstret, klev ut på taket och ner via trädet som hade sin tunga krona tätt intill huset. Att klättra var en smal sak. Hon hade dock efter moget övervägande fått avstå från att bära kjol, som ju kunde försvåra trädklättrandet, och istället valt ett par byxor med smala ben som slöt tätt intill låren.

Det var som om hon drevs av en stor våg, som hon varken kunde eller ville stå emot. Det var både skrämmande och angenämt att känna så starkt för någon, och hon insåg att de flyktiga förälskelser som hon tidigare tagit på allvar bara hade varit ett barns lek. Det hon kände nu var en vuxen kvinnas känslor och de var mäktigare än hon någonsin kunnat ana. Under de många timmars funderingar som hon ägnat sig åt sedan morgonen hade hon emellanåt varit klarsynt nog att förstå att det var längtan efter förbjuden frukt som stod för en stor del av hettan i bröstet. Men oavsett varför fanns känslan där, och hon var inte van att neka sig själv något och tänkte rakt inte börja med det nu. Hon hade egentligen ingen plan. Bara en medvetenhet om vad hon ville ha och att hon ville ha det nu. Konsekvenser var inget som hon någonsin behövt hantera och saker och ting hade ju alltid haft en tendens att lösa sig för henne, så varför skulle de inte göra det nu?

Att han inte skulle vilja ha henne, det reflekterade hon inte ens över. Hon hade ännu inte mött någon man som varit likgiltig inför henne. Män var som äpplen som hon bara behövde sträcka ut handen för att plocka, men hon var böjd att medge att detta äpple kanske innebar en aning större risk än de flesta. Till och med de gifta män som hon utan sin fars vetskap hade kysst, och i vissa fall tillåtit gå längre än så, var tryggare än den man hon stod i begrepp att möta. De hade alla tillhört samma klass som hon, och även om det först skulle ha inneburit skandal om hennes möten med någon av dem kommit fram, så skulle det relativt omgående ha mötts med visst överseende. Men en man ur arbetarklassen. En stenhuggare. Den tanken hade nog ingen ens kunnat tänka. Det förekom helt enkelt inte.

Men hon var trött på männen ur sin egen klass. Ryggradslösa, bleka, med slappa handslag och gälla röster. Ingen av dem var en man på det sätt som den hon mött i dag. Hon rös när hon mindes känslan av hans valkiga händer mot hennes hud.

Det hade inte varit lätt att ta reda på var han bodde. Inte utan att väcka misstankar. Men en titt i lönepapprena under ett obevakat ögonblick hade gett henne adressen och sedan hade hon genom att försiktigt kika in genom fönstren kunnat lista ut vilket som tillhörde honom.

Den första stenen gav ingen reaktion och hon väntade ett ögonblick, rädd för att väcka tanten som han hyrde hos. Men ingen rörde sig inne i huset. Hon beundrade sig själv i det skira månljuset. Hon hade valt enkla, mörka kläder, för att inte framstå som en alltför stor kontrast till honom, och hade av den anledningen också flätat håret och virat det uppe på huvudet i en av de enkla frisyrer som var vanlig bland arbetarkvinnorna. Nöjd med resultatet plockade hon upp ytterligare en sten från grusgången och kastade den mot fönstret. Nu såg hon hur något rörde sig där inne i mörkret och hjärtat hoppade över ett slag. Jaktens tjusning fick adrenalinet att pumpa ut i kroppen och Agnes kände hur kinderna blossade. När han undrande öppnade fönstret smög hon sig bakom syrenbusken som delvis täckte fönstret och tog ett djupt andetag. Jakten kunde börja.

Det var med tyngd i både hjärta och steg som han klev ut från Mellbergs rum. Jävla gubbe! var den mogna och välartikulerade tanke som dök upp i hjärnan. Han förstod mycket väl att kommissarien tvingat på honom Ernst bara för att jävlas. Om det inte var så förbannat tragiskt skulle det nästan vara komiskt, så dumt var det.

Patrik gick in i Martins rum och signalerade med hela sin kroppshållning att saker och ting inte hade gått som de tänkt sig.

"Vad sa han?" sa Martin med onda föraningar i rösten.

"Tyvärr kan han inte undvara dig. Du ska fortsätta jobba med någon bilhärva. Däremot kunde han tydligen undvara Ernst utan problem."

"Du skojar", sa Martin med låg röst, eftersom Patrik inte hade stängt dörren bakom sig. "Ska du och Lundgren jobba ihop?"

Patrik nickade dystert. "Ser så ut. Visste vi vem mördaren var skulle vi kunna skicka ett telegram och gratulera. Den här utredningen lär bli hopplöst sinkad, om jag inte lyckas med att hålla undan honom så mycket som möjligt."

"Fan också!" sa Martin och Patrik kunde inte annat än instämma. Efter en stunds tystnad reste han sig med händerna mot låren och försökte uppamma lite entusiasm.

"Nej, det är väl bara att sätta igång då."

"I vilken ände tänkte du börja?"

"Ja, det första blir väl att informera flickans föräldrar om händelseutvecklingen och försiktigt börja ställa lite frågor."

"Tar du med dig Ernst?" sa Martin skeptiskt.

"Nja, jag tänkte nog försöka smita iväg på egen hand. Förhoppningsvis kan jag vänta med att informera honom om hans partnerbyte till lite senare."

Men när han kom ut i korridoren insåg han att Mellberg stävjat hans planer.

"Hedström!" Ernsts röst, gnällig och hög, skar i öronen.

För ett kort ögonblick övervägde Patrik att springa tillbaka in i Martins rum och gömma sig, men han stod emot den barnsliga impulsen. Åt-

61

minstone en i det här nyskapade polisteamet var ju tvungen att uppföra sig som en vuxen människa.

"Här!" Han vinkade lätt med handen åt Lundgren som kom ångande. Lång och mager och med ett ständigt missnöjt uttryck i ansiktet var han ingen skön syn. Det han behärskade bäst var att slicka uppåt och sparka nedåt, regelrätt polisarbete var inget han ägde vare sig förmåga eller vilja till. Efter incidenten i somras ansåg dessutom Patrik att han var rent ut sagt farlig att ha att göra med på grund av sin dumdristighet och sin önskan att briljera. Och nu skulle han själv bli tvungen att dras med Lundgren. Med en djup suck gick han honom till mötes.

"Jag pratade precis med Mellberg. Han sa att hon jäntungen blivit mördad och att vi skulle leda utredningen ihop."

Patrik såg orolig ut. Han hoppades verkligen att inte Mellberg gått bakom ryggen på honom.

"Det jag tror att Mellberg sa var att jag skulle leda utredningen och att du skulle arbeta med mig. Var det inte så?" sa Patrik med sammetslen röst.

Lundgren slog ner blicken, men inte snabbare än att Patrik hann se en snabb glimt av avsky i ögonen. Han hade bara tagit en rövare. "Jo, så kanske det var", sa han argt. "Nå, var ska vi börja då – chefen …?" Ernst uttalade det sista ordet med djupt förakt och Patrik knöt händerna i frustration. Efter fem minuters samarbete ville han redan strypa karln.

"Kom, vi går in på mitt rum." Han gick före och satte sig bakom skrivbordet. Ernst slog sig ner mittemot, med de långa benen draperade framför sig.

Tio minuter senare hade Ernst fått all information och de tog sina jackor för att åka hem till Saras föräldrar.

Resan till Fjällbacka tillbringades under kompakt tystnad. Ingen av dem hade något att säga till den andre. När de svängde uppför backen och in på familjens uppfart kände han omedelbart igen barnvagnen. Hans första tanke var: Skit också! men han reviderade snabbt sin uppfattning. Det kunde kanske vara bra för familjen om Erica var där. Åtminstone för Charlotte. Det var henne han var mest bekymrad för, han hade ingen aning om hur hon skulle ta de nyheter som de kom med. Folk reagerade så olika. Han hade varit med om att anhöriga i vissa fall hade tyckt att det var bättre att den de älskat hade blivit mördad än att döden berott på en olycka. Det gav dem någon att skylla på och det blev något att hänga upp sorgen på. Men han visste ju inte om det var så Saras föräldrar skulle reagera.

Med Ernst i hälarna gick Patrik fram och knackade försiktigt på dörren. Charlottes mor öppnade dörren och han såg att hon var upprörd. Röda fläckar syntes i hennes ansikte och ögonen hade en nyans av stål som fick Patrik att önska att han aldrig skulle komma på kant med henne.

När hon kände igen Patrik gjorde hon en synbar ansträngning att lägga band på sig och fick istället en frågande min.

"Polisen?" sa hon och gick åt sidan för att släppa in dem.

Patrik skulle just presentera sin kollega när Ernst sa: "Vi har träffats." Han nickade åt Lilian som nickade tillbaka.

Javisst, tänkte Patrik, det var så sant. Med den mängd polisanmälningar som flugit fram och tillbaka mellan Lilian och grannen, så borde de flesta på stationen ha träffat henne vid det här laget. Men i dag var de här i ett allvarligare ärende än en futtig grannfejd.

"Skulle vi kunna få komma in ett ögonblick?" sa Patrik. Lilian nickade och gick före honom mot köket, där Niclas satt vid köksbordet, också han med röda vredesrosor på kinderna. Patrik tittade sig runt efter Charlotte och Erica. Niclas såg hans blick och sa: "Erica hjälper Charlotte att ta en dusch."

"Hur mår Charlotte?" frågade Patrik medan Lilian hällde upp kaffe till honom och Ernst och placerade kopparna framför dem på köksbordet.

"Hon har varit helt borta. Men att Erica kom gjorde underverk. Det är första gången hon duschar och byter kläder sedan ...", han tvekade, "det hände."

Patrik brottades med sig själv. Skulle han prata enskilt med Niclas och Lilian och be Erica ta hand om Charlotte, eller var hon tillräckligt stark för att orka sitta med? Han bestämde sig för det senare alternativet. Var hon uppe på benen nu, och dessutom hade familjens stöd, så borde det gå bra. Och Niclas var trots allt läkare.

"Vad är det ni vill?" sa Niclas förvirrat och tittade frågande fram och tillbaka mellan Ernst och Patrik.

"Jag tänkte att vi kunde vänta tills Charlotte kan vara med."

Både Lilian och Niclas lät sig nöja med det, men utbytte hastigt en svårtydbar blick. Fem minuter förflöt under tystnad. Småprat hade känts malplacerat under omständigheterna.

Patrik tittade sig runt i köket. Det var trivsamt men styrdes uppenbarligen av en pedant av stora mått. Allt var blänkande rent och stod i snörräta linjer. Lite annorlunda än hans och Ericas kök, hann han reflektera, där det nu oftast rådde fullt kaos i diskhon och där sophinken svämmade över av förpackningar från snabbmat som kunde värmas i mikron. Sedan hörde han hur en dörr öppnades och snart stod Erica med en sovande Maja på armen och en nyduschad Charlotte i dörröppningen. Det förvånade uttrycket i Ericas ansikte övergick snabbt till oro och hon lät Charlotte stödja sig på hennes lediga arm medan hon dirigerade väninnan fram till en köksstol. Patrik visste inte hur Charlotte hade sett ut innan, men nu hade hon lite färg i ansiktet och ögonen var klara och icke påverkade.

"Vad gör ni här?" sa hon, med en röst som fortfarande var skrovlig efter flera dagars alternerande mellan skrik och tystnad. Hon tittade på Niclas som höjde axlarna i en gest som indikerade att inte han heller visste ännu.

"Vi ville vänta på dig innan vi ..." Orden tröt för Patrik och han letade efter ett bra sätt att lägga fram det han hade att säga. Ernst höll tack och lov tyst och lät Patrik sköta allt.

"Vi har fått lite nya uppgifter angående Saras död."

"Har ni fått reda på något mer om olyckan? Vad då?" sa Lilian upprört.

"Det ser ut som om det inte var någon olycka."

"Vad då ser ut som? Var det en olycka eller var det inte en olycka?" sa Niclas med tydlig frustration.

"Det var ingen olycka. Sara blev mördad."

"Mördad, hur då? Men, hon drunknade ju?" Charlotte såg förvirrad ut och Erica greppade hennes hand. Maja sov fortfarande i Ericas famn, ovetande om vad som utspelades runt omkring henne.

"Hon dränktes, men inte i havet. Rättsläkaren fann inte havsvatten i hennes lungor som han väntat sig, utan sötvatten, troligtvis från ett badkar."

Tystnaden kring bordet kändes explosiv. Patrik tittade oroligt på Charlotte, och Erica sökte hans blick med stora, oroliga ögon.

Patrik förstod att familjen befann sig i ett chocktillstånd och han började försiktigt ställa frågor för att få tillbaka dem till verkligheten. Just nu trodde han att det var det bästa. Eller hoppades åtminstone det. I vilket fall som helst var det hans jobb, och han var tvungen, för både Saras och hennes familjs skull, att komma igång med förhöret.

"Så nu behöver vi noggrant gå igenom alla tidsuppgifter som finns för vad Sara gjorde den förmiddagen. Vem av er såg henne sist?"

"Jag", sa Lilian. "Jag såg henne sist. Charlotte låg nere i källaren och vilade sig och Niclas hade åkt till arbetet, så jag passade barnen en stund. Strax efter nio sa Sara att hon skulle gå över till Frida. Hon klädde själv på sig sina ytterkläder och sedan gick hon ut. Hon vinkade innan hon gick", sa Lilian med ett tomt, mekaniskt tonfall.

"Kan du vara mer precis än strax efter nio? Var klockan tjugo över? Fem över? Hur nära nio var det? Varje minut kommer att räknas", sa Patrik.

Lilian funderade. "Jag skulle tro att klockan var ungefär tio över nio. Men jag kan inte säga helt säkert."

"Okej, vi kommer att kolla med grannarna om det är någon som har sett något, så kanske vi kan få tidpunkten bekräftad." Han antecknade i sitt block och fortsatte: "Och efter det såg ingen till henne?"

De skakade på huvudet.

Ernst frågade bryskt: "Vad gjorde ni andra vid den tiden då?"

Inom sig grimaserade Patrik och förbannade kollegans odiplomatiska förhörsmetoder.

"Vad Ernst menar är att vi som ren rutin måste fråga även dig och Charlotte samma sak, Niclas. Ren rutin som sagt, bara för att så snabbt som möjligt kunna avföra er från utredningen."

Det verkade som hans försök att vara lite mildare i tonen än sin kollega lyckades. Både Niclas och Charlotte svarade utan större sinnesrörelse och verkade acceptera Patriks förklaring till den obekväma frågan.

"Jag var på läkarstationen", sa Niclas. "Jag började jobba vid åttatiden."

"Och du Charlotte?" frågade Patrik.

"Som mamma sa så låg jag nere i källarvåningen och vilade. Jag hade migrän", svarade hon med förundrad röst. Som om hon förvånades över att hon ett par dagar tidigare hade kunnat anse att det var ett stort problem i hennes liv.

"Stig var också hemma. Han låg uppe och vilade. Han har varit sängliggande ett par veckor", förtydligade Lilian som fortfarande verkade irriterad över att Patrik och Ernst dristade sig till att fråga om hennes familjs förehavanden.

"Ja, Stig, ja, vi måste prata med honom också vid ett senare tillfälle, men det kan nog vänta ett tag", sa Patrik, som var tvungen att erkänna att han totalt hade glömt bort Lilians make.

En lång tystnad följde. Ett barnskrik hördes från ett av de inre rummen och Lilian reste sig för att gå och hämta Albin, som liksom Maja hade sovit sig igenom all uppståndelse. Han såg sömndrucken ut och hade sin vanliga allvarsamma min när han kom in i köket, sittande på Lilians arm. Hon satte sig på sin stol igen och lät barnbarnet leka med guldhalsbandet som hon hade runt halsen.

Ernst verkade hämta andan för att ställa fler frågor, men en varnande blick från Patrik fick honom att tystna. Patrik fortsatte istället försiktigt. "Finns det någon, någon överhuvudtaget, som ni vet kan ha velat skada Sara?"

Charlotte tittade klentroget på honom och sa med sin skrovliga röst: "Vem skulle ha velat skada Sara? Hon var bara sju år?" Rösten bröts, men hon gjorde en synbar ansträngning att behålla kontrollen.

"Så det finns inget som helst motiv ni kan tänka er? Ingen som har velat skada er, inget sådant?"

Den sista frågan fick Lilian att göra sin stämma hörd igen. De röda fläckarna av vrede som hon haft i ansiktet när de kom blossade upp.

"Någon som vill skada oss. Jo, det vill jag lova. Det finns bara en person som stämmer in på den beskrivningen och det är vår granne Kaj. Han hatar vår familj och har gjort allt för att göra vårt liv till ett helvete i många år!"

"Var inte dum, mamma", sa Charlotte. "Du och Kaj har bråkat med *varandra* i många år och varför skulle han vilja skada Sara?"

"Den mannen är kapabel till vad som helst. Han är en psykopat, ska jag säga dig. Och ta er en närmare titt på hans son Morgan också. Det är något fel i huvudet på honom och sådana där kan ju ta sig för allt möjligt. Titta bara på alla de där psykdårarna som de släppt ut på gatorna igen och vad de har ställt till med. Han borde också sitta inspärrad om någon haft något vett!"

Niclas lade en hand på hennes arm för att lugna ner henne. Dock utan någon effekt. Albin gnydde oroligt då han hörde tonen i deras röster.

"Kaj hatar mig, bara för att han till slut träffat någon som vågar säga emot honom! Han tror att han är något bara för att han varit VD och har gott om pengar, och därför tror han att han och hans fru kan flytta hit och behandlas som någon sorts kungligheter här i samhället! Och han är fullkomligt hänsynslös, så jag håller inte något för otroligt när det gäller den karln!"

66

"Sluta, mamma!" Charlottes röst hade en ny skärpa och hon blängde på sin mor. "Ställ inte till med en scen nu!"

Dotterns utbrott fick Lilian att tystna och istället bita ihop käkarna hårt av ilska. Men hon vågade inte säga emot dottern.

"Så", Patrik tvekade, lätt chockad av Lilians utbrott, "förutom er granne så vet ni ingen som har något emot er familj?"

Alla skakade på huvudet. Han slog ihop blocket.

"Då så, då har vi inte mer frågor för tillfället. Återigen, jag vill bara säga att jag verkligen beklagar er förlust."

Niclas nickade och reste sig för att visa poliserna ut. Patrik vände sig till Erica.

"Stannar du, eller vill du ha skjuts hem?"

Med blicken fäst på Charlotte svarade Erica: "Jag är kvar här en stund till."

Utanför ytterdörren stannade Patrik och tog ett djupt andetag.

Han hörde hur röster steg och föll i nedervåningen. Han undrade vem eller vilka det var som hade kommit. Som vanligt brydde sig ingen om att informera honom om vad som hände. Fast det kanske var lika bra. I ärlighetens namn visste han inte om han orkade hantera alla detaljer kring det som hänt. På sätt och vis var det skönare att ligga här uppe i sängen, som i en egen kokong, och låta hjärnan i lugn och ro bearbeta alla känslor som Saras död fört med sig. Hans sjukdom gjorde det på något underligt vis lättare att hantera sorgen. Den fysiska smärtan pockade hela tiden på uppmärksamhet och trängde undan en del av den känslomässiga smärtan.

Stig vände sig mödosamt i sängen och stirrade oseende in i väggen. Han hade älskat flickan som om det var hans eget barnbarn. Visst såg han att hon kunde vara svår till lynnet, men aldrig när hon kom upp och hälsade på honom. Det var som om hon instinktivt kände sjukdomen som härjade inom honom och visade respekt för den och honom. Det var nog bara hon som visste hur illa det var ställt med honom. Inför de andra gjorde han allt för att inte visa hur stor plågan var. Både hans far och farfar hade dött en erbarmlig och förnedrande död i ett överfullt sjukhusrum och det var ett öde som han tänkte göra allt för att undvika. Så inför Lilian och Niclas lyckades han alltid uppamma sina sista energireserver och visa upp en relativt behärskad fasad. Och det var som om sjukdomen gjorde sitt för att hjälpa honom att hålla sig från sjukhuset.

67

Med jämna mellanrum blev han bra igen, måhända lite tröttare och svagare än vanligt, men fullt kapabel att fungera i vardagen. Men sedan blev han alltid sjuk igen och blev liggande ett par veckor. Niclas hade börjat se mer och mer bekymrad ut, men tack och lov hade Lilian än så länge lyckats övertyga honom om att han hade det bäst hemma.

Hon var sannerligen en gudagåva. Visst hade de haft sina duster under de dryga sex år som de hade varit gifta och hon kunde emellanåt vara en mycket hård kvinna, men det var som om det bästa och mjukaste i henne kom fram i omvårdnaden av honom. Sedan han blivit sjuk hade de levt i ett ytterst symbiotiskt förhållande. Hon älskade att ta hand om honom, och han älskade att bli vårdad av henne. Nu hade han svårt att föreställa sig att de hade varit så nära att gå skilda vägar. Inget ont som inte hade något gott med sig, brukade han säga till sig själv. Men det var innan det värsta tänkbara av allt ont hade drabbat dem. Det kunde han inte finna något gott i.

Flickan hade förstått hur det var ställt med honom. Hennes mjuka hand mot hans kind hade efterlämnat en värme som han fortfarande kunde känna. Hon brukade sätta sig på hans sängkant och småprata om allt som hänt under dagen och han nickade och lyssnade allvarligt. Han behandlade henne inte som ett barn, utan som en jämlike. Det hade hon uppskattat.

Att hon var borta var ofattbart.

Han blundade och lät smärtan föra bort honom på en ny, stark våg.

Strömstad 1923

Det blev en märklig höst. Han hade aldrig tidigare varit så utmattad, men heller aldrig så full av energi. Det var som om hon ingöt livsmod i honom och ibland undrade Anders hur han ens kunnat förmå sin kropp att fungera innan hon kom in i hans liv.

Efter den där första kvällen, när hon tagit mod till sig och kommit till hans fönster, hade hela hans tillvaro förändrats. Solen började skina först när Agnes kom och släcktes när de skildes åt. Den första månaden hade de bara försiktigt närmat sig varandra. Hon var så blyg, så lågmäld att han fortfarande förundrades över att hon hade vågat ta det där första steget. Det var så olikt henne att vara så framfusig att han blev alldeles varm inombords vid tanken på att hon hade gjort ett sådant avsteg från sina principer för hans skull.

Först hade han tvekat, det kunde han villigt erkänna. Han hade anat problem i fjärran och bara kunnat se det omöjliga i alltihop, men känslan inom honom var så stark att han på något sätt hade lyckats övertyga sig själv om att allt nog skulle ordna sig till sist. Och hon var så full av förtröstan. När hon lutade sitt huvud mot hans axel och lät sin späda hand vila i hans, då kändes det som om han skulle kunna försätta berg för henne.

De var inte många stunder som de kunde träffas. Han kom inte hem från stenbrottet förrän sent på kvällen och sedan var han tvungen att stiga upp tidigt på morgonen för att gå till arbetet igen. Men hon fann alltid på råd, och det älskade han henne för. Många, långa promenader tog de runt utkanten av samhället i skydd av mörkret, och trots den råa höstkylan fann de alltid något torrt ställe där de kunde sitta och kyssas. När händerna slutligen vågade sig in under kläderna var de redan långt inne i november och han visste att de hade kommit till ett vägskäl.

Försiktigt hade han fört framtiden på tal. Han ville inte att hon skulle råka i olycka, han älskade henne för mycket för det, men samtidigt var det som om hans kropp skrek åt honom att välja den väg som skulle leda dem till en förening. Men hans försök att tala om sin vånda tystades av en kyss från henne.

"Vi talar inte om det", sa hon och kysste honom igen. "I morgon kväll när jag kommer till dig, så kommer du inte ut till mig, utan du släpper istället in mig till dig."

"Men, tänk om änkan ...", sa han innan hon återigen avbröt honom med en kyss.

"Schhhh", sa hon. "Vi ska vara tysta som två möss." Hon smekte hans kind och fortsatte: "Två tysta möss som älskar varandra."

"Men, tänk om ...", fortsatte han orolig men samtidigt exalterad.

"Tänk inte så mycket", sa hon och log. "Vi lever i nuet istället. Vem vet, i morgon kan vi vara döda."

"Usch, säg inte så där", sa han och kramade henne hårt. Hon hade rätt. Han tänkte för mycket.

"Det är väl lika bra att vi får det här överstökat med en gång." Patrik suckade.

"Jag förstår inte vad det ska tjäna till", muttrade Ernst. Lilian och Kaj har bråkat i alla år, men jag har svårt att tro att han skulle ha haft ihjäl ungen för den sakens skull."

Patrik hajade till. "Det låter som om du känner dem? Jag fick samma intryck när vi träffade Lilian förut."

"Jag känner bara Kaj", sa Ernst buttert. "Vi träffas några gubbar och spelar kort emellanåt."

En bekymmersrynka hade bildats i Patriks panna. "Är det något jag behöver oroa mig för? Ska jag vara riktigt ärlig så vet jag inte om du bör delta i utredningen under de omständigheterna."

"Skitsnack", sa Ernst surt. "Skulle man inte kunna jobba med ett fall på grund av jäv, så skulle vi inte kunna utreda ett skit här. Alla känner alla, det vet du lika bra som jag. Och jag kan faktiskt skilja på arbete och det privata."

Patrik var inte riktigt tillfreds med svaret, men han visste också att Ernst till viss del hade rätt. Bygden var inte större än att alla kände varandra på ett eller annat sätt, så det gick inte att lyfta bort någon från en utredning på grund av det. I så fall skulle det röra sig om ett betydligt närmare släktskap eller liknande. Men synd var det. För en kort sekund hade han vädrat morgonluft och sett en chans att slippa Lundgren.

Sida vid sida gick de mot grannhusets ytterdörr. En gardin fladdrade till i fönstret bredvid dörren men föll på plats så snabbt att de inte hann se vem det var som stod där bakom.

Patrik studerade huset, skrytbygget, som Lilian hade kallat det. Han såg det ju varje dag när han åkte till och från hemmet men hade aldrig tittat på det närmare. Han kunde hålla med om att det inte var särskilt vackert. Det var en modern skapelse, med mycket glas och konstiga vinklar. Det syntes att en arkitekt hade fått fritt spelrum och Patrik var tvungen att erkänna att Lilian till viss del hade en poäng. Huset var byggt för att visas upp i Sköna Hem, men passade lika illa in bland den gamla bebyggelsen som en tonåring på en PRO-fest. Vem sa att pengar och smak måste gå hand i hand? Stadsarkitekten måste dessutom ha varit blind den dagen han beviljade bygglovet.

Han vände sig till Ernst. "Vad jobbar Kaj med? Eftersom han är hemma en vardag, menar jag? Lilian pratade något om VD?"

"Han sålde företaget och gick i tidig pension", sa Ernst som fortfarande hade en snarstucken ton efter att i eget tycke ha fått sin professionalitet ifrågasatt. "Men han tränar fotbollslaget ideellt. Är jävligt bra faktiskt. Skulle ha fått ett proffskontrakt i unga år men råkade ut för någon form av olycka som omöjliggjorde det. Och jag upprepar det igen, det här är bortkastad tid. Kaj Wiberg är en av de riktigt bra karlarna, och den som säger något annat, han ljuger. Det här är bara löjligt."

Patrik ignorerade kommentaren och fortsatte uppför yttertrappan.

De ringde på dörrklockan och väntade. Snart hörde de steg och dörren öppnades av en man som Patrik antog var Kaj. Han sken upp när han såg Ernst.

"Tjena, Lundgren, läget? Det är väl inget kortspel i dag, va?"

Hans breda leende slocknade snabbt när han såg att ingen av dem drog på munnen. Han himlade med ögonen. "Vad har kärringen hittat på den här gången då?" Han visade in dem till det stora öppna vardagsrummet och satte sig tungt i en fåtölj, och tecknade åt dem att de kunde slå sig ner i soffan.

"Ja, inte för att jag inte beklagar det som hänt dem, det är verkligen en tragedi, men att hon har mage att fortsätta bråka med oss även under de här omständigheterna, det tycker jag säger en del om vad för sorts människa vi har att göra med."

Patrik ignorerade kommentaren och studerade mannen framför sig. Han var av medellängd, smal, med en vinthundsliknande fysik och grånat hår i en kortklippt, ganska intetsägande frisyr. Hela han var faktiskt ganska intetsägande, en sådan man som vittnen omöjligtvis skulle kunna beskriva, om han fick för sig att råna en bank.

"Vi går runt till alla grannarna som kan tänkas ha sett något. Det har inget med era inbördes stridigheter att göra." Patrik hade redan innan de ringt på bestämt sig för att inte säga något om att Lilian pekat ut Kaj.

"Jaså", sa Kaj med en ton som hade en lätt anstrykning av besvikelse. En tydlig indikation på att fejden med grannen hade blivit ett konstant och efterlängtat inslag i hans liv.

"Varför det då?" fortsatte han. "Det är visserligen tragiskt att flickebarnet drunknat, men det är väl inget som polisen behöver lägga så många timmar på. Ni kan inte ha mycket att göra", skrockade han men rättade snabbt till anletsdragen igen när han såg på Patriks min att han absolut inte fann situationen lustig. Sedan gick det sakta upp ett ljus för honom.

"Stämmer det inte? Folk säger att flickan drunknade, men det vet man ju hur folk pratar. Att polisen går runt och frågar kan bara betyda att det gick till på något annat sätt. Har jag rätt eller har jag rätt?" sa han upphetsat.

Patrik tittade med avsmak på honom. Vad var det för fel på folk? Hur kunde man se en liten flickas död som något spännande? Fanns det inget vanligt hederligt folkvett hos människor längre? Han tvingade sig att behålla en neutral min när han svarade Kaj.

"Jo, det stämmer delvis. Jag kan inte gå in på detaljerna, men det har visat sig att Sara Klinga blev mördad och därför är det av yttersta vikt att vi vet hur hennes förehavanden såg ut den dagen."

"Mördad", sa Kaj. "Men usch, så förskräckligt." Hans min var deltagande, men Patrik kände, snarare än såg, att deltagandet inte gick särskilt djupt.

Patrik fick betvinga en lust att ge Kaj en örfil, så avskyvärd fann han mannens falska empati, men han sa bara sammanbitet: "Som jag sa så kan jag inte gå in på detaljerna närmare, men om ni såg Sara i måndags morse så är det viktigt att vi får reda på när och var. Gärna så exakt som möjligt."

Kaj lade pannan i djupa veck och funderade. "Få se nu, måndag. Jo, jag såg henne någon gång på morgonen, men jag har svårt att säga när. Hon kom ut från huset och skuttade iväg. Den ungen kunde ju aldrig gå som folk, jämt studsade hon upp och ner som en jäkla gummiboll."

"Såg du åt vilket håll hon gick?" sa Ernst som tog till orda för första gången under besöket. Kaj tittade roat på honom, uppenbarligen fann han det lustigt att se sin kortkompis i hans yrkesroll.

"Nej, jag såg henne bara gå nedför uppfarten. Hon vände sig om och vinkade åt någon innan hon studsade iväg igen, men jag såg aldrig åt vilket håll hon gick."

"Och du har ingen möjlighet att säga när det här var?" sa Patrik.

"Inte mer än att det måste ha varit någonstans runt nio. Mer exakt än så kan jag tyvärr inte vara."

Patrik tvekade en stund innan han fortsatte.

"Jag har ju förstått att du och Lilian Florin inte står på vänskaplig fot."
Kaj fnös ljudligt. "Nej, det skulle man lugnt kunna säga. Det finns nog ingen som kan stå på 'vänskaplig fot' med den där haggan."

"Finns det något särskilt skäl till den här …", Patrik letade efter rätt sätt att uttrycka sig på, "ovänskapen?"

"Inte för att det behövs något särskilt skäl för att bli osams med Lilian Florin, men jag råkar faktiskt ha ett fullgott skäl. Det började direkt när vi köpte tomten och skulle bygga huset här. Hon hade synpunkter på ritningarna och gjorde allt för att försöka stoppa bygget. Rörde upp en riktig liten proteststorm, ska jag säga." Han skrockade. "En proteststorm i Fjällbacka. Du hör, man darrar ju i knävecken." Kaj spärrade upp ögonen och låtsades se förskräckt ut, innan han bröt ut i skratt. Sedan samlade han sig och fortsatte: "Ja, vi lyckades självklart kväsa det lilla upproret, även om det kostade oss både tid och pengar. Men sedan har det aldrig tagit någon ände. Och ni vet ju själva vilka extremer hon har gått till. Det har varit ett riktigt helvete under de här åren." Han lutade sig tillbaka och lade upp sitt ena ben över det andra.

"Ni hade inte kunnat sälja och flytta någon annanstans?" frågade Patrik försiktigt, men frågan tände eldar i Kajs ögon.

"Flytta! Aldrig i livet! Den tillfredsställelsen skulle jag aldrig ge henne. Då skulle hon nog må … Ska någon flytta på sig så är det ju hon. Nu väntar jag bara på att kammarrätten ska säga sitt."

"Kammarrätten?" frågade Patrik.

"De byggde en balkong på huset, utan att kolla bestämmelserna först. Och den sticker två centimeter in på min tomt, så det är emot reglerna. Den lär de få riva så fort beslutet kommer. Det borde komma vilken dag som helst nu, och då ska det bli härligt att se Lilians min", myste Kaj.

"Du tror inte att de för tillfället har lite större bekymmer än en balkongs vara eller inte vara?" kunde inte Patrik låta bli att inflika.

Kajs ansikte mörknade. "Ja, jag är inte okänslig för deras tragedi, men rätt ska vara rätt. Fru Justitia tar inga sådana hänsyn", lade han till och sökte Ernsts blick för att få stöd. Ernst nickade uppskattande och Patrik fick ännu en gång anledning att bekymra sig över lämpligheten i hans deltagande i den här utredningen. Det fanns tillräckligt att oroa sig över redan innan det visade sig att han var polare med ett av förhörsobjekten.

De hade delat på sig för att mer effektivt kunna beta av de hus som låg i närheten. Ernst muttrade där han gick i snålblåsten. Hans långa lekamen verkade fånga vinden särdeles effektivt och hans gänglighet gjorde att han vajade av och an och fick kämpa för att hålla balansen. Bitterheten kändes som en sur smak långt bak i munnen. Än en gång hade han fått stryka på foten för en snorvalp som bara var lite mer än hälften så gammal som han själv. För Ernst framstod det som en gåta. Hur kunde hans långa erfarenhet och skicklighet ständigt förbises? Konspiration var den enda förklaring han kunde komma på. Det var lite luddigt vad motivet var och vilka som var hjärnorna bakom den, men det var inget som bekymrade honom. Antagligen uppfattades han som ett hot, funderade han, just på grund av de kvaliteter han visste att han besatt.

Dörrknackande var intill döden tråkigt och han längtade in i värmen. Inget vettigt hade folk att säga heller. Ingen hade sett flickungen på morgonen och ingen hade mycket mer att säga än att det hela var förfärligt. Och det var ju Ernst tvungen att hålla med om. Tur att han själv aldrig begått dumheten att skaffa sig några barn. Fruntimmer hade han lyckats rätt bra att hålla sig borta från också, tänkte han och förträngde effektivt att kvinnor aldrig visat så mycket intresse för honom.

Han sneglade bort mot Hedström som täckte husen på höger sida om Florins hus. Ibland fullkomligt kliade det i fingrarna på honom att ge honom en rejäl sittopp. Han hade nog sett minen som Hedström fick i synen när han blev tvungen att ta med sig honom i morse, det hade faktiskt skänkt Ernst en liten gnutta tillfredsställelse. Annars var de ju som ler och långhalm, Hedström och Molin, och de vägrade lyssna på äldre kollegor som han själv och Gösta. Ja, Gösta var kanske inget prima polisexemplar var Ernst tvungen att erkänna, men hans många år inom kåren förtjänade respekt. Och inte var det konstigt att man tappade lusten att lägga all sin energi på arbetet när man var tvungen att verka under rådande förhållanden. När han tänkte närmare på det, så var det nog de yngre polisernas fel att han oftast inte kände så stor lust att arbeta och istället passade på att smyga till sig pauser när helst det gick. Tanken värmde. Självklart var det inte hans fel. Inte för att han hade haft dåligt samvete för det tidigare, men det kändes bra att ha satt fingret på problemets ursprung. Pudelns kärna, så att säga. Det var snorvalparnas fel. Livet kändes med ens mycket, mycket bättre. Han knackade på nästa dörr.

Frida kammade dockans hår noggrant. Det var viktigt att hon var fin. Hon skulle på kalas. Bordet framför henne var redan uppdukat med kakor och kaffe. Små, små koppar i plast med fina röda tallrikar till. Visserligen var det bara låtsaskakor, men dockor kunde ju inte äta riktiga kakor så det gjorde liksom inte så mycket.

Sara hade tyckt att det var fånigt att leka med dockor. Hon sa att de var för stora för det. Dockor var för bebisar, hade Sara sagt, men Frida lekte med dockor så mycket hon ville. Sara kunde vara så jobbig ibland. Hon skulle alltid bestämma. Allt skulle vara som hon ville, annars tjurade hon eller slog sönder saker. Mamma brukade bli jättearg på Sara när hon slog sönder Fridas saker. Då fick Sara gå hem och så ringde mamma till Saras mamma och lät så där arg på rösten. Men när Sara var snäll så tyckte Frida jättemycket om henne, så hon ville leka med henne ändå. Ifall hon skulle vara så där snäll.

Hon förstod inte riktigt vad det var som hade hänt med Sara. Mamma hade förklarat att hon var död, att hon drunknat i havet, men var var hon då? I himlen, hade mamma sagt, men Frida hade stått länge, länge och tittat upp mot himlen och inte hade hon sett Sara. Hon var säker på att om Sara hade varit i himlen, så skulle hon ha vinkat åt henne. Eftersom hon inte gjorde det kunde hon alltså inte vara där. Frågan var bara var hon var. Inte kunde väl någon bara försvinna? Tänk om mamma försvann så där till exempel? Frida blev rädd i hela kroppen. Om Sara kunde försvinna, kunde mammor också det? Hon kramade dockan tätt mot bröstet och försökte tvinga bort den där otäcka känslan.

Det var något annat hon funderade på också. Mamma hade sagt att farbröderna som kom och ringde på och berättade om Sara var poliser. Frida visste att man skulle berätta allt för polisen. Man fick aldrig ljuga för dem. Men hon hade ju lovat Sara att inte berätta för någon om elaka farbrorn. Fast behövde man hålla det man lovat någon som var borta? Om Sara var borta, så behövde hon ju inte få reda på att Frida berättat om farbrorn. Men tänk om hon kom tillbaka och fick veta att Frida hade skvallrat? Då skulle hon nog bli argare än hon någonsin varit tidigare och kanske slå sönder allt i Fridas rum, till och med dockan. Frida bestämde sig för att det trots allt var bäst att inte säga något om elaka farbrorn.

"Du Flygare, har du tid en stund?" Patrik hade försiktigt knackat på Göstas dörr men hann se att kollegan hastigt stängde ner ett golfspel på datorn.

"Ja, någon minut har jag väl", sa Gösta buttert, pinsamt medveten om att Patrik hade sett hans inte så ädla syssla på arbetstid.

"Gäller det flickan?" fortsatte han i ett trevligare tonfall. "Jag hörde av Annika att det inte var någon olycka. För jävligt", sa han och skakade på huvudet.

"Ja, jag och Ernst har precis varit och pratat med familjen", sa Patrik och slog sig ner i besöksstolen. "Vi informerade dem om att det nu rörde sig om en mordutredning och frågade lite om var de befann sig vid tiden då hon försvann, och om de kände till någon som skulle vilja skada Sara."

Gösta tittade frågande på Patrik. "Tror du att någon i familjen har haft ihjäl henne?"

"Just nu tror jag ingenting. Men i vilket fall som helst är det viktigt att kunna avföra dem från utredningen så snart som möjligt. Sedan får vi samtidigt börja kolla upp om det finns några kända sexförbrytare i trakten eller något sådant."

"Men flickan hade väl inte blivit utnyttjad, vad jag förstod av Annika?" sa Gösta.

"Inte enligt vad rättsläkaren kunde se, men en liten flicka som mördas ..." Patrik avslutade inte meningen, men Gösta förstod vad han menade. Det hade varit alltför många historier i medierna om utnyttjande av barn för att de skulle kunna bortse från den möjligheten.

"Däremot", fortsatte Patrik, "fick jag till min förvåning ett konkret svar när jag frågade om de kände till någon som skulle vilja skada dem."

Gösta höll upp handen. "Låt mig gissa, Lilian slängde Kaj åt vargarna."

Patrik drog lite på munnen åt ordvalet. "Ja, så kanske man skulle kunna uttrycka sig. Det verkar i alla fall inte vara några varmare känslor dem emellan. Vi knackade på och fick en informell pratstund med Kaj också, och man kan väl lugnt säga att det finns mycket gammalt groll under ytan där."

Gösta fnös. "Under ytan skulle jag inte säga. Det är ett drama som utspelat sig i fullt dagsljus i nära tio år och det är något man ledsnar rätt snabbt på som utomstående."

"Ja, jag förstod när jag frågade Annika att du är den som tagit emot anmälningarna de gjort mot varandra genom åren. Skulle du kunna dra lite om dem för mig?"

Utan att svara omedelbart vände sig Gösta om och drog fram en pärm ur bokhyllan bakom skrivbordet. Han bläddrade snabbt och hittade det han sökte.

"Jag har ju bara det som rör de senaste åren här, resten finns nere i arkivet som du förstår."

Patrik nickade.

Gösta bläddrade i pärmen och skummade snabbt igenom en del av de papper han hittade.

"Ja, du kan väl ta den här pärmen. Här finns en hel del smått och gott. Anmälningar från båda sidor om allt möjligt."

"Vad har det rört sig om till exempel?"

"Olaga intrång – Kaj genade visst över deras tomt vid något tillfälle, mordhot – Lilian sa tydligen till Kaj att han skulle akta sig, om livet var honom kärt." Gösta fortsatte bläddra i pärmen. "Ja, och sedan har vi ju ett antal som gäller Kajs son, Morgan. Lilian hävdade att han spionerat på henne och, jag citerar, 'sådana där har en överdriven sexualdrift, har jag hört, så han planerar säkert att våldta mig', slut citat. Och det här är bara ett axplock."

Patrik skakade förundrat på huvudet. "Har de inget bättre för sig?"

"Tydligen inte", sa Gösta torrt. "Och av någon anledning envisas de med att ständigt vända sig till mig med eländet. Men nu låter jag med varm hand dig ta över, tills vidare", sa Gösta och räckte pärmen till Patrik som tog emot den med viss reservation.

"Men", lade Gösta till, "även om både Kaj och Lilian är ena grälsjuka jävlar, så har jag svårt att tro att Kaj skulle ha gått så långt att han haft ihjäl flickan."

"Du har säkert rätt", sa Patrik och reste sig med pärmen i famnen, "men, som sagt, nu har hans namn lyfts fram och då får jag åtminstone undersöka den möjligheten."

Gösta tvekade. "Säg till om du behöver någon mer hjälp. Mellberg kan inte ha menat på allvar att du och Ernst skulle sköta det här själva, det är trots allt en mordutredning. Så om jag kan vara behjälplig ..."

"Tack, det uppskattar jag. Och jag tror att du har rätt. Mellberg ville nog bara ge mig ett tjuvnyp, inte ens han kan ha avsett att du och Martin inte skulle få hjälpa till. Så jag tänkte faktiskt kalla till briefing för samtliga, troligtvis under morgondagen. Har Mellberg något emot det, får han väl säga till. Men jag tror som sagt inte det."

Han tackade Gösta med en nick innan han gick ut ur hans rum och tog vänster i riktning mot sitt eget. Väl installerad i sin kontorsstol slog han upp pärmen och började läsa. Det blev en resa genom människors småaktighet.

Strömstad 1923

Handen darrade lätt när hon försiktigt knackade på hans ruta. Fönstret öppnades omedelbart och förnöjt tänkte hon att han måste ha suttit och väntat på henne. Det var varmt i rummet och hon visste inte om hans kinder blossade av värmen eller av tankarna på timmarna de hade framför sig. Troligen det senare, tänkte hon, då hon kunde känna samma hetta i sitt eget ansikte.

Äntligen hade de kommit fram till den punkt hon strävat efter ända sedan hon kastade den där första stenen mot hans fönster. Hon hade instinktivt känt att hon måste gå varligt fram med honom. Och var det något hon kunde, så var det att läsa män. Läsa dem och sedan ge dem den kvinna som de ville ha. I Anders fall innebar det att hon fick spela den blyga violen under ett par outhärdligt långa veckor. Helst hade hon velat krypa in till honom och ner i hans säng redan första kvällen, men hon visste att det skulle ha stött bort honom. Ville hon ha honom fick hon spela spelet. Hora eller madonna. Hon kunde ge männen båda.

”Är du rädd?” frågade han henne där hon satt bredvid honom på hans smala säng.

Hon tvingade tillbaka ett leende. Om han visste hur väl bevandrad hon var i det som nu skulle ske, så var det han som skulle bäva. Men hon fick inte röja sig. Inte nu, när hon för första gången ville ha en man lika hett som han ville ha henne. Därför slog hon ner blicken och nickade bara svagt. När han lugnande lade armarna om henne kunde hon inte hindra leendet från att bryta fram mot hans axel.

Sedan sökte hon hans mun med sin. När kyssen djupnade och blev till allvar, kände hon hur han försiktigt började knäppa upp hennes blus. Han gjorde det förtärande långsamt. Hon ville ta tag i tyget och slita upp blusen, men visste att det skulle förstöra den bild av sig själv som hon ägnat veckor åt att bygga upp. Tids nog skulle hon kunna släppa fram den sidan av sig själv, men då skulle han ta åt sig äran för att ha lockat fram den. Män var så enkla.

När det sista plagget föll drog hon blygt täcket över sig. Anders smekte henne över håret och tittade frågande in i hennes ögon och väntade på hennes jakande nick innan han kröp efter.

"Kan du inte blåsa ut ljuset?" frågade hon och lät rösten bli liten och rädd.

"Ja, självklart, absolut", sa han, förlägen över att inte själv ha tänkt på att hon skulle föredra mörkrets skydd. Han sträckte sig upp mot nattduksbordet och kvävde lågan med fingrarna. I mörkret kände hon hur han vände sig mot henne igen och outhärdligt sakta började utforska henne.

Vid precis rätt ögonblick lät hon undslippa sig ett gny av låtsad smärta och hoppades att han inte skulle ta frånvaron av blod som ett förrådande tecken. Men att döma av hans ömma omsorger efteråt så hade han inte fattat några misstankar, och hon kände sig nöjd med sin insats. Eftersom hon hade varit tvungen att undertrycka sina naturliga instinkter hade det varit lite tråkigare än hon förväntat sig, men potentialen fanns där och snart nog skulle hon kunna blomma ut på ett sätt som skulle bli en trevlig överraskning för honom.

Liggande på hans arm funderade hon på om hon försiktigt skulle kunna initiera en andra gång, men bestämde sig för att det fick vänta ett tag till. Tills vidare fick hon nöja sig med att ha spelat sin roll skickligt och fått honom precis dit hon ville. Nu var det bara en fråga om att få maximal utdelning på den tid hon investerat i honom. Om hon spelade sina kort rätt kunde hon se fram emot ett riktigt trevligt vintertidsfördriv.

Monica gick runt med vagnen och satte in återlämnade böcker i hyllorna. Hela sitt liv hade hon älskat böcker och efter att nästan ha dött av leda första året hon gick hemma efter att Kaj sålt företaget, så hade hon genast nappat när hon hörde att biblioteket behövde någon som hjälpte till på deltid. Kaj tyckte att hon var tokig som jobbade fast hon inte behövde, och hon misstänkte att han såg det som en prestigeförlust, men hon trivdes alldeles för bra för att bry sig om det. Det var god sammanhållning på arbetsplatsen och hon behövde den gemenskapen för att se någon mening i sin tillvaro. Kaj hade blivit alltmer grinig och snarstucken för vart år som gick och Morgan behövde henne inte längre. Inte heller skulle det bli några barnbarn, det höll hon i alla fall för otroligt. Till och med den glädjen hade hon förnekats. Hon kunde inte låta bli att känna en förtärande avundsjuka när de andra på jobbet pratade om sina barnbarn. Ljusen som tändes i deras ögon fick det att dra ihop sig av missunnsamhet inom Monica. Inte för att hon inte älskade Morgan. Det gjorde hon. Trots att han inte hade gjort det lätt för dem att älska honom. Och hon trodde att han älskade henne också. Han visste bara inte hur han skulle förmedla det, han visste kanske inte ens att det han kände var det som kallades kärlek.

Det hade tagit många år innan de förstod att det var något fel på honom. Eller rättare sagt, de visste att något inte var som det skulle, men det fanns inget inom deras kunskapssfär som stämde in med det de såg hos Morgan. Han var inte efterbliven utan tvärtom väldigt intelligent för sin ålder. Hon trodde inte att han var autistisk, för han drog sig inte inom sitt skal och hade inget emot beröring – symptom som enligt vad Monica hade läst sig till ofta förknippades med autism. Morgan gick i skolan långt innan ADHD och DAMP blev hushållsbegrepp och sådana diagnoser hade därför aldrig ens varit aktuella att överväga. Ändå insåg hon att det var något som inte var rätt. Han uppförde sig underligt och verkade omöjlig att uppfostra. Det var som om han helt enkelt inte begrep den osynliga kommunikationen människor emellan, och de regler som styrde det sociala umgänget var som hebreiska för honom. Ständigt

81

gjorde och sa han fel saker, och Monica visste att folk viskade bakom ryggen på henne och Kaj och menade att sonens beteende berodde på slapp uppfostran från deras sida. Men hon visste att det var något mer än så. Till och med hans rörelsemönster var osmidigt. Ständigt orsakade han små och stora olyckor med sin klumpighet och ibland var olyckorna inte ens olyckor utan något han gjort med uppsåt. Det var det som bekymrade henne mest, att det verkade omöjligt att få honom att lära sig vad som var rätt och fel. De hade försökt med allt: bestraffningar, mutor, hot och löften, alla de verktyg som föräldrar använde för att ge sina barn ett samvete. Men inget hade fungerat. Morgan kunde göra de hemskaste saker utan att visa någon ånger när man kom på honom.

Men för femton år sedan hade de haft en osannolik tur. En av de många läkare som de besökt genom åren brann för sitt yrke och läste allt han kom över av ny forskning. En dag berättade han att han stött på ett begrepp som stämde kusligt väl in på Morgan: Aspergers syndrom. En form av autism, men med normal till hög intelligens hos patienten. Det var som om alla år av umbäranden rann av Monica i det ögonblick hon för första gången hörde ordet. Hon hade smakat på det, njutningsfullt rullat det runt på tungan: Aspergers. Det hade inte varit inbillning från deras sida, ingen brist i deras förmåga att uppfostra ett barn, och hon hade haft rätt i att det var svårt om än inte omöjligt för Morgan att avläsa det som gjorde vardagslivet lättare för alla andra människor: kroppsspråk, ansiktsuttryck och underförstådda meningar. Inget av detta registrerades i Morgans hjärna. För första gången kunde de också på allvar börja hjälpa honom. Eller de och de … Kaj hade i ärlighetens namn inte varit särskilt engagerad i Morgan. Inte sedan han kallt konstaterat att sonen aldrig skulle leva upp till hans förväntningar. Efter det hade Morgan blivit Monicas pojke. Så det blev hon ensam som läste allt hon kom över om Aspergers och tog fram enkla verktyg som skulle hjälpa sonen genom vardagen. Små kort som beskrev olika scenarion och hur man uppförde sig om de inträffade, rollspel där de övade på olika situationer och samtal där hon försökte få honom att intellektuellt förstå det som hans hjärna vägrade ta till sig intuitivt. Och hon vinnlade sig också om att uttrycka sig tydligt inför Morgan. Rensa bort alla de liknelser, överdrifter och talesätt som användes för att ge språket färg och form. Det hade till stor del lyckats. Han hade lärt sig att åtminstone hjälpligt fungera i världen, men fortfarande höll han sig helst för sig själv. Med sina datorer.

Det var därför Lilian Florin lyckats förvandla en vag irritation till hat.

82

Allt annat hade hon kunnat ta. Hon struntade i bygglov och överträdelser och hot om det ena eller det andra. Vad henne anbelangade var Kaj nog så delaktig i fejden och hon trodde till och med att han stundom njöt av den. Men att Lilian gång på gång hade gett sig på Morgan, det fick tigrinnan inom henne att vakna. Bara för att han var annorlunda verkade det som om det gav Lilian, och många andra för den delen, fritt spelrum. Gud förbjude att man skulle sticka ut på minsta sätt och bara det att han fortfarande bodde om inte hemma, så åtminstone kvar på tomten hos sina föräldrar, stack i ögonen på många. Men ingen var så illasinnad som Lilian. En del av beskyllningarna hon kommit med gjorde Monica så förbannad att det svartnade framför ögonen när hon tänkte på det. Många gånger hade hon ångrat flytten till Fjällbacka. Hon hade till och med tagit upp det med Kaj några gånger, men hon visste redan innan att det var lönlöst. Han var alldeles för tjurskallig.

Hon satte in de sista böckerna som legat på vagnen och tog en lov runt hyllorna för att se om det fanns några fler att plocka in. Men händerna darrade av ilska när hon för sitt inre spelade upp alla illvilliga attacker mot Morgan som Lilian hade stått bakom genom åren. Inte nog med att hon sprungit till polisen ett par gånger, hon hade spritt osanna rykten på bygden också, och det var en skada som var nästintill omöjlig att reparera. Ingen rök utan eld, sas det. Och även om man lite till mans visste att Lilian Florin var en riktig skvallerkärring, så blev det hon sa så småningom till sanning, genom utnötning och upprepning.

Nu fick hon också en stor portion medlidande på bygden och mycket av Lilians elakheter hade i ett slag förlåtits henne. Hon hade trots allt förlorat ett barnbarn. Men inte ens det kunde Monica tycka synd om henne för. Nej, det medlidandet sparade hon till dottern. Hur Charlotte kunde vara född av Lilian var för henne en gåta. Rarare flicka fick man leta efter och henne tyckte Monica så synd om att det kändes som om hjärtat skulle brista när hon tänkte på det.

Men Lilian, henne tänkte hon inte slösa en tår på.

Aina såg förvånad ut när han dök upp på läkarstationen vid sin vanliga tid, åtta på morgonen.

"Hej, Niclas." Hon tvekade. "Jag trodde att du skulle vara hemma längre?"

Han skakade bara på huvudet och gick in på sin mottagning. Orkade inte förklara. Förklara att han inte klarade av att vara hemma en minut längre, trots att skulden över att han smet vägde tungt på axlarna. Det var ju en annan och värre sorts skuld som fick honom att lämna Charlotte ensam med sin förtvivlan hemma hos Lilian och Stig. En skuld som fick strupen att snöras ihop och gjorde det svårt för honom att andas. Om han hade stannat där längre skulle han ha kvävts, det var han säker på. Han kunde inte ens titta på Charlottes ansikte. Han klarade inte av att möta hennes blick. Smärtan i den i kombination med hans eget skuldtyngda samvete var mer än han kunde bära. Därför var han tvungen att fly till arbetet istället. Det var fegt, det visste han. Men han hade för länge sedan förlorat alla illusioner om sig själv. Han var ingen stark, modig människa.

Men det var inte meningen att Sara skulle drabbas. Det var inte meningen att någon skulle drabbas. Niclas tog sig för bröstet där han satt som paralyserad bakom sitt stora skrivbord, belamrat med journaler och andra papper. Smärtan var så skarp att han kunde känna hur den färdades upp och ner i venerna och samlades i hjärtat. Plötsligt förstod han hur en hjärtinfarkt måste kännas. Den smärtan kunde i alla fall inte vara värre än den här.

Han drog händerna genom håret. Det som hänt, det som måste få ett slut, låg framför honom som en olöslig rebus. Ändå måste han lösa den. Han var tvungen att göra något. På något sätt måste han ta sig ur den knipa han försatt sig i. Det hade alltid gått så bra tidigare. Charm, smidighet och ett öppet och ärligt leende hade räddat honom från de flesta av konsekvenserna av hans handlande genom åren, men kanske hade han slutligen kommit till vägs ände.

Framför honom började telefonen ringa. Telefontiden hade börjat. Fastän han kände sig så trasig, var han nu tvungen att hela de sjuka.

Med Maja i en sele på magen gjorde Erica ett förtvivlat försök att städa. Hon hade svärmors förra besök i alldeles för färskt minne och drog därför nästan maniskt runt dammsugaren i vardagsrummet. Förhoppningsvis skulle Kristina inte ha någon anledning att gå upp till övervåningen, så om hon klarade att få undervåningen presentabel innan hon kom skulle det nog ordna sig.

Förra gången när Kristina kom hade Maja varit tre veckor och Erica hade fortfarande befunnit sig i ett chockat dis. Dammtussarna hade varit stora som råttor och disken hade tornat upp sig på diskbänken. Patrik hade visserligen gjort några ansatser att börja städa, men eftersom Erica slängde Maja i famnen på honom så fort han kom hem, hade han inte lyckats komma längre än att ta ut dammsugaren ur städskrubben.

Så fort Kristina hade kommit innanför dörren hade hon visat upp en min av avsmak, som bara försvann när hon tittade på barnbarnet. Sedan hade tre dagar förflutit där Erica genom sitt dis hade hört Kristina muttra om att det minsann var tur att hon kom, annars skulle Maja snart utveckla astma i allt det här dammet och på hennes tid satt man minsann inte framför TV:n hela dagarna, utan man klarade av att ta hand om bebis, ett antal syskon, städa och dessutom se till att ha ett lagat mål mat på bordet när maken kom hem. Som tur var hade Erica varit alltför matt för att orka reta sig för mycket på svärmoderns kommentarer. Hon hade faktiskt varit tacksam för de stunder som hon fått för sig själv när Kristina stolt gick ut med Maja i vagnen eller hjälpte till att bada och byta på henne. Men nu var Erica fysiskt starkare och det i kombination med den ständiga melankolin gjorde att hon instinktivt förstod att det var bättre att i möjligaste mån försöka undvika alla anledningar till kritik från svärmodern.

Erica tittade på klockan. En timme tills Kristina beräknades komma insvepande, och hon hade fortfarande inte hunnit med disken. Och damma skulle hon också behöva göra. Hon sneglade på dottern. Maja hade förnöjt somnat in i selen till ljudet av dammsugaren och Erica funderade på om det kanske var något som skulle funka när de skulle få henne att sova i sängen. Hittills hade alla sådana försök ackompanjerats av högljudda protester, men det sas ju att barn gärna somnade in till monotona ljud, så som från dammsugaren eller torktumlaren. Det var värt att pröva i alla fall. För tillfället var enda sättet att få dottern att sova att ha henne på magen eller vid bröstet, och det började kännas ohållbart. Kanske borde hon testa de metoder som hon läst om i *Barnaboken*, niobarnsmamman Anna Wahlgrens praktverk om barnskötsel. Hon hade läst den innan Maja kom, och ett gäng andra böcker också för den delen, men när verklighetens bebis väl låg där, så hade all den teoretiska kunskap som hon införskaffat flugit sin kos. Istället praktiserade de något slags "överleva en minut i taget"-filosofi med Maja, och Erica kände att det kanske var dags att återta kontrollen. Det kunde inte vara rimligt att ett barn på två månader skulle styra hela hemmet så till den milda grad som hon nu gjorde. Om Erica hade kunnat leva med en sådan situation så var det väl en sak, men hon kände ju hur hon gled allt längre in i mörkret.

En hastig knackning på dörren avbröt hennes tankar. Antingen hade en timme gått rekordsnabbt, eller så hade svärmodern anlänt en timme för tidigt. Det senare var det troligare och Erica tittade sig förtvivlat runt i undervåningen. Nåja, inte mycket att göra något åt. Det var bara att sätta på sig leendet och gå och släppa in svärmor. Hon öppnade dörren.

"Men kära du, står du där med Maja i draget! Hon kommer att dra förkylning på sig, förstår du väl."

Erica blundade och räknade till tio.

Patrik hoppades att det skulle gå bra när hans mamma kom och hälsade på. Han visste att hon kunde var lite... överväldigande, kanske man kunde beskriva det som, och även om Erica i vanliga fall inte hade några problem att tackla henne, så hade hon ju inte varit sig vanliga jag sedan Maja kom. Samtidigt behövde hon avlastning och eftersom han inte kunde ge henne den, så fick de ta till de resurser som stod till buds. Återigen undrade han om han borde försöka hitta någon som Erica kunde prata med, någon professionell. Men vart skulle han vända sig? Nej, det var kanske bäst att bara låta det värka ut. Det gick säkert över av sig självt, så fort de fick lite rutin på det hela, intalade han sig. Men han kunde inte hindra en liten gnagande misstanke från att smyga sig fram, en misstanke om att han kanske alldeles för lättvindigt valde att tro på det för att det krävde minst insats från honom själv.

Han tvingade sig att släppa tankarna på hemmafronten och återgick till anteckningarna han hade framför sig. Han hade kallat till samling på sitt rum klockan nio och det var bara fem minuter kvar. Som han misstänkte så hade inte Mellberg haft något emot att övrig personal involverades, utan verkade även han se det som en självklarhet. Allt annat skulle i och för sig ha varit idiotiskt, även med Mellbergs mått mätt. Hur skulle de ha klarat en mordutredning på tu man hand, han och Ernst?

Först in var Martin som slog sig ner i den enda besöksstolen som fanns inne i rummet. De övriga skulle bli tvungna att ta med egna stolar.

"Hur gick det med lägenheten?" sa Patrik. "Var den något att ha?"

"Den var helt suverän!" sa Martin med lysande ögon. "Vi tog den på stubben, om två helger så får du gärna komma och bära kartonger."

"Jaså, får jag det?" skrattade Patrik. "Det var snällt. Ja, jag får nog återkomma om det när jag har konfererat med regeringen hemma. Erica är lite ogenerös med min tid just nu, så jag kan inte lova något."

"Självklart", sa Martin. "Jag har en del flyttjänster att kräva in, så vi klarar oss nog bra utan dig."

"Vad är det jag hör om flytt?" sa Annika och svepte in med kaffekopp i ena handen och block i den andra. "Kan jag verkligen tro mina öron, ska du äntligen inträda i de stadgades gemenskap, Martin?"

Han rodnade, liksom han alltid gjorde när Annika retades med honom, men kunde inte hålla leendet borta från ansiktet.

"Jo, du hörde rätt. Jag och Pia har hittat en lägenhet i Grebbestad. Inflyttning om två veckor."

"Jo, jag tackar, jag", sa Annika. "Det var minsann på tiden. Jag hade så smått börjat oroa mig för att du skulle hamna på glasberget. Såå, när får vi höra trampet av små fötter då?"

"Äh, lägg av", sa Martin. "Jag minns nog hur du trakasserade Patrik när han träffade Erica och se bara hur det har gått för honom. Den stackaren kände sig pressad att befrukta sin kvinna och nu sitter han här och ser minst tio år äldre ut." Han blinkade åt Patrik för att visa att han skojade.

"Ja, säg bara till om du vill ha några tips om hur man gör", sa Patrik godmodigt.

Martin skulle precis svara något spydigt när Ernst och Gösta samtidigt försökte klämma sig in genom dörren med sina stolar. Muttrande släppte Gösta förbi Ernst, som nonchalant slog sig ner mitt i rummet.

"Det blir trångt om härligheten här", sa Gösta och fick med en sur min Martin och Annika att maka på sina stolar.

"Finns det hjärterum…", sa Annika syrligt utan att avsluta ordspråket.

Sist av alla kom Mellberg insläntrande och han nöjde sig med att förbli stående i dörröppningen.

Patrik bredde ut papprena framför sig och tog ett djupt andetag. Insikten om vilket ansvar det innebar att hantera en mordutredning drabbade honom med full kraft. Det var inte första gången, men han var ändå nervös. Han trivdes inte med att vara i centrum och allvaret i uppgiften fick hans axlar att tyngas nedåt. Men alternativet var att Mellberg skötte ledarskapet och det ville han till varje pris undvika. Så det var bara att börja.

"Som ni vet vid det här laget, så har vi nu fått bekräftat att Sara Klingas död inte var en olycka, utan ett mord. Hon drunknade visserligen, men vattnet i lungorna var sötvatten, inte saltvatten, vilket visar att hon dränkts någon annanstans och sedan dumpats i vattnet. Ja, det där är ju inga nyheter, och alla detaljerna finns i rapporten från Pedersen, som Annika har kopierat." Han skickade runt en bunt med hophäftade papper och de tog alla varsitt exemplar.

"Går det att säga något utifrån vattnet i lungorna? Det står ju till exempel här att det fanns tvålrester i vattnet. Kan vi få reda på vad för sorts tvål det är?" sa Martin och pekade på en punkt i obduktionsprotokollet.

"Ja, det kan vi förhoppningsvis", svarade Patrik. "Ett vattenprov har gått iväg till SKL för analys och om ett par dagar vet vi mer om vad de kan få fram."

"Kläderna då?" fortsatte Martin. "Går det att säga om hon var påklädd eller inte när hon dränktes i badkaret? För vi kan väl nästan anta att det är ett badkar hon dränkts i?"

"Det blir tyvärr samma svar där. Hennes kläder har också skickats iväg och innan vi fått provsvaren vet jag inte mer än ni."

Ernst himlade med ögonen och Patrik gav honom ett skarpt ögonkast. Han visste precis vad som försiggick i skallen på honom. Han var bara avundsjuk för att det var Martin och inte han själv som kom på några intelligenta frågor att ställa. Patrik undrade om Ernst någonsin skulle förstå att de jobbade tillsammans i ett lag för att lösa en uppgift och att det inte var fråga om en individuell tävlan.

"Har vi att göra med ett sexbrott?" frågade Gösta och Ernst såg om möjligt ännu surare ut när till och med hans partner i slöhet lyckades klämma fram en relevant fråga.

"Omöjligt att säga", svarade Patrik. "Men jag skulle vilja att Martin börjar kolla om det finns någon i våra rullor som har döms för sexbrott mot barn."

Martin nickade och antecknade.

"Sedan måste vi också fortsätta att titta närmare på familjen", sa Patrik. "Ernst och jag har haft ett inledande samtal med dem, där vi samtidigt informerade dem om att Sara mördats, och vi har också talat med den person som Saras mormor pekat ut som tänkbar misstänkt."

"Låt mig gissa", sa Annika syrligt. "Kan det möjligtvis ha varit en viss Kaj Wiberg?"

"Stämmer", sa Gösta. "Jag har gett Patrik alla papper jag har om deras kontakter med oss genom åren."

"Slöseri med tid och resurser", sa Ernst. "Det är helt befängt att tro att Kaj skulle ha något med flickans död att göra."

"Ja, just det, ni känner ju varandra", sa Gösta och tittade forskande på Patrik för att se om han var medveten om detta. Patrik bekräftade det med en nick.

"I vilket fall som helst", avbröt Patrik när Ernst åter försökte ta till orda. "Vi fortsätter att undersöka Kaj för att så snart som möjligt kunna avgöra om han är inblandad, och vi jobbar så brett det bara går i det här skedet. Vi måste överhuvudtaget ta reda på mer om flickan och hennes familj. Jag tänkte att jag och Ernst skulle börja med att prata med flickans lärare för att höra om de känner till något problem i anslutning till familjen. Eftersom vi vet så litet skulle vi nog också behöva ta hjälp av lokalpressen. Skulle du kunna hjälpa till med det, Bertil?"

Han fick inget svar och upprepade lite högre: "Bertil?" Fortfarande inget svar. Mellberg såg ut att vara långt borta i sina egna tankar, där han stod lutad mot dörrposten. Efter att ha höjt rösten ytterligare ett snäpp fick Patrik slutligen en reaktion.

"Öh, förlåt? Vad sa du?" sa Mellberg, och Patrik hade åter svårt att fatta att det var han som skulle föreställa vara chef på det här bygget.

"Jag undrade bara om du skulle kunna tänka dig att prata med lokalpressen? Gå ut med att det är mord och att alla iakttagelser är av intresse. Det känns som om vi kommer att behöva allmänhetens hjälp med det här fallet."

"Åh, öh, javisst", sa Mellberg som fortfarande hade ett yrvaket uttryck i ansiktet. "Okej, jag snackar med pressen."

"Då så. Längre än så här kommer vi nog inte just nu", sa Patrik och knäppte händerna på skrivbordet. "Några fler frågor?"

Ingen sa något och efter några sekunders tystnad började alla som på en given signal att samla ihop sina pinaler.

"Ernst?" Patrik hejdade kollegan precis när han var på väg ut genom dörren.

"Kan du vara klar att åka om en halvtimme?"

"Åka vart då?" sa Ernst med sin sedvanliga grinighet.

Patrik tog ett djupt andetag. Ibland undrade han om han bara trodde att han pratade och att det egentligen bara var läpparna som rörde sig. "Till Saras skola. För att prata med hennes lärare", sa han överdrivet tydligt.

"Jaså det. Ja, jag kan väl vara klar om en halvtimme", sa Ernst och vände ryggtavlan åt Patrik.

Patrik blängde ilsket på honom. Ett par dagar till skulle han ge sin påtvingade partner. Sedan skulle han nog våga trotsa Mellberg och diskret ta med sig Molin istället.

Strömstad 1924

Nyhetens behag hade sannerligen börjat försvinna. Hela vintern hade varit full av kärleksmöten och i början hade hon njutit av varje ögonblick. Men nu när vintern började ge med sig och våren så sakteliga närmade sig, kände hon hur ledan började smyga sig på. För att vara helt ärlig såg hon knappt vad det var hos honom som hon tidigare funnit så attraktivt. Visst såg han bra ut, det kunde hon inte förneka, men hans tal var bonnigt och okunnigt och det stod ständigt en lätt odör av svett kring honom. Det blev dessutom allt svårare att smyga sig ner till honom, nu när mörkret började lyfta på sitt skyddande täcke. Nej, det fick bli ett slut på det här, bestämde hon sig för där hon satt framför spegeln i sitt rum.

Hon lade sista handen vid sin klädsel och gick ner för att äta frukost med sin far. Hon hade träffat Anders i går och tröttheten satt därför kvar i kroppen. Hon slog sig ner vid matsalsbordet efter att först ha kysst sin far på kinden och började håglöst knacka upp skalet på ett ägg. Tröttheten gjorde att lukten från ägget fick det att vända sig i magen på henne.

"Hur är det, hjärtat?" frågade August oroligt och betraktade henne tvärs över det stora bordet.

"Lite trött bara", svarade hon ynkligt. "Jag hade lite svårt att sova i natt."

"Stackare", sa han medlidsamt. "Se till att få lite i magen, så kan du ju gå upp och lägga dig och vila en stund. Vi kanske skulle ta dig till doktor Fern för en undersökning också, jag tycker att du har varit lite hängig hela vintern."

Agnes kunde inte låta bli att le och fick snabbt dölja leendet bakom servetten. Med nedslagen blick svarade hon sin far: "Ja, jag har varit lite trött. Men det har nog mest berott på den mörka årstiden. Du ska se att nu när det blir vår, så blir jag mer kurant igen."

"Hmm, ja, vi får väl se. Men fundera på om inte doktorn ska ta sig en titt på dig ändå."

"Ja, far", sa hon och tvingade sig att ta en tugga av ägget.

Det skulle hon inte ha gjort. I samma ögonblick som hon fick biten av kokt äggvita i munnen, kände hon hur magen rörde oroligt på sig och hur något var på väg upp genom halsen. Snabbt reste hon sig från bordet och med handen för munnen sprang hon mot vattenklosetten de hade i undervåningen. Hon hann knappt få upp locket innan en kaskad av gårdagens middag blandat med galla plaskade ner i stolen, och hon kände hur ögonen tårades. Magen vändes ut och in i flera omgångar och först när hon väntat en stund och det inte verkade komma mer, torkade hon sig äcklat om munnen och klev på skakiga ben ut från det lilla rummet. Utanför stod hennes far och såg bekymrad ut.

"Kära hjärtat, hur står det till?"

Hon skakade bara på huvudet och svalde för att få bort den vidriga smaken av galla i munnen.

August lade armen om hennes axlar, ledde henne in i salongen och satte henne ner på en av sofforna. Han lade handen på hennes panna.

"Men Agnes, du är ju alldeles kallsvettig. Nej, nu ringer jag doktor Fern så får han komma hit och titta på dig."

Hon orkade bara nicka matt och lade sig sedan på soffan och slöt ögonen. Rummet snurrade bakom hennes stängda ögonlock.

Det var som att leva i en skuggvärld utan verklighetsanknytning. Hon hade inte haft något val, men ändå ansattes hon ständigt av tvivel på om hon verkligen hade handlat rätt. Anna visste att ingen annan skulle förstå. Varför, när hon äntligen hade lyckats bryta sig loss från Lucas, gick hon tillbaka till honom? Varför, när han hade gjort vad han hade gjort med Emma? Svaret var att hon gick tillbaka för att hon trodde att det var hennes och barnens enda chans att överleva. Lucas hade alltid varit farlig, men samtidigt behärskad. Nu var det som om något brustit inom honom och behärskningen hade fått ge vika för en ruvande galenskap. Det var enda sättet hon kunde beskriva det på: galenskap. Den hade alltid funnits där, hon hade alltid anat den. Kanske var det den där underliggande strömmen av potentiell fara som hade lockat henne till honom från början. Nu hade den kommit upp till ytan och hon var livrädd.

Att hon hade tagit barnen och lämnat honom var inte den enda anledningen till att galenskapen kom fram i ljuset. Det var flera faktorer som hade samverkat för att få den där lilla strömbrytaren inom honom att slås på. Jobbet, som alltid varit hans stora framgångsområde, hade även det svikit honom. Några misslyckade affärer och hans karriär var över. Strax innan hon gick tillbaka till honom hade hon sprungit på en kollega till honom, som hade berättat att Lucas börjat uppträda mer och mer irrationellt på jobbet när saker och ting inte längre gick bra för honom. Hastiga vredesutbrott och aggressiva utfall. När han till slut hade tryckt upp en viktig kund mot väggen hade han fått sparken med omedelbar verkan. Kunden hade dessutom anmält överfallet till polisen, så en utredning skulle inledas så fort polisen fick tid.

Rapporterna om hans sinnestillstånd hade oroat henne, men det var först när hon kom hem till en fullständigt vandaliserad lägenhet som hon förstod att hon inte hade något val. Han skulle skada henne, eller ännu värre, skada barnen, om hon inte gjorde honom till viljes och återvände. Enda sättet att skapa lite trygghet åt Emma och Adrian var att hålla sig så nära fienden som möjligt.

Anna visste detta, men ändå kändes det som om hon kommit ur askan i elden. Hon var praktiskt taget fånge i hemmet, med en aggressiv och irrationell Lucas som fångvaktare. Han tvingade henne att säga upp sig från sitt deltidsarbete på Stockholms Auktionsverk, ett arbete som hon hade älskat och funnit stor tillfredsställelse i, och tillät henne inte att gå utanför dörren annat än för att handla mat och hämta eller lämna barnen. Något nytt arbete hade han inte kunnat hitta, och han försökte inte heller. Den stora, fina lägenheten på Östermalm hade han fått lämna och de trängde nu ihop sig i en liten tvåa strax utanför stan. Men så länge han inte slog barnen, så kunde hon stå ut med vad som helst. Själv hade hon åter blåmärken och ömma ställen på kroppen, men på sätt och vis hade det varit som att ta på sig en gammal, välbekant dräkt. Hon hade levt på det sättet i så många år att den korta tiden i frihet var det som kändes overkligt, inte det här livet. Anna gjorde också sitt bästa för att barnen inte skulle märka vad som hände. Hon hade lyckats övertala Lucas att de skulle få fortsätta gå till dagis och inför dem försökte hon låtsas att deras liv var som vanligt. Men hon var inte säker på att hon lurade dem. Åtminstone inte Emma, som nu var fyra år gammal. Hon hade först varit extatisk över att de skulle flytta in hos pappa igen, men Anna hade allt oftare kommit på henne med att forskande betrakta sin mor.

Och trots att Anna ständigt försökte intala sig själv att hon fattat rätt beslut, insåg hon ändå att de inte kunde leva resten av sina liv så här. Ju mer irrationell Lucas blev, desto mer rädd blev hon för honom. Hon var övertygad om att han en dag skulle gå över gränsen och slå ihjäl henne. Frågan var bara hur hon skulle kunna komma undan? Hon hade övervägt att på något sätt försöka ringa till Erica och be henne om hjälp, men dels övervakade Lucas telefonen som en hök och dels fanns det något inom henne som höll henne tillbaka. Hon hade litat till Erica så många gånger förr och för en gångs skull kände hon att hon var tvungen att tackla något själv, som en vuxen människa. Sakta hade hon utvecklat en plan. Hon måste samla tillräckligt med bevis mot Lucas för att misshandeln inte skulle kunna ifrågasättas. Då skulle hon och barnen kunna få skyddad identitet. Ibland överväldigades hon av lust att bara ta barnen och fly till närmaste kvinnojour, men hon var tillräckligt insatt för att veta att utan bevisning mot Lucas skulle det bara vara en temporär lösning. Sedan skulle de vara tillbaka i helvetet igen.

Så hon hade börjat dokumentera allt hon kunde. I ett av varuhusen på vägen till dagis fanns en fotoautomat och där smög hon in och tog kort på sina skador. Hon skrev ner tider och datum då de tillfogats henne och gömde anteckningarna och fotografierna innanför ramen på hennes och Lucas bröllopsfoto. Det fanns en symbolik i det som hon uppskattade. Snart skulle hon ha nog med material för att med större tillförsikt kunna lägga sitt och barnens öde i samhällets händer. Fram till dess fick hon helt enkelt stå ut. Och se till att överleva.

Det var rast på skolan när de svängde in på parkeringen. Mängder av barn var ute och lekte i snålblåsten, väl påpälsade och obekymrade om kylan som fick Patrik att huttrande skynda på stegen för att komma inomhus.

Förhoppningsvis skulle deras dotter gå på skolan om ett par år. Det var en trevlig tanke och han kunde riktigt se Maja skutta omkring här i hallen med ljusa tofsar och glugg mellan framtänderna, precis som Erica såg ut på korten från när hon var liten. Han hoppades att Maja skulle bli lik sin mor. Hon hade varit rasande söt som liten och var det fortfarande i hans ögon.

De chansade och gick fram till det första klassrum de såg och knackade på dörren som stod öppen. Rummet var ljust och trevligt, med stora fönster och barnteckningar på väggarna. En ung lärarinna satt vid en kateder, djupt försjunken i papprena hon hade framför sig. Hon ryckte till när hon hörde knackningen.

”Ja?” Tonen var frågande och hon hade trots sin ringa ålder redan lyckats få till den där perfekta lärarinnerösten, som fick Patrik att betvinga en lust att ställa sig i stram givakt och bocka.

”Vi kommer från polisen. Vi söker Sara Klingas lärare.”

Ett dystert uttryck smög sig på hennes ansikte och hon nickade. ”Det är jag.” Hon reste sig och gick fram till dem med utsträckt hand. ”Beatrice Lind. Jag undervisar klass ett till tre.” Hon visade med handen att de skulle slå sig ner på någon av de små stolar som stod vid skolbänkarna, och Patrik kände sig som en jätte när han försiktigt satte sig ner. Synen av Ernst som försökte koordinera ihop alla delar av sin gängliga lekamen för att få plats på den pyttelilla stolen fick honom att dra på munnen. Men så fort Patrik vände blicken mot lärarinnan stramade han till anletsdragen igen och fokuserade på sitt ärende.

”Det är så fruktansvärt tragiskt”, sa Beatrice och darrade på rösten. ”Att ett barn kan vara här ena dagen och vara borta nästa ...” Nu darrade underläppen också. ”Och drunknad ...”

"Ja, nu är det så att det har visat sig att det inte var en olycka." Patrik var förvånad över att nyheten inte redan hade spritt sig till alla invånare i samhället. Men Beatrice såg onekligen häpen ut.

"Vad då, vad menar du? Ingen olycka? Men, hon drunknade ju …?"

"Sara blev mördad", sa Patrik och hörde själv hur bryskt det lät. Med mildare tonfall sa han: "Hon dog inte av en olyckshändelse och därför behöver vi ta reda på mer om Sara. Hur hon var som person, om ni kände till några problem i familjen, allt sådant."

Han såg att Beatrice fortfarande var bestört över nyheten, men att hon börjat fundera på innebörden. Efter en stund hade hon samlat sig och sa: "Ja, vad ska man säga om Sara. Hon var …", det såg ut som om hon letade efter ett lämpligt ordval, "ett mycket livfullt barn. Både på gott och ont. Det var inte en tyst stund när Sara var med och det kunde i ärlighetens namn faktiskt vara svårt att hålla ordning i klassen ibland. Hon var något av en ledartyp och drog med sig de andra och om man inte stoppade det i tid var det snart fullt kaos i klassen. Samtidigt …", Beatrice tvekade på nytt och såg ut som om hon vägde varje ord noga, "samtidigt var det just den energin hos henne som skapade en oerhörd kreativitet. Hon var otroligt duktig på att rita och allt sådant estetiskt och hon hade dessutom en fantasi som jag aldrig sett maken till. Hon var helt enkelt ett mycket kreativt barn vare sig det gällde att ställa till med ofog eller att producera något konkret."

Ernst skruvade på sig på den lilla stolen och sa: "Vi hörde att hon hade något av de där bokstavsproblemen, DAMP eller vad det nu heter."

Hans respektlösa tonfall fick Beatrice att titta skarpt på honom, och till Patriks förnöjelse sjönk kollegan ihop en aning där han satt.

"Sara hade DAMP, det stämmer, ja. Hon fick extraundervisning och vi har numera utmärkta kunskaper inom området och kan ge dessa barn det de behöver för att kunna fungera optimalt." Det lät som om hon föreläste och Patrik förstod att detta var något av en hjärtefråga för henne.

"Hur yttrade sig problemen hos Sara?" frågade Patrik.

"På det sätt som jag beskrivit. Hon hade en väldigt hög energinivå och kunde ibland få förskräckliga raserianfall. Men hon var som sagt också ett mycket kreativt barn. Hon var inte ond eller elak eller ouppfostrad, som många okunniga säger om barn som Sara. Hon hade helt enkelt bara svårt att styra sina impulser."

"Hur reagerade de andra barnen på hennes sätt att vara?" Patrik var uppriktigt nyfiken.

"Lite olika. Vissa orkade inte med henne överhuvudtaget och drog sig undan, medan andra verkade kunna hantera hennes utbrott med jämnmod och kom ganska bra överens med henne. Hennes bästa vän skulle jag nog säga var Frida Karlgren. De bor nära varandra också."

"Ja, vi har pratat med henne", sa Patrik och nickade. Han vred sig återigen på stolen. Det hade börjat sticka obehagligt i benen och det kändes som om han höll på att få kramp i högra vaden. Han hoppades innerligen att även Ernst började känna sig plågad.

"Och familjen", sköt Ernst in, "känner du till om Sara hade några problem hemma?"

Patrik var tvungen att undertrycka ett leende när han såg att kollegan mycket riktigt börjat massera sina vader.

"Jag kan tyvärr inte hjälpa er där", sa Beatrice och snörpte på munnen. Det var uppenbart att hon inte hade för vana att skvallra om elevernas hemförhållanden. "Jag har bara träffat hennes föräldrar, och hennes mormor vid något enstaka tillfälle, och jag upplevde dem som stabila, trevliga människor. Jag har heller aldrig fått några indikationer från Sara på att något skulle ha varit galet."

En klocka ringde gällt som signal på att rasten var avslutad och ett livligt stojande i hallen visade att barnen lydigt hörsammat kallelsen. Beatrice reste sig och sträckte fram handen som tecken på att samtalet var avslutat och Patrik lyckades mödosamt ta sig upp från stolen. I ögonvrån såg han att Ernst övergått till att massera sitt ena ben som uppenbarligen hade somnat. Som två gamla gubbar stapplade de ut ur klassrummet efter att ha sagt adjö till lärarinnan.

"Satan, vilka obekväma sittdon", sa Ernst medan han linkade bort till bilen.

"Ja, man är väl inte så smidig längre", sa Patrik och krånglade sig in i bilen. Plötsligt kändes det bekväma sätet med gott om utrymme för benen som en oerhörd lyx.

"Tala för dig själv", muttrade Ernst. "Min fysik är lika god som när jag var tonåring, men ingen är väl för fan byggd för att sitta på miniatyrmöbler."

Patrik bytte inriktning på samtalet. "Det var inte mycket matnyttigt vi fick med oss från det här."

"Låter som om ungen var en jävla pest i mina öron", sa Ernst. "Nuförtiden verkar det som om alla ungar som inte kan uppföra sig ursäktas med någon jävla variant av DAMP. På min tid botades sådant beteende med ett par rapp med linjalen. Men nu ska det medicineras och ältas hos psykolog och pjåskas. Inte konstigt att samhället går åt helvete." Ernst stirrade dystert ut genom fönstret på passagerarsidan och skakade på huvudet.

Patrik bevärdigade inte uttalandet med ett svar. Det var liksom inte lönt.

"Ska du verkligen mata henne igen? På min tid matade man minsann inte oftare än var fjärde timme", sa Kristina och betraktade kritiskt Erica som slagit sig ner i fåtöljen för att amma Maja efter "bara" två och en halv timme.

Vid det här laget visste Erica bättre än att argumentera emot och hon ignorerade därför Kristinas kommentar. Den var bara en av många som farit genom luften under förmiddagen och Erica kände att hon snart hade fått nog. Hennes avbrutna städningsförsök hade mycket riktigt kommenterats. Nu for svärmodern runt med dammsugaren som en vettvilling och muttrade kommentarer om sitt favoritämne: dammets framkallande av astma hos små barn. Innan dess hade hon demonstrativt ställt sig och diskat allt porslin som stått på diskbänken medan hon noga instruerat Erica om det korrekta sättet att hantera disk. Den skulle sköljas av omedelbart för att inte matresterna skulle fastna och det var lika bra att ta hand om disken med en gång, för annars blev den bara stående ... Med gnisslande tänder försökte Erica fokusera på den långa tupplur hon skulle kunna ta när Kristina gick ut med vagnen. Fast hon började alltmer undra om det var värt besväret.

Hon satte sig till rätta i fåtöljen och försökte få Maja att ta bröstet. Barnet kände spänningarna i luften och hade kinkat och gråtit större delen av dagen och trilskades nu vilt när Erica försökte lugna henne genom att ge henne lite mjölk. Svetten rann på Erica när hon utkämpade denna viljornas kamp med sin dotter, och inte förrän Maja till slut resignerade och sög tag kunde hon slappna av. Försiktigt, för att inte ha kämpat förgäves, slog hon på TV:n där Glamour visades och försökte engagera sig i Brookes och Ridges komplicerade förhållande. Kristina kastade ett ögonkast mot TV-skärmen när hon hastade förbi med dammsugaren.

"Usch, kan det verkligen vara bra att titta på sådant där skräp. Att du inte passar på att läsa lite böcker istället?"

Erica svarade genom att höja ljudet på TV:n och tillät sig för en sekund att njuta av sitt uppstudsiga tilltag. Sedan såg hon svärmoderns för-

98

närmade min och sänkte igen, eftersom hon insåg att all tendens till revolt skulle kosta mer än det smakade. Hon sneglade på sitt armbandsur. Herregud, klockan var bara strax före tolv. En hel evighet tills Patrik kom hem. Och sedan skulle det följa en sådan här dag till, innan Kristina packade sina väskor och åkte hem till sitt, nöjd med att ha gjort en ovärderlig insats för sin son och svärdotter. Två låånga dagar...

Strömstad 1924

Det mildare vädret gjorde underverk för stenhuggarnas humör. När Anders kom till arbetet hörde han hur gubbarna redan hade börjat med sina taktfasta ramsor och de ackompanjerades av ljudet av klubborna som slog mot spettet. De höll på att göra hål för krutet som skulle spränga de större granitstyckena. En höll i spettet och två turades om att slå på det tills de hade fått ett rejält hål rakt ner i stenen. Sedan skulle svartkrutet hällas ner och tändas på. Försök med dynamit hade gjorts, men det hade inte fungerat. Kraften blev för stor och pulveriserade graniten och fick den att klyva sig åt alla möjliga håll.

Gubbarna nickade till Anders när han gick förbi, men utan att missa ett enda taktfast slag.

Med glädje i bröstet gick han bort till stället där han höll på att hugga ut statyn. Arbetet hade gått plågsamt långsamt under vintern, då kylan många dagar hade gjort det hart när omöjligt att bearbeta stenen. Långa tider hade arbetet fått ligga nere i väntan på varmare tider och det hade varit svårt att få ekonomin att gå ihop. Men nu kunde han sätta igång på allvar med det stora granitstycket, och han skulle inte klaga, vintern hade inneburit andra glädjeämnen.

Ibland kunde han knappt tro att det var sant. Att en sådan ängel hade stigit ner på jorden och krupit ner i hans säng. Varje minut de hade varit tillsammans var ett dyrbart minne som han lade i ett särskilt fack i hjärtat. Tanken på framtiden kunde dock grumla glädjen emellanåt. Han hade försökt att föra den på tal vid ett flertal tillfällen, men hon tystade honom alltid med en kyss. De skulle inte tala om sådant, sa hon och tillade oftast att saker och ting säkert skulle ordna sig. Han hade tolkat det som att hon, liksom han, ändå hoppades på en framtid tillsammans, och emellanåt tillät han sig faktiskt att tro på hennes ord, att saker och ting skulle ordna sig. Djupt inom sig var han en sann romantiker och tanken på att kärleken kunde övervinna alla hinder var fast rotad i honom. Visserligen tillhörde de inte alls samma samhällsklass, men han var en duktig och hårt arbetande man och nog skulle han kunna ge henne ett gott liv, om han bara fick chansen. Och kände hon för honom som han kände för henne, så skulle gods och guld inte vara så viktigt för henne, och ett liv med honom skulle vara värt en del uppoffringar från hennes sida. En dag som denna, när vårsolen sken och värmde hans fingrar, då hade han gott hopp om att allt verkligen skulle bli så som han ville. Nu väntade han bara på att hon skulle ge sitt godkännande till att han pratade med hennes far. Sedan skulle han förbereda sitt livs tal.

Med bultande hjärta hamrade han försiktigt fram statyn ur stenen. I hans huvud snurrade orden runt. Och bilder av Agnes.

Arne studerade noggrant dödsannonsen i tidningen. Han rynkade på näsan. Det ante honom. De hade valt en nalle som illustration och det var ett oskick som han verkligen ogillade. En dödsannons skulle innehålla den kristna kyrkans symboler, inget annat. En nalle var helt enkelt ogudaktigt. Men han hade inte väntat sig något annat. Pojken hade varit en besvikelse från början till slut och inget han gjorde förvånade honom längre. Det var verkligen synd och skam. Att en sådan gudfruktig människa som han själv skulle få en avkomma som så fullkomligt hade tagit avstånd från den rätta vägen. Folk som inte visste bättre hade försökt få till stånd en försoning mellan dem. De hade sagt att sonen enligt vad de hört var en fin och intelligent man, och dessutom hade han ju ett hedervärt yrke, doktor och allt som han var. Mest var det fruntimmer som hade kommit till deras dörr med sådant prat. Karlar visste bättre än att uttala sig om sådant som de inte visste något om. Visserligen fick han ju hålla med om att sonen skaffat sig ett ordentligt yrke och verkade göra rätt för sig, men hade man inte Gud i sitt hjärta så hade det ingen betydelse.

Det Arne allra mest hade drömt om var att få en son som skulle gå i hans farfars spår och bli präst. Själv hade han tidigt fått skrinlägga sådana drömmar, då hans far supit bort alla pengar som skulle ha kunnat gå till en prästutbildning för honom. Istället hade han fått nöja sig med att arbeta som vaktmästare i kyrkan. Då fick han åtminstone vara i Guds hus.

Men kyrkan var inte längre vad den hade varit. Det var annorlunda förr. Då visste man sin plats och prästen visades tillbörlig respekt. Man följde också Schartaus ord efter bästa förmåga och sysslade inte med sådant som till och med präster verkade finna nöje i nuförtiden: dans, musik och sammanboende före äktenskapet, för att bara nämna några otyg. Men det han hade svårast att finna sig i var att kjoltyg nu hade rätt att agera Guds företrädare. Han förstod det bara inte. Det kunde ju inte stå tydligare i Bibeln: "Kvinnan skall tiga i församlingen." Vad fanns där att diskutera? Kvinnor hade inget i prästerskapet att göra. De kunde vara ett bra stöd som prästhustrur eller till och med som diakonissor, men i övrigt skulle de tiga i församlingen. Det hade varit en sorgens tid när det där kvinnfolket hade intagit Fjällbacka kyrka. Han hade varit tvungen att åka till Kville om söndagarna för gudstjänst och hade helt sonika vägrat att gå till arbetet. Det hade kostat på, men det var det värt. Nu var anskrämligheten borta och visserligen var den nye prästen lite för modern i hans tycke, men han var åtminstone man. Nu återstod bara att se till så att den kvinnliga kantorn blev ett tillfälligt kapitel i Fjällbacka kyrkas historia. En kvinnlig kantor var visserligen inte lika illa som en kvinnlig präst, men ändå.

Arne vände dystert sida i Bohusläningen. Och Asta som gick omkring här hemma lång i synen hela dagarna. Han visste att det var för flickungens skull. Det plågade henne att sonen nu fanns så nära. Men han hade förklarat att hon måste vara stark i tron och trogen deras övertygelse. Han kunde hålla med om att det var sorgligt med flickan, men det var precis detta han menat. Sonen hade inte hållit sig till den rätta vägen och förr eller senare kom straffet. Han bläddrade tillbaka och betraktade åter nallen i dödsannonsen. Det var synd och skam, det var det…

Mellberg kände inte den vanliga tillfredsställelsen i att stå i centrum för pressens intresse. Han hade inte ens kallat till presskonferens, utan i all enkelhet samlat några representanter för lokaltidningarna på sitt rum. Tanken på brevet han fått överskuggade allt annat just nu och han hade svårt att fokusera på någonting annat.

"Har ni några konkreta spår att gå efter?" En av de yngre murvlarna väntade ivrigt på hans svar.

"Inget som vi i dagsläget kan kommentera", svarade han kort.

"Är någon i familjen misstänkt?" Frågan kom från den konkurrerande tidningens reporter.

"Vi håller alla möjligheter för troliga just nu, men vi har inget konkret som pekar i någon riktning."

"Är det fråga om ett sexbrott?" Samme reporter igen.

"Det kan jag inte gå in på", sa Mellberg vagt.

"Hur kunde ni konstatera mord?" sköt den tredje närvarande journalisten in. "Hade hon några yttre skador som pekade på det?"

"Av spaningstekniska skäl kan jag inte svara på det", sa Mellberg och såg hur frustrationen växte i ansiktet på journalisterna. Det var alltid en slak lina att gå på när det gällde pressen. Ge dem tillräckligt för att de skulle känna att polisen samarbetade, men inte så mycket att det skadade utredningen. Vanligtvis ansåg han sig själv vara mästerlig på den balansgången, men i dag hade han svårt med koncentrationen. Han visste inte hur han skulle ställa sig till den information som han hade fått i brevet. Kunde det verkligen vara sant ...?

En av reportrarna tittade uppfordrande på honom och han förstod att han missat en fråga.

"Förlåt, kan du upprepa det?" sa han förvirrat och reportern betraktade honom undrande. De hade träffats vid ett flertal sådana här tillfällen och kommissarien brukade alltid vara storvulen och skrytsam, snarare än lågmäld och disträ som nu var fallet.

"Jo, jag frågade om det finns anledning för föräldrar i trakten att oroa sig för sina barn?"

"Vi brukar alltid rekommendera föräldrar att ha god uppsikt över sina barn, men jag vill understryka att det här inte bör leda till någon masshysteri. Jag är övertygad om att detta är en enstaka händelse och att vi snart kommer att ha en gärningsman i förvar."

Han reste sig som tecken på att audiensen var avslutad och journalisterna plockade lydigt ner sina block och pennor och tackade för sig. De kände samtliga att de kanske kunde ha pressat kommissarien aningen hårdare, men samtidigt var det viktigt för lokalpressen att ha en god relation med den lokala poliskåren. Skjutjärnsjournalistiken fick kollegorna i storstaden stå för. Här bodde man ofta granne med och hade barn i samma idrottsföreningar och klasser som sina intervjuoffer, så man fick ge avkall på viljan att göra de stora avslöjandena för den goda sämjans skull.

Mellberg lutade sig nöjd tillbaka. Tidningarna hade trots hans bristande fokus inte fått mer information än han avsett och i morgon skulle nyheten täcka framsidorna på alla tidningarna i trakten. Förhoppningsvis skulle det få allmänheten att vakna och börja komma med information. Hade de tur skulle det bland allt skvaller som brukade komma in, finnas något som de kunde använda.

Han plockade fram brevet och började läsa det igen. Han kunde fortfarande inte tro sina ögon.

Strömstad 1924

Hon låg på sitt rum med en kall, fuktig handduk över pannan. Doktorn hade gjort en noggrann undersökning av henne och sedan beordrat sängläge. Nu var han nere i salongen och talade med hennes far, och för ett ögonblick oroade hon sig för att det var något allvarligt som felades henne. Något oroväckande hade blixtrat förbi i hans ögon, men var borta i nästa stund då han klappat henne på handen och sagt att allt skulle bli bra och att hon nog bara behövde vila ett slag.

Hon kunde ju inte tala om för den gode doktorn den verkliga orsaken till hennes klenhet. Att det var alla de sena nätterna under vintern som påverkat hennes hälsa. Det var den diagnos hon själv hade ställt, men den fick hon hålla för sig själv. Förhoppningsvis skrev doktor Fern ut lite stärkande droppar till henne och i och med att hon nu beslutat att avsluta äventyret med Anders, så skulle hon snart ha vilat upp sig igen. Under tiden skadade det inte att ligga till sängs och få lite uppassning en vecka eller två. Agnes funderade över vad hon skulle be att få till lunch. Nu när gårdagens middag förpassats ner i vattenklosetten, så kände hon hur magen kurrade och bad om påfyllning. Kanske pannkakor, eller de där goda köttbullarna med kokt potatis, gräddsås och lingonsylt, som kokerskan gjorde.

Steg i trappan fick henne att krypa ner lite längre under täcket och jämra sig lätt. Köttbullarna fick det nog bli, bestämde hon sig för, sekunden innan dörren till hennes rum öppnades.

Ilskan hade grott inom honom sedan gårdagen. Maken till fräckhet, den där jävla människan hade verkligen inga skrupler. Peka ut honom för polisen. Kaj var inte dummare än att han förstod att ryktena snart skulle börja flyga över samhället och då spelade det ingen roll vad han sa, det enda som skulle fastna i folks huvuden var att polisen hade varit hemma hos honom och ställt frågor om flickans död. Han knöt nävarna tills knogarna vitnade och efter en kort stunds tvekan tog han på sig jackan och gick ut med bestämda steg. Planket han slagit upp mellan tomterna hindrade honom från att gena tvärs över, så han gick ut på vägen och sedan uppför uppfarten mot Florins hus. Han hade försäkrat sig om att både Niclas och Charlotte hade försvunnit ur huset innan han gick över. Nu skulle hon få höra ett sanningens ord, kärringen. Eftersom han kallt kalkylerade med att hon, liksom alla andra i samhället, sällan låste ytterdörren, klev han rakt på utan att knacka och gick in i köket. Hon hoppade till när han kom in, men samlade sig snabbt och fick det där snipiga, fisförnäma uttrycket i ansiktet. Hon trodde att hon var någon. Som om hon var en satans drottning och inte bara en vanlig jävla småstadskärring.

"Vad fan menar du med att skicka över polisen till mig?" ryade han och drämde näven i köksbordet.

Hon tittade kallt på honom. "De frågade om vi visste om det fanns någon som ville vår familj något ont, och det var inte så långsökt att tänka på dig då. Och ser du inte till att pallra dig ut ur mitt hus, så ringer jag till polisen. Då får de själva se vad du är kapabel till."

Han fick behärska sig för att inte störta mot henne och lägga sina händer runt hennes hals. Hennes skenbara lugn fick hans raseri att stegras ytterligare och det bildades små dansande fläckar framför ögonen på honom.

"Du skulle bara våga, din satans jävla sketkärring!"

"Jag, skulle jag inte våga. Jo, det kan du lita på. Du har motarbetat mig och min familj och hotat och trakasserat oss." Hon tog sig teatraliskt för bröstet och antog det där offeruttrycket som han lärt sig att hata genom åren.

Ständigt lyckades hon med samma sak. Att framställa honom som boven och henne själv som offret. När det i själva verket var tvärtom. Han hade försökt vara den bättre människan, det hade han verkligen. Försökt hålla sig för god för att sänka sig till samma nivå som hon. Men för ett par år sedan hade han bestämt sig för att om det var krig hon ville ha, så skulle hon få det. Sedan dess var alla medel tillåtna.

Han fick åter behärska sig och väste bara mellan sammanbitna tänder: "Du lyckades i alla fall inte. Polisen verkade inte särskilt benägen att tro på dina lögner om mig."

"Ja, fast det finns ju fler möjligheter för polisen att undersöka", sa Lilian elakt.

"Vad menar du?" frågade Kaj men svarade själv på frågan då han insåg vart hon var på väg. "Du ska ge fan i Morgan, hör du det."

"Jag behöver knappast säga något." Tonen var skadeglad. "Polisen lär väl snart på egen hand komma underfund med att det bor en i huset bredvid vårt som har något fel i huvudet. Och vad sådana där kan ta sig till, det vet ju alla. Om inte är det bara att titta på rapporterna de har."

"De anmälningarna var rent skitsnack, det vet du! Morgan har aldrig varit inne på er tomt ens, och ännu mindre sprungit och kikat i fönstren."

"Ja, jag vet bara vad jag såg", sa Lilian. "Och det kommer polisen också att veta, så fort de tittar i papprena."

Han svarade henne inte. Det var ingen idé.

Sedan tog ilskan över.

Djupt försjunken i papprena på skrivbordet hoppade Martin till när Patrik knackade på dörren.

"Det var inte meningen att ge dig en hjärtattack", sa Patrik och log. "Är du upptagen?"

"Nej, kom in du." Han viftade in Patrik. "Så, hur gick det? Fick ni veta något om familjen av läraren?"

"Lärarinnan", förtydligade Patrik. "Nej, det gav inte mycket", sa han och trummade otåligt med handen mot benet. "Hon kände inte till några problem i samband med Saras familj. Däremot fick vi veta lite mer om Sara. Hon hade tydligen DAMP och kunde vara rätt krävande."

"På vilket sätt då?" sa Martin som bara hade vaga begrepp om diagnosen som blivit så vanligt förekommande de senaste åren.

"Överskottsenergi, rastlös, aggressiv om hon inte fick sin vilja igenom, koncentrationssvårigheter."

"Låter som om hon kunde vara rätt svår att ha att göra med", sa Martin.

Patrik nickade. "Ja, det är så jag tolkar det, även om lärarinnan självklart inte sa det rent ut."

"Märkte du av det här när du träffade Sara?"

"Det var mest Erica som träffade henne. Jag såg henne bara som hastigast och kan bara minnas att jag tyckte att hon verkade livlig. Men inget som jag reagerade på."

"Vad är förresten skillnaden mellan DAMP och ADHD?" frågade Martin. "Jag tycker att man hör om båda begreppen i ungefär samma situationer."

"Jag har ingen aning", sa Patrik och ryckte på axlarna. "Jag vet inte heller om hennes problem hade något att göra med att hon mördades, men någonstans ska vi ju börja, eller hur?"

Martin nickade och pekade sedan på papprena framför sig. "Jag har kollat igenom de anmälningar vi fått in om sexbrott de senaste åren, och det är inget som direkt passar in. Några anmälningar om övergrepp på barn inom familjen som vi fått skriva av på grund av brist på bevis. En dom i ett sådant fall har vi ju, du kommer väl ihåg pappan som förgrep sig på sin dotter?"

Patrik nickade. Det var få fall som lämnat en sådan vidrig smak i munnen som just det. "Torbjörn Stiglund, ja, men han sitter väl fortfarande inne?"

"Ja, jag har ringt och kollat och han har inte ens varit ute på några permissioner. Så honom kan vi avskriva. I övrigt har vi ju våldtäkter mest, men mot vuxna, och sedan finns det något enstaka fall av ofredande, men också det mot vuxna individer. Där dök förresten ett bekant namn upp." Martin pekade mot pärmen som Patrik sist hade sett inne på sitt skrivbord, men som nu låg framför kollegan. "Jag hoppas att du inte hade något emot att jag hämtade familjen Florins lunta inne hos dig?"

Patrik skakade på huvudet. "Nej, det är självklart helt okej. Och jag antar att du syftar på Lilians anmälningar mot Morgan Wiberg?"

"Ja, hon hävdar ju att han har smugit utanför deras hus och vid ett flertal tillfällen försökt kika in när hon klätt om."

"Ja, jag läste det där", sa Patrik trött. "Men jag vet i ärlighetens namn inte hur jag ska ställa mig till de uppgifterna. Det känns inte som om det är så mycket av allt det där som har någon förankring i verkligheten. Det verkar mest vara beskyllningar fram och tillbaka och ett synnerligen effektivt slöseri med polisens tid och resurser."

"Ja, jag är böjd att hålla med dig. Men samtidigt kan vi ju inte blunda för att det finns en potentiell fluktare i huset bredvid. Du vet, sexbrott börjar ofta med just den typen av verksamhet", sa Martin.

"Ja, jag vet, men det känns ändå rätt långsökt. Ponera att det verkligen är sant som Lilian Florin säger – vilket jag starkt betvivlar. Då är det ändå en vuxen kvinna i avklätt tillstånd som Morgan har försökt få syn på, det finns ju inget som pekar på att han därför skulle ha något sexuellt intresse av barn. Dessutom vet vi inte ens om mordet på Sara började med ett sexövergrepp. Inget vid obduktionen talade för det. Men det kan ändå vara värt att kolla upp Morgan lite närmare. Ta ett samtal med honom åtminstone."

"Tror du att det finns någon chans att jag skulle kunna åka med då?" sa Martin ivrigt. "Eller börjar du bli fäst vid Ernst?"

Patrik grimaserade. "Nej, den dagen kommer nog aldrig. Ja, för min del får du gärna följa med, men frågan är vad Mellberg säger om det."

"Tja, vi kan ju fråga åtminstone. Jag tycker att han har haft en lite lugnare framtoning de senaste dagarna. Vem vet, han kanske börjar mjukna på gamla dar..."

"Tror jag knappast", sa Patrik och skrattade. "Men jag ska höra med honom. Vi kan väl sticka i eftermiddag i så fall, jag har lite pappersarbete att ta hand om först."

"Passar kanon. Då hinner jag göra klart det här först", sa Martin och pekade på högen med anmälningar. "Förhoppningsvis kan jag ha en fullständig rapport klar till dess. Men som sagt, vänta dig inte för mycket, det verkar inte finnas något som passar in."

Patrik nickade. "Gör så gott du kan bara."

Gösta hade nästan nickat till framför datorn. Det var bara dunsen när hakan slog i bröstet som gjorde att han hela tiden vaknade till så pass att han inte fullständigt flöt in i sömndimmorna. Den som bara hade fått lägga upp benen en stund, tänkte han. Om han bara fick ta sig en liten lur, så skulle han vara redo att ta sig an arbetet sedan. Som i Spanien. Där förstod man värdet av att lägga in en siesta. Men inte i Sverige, inte. Där skulle man plåga sig igenom en åttatimmars arbetsdag med humöret och arbetslusten ständigt på topp. Nej, det var ett jävla land man levde i.

Den gälla signalen från telefonen fick honom att rycka till.

"Fan", sa han och humöret blev inte bättre när han kände igen telefonnumret på displayen. Vad ville kärringen nu då? Sedan påminde han sig om att han kanske borde ha lite medmänskligare känslor, med tanke på vad som hade hänt, och det fick honom att sansa sig innan han lyfte på luren.

"Gösta Flygare, Tanumshede polisstation."

Rösten i andra änden var upphetsad och han fick be henne att lugna ner sig en aning så att han kunde höra vad hon sa. Det verkade inte hjälpa, så han upprepade: "Lilian, du måste ta det lite långsammare, jag hör knappt vad du säger. Ta nu ett djupt andetag och upprepa det du nyss sa."

Detta verkade äntligen gå fram och hon började om från början. Gösta fann sig själv sitta med höjda ögonbryn. Det var en oväntad händelseutveckling. Efter ett par lugnande försäkringar fick han henne att lägga på. Han slet åt sig jackan och gick in till Patrik.

"Du, Hedström." Gösta hade inte brytt sig om att knacka, men Patrik satt och jobbade med öppen dörr och då fick han enligt Göstas mening skylla sig själv om folk klev rakt in.

"Ja?" sa Patrik frågande.

"Jag fick precis ett samtal från Lilian Florin."

"Ja?" upprepade Patrik med nyväckt intresse.

"Det verkar ha hänt lite grejer ute hos dem. Hon påstår att Kaj har misshandlat henne."

"Vad fan säger du?" sa Patrik och svängde runt sin kontorsstol så att han hamnade ansikte mot ansikte med Gösta.

"Jo, hon påstår att han kom hem till henne för en liten stund sedan och började gapa och skrika, och när hon försökte få honom att gå så gav han sig på henne med nävarna."

"Det låter ju fullkomligt vansinnigt", sa Patrik klentroget.

Gösta ryckte på axlarna. "Ja, det var vad hon sa i alla fall. Jag lovade att vi skulle komma på momangen." Han höll demonstrativt upp sin jacka.

"Ja, självklart", svarade Patrik och tog sig i en enda svepande rörelse upp ur stolen och fram till kroken där hans egen jacka hängde.

Tjugo minuter senare var de tillbaka vid Florins hus. Lilian öppnade så gott som omedelbart efter att de knackat på, och släppte in dem. Så fort de kommit innanför tröskeln började hon gestikulera vilt med armarna.

"Ser ni vad han har gjort med mig!" Hon pekade på en lätt rodnad på kinden och drog sedan upp ärmen på tröjan och visade ett rött märke på överarmen. "Åker han inte in för det här, så ..." Hon jagade upp sig alltmer och tycktes ha svårt att prata av ren upphetsning.

Patrik lade lugnande en hand på hennes oskadade arm och sa: "Vi ska titta närmare på det här, det lovar jag. Har du förresten låtit en läkare undersöka dig?"

Hon skakade på huvudet. "Nej, måste jag det? Han slog till mig i ansiktet och högg tag hårt i armen, men jag tror inte att det blivit några större skador", erkände hon motvilligt. "Fast ni kanske behöver bevis i form av fotografier och så?" Lilians ansikte lyste upp under ett kort ögonblick innan Patrik nödgades sticka hål på den förhoppningen.

"Nej, det räcker nog med att vi har fått se det. Vi går över och pratar med Kaj, så får vi se hur vi ska gå vidare sedan. Finns det någon du kan ringa?"

Lilian nickade. "Ja, jag kan be min väninna Eva att komma över."

"Bra, då tycker jag att du ringer henne, sätter på en kopp kaffe och försöker ta det lite lugnt en stund. Det här kommer att ordna sig, ska du se." Patrik försökte låta förtröstansfull, men för att vara riktigt ärlig var det något i hennes dramatiska utspel som fick det att krypa olustigt i honom. Något kändes inte riktigt rätt.

"Ska jag inte göra en formell anmälan? Fylla i papper och så?" frågade Lilian hoppfullt.

"Vi kan ta det sedan. Först av allt tar Patrik och jag ett litet snack med Kaj." Gösta lät ovanligt myndig, men Lilian fann sig inte i så lösa löften.

"Om ni har tänkt att se genom fingrarna med det här, för att ni är för lata för att gripa in när en försvarslös kvinna drabbas av ett så förskräckligt övergrepp, så tänker jag då inte tigande gå med på det, det är en sak som är säker. Till att börja med slår jag en signal till er chef, sedan går jag till tidningarna om det behövs och ..."

Gösta avbröt hennes haranger och sa med stål i stämman: "Det är ingen som har tänkt att se genom fingrarna med någonting, Lilian, men nu tänker vi göra som så att vi först pratar med Kaj, och sedan tar vi hand om det formella. Har du invändningar mot det är du hjärtligt välkommen att ringa vår chef, Bertil Mellberg, på stationen och framföra dina klagomål. I annat fall återkommer vi så snart vi har talat med den anklagade."

Efter en kort inre strid såg Lilian ut att bestämma sig för att det var dags att retirera. "Ja, om det ska vara så, så går jag väl in och ringer Eva då. Men jag räknar med att ni kommer över om en liten stund", mumlade hon surmulet. Sedan kunde hon inte avhålla sig från en sista demonstration, utan smällde igen dörren bakom dem så att det ekade över grannskapet.

"Vad tror du om det här då?" sa Patrik som fortfarande inte kunde smälta att Gösta av alla människor hade lyckats sätta sig i respekt.

"Nja, jag vet inte riktigt, jag...", sa Gösta och drog på orden. "Något känns inte riktigt... rätt."

"Nej, det är så jag känner också. Har Kaj någonsin under alla års stridigheter tagit till handgripligheter?"

"Nej, och hade han det så skulle vi fått ett samtal om det inom fem röda, tro mig. Å andra sidan har han aldrig tidigare fått en inte särskilt väl inlindad mordanklagelse slängd i ansiktet på sig."

"Nej, det har du förstås rätt i", svarade Patrik. "Men han framstår liksom inte som typen som tar till våld, om du förstår vad jag menar. Mer som en som försåtligt sätter krokben om han får chansen."

"Ja, jag är böjd att hålla med. Men vi får väl se vad han säger först."

"Ja, vi får väl det", sa Patrik och knackade på dörren.

Strömstad 1924

I det ögonblick hennes far steg in genom dörren grep en kall hand om Agnes hjärta. Något var fel. Något var allvarligt fel. August såg ut att ha åldrats tjugo år på den stund som gått sedan hon såg honom sist, och med ens förstod hon att hon måste vara döende. Bara det kunde ha fått hennes fars ansikte att fåras på så kort tid.

Hon tog sig för hjärtat och stålsatte sig inför det hon skulle få höra. Men det var något som inte riktigt stämde. Den sorg hon förväntade sig att få se i sin fars ögon lyste med sin frånvaro, och istället var de svarta av vrede. Det var märkligt, minst sagt, varför skulle han vara vred om hon låg för döden?

Trots sin korta längd tornade han hotfullt upp sig bredvid sängen där hon låg, och Agnes gjorde instinktivt sitt yttersta för att se så ynklig ut som möjligt. Det hade alltid haft bäst effekt de få gånger hennes far varit arg på henne. Men det såg inte ut att fungera denna gång och oron steg i bröstet på henne. Sedan slog en tanke henne. Men den var så otrolig och så fasansfull att hon omedelbart slog bort den.

Men tanken återvände obarmhärtigt. Och när hon såg att hennes fars läppar rörde sig i ett försök att tala, men att han var för upprörd för att hans stämband skulle kunna frambringa några ljud, så insåg hon med skräck att det inte bara var en möjlighet utan till och med troligt.

Sakta sjönk hon ihop ännu mer under täcket och när hennes fars hand plötsligt föll ner med kraft mot hennes kind och hon kände hur den sved av den oförutsedda smärtan, då förvandlades hennes farhåga till visshet.

"Du, du...", stammade hennes far och letade desperat efter de ord som väntade på att få komma ut ur munnen. "Du, din slampa! Vem... vad?" fortsatte han att stamma, och hon såg ur sitt grodperspektiv hur han upprepade gånger svalde för att försöka hjälpa orden på traven. Aldrig hade hon sett sin tjocke, godmodige far så här, och det var en syn som skrämde henne.

Agnes kände också hur förvirringen grep henne mitt i rädslan. Hur kunde det ha gått så här? De hade vidtagit den säkerhetsåtgärd som stod till buds och alltid avbrutit i tid, och hon hade inte i sina vildaste fantasier kunnat föreställa sig att hon ändå skulle ha kunnat råka i olycka. Visst hade hon hört om andra flickor som blivit med barn av en olyckshändelse, men hon hade alltid med förakt tänkt att de måste ha varit oförsiktiga och låtit mannen slutföra mer än han borde.

Och nu låg hon här. Hennes tankar irrade febrilt runt i sökandet efter en lösning. Saker och ting hade alltid ordnat sig för henne. Det här måste också gå att lösa. Hon måste få sin far att förstå, så som han alltid gjort tidigare när hon hade ställt till det för sig. Visserligen hade det aldrig rört sig om något av den här omfattningen, men under hela hennes liv hade han alltid kommit till hennes undsättning och jämnat vägen för henne. Så måste det bli nu också. Hon kände hur lugnet började återvända till henne efter att den första chocken lagt sig. Det skulle självklart gå att ordna. Far skulle vara ond ett slag, det fick hon tåla, men han skulle hjälpa henne ur det här. Det fanns ställen dit man kunde gå för att lösa sådant här, det var bara en penningfråga, och i det fallet var hon ju lyckligt lottad.

Nöjd över att ha utarbetat en plan öppnade hon munnen för att tala och därmed påbörja bearbetningen av sin far, men orden hejdades innan hon hann börja då Augusts hand åter landade på hennes kind med en klatsch. Hon tittade klentroget på honom. Aldrig hade hon kunnat föreställa sig att han skulle kunna bära hand på henne och nu hade han slagit henne två gånger på bara en kort stund. Det orättvisa i behandlingen fick ilskan att tändas inom henne, och hon satte sig raskt upp och öppnade åter munnen för att försöka ge en förklaring. Klatsch! Den tredje örfilen träffade vinande hennes redan ömma kind och Agnes kände hur ilskna tårar steg upp i ögonen på henne. Vad menade han med att behandla henne så här! Resignerat sjönk hon tillbaka mot kuddarna och stirrade med både förvirring och vrede mot den far som hon trott att hon kände så väl. Men mannen framför henne var en främling.

Sakta började insikten gå upp för Agnes att hennes liv kanske skulle ta en otäck vändning.

114

En försiktig knackning på dörren fick honom att titta upp. Han väntade ingen patient och han var fullt upptagen med att röja undan de papper som hunnit samla sig, så han rynkade irriterat ögonbrynen.

"Ja?" Tonen var avvisande och personen utanför dörren verkade tveka. Men sedan trycktes handtaget ner och dörren svängde sakta upp.

"Stör jag?"

Hennes stämma var lika spröd som han mindes den och den irriterade rynkan försvann omedelbart.

"Mor?" Niclas for upp ur stolen och tittade förundrat mot dörröppningen där den lilla korta kvinnan stod och tvekade. Hon hade alltid väckt beskyddarinstinkten inom honom och nu ville han bara rusa fram och lägga armarna om henne. Men han visste att stora känsloyttringar var något som hon vant sig av med genom åren och enbart skulle besväras av, så han avhöll sig och väntade på att hon skulle ta initiativet.

"Får jag komma in? Men du kanske är upptagen?" Hon sneglade på pappershögarna framför honom och gjorde en åtbörd för att vända sig om.

"Nej, absolut inte, kom in, kom in." Han kände sig som en skolpojke och rusade runt skrivbordet för att dra fram en stol till henne. Försiktigt slog hon sig ner, längst ute på stolskanten, och tittade sig nervöst omkring. Hon hade aldrig sett honom i hans yrkesroll, så han förstod att det måste kännas främmande med honom i den här miljön. Hon hade knappt sett honom alls för den delen, på många, många år, så bara det måste kännas underligt. Från sjutton år till vuxen man på ett ögonblick. Den tanken fick ilskan att börja växa i bröstet på honom. Så mycket de hade fått försaka, han och mor, på grund av den där elaka jävla gubben. Han hade tack och lov kommit bort från honom, men han såg när han studerade sin mor att åren inte farit väl fram med henne. Samma trötta, kuvade uttryck som när han försvann, men mångfaldigat i alla nya rynkor som bildats i hennes ansikte.

Niclas drog fram en stol vid sidan av hennes, en liten bit ifrån, och väntade på att hon skulle börja. Hon tycktes själv inte riktigt veta vad hon kommit dit för att säga. Efter en stunds tystnad sa hon till slut: "Jag är så, så ledsen för flickan, Niclas." Hon tystnade igen och han förmådde bara nicka.

"Jag kände henne inte … men jag önskar att jag hade gjort det." Hennes röst darrade till aldrig så lite och han anade känslorna som låg under ytan. Det måste ha krävts mycket av henne att komma hit. Honom veterligen hade hon aldrig gått emot fars order förut.

"Hon var underbar", sa han, och trots att gråten fanns där bakom orden kom inga tårar fram. Det hade kommit så många de senaste dagarna att han tvivlade på att det fanns några kvar. "Hon hade dina ögon, men det röda håret vet vi inte var hon fick ifrån."

"Min farmor hade det vackraste röda hår du någonsin sett. Det måste vara från henne", hon tvekade inför att säga namnet men fick det till slut över läpparna, "som Sara fick det."

Asta tittade ner på sina händer som vilade i knät. "Jag såg henne emellanåt. Henne och pojken. Mötte din fru när hon var ute på promenad med dem. Men jag gick aldrig fram. Vi bara tittade på varandra. Nu önskar jag att jag åtminstone en gång hade fått prata med henne. Visste hon att hon hade en farmor här?"

Niclas nickade. "Jag har pratat mycket om dig. Hon visste vad du hette och vi visade kort på dig också. De få jag fick med mig när …" Han lät orden dö ut. Ingen av dem vågade beträda den minerade mark som uppbrottet utgjorde.

"Är det sant som jag hörde?" Hon höjde blicken och tittade för första gången rakt på honom. "Är det någon som har gjort tösen illa?"

Han försökte svara, men orden fastnade någonstans långt bak i halsen. Det fanns så mycket han ville berätta för henne, så många hemligheter som låg som en enorm stenbumling över bröstet. Han ville inget hellre än att kasta av sig den framför fötterna på henne. Men han kunde inte. För många år hade gått.

Nu kom tårarna som han trodde var slut och de rann över och ner på kinderna. Han vågade inte titta på sin mor, men hennes instinkt vann över alla förmaningar och förbud och sekunden efteråt kände han hennes bräckliga armar runt halsen. Hon var så liten och han var så stor, men i det ögonblicket var situationen den omvända.

"Såja, såja." Med vana händer strök hon honom över ryggen och han kände hur åren skalades bort och han åter befann sig i sin barndom. Trygg i sin mors händer. Hennes varma andedräkt och kärleksfulla stämma i örat och försäkringar om att allt skulle bli bra. Att monstren under sängen bara fanns i hans fantasi och att de skulle försvinna bara han sa åt dem att göra det. Men den här gången fanns monstret där för att stanna.

"Vet far?" sa han med munnen mot hennes axel. Han visste bättre än att fråga, men kunde inte avhålla sig från det. Omedelbart kände han hur hon stelnade till och drog sig ur den tröstande omfamningen. Magin var bruten och hon satt åter framför honom som en liten grå, sliten gumma, som valde hans far framför honom själv i det ögonblick han behövde henne som mest. Känslorna var så kluvna. Han längtade efter och älskade henne, men han var också fylld av bitterhet och förakt för att hon inte stod på hans sida när han behövde det.

"Han vet inte att jag är här", svarade hon bara och Niclas såg att hon mentalt redan gått ut genom dörren. Men än kunde han inte låta henne gå. Om så bara för ett ögonblick till ville han hålla henne kvar här hos sig och han visste ett sätt.

"Vill du se bilder av barnen?" frågade han mjukt och hon nickade bara.

Han gick bort till skrivbordet och drog ut den översta lådan. Där låg ett blädderalbum med fotografier som han räckte över till henne, noga med att inte titta på det själv. Det var han ännu inte redo för.

Vördnadsfullt bläddrade hon bland fotografierna och log ett sorgset litet leende för varje bild. Det blev plötsligt oerhört påtagligt vad det var hon hade förlorat.

"Vad fina de är", sa hon med farmoderns stolthet i stämman. Men stoltheten blandades med sorgen över att ett av barnen nu var borta för alltid.

"Du har tagit din frus efternamn?" sa hon trevande, med albumet i ett krampaktigt grepp i knät.

"Ja", sa Niclas och tittade på någon punkt bakom henne. "Jag ville inte ha samma namn som han."

Hon nickade bara sorgset. "Borde du verkligen vara tillbaka på arbetet redan nu?" tillade hon oroligt och betraktade honom där han satt bakom skrivbordet.

Niclas plockade planlöst bland papprena framför sig och svalde för att tvinga tillbaka de sista resterna av tårar.

"Jag såg inget alternativ om jag skulle överleva", sa han bara.

Hans mor nöjde sig med den förklaringen men oron i hennes blick förstärktes. "Glöm bara inte bort dem du har kvar", sa hon mjukt och

117

träffade den ömma punkten i bröstet på honom med skrämmande precision.

Men det var som om han var två personer. En som ville vara hemma hos Charlotte och Albin och aldrig lämna dem igen, och en person som ville fly in i arbetet och undan smärtan som bara förstärktes av att delas. Framförallt ville han inte se sin egen skuld speglas i Charlottes ansikte och det var därför flyktinstinkten till slut gått segrande ur striden. Allt detta ville han berätta för sin mor, han ville lägga huvudet i hennes knä, så vuxen man han var, och berätta allt och höra henne försäkra att allt skulle bli bra igen. Men ögonblicket kom och gick och efter att ha lagt ifrån sig fotoalbumet på skrivbordet reste hon sig och gick mot dörren.

"Mor?"

"Ja?" Hon vände sig om.

Niclas höll fram fotoalbumet mot henne. "Ta det här, vi har fler bilder."

Asta tvekade men tog sedan emot det, som om det var ett dyrbart men skört guldägg, och lade försiktigt ner det i handväskan.

"Bäst att du gömmer dem ordentligt", sa han tyst med ett skevt leende, men hon hade redan stängt dörren bakom sig.

Han stirrade upp i taket och sparkade lätt mot väggen. Han kunde inte fatta hur det hade kunnat bli så här. Varför just han? Och varför hade han inte sagt emot, då när det kanske fortfarande var möjligt?

Planscherna på väggarna påminde honom om den han ville vara. Vanligtvis kunde hjältarna omkring honom motivera honom att kämpa hårdare, anstränga sig mer. I dag gjorde de honom bara förbannad. De skulle aldrig ha tagit den här skiten. De skulle ha sagt ifrån med en gång. Gjort det man skulle göra. Det var därför de var där de var i dag. Det var därför de var hjältar. Själv var han bara en liten skit, och skulle aldrig bli något annat. Precis som Rune alltid sagt. Han hade inte velat tro honom när han sa det. Hade spjärnat emot och tänkt att han minsann skulle visa Rune att han hade fel. Han skulle visa Rune att han var en hjälte och då skulle han nog ångra sig. Ångra alla de hårda orden. Alla förödmjukelser. Då skulle han vara den som hade övertaget och Rune skulle få be på sina bara knän för att ens få en minut med honom.

Det värsta var att i början hade han gillat Rune. När morsan först träffade honom hade han tyckt att han var skitcool. Körde raggarbil och hade polare som körde coola bågar, som han ibland fick sitta bakpå. Men sedan gifte de sig och det var då allt började gå snett. Plötsligt skulle

Rune och morsan visa att de var riktiga medelsvenssons, med villa, Volvo och till och med en jävla husvagn. Polarna med bågar försvann och istället umgicks de bara med andra medelsvenssons och hade parmiddagar på lördagskvällarna. Och självklart skulle de ha en egen unge. Det hade han hört Rune säga en gång till ett av de trista grannparen. Att de skulle ha en egen unge. Nog älskade han Sebastian, sa han, men tillade sedan med allvarlig ton att det ju ändå inte var samma sak som en *egen* unge. Så när den där egna ungen aldrig kom hade Rune på något sätt lyckats vända det mot honom. Han, Sebastian, fick bära hela Runes frustration över att han och morsan aldrig fick någon *egen* unge. Och när morsan sedan dog i cancer för ett par år sedan hade det bara blivit värre. Nu fick Rune dras med en unge som inte var hans. Han påpekade detta jämt och ständigt. Hur tacksam Sebastian skulle vara för att han inte skeppat iväg honom till något hemskt fosterhem när morsan dog, utan istället tog hand om honom som om han var hans *egen*. Ibland tänkte Sebastian att om det var Runes uppfattning om hur man tog hand om en egen unge, så var det nog lika bra att han och morsan aldrig fick någon.

Inte för att han slog honom eller så. Nej, det skulle en schysst medelsvensson som Rune aldrig göra. Men på sätt och vis hade det nästan känts bättre. Då skulle han ha haft något mer påtagligt att hata honom för. Nu misshandlade han istället de ställen som inte syntes utanpå.

När han låg och stirrade i taket insåg han i ett ögonblick av klarsyn att det antagligen var därför han hade hamnat i sin nuvarande situation. För trots allt älskade han sin styvfar. Rune var den enda far som han känt och Sebastian hade aldrig önskat något annat än att vara honom till lags och i slutändan bli älskad tillbaka av honom. Och det var därför han satt i skiten. Han förstod det. Han var inte dum. Men vad hjälpte det att vara smart? Han var ändå fast.

"Vad fan säger ni?" Kajs ansikte blev högrött och han såg ut som om han tänkte göra en tjurrusning över till grannhuset. Patrik ställde sig diskret i vägen och höjde händerna i en lugnande gest.

"Kan vi inte sätta oss och prata igenom det här i lugn och ro."

Orden såg knappt ut att registreras i Kajs hjärna, med raseriet som ett hindrande filter framför. Patrik och Gösta utbytte en blick. Det framstod plötsligt inte som så otroligt att han skulle ha gett sig på Lilian. Men det var farligt att fastna i sådana tankespår och tills de fått höra Kajs version av saken, så var det bäst att inte dra några slutsatser.

Efter att Patriks ord hade fått några sekunder på sig att sjunka in, vände sig Kaj om och gick ilsket inåt huset. Han förväntade sig uppenbarligen att Patrik och Gösta skulle följa med, vilket de gjorde efter att ha tagit av sig skorna. När de kom in i köket stod Kaj lutad mot diskbänken med armarna stridslystet korsade över bröstet. Han lösgjorde ena handen för ett kort ögonblick och pekade mot köksstolarna. Själv tänkte han uppenbarligen inte sätta sig ner.

"Vad är det kärringen har sagt nu då? Skulle jag ha slagit henne? Påstår hon det?" Färgen steg åter i ansiktet på honom och för en kort stund blev Patrik orolig att han skulle få en hjärtinfarkt mitt framför ögonen på dem.

"Vi har fått uppgifter om misshandel, ja", sa Gösta lugnt och förekom Patrik.

"Hon har alltså anmält mig, satkärringen!" gormade Kaj och små svettdroppar började framträda kring de grånade tinningarna.

"Rent formellt har Lilian inte lämnat in någon anmälan – än", lade Patrik till. "Vi ville gärna få en chans att tala med dig i lugn och ro först, för att verkligen gå till botten med det här." Han tittade i sitt block och fortsatte. "Du gick alltså över till Lilian Florins hus för någon timme sedan?"

Motvilligt nickade Kaj. "Jag ville bara höra vad fan hon menade när hon angav mig som misstänkt för att ha haft ihjäl ungen. Nog för att hon gjort mycket lumpet genom åren, men något så..." Fler svettdroppar bröt fram och ilskan gjorde att han stakade sig på orden.

"Du klev alltså rakt in i huset?" frågade Gösta som också han började se lite bekymrad ut över Kajs hälsotillstånd.

"Ja, vad fan, hade jag knackat skulle hon aldrig ha släppt in mig. Jag ville bara få en chans att ställa henne mot väggen. Fråga vad fan det är hon pysslar med." En ton av oro kröp nu för första gången in i Kajs röst.

"Och vad hände sedan?" Patrik skrev korta anteckningar medan Kaj pratade.

"Det var allt!" Kaj slog ut med händerna. "Jag skrek väl en del åt henne, det kan jag villigt erkänna, och hon sa åt mig att pallra mig ut ur hennes hus och eftersom jag hade sagt det jag kom för att säga så gick jag."

"Du slog henne alltså inte?"

"Nog för att jag hade god lust att täppa till truten på henne, men så jävla dum är jag inte!"

"Är det ett nej?" frågade Patrik.

"Ja, det är ett nej", svarade Kaj vresigt. "Jag rörde henne inte och påstår hon det så ljuger hon. Vilket i och för sig inte skulle förvåna mig." Nu började han låta riktigt orolig.

"Finns det någon som kan bekräfta det du säger?" sa Gösta.

"Nej, det gör det inte. Jag såg att Niclas åkte iväg i morse och jag passade på att gå över när Charlotte just gått iväg med lillkillen i vagnen." Han torkade sig i pannan med ena handen och strök av den mot byxbenet.

"Ja, då står ord mot ord, tyvärr", sa Patrik. "Och Lilian bär spår av slag."

Kaj sjönk ihop alltmer för vart ord som Patrik sa. Den tidigare aggressiviteten hade ersatts av resignation. Sedan rätade.han plötsligt på sig.

"Gubben hennes. Han var ju hemma. Fan, det tänkte jag inte på. Han är ju som ett spöke. Man ser aldrig Stig längre. Men han måste ha varit hemma. Kanske han har sett eller hört något."

Tanken gav honom förnyat mod och Patrik tittade på Gösta. Att de inte hade tänkt på Stig. De hade inte ens pratat med honom med anledning av Saras död. Kaj hade rätt. Stig hade varit som ett osynligt spöke under utredningen hittills, och de hade fullständigt glömt bort honom.

"Vi tar och pratar med honom också", sa Patrik, "så får vi se hur det här utvecklar sig. Men om han inte har något att tillägga, så ser det inte ljust ut för dig om Lilian går vidare och gör en anmälan ..."

Han behövde inte utveckla resonemanget. Kaj förstod ändå de eventuella konsekvenserna.

Charlotte gick planlöst runt i samhället. Albin sov lugnt i vagnen, men sedan hon klarnade till efter att ha slutat ta de lugnande tabletterna hade hon knappt kunnat förmå sig att titta på honom. Ändå gjorde hon det hon skulle. Hon bytte på honom, klädde honom och gav honom mat, men mekaniskt, utan någon känsla. För tänk om det skulle hända igen. Tänk om något skulle hända honom också. Hon visste inte ens hur hon skulle kunna fortsätta leva utan Sara. Hon satte ena foten framför den andra, tvingade sig att gå framåt, men egentligen ville hon inget hellre än att sjunka ihop i en liten hög mitt på gatan och aldrig resa sig igen. Men det kunde hon inte tillåta sig, lika lite som hon kunnat tillåta sig själv att sjunka in i medicineringens dimmor igen. För trots allt fanns Albin kvar. Även om hon inte kunde se på honom, så kände hon i var-

121

je nerv i kroppen att hon fortfarande hade ett barn i livet. För hans skull var hon tvungen att fortsätta andas. Det var bara så svårt.

Och Niclas som flydde till arbetet. Det var bara tre dagar sedan deras dotter blev mördad och han satt redan i sitt rum på läkarstationen och behandlade förkylningar och småsår. Kanske småpratade han till och med glatt med patienterna, flörtade med sköterskorna och njöt av att se sig själv i rollen som den allsmäktige läkaren. Charlotte visste att hon var orättvis. Hon visste att Niclas led lika mycket som hon. Hon önskade bara att de hade kunnat dela smärtan, istället för att var och en på sitt håll försöka finna en mening med att andas en minut till och sedan en till och en till. Hon ville det inte, men kunde inte låta bli att känna vrede och förakt för att han övergav henne nu när hon behövde honom som mest. Men å andra sidan hade hon kanske inte kunnat förvänta sig något annat. När hade hon någonsin kunnat luta sig mot honom? När hade han någonsin varit något annat än ett förvuxet barn som litade på att hon skulle ta hand om allt det gråa och trista som utgjorde de flesta människors vardag? Men inte hans. Han skulle ha rätt att leka sig igenom livet. Bara göra det som var roligt och som han hade lust med. Det hade förvånat henne att han hade avslutat läkarstudierna. Hon hade aldrig trott att han skulle hålla ut tillräckligt länge för att ta sig igenom alla obligatoriska moment och tröttsamma skift. Men belöningen hade väl varit tillräckligt lockande för att hålla hans motivation uppe. Att bli någon som andra beundrade. En lyckad, framgångsrik människa. Åtminstone utåt.

Enda orsaken till att hon stannat hos honom var de korta glimtar hon emellanåt fått se av den andre mannen. Den som var sårbar och kunde visa vad han kände. Som vågade blotta sig och inte hela tiden behövde ha charmen uppskruvad på max. Det var de glimtarna som hade gjort att hon förälskat sig i Niclas för vad som nu kändes som en livstid sedan. Men de senaste åren hade de stunderna kommit med allt längre mellanrum och hon visste inte längre vem han var och vad han ville. Ibland, i svagare stunder, hade hon till och med undrat om han egentligen ville ha en familj. När hon var brutalt ärlig mot sig själv, så trodde hon att han med facit i hand hellre skulle ha velat leva ett liv utan de förpliktelser som en familj innebar. Men något måste han väl få ut av det, annars trodde hon inte att han skulle ha stannat så länge som han gjort. Under de svarta dagar som gått hade hon, i korta, egoistiska ögonblick, tänkt tanken att det som hänt kanske åtminstone kunde föra henne och Niclas närmare varandra. Så fel hon hade haft. Nu stod de längre ifrån varandra än någonsin förr.

Utan att Charlotte märkte det hade hon promenerat bort mot Fjällbacka camping och stod nu framför Ericas hus. Att väninnan dök upp i går hade betytt oerhört mycket, men ändå tvekade Charlotte. Hela sitt liv hade hon varit van att inte ta plats, att inte kräva något för egen del, att inte vara till besvär. Hon förstod hur hennes sorg påverkade andra människor och hon var inte säker på att hon ville lägga mer av den bördan på Erica. Samtidigt behövde hon verkligen se ett vänligt ansikte. Prata med någon som inte antingen vände ryggen till eller, som i hennes mors fall, inte missade ens detta tillfälle att tala om för henne hur hon borde ha gjort.

Albin hade börjat röra på sig och hon lyfte försiktigt upp honom ur barnvagnen. Han tittade sig yrvaket omkring och ryckte till när Charlotte knackade på ytterdörren. En för henne okänd kvinna i medelåldern öppnade dörren.

"Hej?" sa Charlotte osäkert, men insåg sedan att det måste vara Patriks mamma. Ett svagt minne från den avlägsna tiden före Saras död flöt upp till ytan och påminde henne om att Erica nämnt att hon skulle komma.

"Hej, söker du Erica?" sa Patriks mamma. Utan att invänta något svar klev hon åt sidan för att släppa in Charlotte i hallen.

"Är hon vaken?" sa Charlotte försiktigt.

"Jadå, hon matar Maja. För vilken gång i ordningen vet jag inte. Ja, jag förstår mig inte på de här moderna tiderna. På min tid fick barnen mat var fjärde timme och absolut inte oftare än så, och det har minsann inte gått någon nöd på den generationen." Patriks mamma pladdrade på och Charlotte följde nervöst efter henne. Efter att människor i flera dagar hade trippat runt på tå kring henne kändes det märkligt med någon som talade i ett normalt tonfall. Sedan såg hon hur det gick upp för Ericas svärmor vem hon måste vara och pladdret försvann både från hennes röst och hennes rörelser. Hon slog handen för munnen och sa: "Förlåt, jag förstod inte vem du var."

Charlotte visste inte vad hon skulle svara på det. Hon höll bara Albin tätare intill kroppen.

"Jag vill verkligen beklaga ..." Ericas svärmor bytte oroligt fot och det syntes att hon ville vara var som helst utom i Charlottes närhet.

Var det så här det skulle vara nu? tänkte Charlotte. Människor som ryggade undan som om man var pestsmittad. Som viskade och pekade bakom ryggen och sa: "Där är hon vars dotter blev mördad", men utan att våga möta hennes blick. Kanske var det av rädsla, för att de inte visste vad de skulle säga, eller kanske av någon sorts irrationell rädsla att tragedier kunde smitta och sprida sig till deras egna liv om de kom för nära.

"Charlotte?" Ericas röst hördes inifrån vardagsrummet och den äldre kvinnan var uppenbart lättad över att få en ursäkt att avlägsna sig. Charlotte gick långsamt och lite tvekande in till Erica som satt i sin fåtölj och ammade Maja. Scenen kändes både bekant och märkligt avlägsen. Hur många gånger de senaste två månaderna hade hon inte kommit in och mötts av samma syn. Men den tanken gjorde också att en bild av Sara dök upp på hennes näthinna. Sist hon var här hade Sara varit med. Hon visste rent intellektuellt att det var så sent som i söndags, men hade ändå svårt att förstå det. Hon såg framför sig hur Sara hoppade upp och ner i den vita soffan, med det röda, långa håret flygande runt ansiktet. Hon hade förmanat henne, mindes hon. Sagt åt henne på skarpen att sluta. Så futtigt det kändes nu. Vad hade det gjort att hon hoppade lite bland kuddarna? Bilden fick henne att svaja, och Erica kom snabbt på fötter och hjälpte henne ner i den närmaste fåtöljen. Maja skrek upprört då bröstet så bryskt rycktes ur munnen på henne, men Erica ignorerade dotterns protester och satte henne i babysittern.

Med Ericas armar om sig vågade Charlotte formulera den fråga som gnagt i hennes undermedvetna ända sedan polisen kom med dödsbudet i måndags. Hon sa: "Varför fick de inte tag på Niclas?"

Strömstad 1924

Anders hade precis avslutat arbetet med sockeln när förmannen ropade på honom bortifrån brottet. Han suckade och rynkade pannan, han ogillade att bli störd i sin koncentration. Men det var som vanligt bara att foga sig. Försiktigt lade han ner verktygen i lådan bredvid granitstycket och gick för att höra efter vad förmannen ville.

Den tjocke mannen tvinnade nervöst mustaschen mellan fingrarna.

"Vad har du ställt till med nu då, Andersson?" sa han, halv skämtsamt, halvt bekymrat.

"Jag? Vad då?" svarade Anders och tittade förbryllat på mannen medan han tog av sig arbetshandskarna.

"De har ringt nedifrån kontoret. Du ska dit. Bums."

Fan också, svor Anders tyst inom sig. Var det något som skulle ändras på statyn nu i elfte timmen? De där arkitekterna, eller "konstnärerna" eller vad de nu valde att kalla sig, hade ingen aning om vad de ställde till med när de satt på kammaren och gjorde om sina skisser och sedan förväntade sig att stenhuggaren skulle kunna göra ändringarna lika lätt i stenen. De förstod inte att han redan från början tog ut riktningen för klyven och anpassade ställena han skulle hacka på, utifrån den ursprungliga ritningen. En ändring i skissen förändrade hela hans utgångsläge och kunde i värsta fall göra att stenen sprack så att allt arbete var förgäves.

Men Anders visste också att det inte var lönt att protestera. Det var beställaren som bestämde, han var bara en ansiktslös slav som förväntades utföra allt det hårda arbete som den som ritat statyn inte kunde eller iddes göra själv.

"Ja, jag tar mig väl dit då och hör vad de vill", sa Anders med en suck.

"Det behöver ju inte vara någon större ändring", sa förmannen som visste precis vad Anders befarade och för ovanlighetens skull visade sitt deltagande.

"Ja, den som lever får se", svarade Anders och lommade iväg bortåt vägen.

En stund senare knackade han tafatt på dörren till kontoret och klev på. Han torkade av skorna så gott det gick, men insåg att det inte gjorde så stor skillnad då kläderna var fulla av stendamm och flisor och både händerna och ansiktet var lortiga. Men var han tvungen att komma dit med kort varsel, så fick de ta honom som han var, morskade han upp sig och följde efter mannen som visade in honom till direktörens kontor.

En hastig blick runt rummet fick hans hjärta att sjunka ner i magen. Han förstod omedelbart att detta ärende inte rörde statyn, utan att betydligt allvarligare spörsmål nu skulle dryftas.

Det fanns bara tre personer i rummet. Direktören satt bakom sitt skrivbord och hela hans uppenbarelse utstrålade behärskad vrede. I ett hörn satt Agnes och tittade stint ner i golvet. Och framför skrivbordet satt en för Anders okänd man och betraktade honom med illa dold nyfikenhet.

Osäker på hur han skulle förhålla sig klev Anders någon meter in i rummet och ställde sig sedan i något som nästan kunde liknas vid givakt. Vad som än komma skulle så skulle han ta det som en man. Och förr eller senare hade de ändå hamnat här, han önskade bara att han fått styra över valet av tillfälle.

Han sökte Agnes blick, men hon vägrade envist att titta upp och fortsatte att betrakta sina skor. Hans hjärta värkte för henne. Det här måste vara oerhört svårt för henne. Men de hade ju ändå varandra och efter att den värsta stormen hade lagt sig kunde de börja bygga sitt liv tillsammans.

Anders vände bort blicken från Agnes och iakttog lugnt mannen bakom skrivbordet. Han väntade på att Agnes far skulle ta till orda. Det dröjde en mycket lång minut innan det skedde och under den stunden rörde sig klockans visare outhärdligt långsamt. När August slutligen talade hade hans röst en kylig, metallisk klang.

”Jag har förstått att du och min dotter har träffats i lönndom.”

”Omständigheterna har tvingat oss till det, ja”, svarade Anders lugnt. ”Men jag har aldrig haft annat än ärliga avsikter med Agnes”, fortsatte han och vek inte med blicken. För en sekund tyckte han sig se förvåning i Augusts ansikte. Det var uppenbarligen inte det bemötande han förväntat sig.

”Jaså, nåväl.” August harklade sig för att vinna tid och bestämma sig för hur han skulle ta ställning till det påståendet. Sedan kom vreden igen.

”Och hur hade du tänkt dig det? En rik flicka och en fattig stenhuggare. Är du så enfaldig att du tror att det hade varit möjligt?”

Anders vacklade inför den hånfulla tonen i mannens röst. Hade han varit enfaldig? Hans tidigare beslutsamhet började ge vika inför föraktet som slog emot honom och han hörde med ens själv hur dumt det lät när det sas högt. Självklart hade det aldrig varit en möjlighet. Han kände hur hjärtat sakta sprack sönder i bitar och sökte förtvivlat Agnes blick. Skulle det här vara slutet? Skulle han nu aldrig få träffa henne mer? Hon tittade fortfarande inte upp.

"Agnes och jag älskar varandra", sa han tyst och hörde själv hur det lät som den dödsdömdes sista försvarstal.

"Jag känner min dotter betydligt bättre än vad du gör, pojk. Och jag känner henne betydligt bättre än vad hon tror att jag gör. Visserligen har jag skämt bort henne och låtit henne få större friheter än hon kanske skulle ha haft, men jag vet också att hon är en flicka med ambitioner, och hon skulle aldrig ha offrat allt för en framtid med en arbetare."

Orden stack som eld och Anders ville skrika att han hade fel. Hennes far beskrev inte alls den Agnes han hade lärt känna. Hon var god och mild och framförallt älskade hon honom lika hett som han älskade henne, och hon skulle absolut ha varit beredd att göra de uppoffringar som krävdes för att de skulle kunna leva tillsammans. Med ren viljekraft försökte han få henne att titta upp och tala om för sin far hur det egentligen låg till, men hon förhöll sig tyst och avvisande. Sakta började marken gunga under honom. Inte nog med att han stod i begrepp att förlora Agnes, han förstod mycket väl att han under de här omständigheterna inte heller skulle få behålla jobbet.

August tog till orda igen, och nu tyckte sig Anders ana smärta bakom vreden. "Men saker och ting har ju plötsligt kommit i ett annat läge. Under normala omständigheter skulle jag ha gjort allt för att stoppa min dotter från att slå sig samman med en stenhuggare, men ni har ju redan sett till att ställa mig inför fullbordat faktum."

Förvirrat undrade Anders vad det var han talade om.

August såg hans frågande min och fortsatte. "Ja, hon väntar barn. Ni måste verkligen vara två fullkomliga idioter som inte har tänkt på den möjligheten."

Anders kippade efter andan. Han var böjd att hålla med Agnes far. De hade varit idioter som inte tänkt på den möjligheten. Han hade varit lika övertygad som Agnes om att säkerhetsåtgärderna de vidtagit var fullt tillräckliga. Nu förändrades allt. Känslorna for runt och fick honom att känna sig än mer förvirrad. Å ena sidan kunde han inte låta bli att känna·glädje inför det faktum att hans älskade Agnes bar hans barn, å andra sidan skämdes han inför hennes far och förstod hans vrede. Han skulle också ha blivit rasande om någon gjort så mot hans dotter. Anders väntade spänt på fortsättningen.

Sorgset sa August, medan han nogsamt undvek att titta på sin dotter: "Det finns självklart ett enda sätt att lösa det här. Ni får gifta er och för det ändamålet har jag tagit hit rådman Flemming i dag. Han kommer att viga er omedelbart, så får vi lösa formaliteterna efteråt."

Borta i sitt hörn tittade Agnes nu upp för första gången. Till sin förvåning såg han inte något av den glädje han själv kände i hennes ögon, utan bara desperation. Rösten var vädjande när hon vände sig till sin far: "Snälla far, tvinga mig inte till detta. Det finns ju andra sätt att lösa det hela på, du kan inte tvinga mig att gifta mig med honom. Han är ju bara … en simpel arbetare", sa hon.

Orden kändes som piskrapp i Anders ansikte. Det var som om han såg henne för första gången, som om hon förvandlats till en annan framför ögonen på honom.

"Men Agnes?" sa han med ett tonfall som tiggde henne om att förbli den flicka han älskade, trots att han redan visste att alla hans drömmar nu rasade inför honom.

Hon ignorerade honom och fortsatte att desperat vädja till sin far. Men August bevärdigade henne inte med en blick utan tittade bara på rådmannen och sa kort: "Gör det du ska."

"Snälla far!" skrek nu Agnes och kastade sig ner på knä i ett dramatiskt utspel.

"Tig!" svarade hennes far och tittade kallt på henne. "Gör dig inte till åtlöje! Jag tänker inte tolerera några hysteriska fasoner från dig. Du har själv bäddat sängen och nu får du ligga i den också!" röt han och fick dottern att tystna tvärt.

Med ett lidande uttryck i ansiktet ställde Agnes sig motvilligt upp och lät rådmannen utföra sitt ärende. Det blev en underlig vigsel, med bruden surmulet stående ett par meter från brudgummen. Men svaret på rådmannens fråga blev "ja" från båda parter, om än med mycken motvillighet från ena hållet och mycken förvirring från det andra.

"Så, nu var det gjort", konstaterade August efter att den affärsmässigt utförda akten var genomförd. "Jag kan självklart inte ha kvar dig här", sa han och Anders böjde bara huvudet som bekräftelse på att det var det besked han förväntat sig. Hans nyblivne svärfar fortsatte: "Men hur illa

128

du än har handlat kan jag inte låta min dotter stå på helt bar backe, så mycket är jag skyldig hennes mor."

Agnes tittade spänt mot honom, fortfarande med en liten förhoppning om att hon inte skulle behöva förlora allt.

"Jag har ordnat med anställning för dig i stenbrottet i Fjällbacka. Statyn får någon av de andra slutföra. Jag har också betalt första månadshyran för ett rum och kök i en av barackerna. Efter den månaden får ni klara er själva."

Ett kvidande undslapp Agnes. Hon förde handen till strupen som om hon höll på att kvävas, och Anders kände det som om han var ombord på ett skepp som sakta sjönk. Om han fortfarande hade hyst några förhoppningar om sin och Agnes framtid tillsammans, så krossades de slutgiltigt när han såg med vilket förakt hon betraktade sin nyblivne make.

"Snälla, älskade far", bönade hon igen. "Du kan inte göra så här. Jag tar hellre livet av mig än flyttar in i ett illaluktande skjul med honom där."

Anders grinade illa vid orden. Hade det inte varit för barnet skulle han ha vänt på klacken och gått, men en riktig man tog sitt ansvar hur svåra omständigheterna än var, det hade han fått inpräntat i sig sedan barnsben. Därför stod han kvar i rummet som nu kändes kvävande litet och försökte föreställa sig framtiden med en kvinna som uppenbarligen fann honom motbjudande som livskamrat.

"Gjort är gjort", svarade August sin dotter. "Du får eftermiddagen på dig att plocka med dig de tillhörigheter du kan bära, sedan går skjutsen till Fjällbacka. Välj dina saker klokt. Du lär inte få så mycket nytta av dina festklänningar", tillade han elakt och visade med det hur djupt i själen hans dotter sårat honom. Det skulle aldrig kunna repareras.

När dörren slog igen bakom dem dånade tystnaden. Sedan tittade Agnes med så mycket hat på honom att han fick spjärna emot för att inte rygga tillbaka. En inre röst viskade åt honom att fly medan tid var, men fötterna var stilla, som om de var fastspikade i golvet.

En föraning om onda tider for genom honom som en rysning.

Morgan såg poliserna komma och gå igen. Men han slösade inte tid på att fundera på vad de hade för ärende i föräldrarnas hus. Det låg inte för honom att grubbla.

Han sträckte på sig. Det började bli sen eftermiddag och han hade som vanligt suttit nästan hela dagen vid datorn. Hans mamma oroade sig för vad det skulle göra med hans rygg, men han såg ingen anledning att bekymra sig för det innan det hade hänt något. Visserligen hade han börjat bli rätt krum i ryggen, men han kände ingen smärta och så länge problemet var av utseendemässig art var det inte något som hans hjärna registrerade. För en som ändå inte var normal spelade det ingen roll om man var lite krumryggad också.

Det var skönt att få sitta i fred. Nu när flickan var borta hade det orosmomentet försvunnit. Han hade verkligen ogillat henne. Verkligen. Hon kom alltid och störde när han var som mest uppe i arbetet och hon låtsades inte höra när han sa åt henne att gå. De andra barnen var rädda för honom och nöjde sig med att peka finger bakom hans rygg de få gånger han visade sig utanför stugans väggar. Men inte hon. Hon trängde sig på, krävde uppmärksamhet och vägrade låta sig skrämmas när han röt. Ibland hade han blivit så frustrerad att han hade ställt sig och skrikit med händerna för öronen i förhoppning om att det skulle få henne att ge sig av. Men hon hade bara skrattat. Så det var verkligen skönt att hon inte skulle komma tillbaka. Inte någonsin.

Döden fascinerade honom. Det var något med dödens slutgiltighet som gjorde att hans hjärna ständigt sysselsatte sig med tankar på den i alla dess former. De spel han mest uppskattade att arbeta med var de som innehöll mycket död. Blod och död.

Ibland hade han övervägt att ta livet av sig. Inte så mycket på grund av att han inte längre ville leva, utan för att han ville se hur det var att vara död. Tidigare hade han berättat det. Sagt rent ut till sina föräldrar att han funderade på att ta livet av sig. Bara som information. Men deras reaktioner hade gjort att han numera höll de tankarna för sig själv. Det hade blivit ett väldigt liv, och besöken hos psykologen hade ökat,

130

samtidigt som de, eller kanske främst mamma, hade börjat bevaka honom dygnet runt. Morgan hade inte tyckt om det.

Han förstod inte varför alla var så rädda för döden. Alla dessa obegripliga känslor som andra människor hade verkade koncentreras och mångfaldigas så fort de hörde talas om döden. Han förstod det verkligen inte. Döden var väl ett tillstånd, precis som livet, och varför skulle det ena vara bättre än det andra?

Mest av allt hade han velat vara med när de skar i flickan. Fått stå bredvid och betrakta. Se vad det var som andra fann så skrämmande. Kanske fanns svaret när man öppnade henne. Kanske fanns svaret i ansiktet på de människor som öppnade henne.

Ibland hade han drömt att han själv låg på ett bårhus. På en kall metallbänk, utan något som skylde hans nakna kropp. I drömmen såg han stålet blänka till precis innan obducenten gjorde det raka snittet längs med bröstkorgen.

Fast det var heller inget han berättade för någon. Då skulle de kanske tro att han var tokig, inte bara icke normal, vilket var en etikett som han med åren lärt sig att leva med.

Morgan återgick till kodningen på datorn. Han njöt av lugnet och tystnaden. Det var verkligen skönt att hon var borta.

Lilian öppnade utan att de behövde knacka. Patrik misstänkte att hon suttit och tittat efter dem ända sedan de gick. I hallen stod ett par skor som inte stått där när de gick, och Patrik antog att det var väninnan Eva som anlänt för att ge sitt moraliska stöd.

"Nå", sa Lilian. "Vad hade han att säga till sitt försvar? Kan vi få den där anmälan avklarad nu, så ni kan hämta in honom snart?"

Patrik tog ett djupt andetag. "Vi tänkte bara prata lite med din make först, innan vi går vidare med en anmälan. Det är fortfarande några saker som känns oklara."

För en sekund såg han osäkerhet fara över hennes ansikte, men hon återtog snabbt ett stridslystet uttryck.

"Det kommer verkligen inte på fråga. Stig är sjuk och ligger där uppe och vilar sig och kan absolut inte bli störd." Rösten var forcerad och hade ett stänk av oro, och Patrik insåg att även Lilian hade glömt bort Stig som potentiellt vittne. Desto viktigare att de fick prata med honom.

"Det kan tyvärr inte hjälpas. Någon minut eller två orkar han säkert ta emot oss", sa Patrik med den myndigaste stämma han kunde uppbringa och tog samtidigt av sig jackan som en ytterligare markering.

Lilian skulle precis öppna munnen för att protestera när Gösta tog till sin mest polisiära ton. "Om vi inte får prata med Stig kan det bli fråga om hindrande av polisutredning. Ser inte bra ut i papprena."

Patrik var tveksam till om det var ett påstående som höll i längden, men det verkade få den avsedda effekten på Lilian som ilsket gick före dem mot trappan upp till övervåningen. När det såg ut som om hon tänkte gå med dem upp lade Gösta bestämt en hand på hennes axel.

"Vi hittar nog själva, tack."

"Men…" Hon flackade med blicken och letade efter fler giltiga protester, men blev till slut tvungen att ge upp.

"Ja, säg inte att jag inte har varnat er bara. Han mår *inte* bra, Stig, och blir han sjukare på grund av att ni klampar in och ställer frågor så…"

De ignorerade henne och gick upp till övervåningen. Gästrummet låg direkt till vänster och då Lilian hade lämnat dörren öppen in dit, var det inte svårt att lokalisera hennes make. Stig låg nedbäddad i sängen men var vaken och hade vänt huvudet mot dörren i väntan på dem. Att döma av hur väl Lilians upprörda röst nu färdades från köket i nedervåningen, hade han utan tvekan hört att de var på väg. Patrik klev före Gösta in i rummet och fick tvinga sig att inte dra efter andan. Mannen i sängen var så bräcklig och mager att hans kropp under filten avtecknade sig som i relief. Ansiktet var insjunket, och med en grå, ohälsosam hudton och ett hår som verkade ha blivit vitt tidigt såg han ut som en betydligt äldre man än vad han var. Det luktade kvalmigt av sjukdom och Patrik fick betvinga en lust att endast andas genom munnen.

Tvekande sträckte han fram en hand mot Stig för att presentera sig. Gösta gjorde likadant och sedan tittade de sig runt i det minimala rummet efter någonstans att sätta sig ner. Det kändes alldeles för högtidligt att stå upptornade ovanför Stig när han låg där i sjuksängen. Stig lyfte en gråaktig hand och pekade på sängkanten.

"Tyvärr är det här det enda jag kan erbjuda." Rösten var torr och svag och Patrik förfärades åter över hur medtagen han verkade. Den här mannen såg alldeles för sjuk ut för att vara hemma. Han borde vara på ett sjukhus. Men det var inte hans sak att avgöra, och det fanns trots allt en läkare boende i huset.

Patrik och Gösta slog sig försiktigt ner på sängkanten. Stig grimaserade lätt när sängen gungade till och Patrik skyndade sig att be om ursäkt, rädd att de gjort honom illa. Stig viftade bort ursäkten.

Patrik harklade sig. "Jag skulle först av allt vilja börja med att beklaga sorgen efter förlusten av ditt barnbarn." Åter hade han den där formella rösten som han själv avskydde.

Stig blundade och verkade samla sig för att svara. Orden såg ut att ha rört upp känslor inom honom som han kämpade för att bemästra.

"Rent tekniskt var väl inte Sara mitt barnbarn. Hennes morfar, Charlottes pappa, dog för åtta år sedan, men i mitt hjärta var hon det. Jag har följt henne ända sedan hon var en liten bebis till ...", han stakade sig, "nu till slutet." Han slöt ögonen på nytt, men när han öppnade dem verkade han ha funnit en sorts lugn.

"Vi har pratat lite med övriga i familjen för att ta reda på vad som hände den där morgonen, och jag undrar om du hörde något särskilt? Vet du till exempel vilken tid Sara gick hemifrån?"

Stig skakade på huvudet. "Jag tar starka sömntabletter för att sova och vaknar vanligtvis inte förrän runt tio. Och då var hon redan ... borta." Han blundade igen.

"När vi frågade er fru om det fanns någon som möjligtvis kunde tänka sig att skada Sara, så nämnde hon er granne, Kaj Wiberg. Instämmer du i den åsikten?"

"Har Lilian sagt att Kaj mördade Sara?" Stig tittade klentroget på dem.

"Nja, inte i de ordalagen, men hon antydde att det fanns skäl för er granne att vilja er familj illa."

En lång suck hördes från Stig. "Ja, jag har aldrig förstått vad det är med de där två, men stridigheterna började redan innan jag kom in i bilden, innan Lennart dog. Ska jag vara riktigt ärlig så vet jag inte vem som kastade första stenen och jag vågar nog påstå att Lilian är lika duktig på att hålla liv i fejden som Kaj. Jag har försökt att hålla mig utanför så gott det går, men det är inte helt lätt." Han skakade på huvudet. "Nej, jag förstår faktiskt inte varför de håller på som de gör. Jag känner ju min hustru som en varm och medkännande kvinna, men när det gäller Kaj och hans familj så verkar det som om hon har en blind fläck. Vet ni, ibland tror jag att både hon och Kaj njuter av det hela. Att de lever för striderna. Men det låter ju befängt. Varför skulle man frivilligt hålla på som de har gjort, med rättsstrider och allt? Massor av pengar har det kostat oss också. Kaj, han har ju råd, han, men vi har det inte så fett, pensionärer som vi är båda två. Nej, hur kan någon vilja hålla på så där och bråka?"

Frågan var retorisk och Stig förväntade sig inte heller att få ett svar.

"Har det någonsin gått till handgripligheter dem emellan?" frågade Patrik spänt.

"Nej, Gud bevars", sa Stig med eftertryck. "Så tokiga är de inte." Han skrattade.

Patrik och Gösta utbytte en blick. "Men du hörde att Kaj var över hos er förut i dag."

"Ja, det gick knappast att undgå att höra", sa Stig. "Det var ett fasligt liv nere i köket och han gormade och stod i. Men Lilian kastade ut honom med svansen mellan benen." Han tittade på Patrik. "Jag förstår faktiskt inte hur vissa människor är funtade. Jag menar, oavsett vilka inbördes problem de har haft så tycker man ändå att han borde visa lite medkänsla med tanke på vad som har hänt. Med tanke på Sara ..."

Patrik höll med om att medkänsla borde ha varit ett mer dominerande inslag de senaste dagarna, men till skillnad från Stig lade han inte all skuld på Kaj. Även Lilian visade en skrämmande brist på respekt för situationen. Inom honom hade en otäck misstanke dykt upp. Han fortsatte fråga för att få den bekräftad. "Såg du Lilian efter att Kaj varit här?" Han höll andan.

"Javisst", sa Stig som verkade undra varför Patrik frågade det. "Hon kom upp med lite te och berättade hur oförskämd Kaj varit."

Nu började Patrik förstå varför Lilian sett så orolig ut när de meddelade att de tänkte prata med Stig. Hon hade gjort ett taktiskt misstag när hon glömde bort maken.

"Såg du något särskilt med henne?" sa Patrik.

"Särskilt? Hur menar du då? Hon såg lite upprörd ut, men det är väl knappast att undra på."

"Inget som tydde på att hon blivit slagen i ansiktet?"

"Slagen i ansiktet? Nej, absolut inte. Vem är det som har påstått det?" Stig såg förvirrad ut och Patrik tyckte nästan synd om honom.

"Lilian hävdar att Kaj misshandlade henne när han var här. Och hon har visat oss skador bland annat i ansiktet för att bevisa det."

"Men hon hade inga skador i ansiktet efter att Kaj varit här. Jag förstår inte ..." Stig rörde oroligt på sig i sängen, vilket framkallade en ny grimas av smärta.

Patrik såg bister ut och signalerade med ögonen åt Gösta att de var klara.

"Vi ska nog gå ner och prata lite med din hustru", sa han och försökte resa sig så försiktigt som möjligt.

"Ja, men vem kan då ha ...?"

De lämnade Stig som satt kvar med ett förvirrat uttryck i ansiktet, och Patrik misstänkte att Lilian nog skulle komma att ha ett allvarligt samtal med sin make när de gått. Men först tänkte de ha ett allvarligt samtal med henne.

Det sjöd inom honom när de gick nedför trappan. Det var inte mer än tre dagar sedan Sara dog och Lilian försökte använda dödsfallet som slagträ i en futtig grannfejd. Det var så... okänsligt att han knappt kunde fatta det. Det som gjorde honom mest förbannad var det faktum att hon slösade med polisens tid och resurser när de mest av allt behövde koncentrera sig på att hitta den som mördat hennes eget barnbarn. Att inte ens tänka på de konsekvenserna var så elakt och korkat att han knappt kunde hitta ord för att beskriva det.

När de kom in i köket förstod han av Lilians ansiktsuttryck att hon visste att slaget var förlorat.

"Vi fick just en del intressant information från Stig", sa Patrik olycksbådande. Lilians väninna Eva tittade undrande på dem. Hon hade säkerligen svalt Lilians historia med hull och hår, men skulle om ett par minuter kanske se sin väninna i ett nytt ljus.

"Ja, jag förstår inte varför ni skulle envisas med att störa någon som ligger sjuk, men polisen tar tydligen inga hänsyn nuförtiden", fräste Lilian i ett dödfött försök att återta kontrollen.

"Åh ja, det var nog ingen fara med det", sa Gösta och slog sig lugnt ner på en av köksstolarna mittemot Lilian och Eva. Patrik drog ut stolen bredvid och satte sig han med.

"Det var nog tur att vi hörde med honom också, för han kom med ett märkligt påstående. Kanske du kan hjälpa oss att förklara det?"

Lilian frågade inte vad det var för information utan väntade under ilsken tystnad på att de skulle fortsätta. Det blev Gösta som tog till orda igen.

"Han sa att du var uppe hos honom efter att Kaj gått, och att det då inte fanns några tecken på att någon slagit dig. Du sa heller inget om det till honom. Kan du förklara det?"

"Det tar väl en stund innan det syns", mumlade Lilian i ett tappert försök att rädda situationen. "Och jag ville ju inte oroa Stig med tanke på hans situation, förstår ni väl."

De förstod mer än så. Och det visste hon.

Patrik tog över. "Jag hoppas att du förstår allvaret i att hitta på falska anklagelser."

"Jag har inte hittat på något", brusade Lilian upp. Med något mildare ton sa hon: "Jag kanske ... möjligtvis ... överdrev en aning. Men bara för att han lika gärna kunde ha gett sig på mig. Det såg jag i ögonen på honom."

"Och skadorna du visade oss?"

Hon sa inget och det behövde hon inte heller. De hade redan listat ut att hon själv hade tillfogat sig dem innan de kom. För första gången började Patrik undra om det stod rätt till i huvudet på henne.

Envist sa hon: "Men det var bara för att ni skulle få en anledning att ta in honom för förhör. Då skulle ni sedan i lugn och ro ha kunnat leta bevis för att han eller Morgan mördade Sara. Jag vet att det var någon av dem, och jag ville bara hjälpa er på traven."

Patrik tittade klentroget på henne. Antingen var hon mer målmedveten än någon annan han träffat, eller så var hon helt enkelt lite tokig. I vilket fall som helst fick det vara slut på de här dumheterna.

"Vi skulle uppskatta om du låter oss sköta vårt jobb framöver. Och låt familjen Wiberg vara i fred. Är det förstått!"

Lilian nickade, men det syntes att hon var rasande. Väninnan hade under hela samtalet förundrat betraktat henne, och nu passade hon på att gå samtidigt med Patrik och Gösta. Den vänskapen hade nog fått sig en törn.

De diskuterade inte Lilians påhitt på vägen tillbaka till stationen. Det hela var alltför beklämmande.

Han kände ett styng av oro där han låg. Stig visste att Lilian skulle bli arg nu, men han visste inte riktigt vad han skulle ha kunnat göra annorlunda. Hon såg ut precis som vanligt när hon var uppe hos honom och det här pratet om att hon skulle ha sagt att Kaj misshandlat henne, det förstod han bara inte. För hon skulle väl inte ljuga om något sådant?

Stegen i trappan lät precis så ilskna som han befarat. För ett kort ögonblick fick han lust att dra täcket över huvudet och låtsas som om han sov, men han besinnade sig. Det kunde väl inte vara så farligt. Han hade ju bara sagt som det var, det måste Lilian förstå. Och för övrigt måste det röra sig om ett misstag alltihop.

Hennes ansiktsuttryck sa mer än han ville veta. Uppenbarligen var hon rasande på honom och Stig kände hur han formligen kröp ihop inför hennes blick. Han fann det alltid ytterst obehagligt när hon var på det här humöret. Han kunde inte förstå hur en människa som var så snäll och varm som hans Lilian emellanåt kunde förvandlas till en så otrevlig person. Plötsligt undrade han om det verkligen kunde vara så som poliserna antydde. Att hon hade hittat på en falsk anklagelse mot Kaj. Sedan slog han bort den tanken. Bara de fick reda ut det här skulle det visa sig hur det egentligen låg till.

"Kan du aldrig hålla din stora trut!?" Hon tornade upp sig över honom och hennes skarpa tonläge skickade blixtar genom huvudet på honom.

"Men kära du, jag sa ju bara..."

"Sa bara som det var! Är det det du tänkte säga! Att du bara sa som det var! Ja, det är väl en himla tur att det finns sådana rättrådiga människor som du, Stig. Ärliga och hederliga människor som fullkomligt struntar i om de sätter sin egen fru i skiten. Jag trodde det var meningen att du skulle stå på min sida!"

Han kände en sprejdusch av saliv mot sitt ansikte och kunde knappt känna igen det förvridna ansiktet som svävade ovanför honom.

"Men jag står väl alltid på din sida, Lilian. Jag visste bara inte..."

"Visste inte! Ska jag behöva tala om allt för dig, din dumma idiot!"

"Men du hade ju inte sagt något... Och det är väl bara befängdheter från polisens sida, jag menar, du skulle ju inte hitta på något sådant." Stig kämpade tappert för att hitta någon sorts logik i det raseri som riktades mot honom. Först nu noterade han märket i Lilians ansikte som nu börjat anta en blålila ton. Hans ögon fick en ny skärpa och han tittade forskande på henne.

"Vad är det du har för märke i ansiktet, Lilian? Det hade du inte när du var uppe hos mig? Menar du att det polisen antydde var sant? Hittade du på att Kaj slog dig när han var här?" Rösten var klentrogen, men han såg hur Lilians axlar sjönk ihop en aning och behövde ingen mer bekräftelse.

"Varför i all sin dar skulle du göra något så dumt?" Nu var rollerna ombytta. Stigs röst var skarp och Lilian sjönk ner på sängkanten och begravde ansiktet i händerna.

"Jag vet inte, Stig. Jag inser nu att det var dumt, men jag ville ju bara att de på allvar skulle börja titta på Kaj och hans familj. Jag är helt säker på att de på något sätt är inblandade i Saras död! Har jag inte alltid sagt att den mannen fullständigt saknar spärrar! Och den där konstige Morgan, som smög här i buskarna och spionerade på mig! Varför gör inte polisen något!"

Hennes kropp skakade av gråt och Stig uppammade sina sista krafter

137

för att trots smärtan sätta sig upp i sängen och lägga armarna om sin hustru. Han strök henne lugnande över ryggen, men hans blick var orolig och forskande.

När Patrik kom hem satt Erica ensam i mörkret och funderade. Kristina hade tagit en promenad med Maja, och Charlotte hade för länge sedan gått hem. Det Charlotte hade sagt bekymrade henne.

När hon hörde Patrik öppna ytterdörren reste hon sig och gick för att möta honom.

"Sitter du här i mörkret?" Han ställde ett par matkassar på diskbänken och började tända lampor. Ljuset stack henne i ögonen någon sekund innan hon vande sig, och hon satte sig tungt vid köksbordet och betraktade honom medan han packade upp det han handlat.

"Vad fint vi har här hemma nu", sa han glatt och tittade sig runt. "Visst är det skönt att mamma kan komma och rycka in emellanåt", fortsatte han, omedveten om att Erica nu gav honom onda ögat.

"Jovisst, jätteskönt", sa hon syrligt. "Måste vara underbart att komma hem till ett välorganiserat och städat hem för omväxlings skull."

"Ja, verkligen!" sa Patrik, fortfarande omedveten om att han grävde sin egen grav, allt djupare för var sekund som gick.

"Men då kan väl du se till att vara hemma framöver då, så att det blir någon ordning här hemma!" röt Erica.

Patrik hoppade högt av den plötsliga volymstegringen. Han vände sig om med ett förvånat uttryck i ansiktet.

"Vad har jag sagt nu då?"

Erica reste sig bara från stolen och gick ut. Ibland var han mer än lovligt korkad. Fattade han inte så orkade hon inte ens förklara.

Hon satte sig igen i mörkret i vardagsrummet och tittade ut genom fönstret. Vädret utanför återspeglade exakt hur det kändes inuti henne. Grått, stormigt, rått och kallt. Förrädiskt lugna stunder som ersattes av häftiga stormbyar. Tårar började rinna nedför hennes kinder. Patrik kom och satte sig bredvid henne i soffan.

"Förlåt, jag var visst rätt dum. Det är förstås inte helt lätt att ha mamma här hemma?"

Hon kände att underläppen darrade. Hon var så trött på att gråta. Det var som om hon inte hade gjort annat de senaste månaderna. Om hon åtminstone hade varit förberedd på att det skulle bli så här! Kontrasten var så stor mot den glädjeyra som hon alltid trott att hon skulle hamna

138

i när hon fått barn. I sina mörkaste stunder hatade hon nästan Patrik för att han inte kände likadant som hon. Den logiska delen av henne sa att det var bra, någon måste ju hålla igång familjen, men hon önskade att han bara för en kort stund kunde sätta sig in i hennes situation och förstå hur hon kände det.

Som om han hade kunnat läsa hennes tankar sa han: "Jag önskar att jag kunde byta plats med dig, det gör jag verkligen. Men jag kan inte det, så du måste sluta vara så förbannat tapper och tala om för mig hur du känner. Kanske du till och med skulle prata med någon annan, någon professionell? De på barnavårdscentralen kan säkert hjälpa oss."

Erica skakade häftigt på huvudet. Hennes depression skulle säkert gå över av sig själv. Det måste den. Dessutom fanns det de som hade det mycket värre än hon.

"Charlotte var här i dag", sa hon.

"Hur mår hon?" sa Patrik tyst.

"Bättre, vad nu det betyder." Hon tvekade. "Har ni kommit någonvart?"

Patrik lutade sig tillbaka i soffan och tittade upp i taket. Det kom en djup suck innan han svarade: "Nej, tyvärr. Vi vet knappt i vilken ände vi ska börja. Och dessutom verkar Charlottes knäppa morsa vara mer intresserad av att hitta slagträn i sin grannfejd än att hjälpa oss i utredningen, så det har inte gjort vårt arbete enklare."

"Vad då?" frågade Erica intresserat. Patrik drog en kort resumé av dagens händelser.

"Tror du att någon i Saras familj kan ha något med hennes död att göra?" frågade Erica tyst.

"Nej, jag har svårt att tro det", sa Patrik. "Dessutom har de ju kunnat ge trovärdiga redogörelser för var de var någonstans den förmiddagen."

"Har de?" sa Erica i ett märkligt tonfall. Patrik skulle precis fråga vad hon menade när de hörde ytterdörren öppnas och Kristina klev in med Maja i famnen.

"Jag förstår inte vad ni har gjort med det här barnet", sa hon irriterat. "Hon har skrikit hela vägen tillbaka i vagnen och vägrar lugna ner sig. Så här blir det när man håller på och lyfter upp henne hela tiden bara för att hon gnyr lite. Ni skämmer bort henne. Du och din syster skrek minsann aldrig så här..."

Patrik avbröt harangen genom att gå och hämta Maja, och Erica som hörde på skriken att Maja var hungrig satte sig suckande i fåtöljen, knäppte upp amningsbehån och plockade ur ett mjölkgenomdränkt och sladdrigt inlägg. Då var det dags igen ...

Redan när hon steg in i huset kände Monica att något var fel. Kajs vrede strömmade emot henne som ljudvågor genom luften, och hon kände sig med ens ännu tröttare än hon redan var. Vad var det den här gången då? Det var länge sedan hon tröttnat på hans koleriska humör, men hon kunde inte minnas att det någonsin varit annorlunda. De hade hängt ihop sedan tidiga tonåren och kanske hade ett häftigt humör då känts som något dynamiskt och lockande. Hon kom inte ens ihåg längre. Inte för att det spelade någon roll, livet hade ju utvecklat sig som det hade gjort. Hon hade blivit med barn, de hade gift sig, Morgan hade fötts och sedan hade dagar lagts till dagar. Deras samliv hade varit dött i många år, det var länge sedan hon flyttat in i ett eget sovrum. Kanske fanns det något annat än det här, men det var ändå något invant och välbekant. Visserligen hade hon lekt med tanken på skilsmässa emellanåt, och vid ett tillfälle, för nästan tjugo år sedan, hade hon till och med packat en väska i smyg och stått i begrepp att ta Morgan med sig och flytta. Men sedan hade hon tänkt att hon bara skulle laga middag till Kaj först, och stryka ett par skjortor och köra en tvättmaskin så att hon inte lämnade en massa smutstvätt efter sig, och innan hon visste ordet av hade hon stilla packat upp sin väska igen.

Monica gick ut i köket där hon visste att hon skulle finna honom. Han satt alltid där när han var upprörd över något. Kanske för att han där hade uppsyn över det vanligaste föremålet för sin upprördhet. Nu hade han dragit undan gardinen så att en glipa bildades och satt och blängde mot grannhuset.

"Hej", sa Monica, men fick ingen civiliserad hälsning till svar. Istället for han ut i en lång, hätsk harang.

"Vet du vad kärringen gjorde i dag?" Han väntade inte på något svar och Monica tänkte inte ge honom något heller. "Hon skickade hit polisen och påstod att jag misshandlat henne! Visade upp några jävla märken som hon tillfogat sig själv och påstod att det var jag som slagit henne. Hon är tamejfan inte riktig i huvudet!"

Monica hade kommit in i köket med föresatsen att inte låta sig dras in i Kajs senaste trätomål, men det här var långt värre än hon förväntat sig och mot sin vilja kände hon ilskan byggas upp i bröstet. Men först måste hon stilla sin oro. "Och det är helt säkert att du inte gav dig på henne, Kaj? Du har ju en tendens att brusa upp ..."

Kaj tittade på henne som om hon förlorat vettet. "Vad fan säger du? Tror du verkligen att jag skulle vara så jävla dum att jag spelade henne i händerna på det sättet! Jag skulle ha god lust att ge henne en omgång, men tror du inte att jag fattar vad hon skulle kunna göra då! Jag gick visserligen över och talade om för henne vad jag tyckte, men jag rörde henne inte!"

Monica såg på honom att han talade sanning och hon kände hur även hennes blickar hatiskt drogs mot grannhuset. Om Lilian bara kunde låta dem vara i fred!

"Nå, vad hände? Gick polisen på hennes lögner?"

"Nej, tack och lov så lyckades de på något sätt ta reda på att hon ljög. De skulle prata med Stig, och jag tror att han kullkastade det på något sätt. Men det var nära ögat."

Hon satte sig mittemot sin man vid köksbordet. Han var högröd i ansiktet och trummade ilsket med fingrarna mot bordet.

"Ska vi verkligen inte kasta in handsken och flytta? Så här kan vi ju inte ha det." Det var en vädjan som hon framfört många gånger tidigare, men hon såg alltid samma beslutsamhet i sin makes ögon.

"Kommer inte på fråga, har jag ju sagt. Hon ska aldrig få driva mig från mitt hem, den tillfredsställelsen vägrar jag att ge henne."

Han slog näven i bordet för att ge eftertryck åt sina ord, men det hade inte behövts. Monica hade hört det förr. Hon visste att det var lönlöst. Och skulle hon vara riktigt ärlig ville inte heller hon ge Lilian segerbucklan. Inte efter allt hon hade sagt om Morgan.

Tanken på sonen gav henne en chans att byta samtalsämne. "Har du sett till Morgan i dag?"

Kaj flyttade motvilligt blicken från Florins hus och muttrade: "Nej, skulle jag det? Han går ju aldrig ut från den där stugan, det vet du ju."

"Ja, men jag tänkte att du kanske gått över och sagt hej, kollat hur han har det." Hon visste att det var en utopi, men kunde ändå inte låta bli att hoppas. Morgan var ju ändå hans son.

"Varför skulle jag det?" fnös Kaj. "Vill han umgås kan han ju komma in hit." Han reste sig. "Blir det någon mat, eller?"

Tyst reste sig också Monica och började förbereda middagen. För några år sedan hade hon kanske åtminstone tänkt att Kaj hade kunnat laga middagen när han ändå var hemma. Nu dök tanken inte ens upp i hennes huvud. Allt var som det alltid hade varit. Och skulle så förbli.

Fjällbacka 1924

Inte ett ord hade yttrats under färden till Fjällbacka. Efter att ha legat så många kvällar och viskat i varandras öron hade de nu inte ett enda ord till övers för varandra. Istället satt de stela som tennsoldater, stirrande rakt fram, var och en förlorad i sina egna grubblerier.

Agnes kände det som om världen hade rasat samman runt henne. Var det verkligen i morse hon vaknade i sin stora säng i sitt eget fina rum i den pampiga villan som hon bott i under hela sitt liv? Hur var det då möjligt att hon nu satt här på tåget, med en väska bredvid knät, på väg till ett liv i misär med en man hon inte längre ville kännas vid? Hon tålde knappt att se honom. Vid ett tillfälle under resan hade Anders gjort ett försök att lägga en tröstande hand ovanpå hennes. Hon hade skakat av sig den med en så äcklad min att hon hoppades att han inte skulle göra om det.

När de några timmar senare stannade framför baracken som skulle bli deras gemensamma hem, vägrade Agnes först att kliva ner från droskan. Hon satt där, oförmögen att röra sig. Lamslagen inför smutsen som omgav henne och larmet från de skitiga, osnutna ungarna som drällde runt vagnen. Det här kunde bara inte vara hennes liv! För ett ögonblick var hon frestad att be droskkusken vända om och köra henne tillbaka till tågstationen, men hon insåg det omöjliga i företaget. Vart skulle hon ta vägen? Hennes far hade gjort fullkomligt klart för henne att han inte ville veta av henne och att behöva ta tjänst någonstans var inget hon skulle ha övervägt ens om hon inte haft ungen i magen. Nu var alla vägar stängda för henne, utom den som ledde in i det här skitiga, usla huset.

Gråtfärdig beslutade hon sig slutligen för att kliva ner från droskan. Hon grinade illa när foten sjönk ner i leran. Saken blev inte bättre av att hon hade de vackra röda skorna med öppen tå, och nu kände hon hur vätan trängde in genom sockorna och mellan tårna. I ögonvrån såg hon hur gardinerna drogs ifrån för att tillåta nyfikna ögon att titta ut på spektaklet. Hon knyckte på nacken. De fick väl glo tills ögonen trillade ur då. Vad brydde hon sig om vad de tyckte och tänkte. Enkla hjon var vad de var, och de hade väl aldrig sett en riktig dam förut. Nåja, det här skulle bara bli en kort sejour. Hon skulle nog lista ut ett sätt att ta sig ur det här, hon hade ju aldrig tidigare varit med om en situation som hon inte hade kunnat ljuga eller charma sig ur.

Beslutsamt tog hon sin väska och haltade bort mot baracken.

Vid morgonfikat berättade Patrik och Gösta för Martin och Annika vad som hänt dagen innan. Ernst syntes sällan till före nio på morgonen och Mellberg ansåg att det kunde underminera hans roll som chef att fika med personalen, så han satt instängd på sitt rum.

"Förstår hon inte att hon skjuter sig själv i foten", sa Annika. "Hon borde ju vilja att ni fokuserade på att leta efter mördaren, istället för att hålla på med det här tramset." Det lät som ett eko av vad Patrik och Gösta hade sagt till varandra i går.

Patrik bara skakade på huvudet. "Ja, jag blir inte klok på om det är så att hon inte tänker längre än näsan räcker, eller om hon helt enkelt är tokig. Men jag tycker att vi lämnar det bakom oss nu, förhoppningsvis lyckades vi ingjuta lite skräck i henne i går, så att hon inte gör om det. Har vi fått fram något mer som vi kan gå vidare med?"

Ingen sa något. Det rådde en skrämmande brist på bevis och ledtrådar att arbeta med.

"När sa du att vi får resultatet från SKL?" sa Annika och bröt den tryckta tystnaden.

"Måndag", svarade Patrik kort.

"Är familjen helt friad från misstankar?" sa Gösta och betraktade alla över sin kaffekopp.

Patrik mindes med ens Ericas märkliga tonfall under gårdagskvällen när han fört familjens alibi på tal. Det var något med det som hade gnagt inom honom också, nu gällde det bara att komma på vad det var.

"Självklart inte", sa han. "Familjen tillhör alltid de misstänkta, men det finns inget konkret som pekar i den riktningen, nej."

"Hur ser deras alibi ut?" sa Annika. Hon kände sig oftast rätt utestängd under utredningarna och välkomnade därför dessa tillfällen då hon fick en chans att höra mer om vad som hände.

"Trovärdiga men inte bekräftade, skulle jag säga", sa Patrik. Han reste sig och fyllde på kaffet och blev sedan stående lutad mot diskbänken. "Charlotte låg nere i källarvåningen hela morgonen och sov på grund av ett migränanfall, Stig sov också, enligt egen uppgift. Han hade tagit en sömntablett och visste inget om vad som pågick. Lilian var hemma och passade Albin efter att hon vinkat av Sara, och Niclas var på arbetet."

"Så den stora merparten av dem har inte något alibi som kan sägas vara vattentätt", sa Annika torrt.

"Hon har rätt", sa Gösta. "Vi har nog varit lite för rädda och inte vågat gå på hårdare, deras uppgifter kan definitivt ifrågasättas. Förutom Niclas så kan ingen få sina uppgifter bekräftade."

Där, där var det! Det som hade gnagt i hans undermedvetna. Patrik började upprört gå fram och tillbaka. "Niclas kan inte alls ha varit på sitt arbete. Minns du inte?" sa han och riktade sig mot Martin som såg frågande ut. "Det gick ju inte att få tag på Niclas den där förmiddagen. Det tog nästan två timmar innan han kom hem. Vet vi var han var då? Och varför ljög han senare om att han var på läkarstationen?"

Stumt skakade Martin på huvudet. Hur kunde de ha missat det?

"Borde vi inte höra Morgan också, sonen i grannhuset? Sanna eller inte, så finns det ändå anmälningar på pränt om att han smugit runt och kikat i fönstren, enligt uppgift för att få se Lilian i avklätt tillstånd. Varför i Herrans namn någon nu skulle vilja det", sa Gösta och tog en kaffeslurk till medan han plirade mot dem.

"De är ju väldigt gamla, de där anmälningarna, och som du säger så finns det inte mycket som talar för att det skulle vara sant, särskilt efter vad som hände i går." Patrik hörde själv att han lät otålig. Han var inte alls säker på att han ville spilla tid på att utreda fler av Lilians lögner, gamla eller nya.

"Å andra sidan har vi ju redan konstaterat att vi inte har särskilt mycket att gå på, så ..." Gösta slog ut med händerna och nu betraktade tre par ögon honom misstänksamt. Det var helt enkelt inte likt honom att komma med egna initiativ. Men just på grund av att det var så sällsynt förekommande, borde de kanske lyssna. För att ytterligare underbygga det han sa, tillade Gösta: "Dessutom, om jag inte missminner mig, så kan man från hans stuga se Florins hus, så han kan ju faktiskt ha sett något den morgonen."

"Du har rätt", sa Patrik och kände sig återigen lite dum. Han borde åtminstone ha tänkt på att Morgan var ett potentiellt vittne. "Vi gör så här: Du och Martin pratar med Morgan Wiberg, jag och", han tystnade men tvingade sig sedan att säga namnet, "Ernst synar Saras pappa lite närmare i sömmarna, och så stämmer vi av i eftermiddag."

"Jag då? Kan jag göra något?" sa Annika.

"Bevaka telefonen noga bara. Vi borde ha fått ut en del i pressen vid det här laget, så har vi tur kan vi få in något matnyttigt från allmänheten."

Annika nickade och reste sig för att sätta kaffekoppen i diskmaskinen. De andra gjorde likadant och Patrik gick in på sitt rum för att invänta Ernsts ankomst. Först av allt skulle de ha en diskussion om vikten av att komma i tid till arbetet under en pågående mordutredning.

Mellberg kände hur ödet närmade sig med stormsteg. Bara en dag kvar. Brevet låg fortfarande i översta lådan. Han hade inte vågat titta på det något mer. Dessutom kunde han det utantill. Det förvånade honom att det var så kontrasterande känslor som stred inom honom. Första reaktionen hade varit vantro och raseri, misstro och ilska. Men sakta, sakta hade även ett hopp börjat byggas upp. Det var detta hopp som hade överraskat honom så fullkomligt. Han hade alltid ansett sig ha ett nästintill perfekt liv, åtminstone tills han blev förflyttad till den här hålan. Efter det var han tvungen att erkänna att det kanske hade gått något utför. Men förutom den befordran han ansåg sig förtjänt av hade han inte trott att han saknade något. I och för sig hade kanske det lilla pinsamma missödet med Irina gett vissa anledning att tro att det fanns fler saker han önskade sig i livet, men den lilla episoden hade han snabbt lagt bakom sig.

Han hade alltid satt en stolthet i att inte behöva någon. Den enda person han egentligen stått nära, och velat stå nära, var hans kära mor, och hon fanns ju inte bland dem längre. Men brevet innebar att allt det här kanske skulle ändras.

Andhämtningen kändes tung och ansträngd. Rädsla blandades med en otålig nyfikenhet. På ett sätt ville han att dagen skulle gå fort så att morgondagens visshet snabbt skulle ersätta tvivlen. Men samtidigt ville han att dagen skulle gå så sakta att den praktiskt taget stod still.

Ett tag hade han övervägt att bara strunta i alltihop. Slänga brevet i papperskorgen och hoppas att problemet skulle försvinna av sig självt. Men han visste att det inte skulle fungera.

Han suckade, lade upp fötterna på skrivbordet och blundade. Det var lika bra att tåligt invänta vad morgondagen bar med sig.

Gösta och Martin slank diskret förbi det stora huset och hoppades att de inte skulle bli sedda när de istället gick mot den lilla stugan. Ingen av dem var på humör för en konfrontation med Kaj och de ville få en chans att prata med Morgan i fred, utan föräldrarnas inblandning. Han var dessutom vuxen, så det fanns ingen anledning till att en förälder skulle vara närvarande.

Det tog lång stund innan dörren öppnades, så lång stund att de började bli osäkra på om någon var hemma. Men till slut öppnades dörren och en blek, ljushårig man i trettioårsåldern stod framför dem.

"Vilka är ni?" Hans tonfall var monotont och ansiktet uppvisade inte det frågande uttryck som brukade medfölja den meningen.

"Vi kommer från polisen", sa Gösta och presenterade sedan både sig själv och Martin. "Vi går runt och frågar lite bland grannarna med anledning av flickans död."

"Jaså", sa Morgan, fortfarande med samma uttryckslösa ansikte. Han gjorde ingen ansats att kliva åt sidan.

"Skulle vi kunna få komma in och prata lite med dig?" sa Martin. Han började känna sig rätt obekväm med den underlige Morgan.

"Helst inte. Klockan är tio och jag arbetar mellan nio och kvart över elva. Sedan äter jag lunch mellan kvart över elva och tolv och sedan arbetar jag igen mellan tolv och kvart över två. Därefter hämtar jag lite kaffe och bullar inne hos mamma och pappa och fikar fram till klockan tre. Då arbetar jag igen till klockan fem och sedan äter jag middag. Sedan är det nyheter på tvåan klockan sex, sedan på fyran halv sju, sedan på ettan halv åtta och sedan är det på tvåan igen klockan nio. Efter det lägger jag mig."

Han talade fortfarande med samma monotona röstläge och verkade knappt hämta andan under den långa utläggningen. Rösten var också en aning för hög och gäll, och Martin utbytte en hastig blick med Gösta.

"Det verkar som om du har ett fullt schema", sa Gösta, "men du förstår, det är viktigt att vi får prata med dig, så vi skulle verkligen uppskatta om du kunde ta dig tid i några minuter."

Morgan verkade fundera en stund över frågan men beslöt sig sedan för att göra dem till viljes. Han steg åt sidan och släppte in dem, men det var uppenbart att han inte uppskattade att få sin rutin störd.

Martin hajade till när de kom in. Stugan bestod av ett enda litet rum, som verkade fungera som både arbetsrum och sovrum och där fanns till och med en liten kokvrå. Det såg rent och prydligt ut, med ett undantag. Överallt fanns det staplar med tidningar. Små gångar hade skapats mellan högarna för att möjliggöra förflyttning mellan rummets olika delar. En gång fram till sängen, en fram till datorerna och en fram till kokvrån. I övrigt var det fullt. Martin tittade lite närmare på omslagen och såg att det rörde sig om datortidningar av olika slag. Att döma av omslagen var det många års samlande som fanns framför dem. Vissa tidningar såg nya ut, medan andra verkade ha många år på nacken.

"Du är datorintresserad, ser jag", sa Martin.

Morgan bara tittade på honom, utan att kommentera det självklara i påståendet.

"Vad arbetar du med?" frågade Gösta för att fylla ut den besvärade tystnad som hängde i luften.

"Jag gör dataspel. Mest fantasy", svarade Morgan. Han gick fram till datorerna, som för att söka skydd, och Martin märkte nu att han rörde sig med ryckiga, klumpiga rörelser som gjorde att han hela tiden var nära att välta någon av högarna han passerade. Men på något sätt lyckades han undvika det och han satte sig framför den ena datorn utan att ha orsakat någon olycka. Han tittade uttryckslöst på Martin och Gösta, som villrådiga stod mitt i röran och undrade hur de skulle fortsätta utfrågningen av den här märkliga individen. Det var svårt att sätta fingret på vad det var som inte stämde med honom, men något var det.

"Vad intressant", sa Martin. "Jag har alltid undrat hur i all sin dar man bär sig åt för att skapa alla de där fantastiska världarna. Måste krävas en sjuhelsikes fantasi."

"Jag kan inte skapa spelen. Andra gör det, så kodar jag. Jag har Aspergers", lade Morgan till som ett torrt konstaterande. Martin och Gösta bytte ännu en förvirrad blick.

"Aspergers", sa Martin, "jag vet tyvärr inte vad det innebär."

"Nej, de flesta gör inte det", sa Morgan. "Det är en form av autism, men en form där man oftast har normal till hög intelligens. Jag har hög intelligens. Väldigt hög", tillade han utan att verka lägga någon värdering i påståendet. "Vi som har Aspergers har svårt att förstå sådant som ansiktsuttryck, liknelser, ironi och röstlägen. Det gör att vi har problem med att interagera socialt."

Det lät som om han läste ur en bok, och Martin fick anstränga sig för att hänga med i Morgans föreläsning.

"Så jag kan inte själv skapa dataspelen eftersom det kräver att man kan föreställa sig andra människors känslor och så, men däremot är jag en av Sveriges bästa programmerare." Orden var konstaterande, inte färgade av vare sig skryt eller självhävdelse.

Martin blev mot sin vilja fascinerad. Han hade aldrig hört talas om Aspergers förut och att höra Morgan berätta om det gjorde honom uppriktigt intresserad. Men de var här för att göra ett jobb och det var lika bra att de kom igång.

"Kan vi sätta oss någonstans?" sa han och tittade sig omkring i stugan.

"På sängen", svarade Morgan och nickade åt den smala sängen som stod mot ena långväggen. Försiktigt banade sig Gösta och Martin fram mellan tidningshögarna och satte sig försiktigt på sängkanten. Gösta tog till orda först.

"Du vet ju vad som hände i måndags hos Florins. Såg du något särskilt den morgonen?"

Morgan svarade inte utan tittade bara uttryckslöst på dem. Martin insåg att "något särskilt" kanske var för abstrakt för honom och försökte omformulera frågan på ett mer konkret sätt. Han kunde inte ens föreställa sig hur svårt det måste vara att fungera i samhället om man inte kunde tyda alla underförstådda budskap i människors kommunikation.

"Såg du när flickan gick?" sa han prövande och hoppades att det var tillräckligt exakt för att Morgan skulle kunna svara.

"Ja, jag såg när flickan gick", sa Morgan och tystnade sedan, omedveten om att det låg mer i frågan än den faktiska ordalydelsen.

Martin hade börjat fatta galoppen och preciserade: "Vilken tid såg du att hon gick ut?"

"Ut gick hon tio över nio", sa Morgan, fortfarande med samma höga, gälla tonfall.

"Såg du någon annan den morgonen?" frågade Gösta.

"Ja", svarade Morgan.

"Vem såg du den morgonen och vilken tid?" sa Martin i ett försök att förekomma Gösta. Han snarare kände än såg att kollegan började känna en viss frustration inför det märkliga intervjuoffret.

"Klockan kvart i åtta såg jag Niclas", svarade Morgan.

Martin antecknade noggrant allt han sa. Han tvivlade inte en sekund på att tidsuppgifterna var exakta.

"Kände du Sara?"

"Ja."

Gösta började nu skruva på sig och Martin skyndade sig att lägga en varnande hand på hans arm. Något sa honom att känsloutbrott inte skulle ha en gynnsam inverkan på deras möjligheter att få ut så mycket som möjligt ur Morgan.

149

"Hur kände du henne?"

Frågan framkallade inget annat än ett tomt stirrande från Morgan och Martin omformulerade sig. Han hade aldrig tidigare tänkt på hur svårt det var att vara exakt när man talade, hur mycket man vanligtvis förlitade sig på att motparten förstod själva andemeningen.

"Var hon här ibland?"

Morgan nickade. "Hon störde mina rutiner. Knackade på när jag arbetade och ville komma in. Rörde mina grejer. En gång blev hon arg när jag sa åt henne att hon skulle gå och då välte hon en del av mina högar."

"Du tyckte inte om henne?" sa Martin.

"Hon störde mina rutiner. Och välte mina högar", svarade Morgan och det var nog så nära han kunde komma en känsloyttring gällande flickan.

"Hennes mormor då, vad tycker du om henne?"

"Lilian är en elak människa. Det säger pappa."

"Hon säger att du smugit runt kring deras hus och tittat i fönstren, har du det?"

Morgan nickade utan att tveka. "Ja, det har jag gjort. Ville bara titta lite. Men mamma blev arg när jag sa det. Hon sa åt mig att jag inte fick göra det."

"Så då slutade du med det?" sa Gösta.

"Ja."

"För att din mamma sa att man inte fick?" Göstas ton var hånfull, men det verkade gå Morgan spårlöst förbi.

"Ja, mamma talar alltid om vad man får och inte får göra. Vi tränar på saker man kan säga och saker man kan göra. Hon lär mig att även om någon säger en sak så kan det betyda något helt annat. Annars säger eller gör jag bara fel." Morgan tittade på sitt armbandsur. "Klockan är halv elva. Jag brukar sitta och jobba nu."

"Vi ska inte störa längre", sa Martin och reste sig. "Vi ber om ursäkt för att vi störde dina rutiner, men som polis kan man inte alltid ta hänsyn till sådant."

Morgan verkade nöjd med den förklaringen och hade redan vänt sig om mot dataskärmen. "Stäng dörren ordentligt efter er", sa han, "annars blåser den upp."

"Vilken jävla kuf", sa Gösta när de smög genom trädgården mot bilen som de parkerat en tvärgata bort.

"Jag tyckte det var spännande, jag", sa Martin. "Jag har aldrig hört talas om Aspergers förut, har du?"

Gösta fnös. "Nej, det var då inget som fanns på min tid. Det finns så mycket konstiga diagnoser nuförtiden, men för mig räcker diagnosen idiot rätt långt."

Martin suckade och satte sig på förarsidan. Gösta var ingen vidare humanist, det var en sak som var säker.

Något rörde sig i Martins undermedvetna. Något som fick honom att undra om de ställt rätt frågor. Han kämpade med sitt trilskande minne, men fick ge upp. Kanske var det bara inbillning.

Läkarstationen låg inhöljd i ett grått dis och det stod en enda bil på parkeringen. Ernst som fortfarande surade över att han fått en uppsträckning av Patrik för sin sena ankomst, klev ur bilen och gick med långa steg bort mot entrédörren. Irriterad slängde Patrik igen bildörren aningen för hårt och följde småspringande efter. Det var fan som att ha att göra med en unge!

De passerade luckan till apoteket och svängde vänster in på vårdcentralen. De såg inte till några människor och deras steg ekade ödsligt i korridoren. Slutligen fann de en sköterska och frågade efter Niclas. Hon informerade dem om att han hade en patient men skulle vara klar inom tio minuter, och bad dem slå sig ner och vänta så länge. Patrik fascinerades alltid över hur lika alla väntrum på vårdcentraler verkade vara. Samma trista trämöbler med ful klädsel, samma meningslösa konst på väggarna och alltid samma tråkiga tidningar. Nu bläddrade han förstrött i någon som hette Vårdguiden och häpnade över hur många olika åkommor det verkade finnas som han aldrig ens hört talas om. Ernst hade satt sig så långt bort från honom som han bara kunde och trummade nu foten mot golvet på ett enerverande sätt. Emellanåt kom Patrik på honom med att skicka ilskna blickar åt hans håll, men det rörde honom inte. Ernst fick tycka vad han ville, bara han såg till att sköta sitt jobb.

"Doktorn är ledig nu", sa sköterskan. Hon visade vägen in i ett mottagningsrum där Niclas satt bakom ett fullbelamrat skrivbord. Han såg sliten ut. Han reste sig och skakade hand med dem och försökte sig till och med på ett välkomnande leende. Men leendet nådde aldrig ögonen utan stelnade i en ängslig grimas.

"Har det hänt något i utredningen?" frågade han.

Patrik skakade på huvudet. "Vi jobbar för fullt, men än så länge har

151

det inte gett så mycket. Men det kommer", sa han på ett sätt som han hoppades lät förtröstansfullt. Men inom honom växte sig osäkerheten allt starkare. Han var långt ifrån säker på att de skulle lyckas den här gången.

"Och vad kan jag stå till tjänst med?" sa Niclas trött medan han strök handen över sitt blonda hår.

Patrik kunde inte låta bli att reflektera över att mannen framför honom skulle vara som klippt och skuren för omslaget till någon av de där romantiska böckerna om väna sjuksköterskor och stiliga läkare. Till och med nu lyste charmen igenom, och Patrik kunde bara ana vilken attraktionskraft han måste ha på kvinnor. Enligt vad han hört av Erica, så hade det inte haft någon gynnsam inverkan på hans och Charlottes äktenskap genom åren.

"Vi har lite frågor gällande dina förehavanden i måndags morse." Det var Patrik som förde talan. Ernst satt fortfarande tyst och surade, och han ignorerade att Patrik med blickar försökte få honom att bli delaktig.

"Jaha?" sa Niclas till synes oberört, men Patrik tyckte sig se att blicken flackade lite.

"Du uppgav till oss att du var på arbetet."

"Ja, jag åkte till arbetet vid kvart i åtta, som vanligt", sa Niclas, men nu gick det inte att ta miste på oron i hans röst.

"Det är det som vi inte riktigt förstår", sa Patrik och gjorde ett sista försök att involvera Ernst. Men kollegan stirrade bara envist ut genom fönstret som vette mot parkeringen.

"Vi försökte ju få tag på dig under ett par timmars tid den förmiddagen. Och du var inte inne. Vi kan säkert kolla med sköterskan", sa Patrik och gjorde en gest mot dörren. "Jag antar att hon har dina tider nedtecknade och kan se om du var här den förmiddagen."

Nu vred sig Niclas oroligt i stolen och en svettdroppe hade letat sig fram i tinningen. Men han kämpade ändå för att se oberörd ut och Patrik måste erkänna att han gjorde ett ganska bra jobb när han med lugn röst sa: "Ja, just det, nu minns jag. Jag hade tagit ledigt för att åka och titta på några hus som var till salu. Jag sa inget till Charlotte för jag tänkte överraska henne."

Förklaringen hade känts trovärdig om det inte var för den spänning som Patrik förnam under det lugna tonfallet. Han trodde inte ett ögonblick på det Niclas sa.

"Kan du vara lite mer precis. Vilka hus var du och tittade på?"

Niclas log ansträngt och såg ut att försöka tänka ut ett sätt att vinna tid. "Jag måste nog kolla upp det först, jag minns inte riktigt", sa han dröjande.

"Så många hus är det knappast till salu här samtidigt, du måste väl åtminstone veta i vilka områden du var?" Patrik pressade vidare med sina frågor och han såg hur Niclas började se alltmer nervös ut. Vad han än hade gjort den förmiddagen, så inte hade han varit och tittat på några hus.

En stunds tystnad följde. Det var uppenbart att tankarna rörde sig snabbt bakom pannbenet på Niclas, i ett försök att rädda situationen. Men sedan såg Patrik hur han slappnade av och liksom sjönk ihop. Nu kunde de kanske komma någonvart.

"Jag...", Niclas röst bröts och han började om igen. "Jag vill inte att Charlotte ska få reda på det här."

"Vi kan inte lova någonting. Men saker och ting har en tendens att komma fram förr eller senare, på det här sättet har du en möjlighet att ge din version, innan vi hör någon annans."

"Men ni förstår inte. Det skulle knäcka Charlotte fullständigt om ..." Rösten bröts igen och trots att Patrik kunde ana vartåt det lutade så kunde han inte låta bli att känna ett visst medlidande med Niclas.

"Som jag sa, jag kan inte lova något." Han väntade på att Niclas skulle övervinna sin ångest och fortsätta. Bilder av rara, goa Charlotte kom för honom och plötsligt blandades medlidandet med motvilja. Ibland skämdes han över att tillhöra det manliga släktet.

"Jag...", Niclas harklade sig, "jag träffade någon."

"Och vem var denna någon?" frågade Patrik, som helt hade gett upp hoppet om att få med Ernst i samtalet. Kollegan hade dock släppt fönstret med blicken och betraktade nu deras intervjuobjekt med stort intresse.

"Jeanette Lind."

"Hon som har presentbutiken i Galärbacken?" frågade Patrik. Han kunde vagt se en liten, kurvig, mörkhårig kvinna framför sig.

Niclas nickade. "Ja, det är Jeanette. Vi...", återigen samma tvekan, "vi har träffats ett tag."

"Hur länge är ett tag?"

"Ett par månader. Tre kanske."

"Hur har ni lyckats med det?" Patriks nyfikenhet var uppriktig. Han hade aldrig förstått hur folk som prasslade kunde få tid att träffas. Och hur de vågade. Speciellt på ett litet ställe som Fjällbacka, där det räckte att en bil stod parkerad i fem minuter utanför någons hus för att ryktena skulle vara igång.

"Ibland på lunchen, ibland sa jag att jag jobbade över. Någon gång blev det väl ett akut hembesök."

Patrik fick lägga band på sig för att inte gå fram och ge karlen en örfil. Men sådana personliga känslor var ovidkommande. De var endast här för att utreda en fråga om alibi.

"Och i måndags tog du helt sonika ledigt ett par timmar på förmiddagen för att åka och träffa ... Jeanette."

"Ja", sa Niclas med skrovlig röst. "Jag sa att jag skulle göra några hembesök som jag skjutit upp en längre tid, men att jag skulle finnas tillgänglig via mobilen om något akut dök upp."

"Men det var du ju inte. Vi försökte få tag på dig via sköterskan vid upprepade tillfällen och du svarade inte på mobilen."

"Jag hade glömt att ladda den. Den dog strax efter att jag åkte från stationen, men jag märkte det inte ens."

"Och vilken tid åkte du från stationen, för att träffa din älskarinna?"

Det sista ordet såg ut att träffa Niclas som ett piskrapp i ansiktet, men han opponerade sig inte. Istället strök han åter händerna genom håret och svarade trött: "Strax efter halv tio, tror jag. Jag hade telefontid mellan åtta och nio och sedan gjorde jag lite pappersarbete i ungefär en halvtimme. Så mellan halv tio och tjugo i, skulle jag tro."

"Och vi fick tag i dig strax före ett. Var det då du kom in till läkarstationen igen?" Patrik kämpade för att hålla rösten neutral, men han kunde inte låta bli att föreställa sig Niclas i säng med sin älskarinna samtidigt som hans dotter låg död i havet. Hur man än såg på det var det ingen sympatisk bild som tecknades av Niclas Klinga.

"Ja, det stämmer. Jag skulle börja ta emot patienter vid ett, så jag var tillbaka runt tio i."

"Vi kommer att behöva prata med Jeanette för att verifiera det du säger, det förstår du?" sa Patrik.

Niclas nickade uppgivet till svar. Han upprepade återigen sin vädjan: "Försök att hålla Charlotte utanför det här, det skulle knäcka henne fullständigt."

Skulle du inte ha tänkt på det lite tidigare, tänkte Patrik, men han sa det inte högt. Niclas hade nog själv tänkt den tanken en och annan gång de senaste dagarna.

Fjällbacka 1924

Det var så länge sedan han känt någon glädje i sitt arbete att den tiden framstod som en avlägsen, god dröm. Nu hade slitet fått honom att tappa all entusiasm och han arbetade bara mekaniskt vidare med det som måste göras. Agnes krav verkade aldrig sina. Inte heller fick hon pengarna att räcka, vilket de andra stenhuggarfruarna lyckades med, trots att de ofta hade en stor barnaskara att mätta. Det var som om allt han kom hem med rann genom fingrarna på henne, och han fick ofta gå hungrig till stenbrottet för att det inte fanns pengar till mat. Ändå tog han hem vartenda öre han tjänade, vilket inte tillhörde vanligheterna. Poker var det största nöjet bland stenhuggarna. Spelandet tog både kvällar och helger i anspråk och slutade oftast med att männen kom hem med snopna miner och tomma fickor till fruar som sedan länge resignerat och låtit bitterheten rista fåror i deras ansikten.

Bitterhet var en känsla som han själv började bli bekant med. Livet med Agnes som tett sig som en vacker dröm mindre än ett år tidigare, hade istället visat sig vara som ett straff för ett brott han inte begått. Det enda han gjort sig skyldig till var att älska henne och plantera ett barn i henne, men ändå straffades han som om han begått den yttersta dödssynden. Han orkade inte ens glädja sig åt barnet i hennes mage längre. Hennes grossess hade inte förflutit smärtfritt och nu när hon gick in i den sista tiden av väntan var det värre än någonsin. Hon hade under hela graviditeten klagat över krämpor och besvär än här, än där och vägrat att befatta sig med vardagens sysslor. Det innebar att han inte bara jobbade från tidig morgon till sen kväll i stenbrottet, utan dessutom fick sköta alla de sysslor som en hustru skulle utföra. Det blev inte lättare av att han visste att de andra stenhuggarna ömsom skrattade åt honom, ömsom tyckte synd om honom för att han var tvungen att utföra en kvinnas plikter. Men oftast var han alldeles för utmattad för att ens orka fundera på vad andra sa bakom hans rygg.

Trots allt såg han fram emot att barnet skulle födas. Kanske skulle moderskärleken kunna bli det som fick Agnes att förändra sin syn på sig själv som jordens mittpunkt. Ett litet barn krävde själv att få bli centrum och det skulle nog bli en nyttig erfarenhet för hans hustru. För han vägrade ge upp tanken på att de kunde få äktenskapet att fungera. Han var inte en man som tog lätt på sina löften och när de nu knutit ett band enligt lagen, så var det inget som de fick lov att upplösa, hur svårt det än kunde vara emellanåt.

Visst hände det att han tittade på de andra kvinnorna i baracken, som slet hårt och aldrig klagade, och tyckte att han tilldelats en orättvis lott här i livet. Men samtidigt insåg han att det i ärlighetens namn inte var en lott han tilldelats, utan en situation som han själv försatt sig i. Och med det förlorade man rätten att klaga.

Med tunga fötter gick han den smala vägen hemåt. Den här dagen hade varit lika monoton som alla de andra. Han hade ägnat sig åt att hugga knott och det värkte i ena axeln, där samma muskel hade utsatts för alltför mycket påfrestning under en och samma dag. Hungern rev i magen också, det hade inte funnits något hemma som han kunnat ta med sig till matsäck och hade det inte varit för att Jansson i rummet bredvid hade förbarmat sig och delat med sig av en smörgås, så skulle han inte ha fått i sig något på hela dagen. Nej, tänkte han, från och med nu fick det vara slut på att anförtro Agnes lönen. Han fick helt enkelt ta hand om matinköpen själv, precis som han hade tagit hand om hennes andra sysslor. Nog kunde han vara utan mat, men han tänkte inte låta sitt barn svälta och då var det hög tid att börja införa lite andra rutiner hemmavid.

Han suckade ett ögonblick och stannade till, innan han öppnade den tunna trädörren och klev in till sin hustru.

Bakom glasrutan i receptionen hade Annika god uppsikt över alla som kom och gick. Men i dag var det lugnt. Bara Mellberg var kvar på sitt rum, och ingen hade behövt komma till polisstationen i något brådskande ärende. Inne hos henne rådde det dock full aktivitet. Exponeringen i media hade gett resultat i form av en mängd samtal, men det var fortfarande för tidigt att säga om det var något som var värt att gå vidare med. Det var heller inte hennes uppgift att avgöra det. Hon skrev bara ner allt hon fick reda på, samt namn och telefonnummer till uppgiftslämnaren. Materialet skulle sedan gås igenom av ansvarig utredare, i detta fall var det Patrik som skulle bli den lyckliga mottagaren av en rejäl dos skvaller och grundlösa beskyllningar, vilket det enligt hennes erfarenhet mest brukade röra sig om.

Det här fallet hade dock genererat mer samtal än vanligt. Allt som berörde barn brukade röra upp ordentligt med känslor hos allmänheten och inget väckte så starka känslor som just mord. Men det var ingen vacker bild av den stora grå massan som hon fick när hon tog emot alla samtal. Framförallt verkade den nya tidens tolerans mot homosexuella inte ha fått fäste utanför storstäderna och nu fick hon mängder av tips på män som var suspekta individer enbart på grund av bekräftad eller misstänkt homosexualitet. I de flesta fall var argumenten som lades fram skrattretande enfaldiga. Det räckte med att en man hade ett icke traditionellt yrke för att hon skulle få tips om att han säkerligen var "en sådan där pervers en". Enligt småbygdens logik kunde han därmed anklagas för både det ena och det andra. Så här långt hade hon fått in en mängd tips om en lokal frisör, en vikarierande blomsterhandlare, en lärare som uppenbarligen hade begått det oerhörda felet att gilla rosa skjortor, samt den mest suspekta företeelsen av alla: en manlig dagisfröken. Totalt räknade Annika till tio samtal om den sistnämnde individen och hon lade dem suckande åt sidan. Ibland undrade hon om tiden överhuvudtaget rört sig framåt i de små orterna.

Nästa samtal visade sig vara annorlunda. Kvinnan i andra änden av luren ville vara anonym, men tipset hon kom med var onekligen intressant. Annika rätade på sig och antecknade noggrant allt kvinnan sa. Det här skulle hamna allra längst upp i högen. En ilning gick nedför ryggraden på henne och hon fick en känsla av att det hon fått reda på skulle bli avgörande för fallet. Det var så sällan hon blev involverad i de ögonblick som vände ett fall, att hon inte kunde låta bli att känna en viss tillfredsställelse. Det här kunde vara just ett sådant ögonblick. Telefonen ringde igen och hon lyfte luren. Ännu ett tips om blomsterhandlaren.

Motvilligt placerade han ut psalmböckerna i kyrkbänkarna. Vanligtvis beredde det arbetet honom stor glädje, men inte i dag. Moderna påfund! Musikgudstjänst en fredagskväll, och långt ifrån gudfruktig musik. Glättigt och glatt och rent ut sagt hädiskt! Musik skulle endast spelas i kyrkan under söndagarnas gudstjänster och då företrädesvis psalmer ur psalmboken. Nuförtiden fick tydligen vad som helst spelas och vid några tillfällen hade folk till och med tagit sig för att applådera. Nåja, han fick väl vara glad för att det ännu inte blivit lika illa som i Strömstad, där prästen dragit dit den ena populärartisten efter den andra. I kväll var det åtminstone bara ungdomar från den lokala musikskolan som skulle uppträda, inte några Stockholmsfjollor som turnerade landet runt med trallvänliga låtar och lika glatt ställde sig i Guds boning som inför fyllon i folkparkerna.

Några psalmer skulle det i alla fall bli, och Arne hängde med minutiös noggrannhet upp deras nummer på tavlan till höger om koret. När han hängt upp alla siffrorna tog han ett steg tillbaka för att försäkra sig om att de hängde rakt. Han satte en ära i att varje detalj skulle vara perfekt.

Tänk om han kunde få skapa samma ordning bland människor. Så mycket bättre allting skulle vara. Om de istället för att hitta på egna dumheter kunde lyssna och lära av honom. Allt stod ju i Bibeln. Allt fanns beskrivet in i minsta detalj, om man bara bemödade sig att läsa det som stod där.

Grämelsen över att prästyrket gått honom förbi slog honom åter med full styrka. Efter att försiktigt ha tittat sig omkring och försäkrat sig om att han var ensam, så öppnade han grinden in till koret och steg vördnadsfullt fram till altaret. Han blickade upp mot den utmärglade och sargade Jesus som hängde på korset. Det här var vad livet handlade om. Att titta på blodet som sipprade fram ur Jesu sår, att betrakta hur törnena skar in i hans huvud och att inför detta böja sitt huvud i respekt. Han vände sig om och blickade ut över de tomma kyrkbänkarna. För hans inre syn fylldes de av människor, hans församling, hans åhörare. Han höjde prövande händerna i luften och det ekade när han med spröd stämma mässade: "Herren låte sitt ansikte lysa över eder ..."

Han såg hur människorna uppfylldes av hans ord. Hur de mottog välsignelsen i sina hjärtan och betraktade honom med lysande ansikten. Arne sänkte sakta händerna och sneglade mot predikstolen. Han hade aldrig vågat sig dit, men i dag var det som om den Helige Ande själv uppfyllde honom. Om fadern inte hade stått i vägen för hans kall, så skulle han med prästens fulla rätt ha kunnat beträda predikstolen, denna plattform där man höjd över församlingens huvuden kunde förkunna Guds ord.

Han tog några prövande steg mot predikstolen, men när han satte foten på första trappsteget hörde han hur den tunga kyrkdörren öppnades. Han tog ner foten igen och återgick till sina sysslor. Bitterheten frätte som syra i bröstet på honom.

Butiken var inte öppen annat än under sommarmånaderna och under större helger, så de sökte Jeanette på den arbetsplats där hon hade sin försörjning under årets övriga nio månader. Hon arbetade som servitris på en av de få vinteröppna lunchserveringarna i Grebbestad och Patrik kände hur det knorrade i magen när de klev in genom dörren. Men det var ännu lite för tidigt för lunch, så restaurangen var tom på gäster och en ung kvinna gick i maklig takt runt bland borden och ställde i ordning dem.

"Jeanette Lind?"

Hon tittade upp och nickade. "Ja, det är jag?"

"Patrik Hedström och Ernst Lundgren. Vi kommer från Tanumshede polisstation. Vi skulle gärna vilja ställa några frågor om det går för sig?"

Hon nickade bara kort och slog snabbt ner blicken. Hade hon någon slutledningsförmåga förstod hon nog vad deras ärende var.

"Vill ni ha kaffe?" frågade hon, och både Patrik och Ernst nickade ivrigt.

Patrik betraktade henne medan hon gick fram till kaffebryggaren. Patrik kände så väl igen hennes typ. Liten, mörk och kurvig. Stora bruna ögon och hår med självfall som nådde en bra bit nedanför axlarna på henne. Säkert klassens sötaste tjej, kanske till och med sötast i sin årgång på skolan. Populär och ständigt tillsammans med någon av de äldre, coolare killarna. Men när plugget tog slut var deras glansperiod över. Ändå höll de sig kvar i hemmatrakterna, väl medvetna om att de där åtminstone hade en viss stjärnstatus kvar, medan de i någon av de närliggande storstäderna plötsligt skulle framstå som slätstrukna i jämförelse med horder av söta tjejer. Han bedömde att Jeanette var en hel del yngre än han själv, och därmed också betydligt yngre än Niclas. Tjugofem kanske, eller strax under.

Hon placerade varsin kaffekopp framför dem och slängde lätt med håret när hon satte sig ner vid deras bord. I tonåren hade hon säkert övat den rörelsen hundratals gånger framför spegeln. Patrik var tvungen att erkänna att den nu satt perfekt.

"Shoot, eller vad det nu är de brukar säga i amerikanska filmer." Hon log snett och ögonen smalnade en aning när hon fokuserade på Patrik.

Mot sin vilja var han tvungen att erkänna att han i viss mån kunde förstå vad det var som Niclas sett hos henne. Även han hade ägnat många år åt att tråna efter skolans snyggaste brudar. Ränderna satt i. Fast han hade förstås aldrig haft någon chans. Liten, tanig och med hyfsade betyg hade han kvalat in bland medelmåttorna och bara på avstånd kunnat beundra de tuffa killarna som skolkade från matten för att kunna hänga i rökrutan med en cigarett i mungipan. Fast det förstås, många av de killarna hade han nu lärt känna rätt så grundligt å yrkets vägnar. Vissa av dem kunde kalla fyllecellen på stationen för sitt andra hem.

"Vi har precis pratat med Niclas Klinga och...", han tvekade, "ditt namn dök upp."

"Jaså, det gjorde det", sa Jeanette och var uppenbarligen inte det minsta generad över det sammanhang i vilket hennes namn måste ha förekommit. Hon betraktade Patrik lugnt och väntade på att han skulle fortsätta.

Ernst satt som vanligt tyst och smuttade nu försiktigt på sitt varma kaffe. Blickarna han gav Jeanette röjde inte att han var gammal nog att vara hennes far. Patrik blängde irriterat på honom och fick betvinga en lust att sparka honom på smalbenen under bordet.

"Ja, han säger att ni var tillsammans måndag förmiddag, stämmer det?"

Hon gjorde återigen sitt proffsiga kast med håret och nickade sedan. "Ja, det stämmer. Vi var hemma hos mig. Jag var ledig i måndags."

"Vilken tid kom Niclas hem till dig?"

Hon betraktade sina naglar medan hon funderade. De var långa och välmanikyrerade och Patrik förundrades över att hon överhuvudtaget kunde jobba med dem.

"Någon gång runt halv tio, skulle jag tro. Nej, förresten, jag är ganska säker på det, för jag hade ställt klockan på kvart över nio och stod i duschen när Niclas kom."

Hon fnittrade till och Patrik började känna en lätt avsmak för henne. Framför sig såg han Charlotte, Sara och Albin, men sådana bilder var uppenbarligen inget som besvärade Jeanette.

"Och hur länge stannade han?"

"Vi åt lunch vid tolv, och han hade en tid att passa klockan ett på stationen, så han åkte väl hemifrån mig en tjugo minuter innan skulle jag tro. Jag bor på Kullen, så han har nära till jobbet därifrån." Ett litet fnitter igen.

Nu fick Patrik verkligen behärska sig för att inte hans avsmak skulle synas i ansiktet. Ernst verkade dock inte ha några sådana invändningar mot Jeanette. Blicken blev allt fuktigare ju längre de satt där.

"Och Niclas var hemma hos dig hela tiden? Han stack inte ut på något ärende?"

"Nej", sa hon lugnt, "han gick inte någonstans, det kan jag försäkra."

Patrik tittade på Ernst och frågade: "Har du något att tillägga?" Han fick en huvudskakning till svar och samlade då ihop sina anteckningar.

"Vi kommer säkert att återkomma med fler frågor, men det var allt tills vidare."

"Ja, jag hoppas att jag har varit till någon hjälp", sa hon och reste sig. Inte ett ord hade hon yttrat om det faktum att hennes älskares dotter hade dött. Att ett barn blivit mördat medan hon låg och vältrade sig i sängen med fadern. Det var något otäckt med hennes uppenbara brist på empati.

"Jodå", sa han kort och tog på sig jackan som han hängt på stolsryggen. När de gick ut genom dörren såg han att hon återgick till att pyssla med dukningen. Hon nynnade på någon melodi, men han kunde inte höra vilken.

Planlöst gick hon fram och tillbaka i källarvåningen som de bott i de senaste månaderna. Det onda i bröstet gjorde att hon inte fick någon ro i kroppen och tvingade henne att ständigt hålla sig i rörelse. Hon hade dåligt samvete för att hon inte orkade ta sig an Albin utan överlät honom till sin mor större delen av tiden, men mitt i sorgen fanns det inget utrymme för honom. I hans leende och hans blå ögon, såg hon bara Sara. Han var så lik henne i samma ålder, och det gjorde ont att titta på honom. Det smärtade henne också att se vilket ängsligt och räddhågset barn han var. Det var som om Sara sugit åt sig all energi, som annars borde ha fördelats mellan syskonen, och inte lämnat något kvar åt honom. Men samtidigt visste Charlotte bättre än så. Hemligheten skavde i bröstet. Hon hoppades att saker och ting gick att reparera.

Charlotte ångrade det hon hade sagt till Erica under gårdagen. Niclas och hon borde sluta sig samman nu och hennes misstro gjorde bara allt värre. Hon såg ju att han också led, och om det här inte fick dem att vända sig till varandra, så fanns det inget hopp för dem kvar.

Sedan hon tagit sig ur medicindimmorna hade hon hoppats att Niclas skulle bli det hon alltid vetat att han skulle kunna vara. Öm, omhändertagande och kärleksfull. Hon hade sett glimtar tidigare, och det var för dem hon älskade honom. Nu önskade hon inget annat än att få luta sig mot honom, att han skulle vara den starkare av de två. Men så hade det hittills inte blivit. Han hade slutit sig inom sig själv, gått iväg till jobbet så fort han kunnat och lämnat henne här, ensam bland spillrorna av deras liv.

Något stötte emot hennes fot. Charlotte böjde sig ner men stannade abrupt mitt i rörelsen. Hon hade bett Niclas att ta bort alla Saras saker ur hennes åsyn och han hade ägnat en hel förmiddag åt att lägga allt i lådor och sätta upp dem på vinden. Men en sak hade han missat. Hennes gamla nalle låg halvvägs in under sängen och det var den som Charlotte känt med foten. Hon plockade sakta upp den och blev tvungen att sätta sig på sängkanten när allt började snurra. Nallen kändes sträv i hennes händer. Sara hade vägrat låta dem tvätta den, och som ett resultat såg den ut som om den hade varit med om ett gatuslagsmål. Det steg också en märklig doft från den, troligtvis var det den doften som absolut inte fick gå förlorad i tvättmaskinen och ersättas av lukten av Ariel. Ett öga var borta och Charlotte fingrade på trådresterna som fanns kvar. Det hade gått två timmar sedan hon grät sist, den längsta tiden hittills sedan poliserna kom med beskedet om Saras död. Nu började gråten byggas upp i bröstet igen. Charlotte tryckte nallen intill sig och lade sig på sidan i sängen. Sedan tog gråten över.

"Under över alla under", sa Pedersen i telefonen. "För första gången i världshistorien har vi fått ett analysresultat tidigare än vad som sagts."

"Vänta, så ska jag bara köra åt sidan", sa Patrik och spanade efter ett lämpligt ställe. Ernst pekade på en liten skogsväg på deras sida av vägbanan och den fick duga.

"Så där, nu är jag ingen trafikfara längre. Nå, vad visar testerna?" sa han, utan någon större förväntan i rösten. Troligtvis hade de bara lyckats identifiera vad Sara ätit till frukost, och vad gällde vattnet i lungorna så hade han forskat lite på egen hand och till sin bedrövelse kunnat konstatera att det inte verkade finnas mycket hopp om att kunna se exakt vilket märke som tvålresterna härrörde från. Pedersen bekräftade omedelbart detta.

"Vattnet är som jag redan tidigare sagt kranvatten och halten av olika ämnen ställer det utom allt tvivel att det är vatten från Fjällbackatrakten. Tvålresterna kunde tyvärr inte kopplas till något specifikt märke."

"Ja, det var inte mycket att gå vidare med", suckade Patrik missmodigt och kände åter hur fallet gled honom ur händerna.

"Nej, inte vad gäller det som fanns i lungorna", sa Pedersen med ett hemlighetsfullt tonfall. Patrik satte sig rakare upp i sätet.

"Har du något annat?" sa han och höll andan medan han väntade på svar.

"Ja, fast jag vet inte vad det betyder", svarade rättsläkaren. "Analyserna av maginnehållet bekräftar det familjen uppgett att hon åt till frukost, men", han gjorde en paus och Patrik var nära att skrika av otålighet, "det fanns något underligt i magsäcken. Det verkar som om flickan fått i sig aska."

"Aska?" sa Patrik med ett nollställt ansiktsuttryck.

"Ja", svarade Pedersen, "och sedan vi funnit det i magsäcken, så gjorde labbet en extrakoll av vattnet i lungorna och fann små, små mängder av aska även där, vilket man missat vid första analysen."

"Men hur fan kan hon ha fått i sig aska?" I ögonvrån såg Patrik hur Ernst hajade till och stirrade på honom.

"Det går inte att säga bestämt, men efter att ha tittat på uppgifterna och gått igenom obduktionsprotokollet igen, så är min teori att någon tvingat i henne askan oralt. Vi hittade nämligen även små rester i munnen och i matstrupen, även om det mesta sköljts bort av vattnet."

Patrik sa inte ett ord, men tankarna tumlade runt i huvudet på honom. Varför i all sin dar skulle någon ha tvingat flickan att äta aska? Han försökte samla sig och komma på allt som han borde fråga om.

"Askan i lungorna då, hur kom den dit om hon nu tvingades svälja den?"

"Återigen är det bara teorier från min sida, men dels kan en del ha hamnat i fel strupe när askan tvingades ner i halsen på henne. Sedan, om hon redan satt i badkaret när hon matades med askan, så kan en del ha hamnat i vattnet och när hon sedan dränktes, så följde askan med vattnet ner i lungorna."

Med skrämmande tydlighet såg Patrik scenen framför sig. Sara i ett badkar, en okänd, hotande figur som tvingade in en handfull aska i munnen på henne och sedan höll för mun och näsa för att tvinga henne att svälja. Samma händer som sedan höll hennes huvud under vattnet, tills bubblor slutade stiga till ytan och allt blev stilla.

Något rasslade till i skogen utanför bilen och bröt den tunga tystnaden. Med låg röst sa han till Pedersen: "Faxar du det här till oss?"

"Det är redan gjort. Och labbet kommer att analysera askan vidare, för att se om de kan hitta något matnyttigt där. Men de ville inte vänta på det resultatet utan trodde att det var bättre att vi snabbt fick den här informationen."

"Ja, det gjorde de rätt i. När tror du att vi kan få veta mer om askan?"

"Mitten av nästa vecka, skulle jag tro", sa Pedersen. Han tillade sedan stilla: "Hur går det för er? Kommer ni någonvart?"

Det var ovanligt att rättsläkaren ställde frågor om utredningen, men det förvånade inte Patrik. Saras död verkade beröra så många, till och med de mest luttrade. Han tog en sekunds betänketid innan han svarade.

"Inte så långt är jag rädd. Ska jag vara helt ärlig, har vi inte mycket att gå på alls. Men förhoppningsvis kan det här leda någonvart. Inte för att jag kan se hur just nu, men det är tillräckligt underligt för att kanske kunna få utredningen att lossna."

"Ja, vi får hoppas det", sa Pedersen.

Patrik redogjorde kort för Ernst vad han fått reda på och de satt båda tysta en stund i bilen, medan det fortsatte att prassla i buskarna utanför. Patrik väntade sig halvt om halvt att få se en älgtjur komma rusande mot dem, men troligtvis var det bara några fåglar eller ekorrar som rumsterade i det höströda bladverket.

"Vad tror du, är det dags att ta sig en närmare titt på Florins badrum?"

"Borde vi inte ha gjort det redan tidigare?" sa Ernst.

"Kanske det", svarade Patrik fränt, väl medveten om att Ernst hade en poäng i sitt påpekande, "men nu gjorde vi inte det och det är väl bättre att göra det sent än inte alls."

Ernst svarade inte. Patrik tog fram mobiltelefonen och ringde de samtal som behövdes för att skaffa tillstånd och få dit teknikerteamet från Uddevalla. Med Ernsts ord ringande i öronen skyndade han på processen så gott det gick och fick löfte om att de skulle komma redan under eftermiddagen.

Med en suck startade Patrik bilen och lade in backen. I hans huvud snurrade tankar om aska. Och död.

Fjällbacka 1924

Hon hatade sitt liv. Till och med mer än hon trodde var möjligt den där dagen när hon anlände till sitt nya hem. Inte ens i sina vildaste fantasier hade hon kunnat föreställa sig att allt skulle vara så fattigt och eländigt. Och som om inte omgivningen var illa nog hade dessutom hennes kropp svullnat upp och gjort henne oattraktiv och klumpig. Hon svettades ständigt i sommarvärmen och hennes förut så noggrant lagda hår hängde i stripor. Nu önskade hon inget hellre än att varelsen som förvandlat henne till denna motbjudande figur skulle komma ut, samtidigt som hon fasade inför själva förlossningen. Bara tanken på den fick henne att känna sig svimfärdig.

Att leva med Anders var också en plåga. Om han åtminstone hade haft lite råg i ryggen! Istället följde hans ledsna hundögon henne överallt och tiggde om en smula uppmärksamhet. Hon visste att de andra kvinnorna föraktade henne för att hon inte i likhet med dem ägnade hela dagarna åt att gno i sitt skitiga hem och passa upp på sin otacksamma karl. Men hur kunde de förvänta sig att hon skulle göra samma sak? Hon var ju så mycket bättre än de, kom från en helt annan klass och hade fått en fin uppfostran. Det var orimligt av Anders att begära att hon skulle ge sig ner på alla fyra och skura de erbarmliga trägolven och springa i stenbrottet med mat till honom. Dessutom hade han mage att klaga på hennes sätt att hantera de småslantar som han kom hem med. I det tillstånd hon var borde hon inte behöva göra något, och var hon sugen på något gott när hon väl kom till affären, ja, då borde det inte behöva bli ett sådant himla liv bara för att hon unnade sig något, istället för att lägga pengarna på smör eller mjöl.

Agnes suckade och lade upp sina svullna fötter på pallen framför sig. Mången kväll hade hon suttit här framför det enda lilla fönstret och drömt om hur annorlunda hennes liv hade kunnat vara. Om bara inte hennes far hade varit så tjurskallig. Emellanåt hade hon övervägt att ge sig iväg till Strömstad, kasta sig ner på knä framför sin far och tigga honom om att ta henne till nåder. Om hon bara hade trott att det fanns minsta utsikt för att det företaget skulle lyckas, så hade hon gjort det för länge sedan. Men på gott och ont kände hon sin far och hon visste i hjärtat att det inte var lönt. Hon satt där hon satt och tills hon kom på något sätt att ta sig ur sin nuvarande situation, så fick hon bida sin tid.

Hon hörde steg på förstukvisten. Med en suck konstaterade hon att det säkert var Anders som kom hem. Förväntade han sig att maten skulle stå på bordet, så misstog han sig grundligt. Med tanke på de smärtor och plågor som hon fick utstå när hon bar hans barn, så kunde han gott ställa sig och laga middag till henne. Inte för att det fanns så mycket hemma. Pengarna tog slut redan en vecka efter att han fått löning och det var en vecka kvar till nästa. Men eftersom han stod på så god fot med makarna Jansson i rummet bredvid, kunde han säkert gå dit och tigga sig till en bit bröd och kanske något att koka soppa på.

"God kväll, Agnes", sa Anders och klev försagt på. Trots det dryga halvår som de nu varit gifta hade ännu ingen hemkänsla infunnit sig och han såg bortkommen ut på tröskeln.

"God kväll", fnös hon och rynkade på näsan åt hans smutsiga uppenbarelse. "Måste du dra in skiten hit. Ta åtminstone av dig skorna."

Han tog lydigt av sig skodonen och satte dem på förstutrappen. "Finns det något att äta?" frågade han, vilket fick Agnes att spärra upp ögonen som om han precis svurit den värsta av eder.

"Ser jag ut som om jag kan stå och laga mat till dig, kanske? Jag kan knappt stå på fötterna och du förväntar dig att maten ska stå varm på bordet när du kommer hem. Och med vilka pengar skulle jag ha köpt middagsmat, förresten? Du drar ju inte hem tillräckligt för att vi ska kunna äta som folk, och nu finns det inte ett öre kvar. Och handlarn ger oss inte mer kredit, den gamle luspudeln."

Anders grimaserade vid omnämnandet av krediten. Han avskydde att stå i skuld, men under det halvår som gått sedan han flyttade samman med Agnes hade hon handlat mängder av saker på krita.

"Jo, jag tänkte att vi skulle tala om det där ..." Han drog på orden och Agnes började ana oråd. Det här lät inte lovande.

Anders fortsatte: "Jo, det blir nog bäst om jag tar hand om lönen i fortsättningen."

Han tittade henne inte i ögonen när han sa det och hon kände hur raseriet byggdes upp i bröstet. Vad menade han? Skulle hon nu fråntas den enda glädjen hon hade kvar i livet?

Vagt medveten om stormen som hans ord orsakade sa Anders: "Ja, det är ju tungt för dig redan nu att gå ner till handlarn och sedan när barnet fötts så blir det svårt för dig att komma ifrån, så det är nog lika bra att jag tar hand om den biten."

Hon var så rasande att hon inte fick fram ett ord. Sedan släppte hennes tillfälliga stumhet och hon talade om för honom precis vad hon tyckte om den idén. Hon såg att han vred sig i olust över att halva baracken hörde vad hon sa och vad hon kallade honom, men det brydde hon sig inte om. Vad de här hjonen ansåg om henne, det rörde henne inte i ryggen, men hon skulle minsann se till att Anders inte för ett ögonblick missade vad hon ansåg om honom.

Trots hennes ryande gav han till hennes stora förvåning inte med sig. För första gången stod han fast och lät henne skrika av sig. När hon var tvungen att ta en paus för att hämta andan, sa han bara lugnt att hon kunde gapa tills lungorna exploderade, men så fick det bli.

Agnes kände hur hon började hyperventilera och vreden fick det att svartna för ögonen. Hennes far hade alltid gett efter för henne när hon började ulka och kippa efter andan, men Anders iakttog henne bara tyst och gjorde ingen åtbörd att trösta henne.

Sedan kände hon hur det högg till av smärta i magtrakten och hon tystnade förskräckt. Hon ville hem till far.

Monica kände skräcken som ett slag i magen.

"Har polisen varit här?"

Morgan nickade, men flyttade inte blicken från skärmen. Hon visste att det egentligen var fel tillfälle att prata med honom. Enligt hans schema arbetade han nu och då fick man inte prata med honom. Men hon kunde inte hejda sig. Oron spred sig genom kroppen och fick henne att ideligen byta fot. Hon ville gå fram och skaka om sonen, få honom att berätta mer utan att hon skulle behöva ställa detaljerade frågor om allt, men hon visste att det var lönlöst. Hon var tvungen att göra det här med sitt vanliga tålamod.

"Vad ville de?"

Fortfarande vägrade han att flytta blicken från skärmen och han svarade utan att fingrarna för en sekund förlorade sin hastighet där de flög fram över tangentbordet. "De frågade om flickan som dog."

Hennes hjärta hoppade inte bara över ett slag, utan flera. Med hes stämma sa hon: "Vad frågade de då?"

"Om jag sett när hon gick på morgonen, bland annat."

"Hade du det då?"

"Hade vad då?" svarade Morgan tankspritt.

"Sett henne?"

Han ignorerade frågan. "Varför kommer du nu? Du vet att det inte passar mitt schema. Du brukar bara komma hit när jag inte jobbar." Den höga, gälla rösten innehöll inget gnäll, bara ett konstaterande av faktum. Hon hade gjort ett avsteg från deras gängse rutiner, stört hans rytm och hon visste att det måste förbrylla honom. Men hon kunde inte hejda sig. Hon måste få veta.

"Såg du henne när hon gick?"

"Ja, jag såg när hon gick", svarade han. "Jag berättade det för polisen, svarade på alla deras frågor. Fastän de också störde mina rutiner."

Nu vände han sig till hälften mot henne och betraktade henne med sin intelligenta men märkliga blick. Hans ögon var alltid likadana. De skiftade aldrig, visade aldrig några känslor. Åtminstone inte numera. Nu hade han lärt sig att få viss kontroll över sin tillvaro. När han var yngre kunde han få enorma raseriutbrott i frustration över saker som han inte kunde påverka, eller val han inte kunde göra. Det kunde gälla allt från att bestämma sig för vilken dag han skulle duscha till att välja vad han ville äta till middag. Men de hade båda lärt sig. Nu var livet inrutat och valen redan gjorda. Han duschade varannan dag, han hade fyra maträtter som hon varvade enligt ett rullande schema och frukost och lunch såg likadana ut varenda dag. Arbetet hade också blivit något av en räddning för honom. Det var något som han var bra på, som gjorde att han fick utlopp för sin höga intelligens och som passade Aspergarens speciella läggning.

Det var ytterst sällan som Monica kom på fel tid enligt schemat. Hon kunde inte minnas när hon gjort det sist. Men nu hade hon redan stört honom, så hon kunde lika gärna fortsätta.

Hon följde en av gångarna bland tidningshögarna och satte sig på sängkanten.

"Jag vill inte att du pratar mer med dem, utan att jag är med."

Morgan nickade bara. Sedan vände han sig helt om mot henne, så att han satt med magen mot stolens ryggstöd och armarna korslagda och vilande på stödet.

"Tror du att jag hade fått se henne om jag bett om det?"

"Se vem?" frågade Monica förbryllat.

"Sara."

"Vad menar du?" Monica kände hur rummet snurrade. De senaste dagarnas press hade fått henne ur jämvikt och Morgans fråga gjorde att hon förlorade självbehärskningen.

"Varför skulle du vilja se henne?" Hon kunde inte hejda vreden i rösten, men som vanligt reagerade han inte på det. Hon var inte ens säker på att han förstod att hennes höjda röst betydde att hon var arg.

"För att se hur hon ser ut nu", svarade han lugnt.

"Varför det?" Rösten steg ännu högre upp mot taket och hon kände hur hon knöt nävarna. Rädslan hade henne i ett fast grepp och varje ord från Morgan kändes som ännu ett steg mot det mörka som hon fasade för.

"För att se hur död hon ser ut", svarade han med blicken fäst på henne.

Monica fick svårt att andas och det kändes som om den lilla stugans väggar kom närmare och närmare. Hon stod inte ut längre. Hon var tvungen att få luft.

170

Utan att säga något rusade hon mot dörren och smällde igen den bakom sig. Den råkalla luften sved i halsen när hon drog in långa, djupa andetag, och efter en stund kände hon hur pulsen började gå ner.

Hon tittade försiktigt in genom ett av fönstren. Morgan hade vänt sig om. Händerna flög fram över tangentbordet. Hon pressade ansiktet mot rutan och betraktade hans nacke. Hon älskade honom så att det värkte.

Det fanns inget som gav henne en sådan tillfredsställelse som att städa. De andra i familjen påstod att hon var manisk, men det brydde hon sig inte nämnvärt om. Bara de höll sig undan och inte försökte hjälpa till, så var hon nöjd.

Lilian började som vanligt med köket. Varje dag samma sak. Torka alla ytor, dammsuga, våttorka golvet och en gång i veckan plocka ut allt ur kökslådorna och skåpen och torka inuti. När hon var klar med köket, städade hon hallen, vardagsrummet och verandan. Det enda rummet i nedervåningen som hon inte kunde städa var det lilla gästrummet där Albin sov. Det fick hon ta sedan.

Hon släpade dammsugaren uppför trappan. Stig hade velat köpa henne en lite mindre modell, men hon hade vänligt men bestämt tackat nej. Den här hade hon haft i femton år och den var fortfarande som ny. Mycket bättre än de modernare varianterna som gick sönder stup i kvarten. Men visst var den tung. Hon flåsade en aning när hon kom upp i hallen i övervåningen. Stig var vaken och vände huvudet åt hennes håll.

"Du sliter ut dig", sa han med svag röst.

"Bättre det än att sitta och rulla tummarna."

Det var ett gammalt meningsutbyte dem emellan. Han sa åt henne att ta det lugnt och hon kontrade med någon käck kommentar. Det skulle nog vara annat ljud i skällan om hon slutade sköta allt här hemma och lade över lite ansvar på dem. Utan henne skulle det här hemmet förfalla, och allt skulle vittra sönder. Det var hon som var kittet som höll samman allt och det visste de. Om de bara kunde visa lite tacksamhet emellanåt. Nej, istället tjatade de på henne om att ta det lugnt. Lilian kände hur den gamla välbekanta irritationen började byggas upp. Hon gick in till Stig. Han såg lite blekare ut i dag, konstaterade hon.

"Du ser sämre ut", sa hon och hjälpte honom att lyfta huvudet så pass från sängen att hon kunde få loss kudden. Hon fluffade upp den och placerade den sedan under hans huvud igen.

"Ja, i dag är ingen bra dag."

"Var har du mest ont?" frågade hon och satte sig på sängkanten.

"Överallt, känns det som", svarade Stig matt med ett försök till ett leende.

"Kan du inte vara mer precis än så?" svarade Lilian irriterat. Hon plockade med nopporna på överkastet och tittade uppfordrande på honom.

"Magen", sa Stig. "Det kör i den på något vis, och hugger till emellanåt."

"Ja, nu får faktiskt Niclas ta sig en titt på dig i kväll när han kommer hem. Så här kan du ju inte ligga!"

"Inget sjukhus bara", Stig viftade avvärjande med handen.

"Det avgör inte du, det avgör Niclas." Lilian ryckte små bitar av ludd från överkastet och tittade sig sökande runt i rummet. "Var är frukostbrickan?"

Han pekade mot golvet. Lilian böjde sig över honom och tittade.

"Du har ju inte ätit något", sa hon misslynt.

"Orkade inte."

"Du måste äta, annars blir du ju aldrig frisk, förstår du väl. Nu går jag ner och gör i ordning lite tomatsoppa till dig. Du måste få i dig lite energi."

Han nickade bara. Det var ingen vits att argumentera med Lilian när hon var på det humöret.

Med ilskna steg klampade hon nedför trappan. Allt skulle hon göra.

Receptionen var tom när Martin och Gösta kom tillbaka till stationen. Annika måste ha gått på tidig lunch. Martin såg att det låg en rejäl hög med lappar med Annikas handstil på skrivbordet. Säkert tips från allmänheten som börjat komma in.

"Ska du käka lunch snart?" frågade Gösta.

"Inte riktigt än", svarade Martin. "Kan vi käka vid tolv?"

"Lär väl ha svultit ihjäl till dess, men hellre det än att äta själv."

"Då säger vi så", sa Martin och gick in på sitt rum. Han hade fått en tanke på vägen från Fjällbacka. Efter att ha slagit i telefonboken hittade han det han sökte.

"Jag söker Eva Nestler", sa han till receptionisten som svarade. Han fick besked att det var samtal före och väntade tålmodigt i telefonkön. Som vanligt spelades någon vämjelig skvalmusik, men efter en stund började han tycka att det lät riktigt bra. Martin tittade på klockan. Snart hade han väntat i en kvart. Han bestämde sig för att ge det fem minuter till, sedan skulle han lägga på igen och försöka senare. Precis då hörde han Evas röst i luren:

"Eva Nestler."

"Hej, mitt namn är Martin Molin. Jag vet inte om du minns mig, men vi träffades för ett par månader sedan i samband en utredning om misstänkt utnyttjande av barn. Ja, jag ringer från Tanumshede polisstation", skyndade han sig att tillägga.

"Ja, just det. Du arbetar ihop med Patrik Hedström", sa Eva. "Ja, det är Patrik som jag har haft mest kontakt med tidigare, men vi har ju också träffats."

Det blev en stunds tystnad.

"Vad kan jag hjälpa dig med?"

Martin harklade sig. "Är du bekant med något som heter Aspergers?"

"Aspergers syndrom. Ja, jag känner till det."

"Vi har en …", han tystnade och undrade hur han skulle uttrycka sig. Morgan var ju inte direkt att kvalificera som misstänkt, snarare som potentiellt intressant. Han började om. "Vi har stött på det i ett fall som vi jobbar med just nu, och jag skulle behöva lite mer information om vad det innebär. Skulle du kunna hjälpa mig med det?"

"Jaa", svarade Eva dröjande, "men jag skulle nog behöva en liten stund på mig för att fräscha upp kunskaperna." Martin hörde hur hon bläddrade i något som måste vara en kalender. "Jag hade egentligen tagit ledigt en timme efter lunch för att hinna göra lite ärenden, men för polisens skull så …" Hon bläddrade vidare. "Annars har jag tyvärr ingen lucka förrän på tisdag."

"Nu går bra", sa Martin snabbt. Han hade egentligen hoppats att kunna ta det per telefon, men det var inget större besvär att ta en tur till Strömstad.

"Då ses vi om trekvart ungefär då?"

"Visst", svarade Martin. Sedan slog en tanke honom. "Ska jag köpa med mig lunch?"

"Ja, varför inte? Lite avkastning på mina skattepengar är ju inte fel. Jag skojar bara", tillade hon snabbt, orolig över att hennes skämt skulle missuppfattas.

"Ingen fara", skrattade Martin. "Några särskilda önskemål om vad dina skattekronor ska generera i form av mat?"

"Gärna något lätt. En sallad kanske. De flesta brukar ju banta inför sommaren, men jag verkar ha missuppfattat det där. Jag försöker slanka mig inför vintern istället."

"Sallad blir det", sa Martin och avslutade samtalet.

Han tog sin jacka och stannade till utanför Göstas dörr.

"Du, vi får skippa lunchen. Jag åker till Strömstad och pratar med Eva Nestler, psykologen som vi brukar anlita." Göstas min tvingade honom att lägga till. "Du får självklart följa med om du vill."

För ett ögonblick såg Gösta ut att vilja göra just det, men då himlen i samma ögonblick öppnade sig utanför, så skakade han på huvudet.

"Nej, för fasiken. Jag håller mig inomhus, jag. Slår nog Patrik och Ernst en signal och ser om de kan ta med sig något ätbart."

"Gör du så. Men då sticker jag då."

Gösta hade redan vänt ryggen åt honom och svarade inte. Martin tvekade en stund innanför ytterdörren innan han slog upp kragen och småsprang bort mot bilen. Trots att den var parkerad en kort bit därifrån hann han bli dyblöt.

En halvtimme senare parkerade han vid ån, ett stenkast från Evas kontor. Det var beläget i samma hus som Strömstads polisstation och han antog att de hade en del med varandra att göra. Det var ganska ofta polisen hade anledning att använda sig av en psykologs tjänster, exempelvis när misshandelsoffer behövde komma i kontakt med någon som kunde erbjuda hjälp efter att utredningen var avslutad. Det fanns inte många verksamma psykologer inom kommunen, men Eva var en av de få. Hon hade ett mycket gott rykte och ansågs vara mycket kompetent. Patrik hade bara talat väl om henne, och Martin hoppades nu att hon kunde hjälpa honom.

Egentligen var han inte riktigt säker på varför han ville uppsöka henne. Morgan var som sagt inte misstänkt, men han hade blivit nyfiken på vad som låg bakom hans märkliga uppträdande och framtoning. Aspergers var något helt nytt för Martin och det kunde aldrig skada att veta mer.

Han skakade av jackan innan han hängde den i kapprummet. Skjortan under hade också blivit blöt och han rös till lite. I en påse hade han två sallader som han stannat till vid Kaffedoppet för att köpa med sig, och Evas receptionist hade uppenbarligen blivit förvarnad om hans ankomst för hon nickade bara åt honom i riktning mot dörren med Evas namnskylt på. Sedan han knackat försynt på dörren hördes en röst ropa: "Kom in."

174

"Hej, det var snabbt marscherat." Eva Nestler tittade på klockan. "Du bröt väl inga hastighetsgränser på vägen hit, hoppas jag." Hon tittade låtsat strängt på honom och han skrattade.

"Nej då, det var ingen fara. Jag råkar dessutom veta att polisen är upptagen på annat håll i dag", viskade han låtsat konspiratoriskt och blinkade. Han mindes att han hade gillat Eva Nestler redan första gången han träffade henne, hon hade en speciell förmåga att få människor att slappna av i hennes sällskap. Det måste vara en gåva för någon inom hennes yrke.

Martin satte fram lunchen på ett litet bord som hon hade inne på sitt rum.

"Jag hoppas att räksallad blir bra."

"Det blir utmärkt", svarade Eva och reste sig från stolen bakom skrivbordet och satte sig i en av de fyra stolarna som fanns kring bordet.

"Egentligen lurar man sig själv", sa hon, medan hon hällde allt som fanns i den lilla burken med dressing på salladen. "Efter att det här flytande fettet har lagt sig på grönsakerna, så hade jag nästan lika gärna kunnat ta en hamburgare. Men psykologiskt känns det bättre med sallad. Så kan jag lyckas övertyga mig själv om att jag gott kan unna mig en kaka i kväll." Hon skrattade så barmen hoppade.

Martin såg på hennes mulliga figur att hon nog lyckades övertyga sig själv om både det ena och det andra, men hon var stiligt klädd och det gråa håret var klippt i en kort frisyr som såg modern ut samtidigt som den var passande för hennes ålder.

"Så, du ville veta mer om Aspergers syndrom", sa hon.

"Ja, jag kom i kontakt med det begreppet för första gången i dag, och på det här stadiet är jag väl mest nyfiken", sa Martin och spetsade en räka på gaffeln.

"Ja, jag känner ju till det, men har inte själv kommit i kontakt med någon patient som fått den diagnosen, så jag fick läsa på lite innan du kom. Vad är det du vill veta, mer specifikt? Det finns ju mycket att säga om det."

"Jaa", Martin drog på svaret medan han funderade. "Om du kunde berätta lite om vad som karakteriserar någon med Aspergers, hur vet man att det är just det?"

"Ja, för det första så är det en diagnos som man började ställa ganska sent. Den dök väl upp på allvar först för femton år sedan, men det finns dokumentation från långt tidigare än så. Det är ett funktionshinder som har fått sitt namn efter Hans Asperger. Vissa forskare hävdar nu att han troligtvis själv hade Aspergers."

Martin nickade bara och lät Eva fortsätta.

"Det är en form av autism, men personen har oftast normal till hög intelligens."

Det här kände Martin igen från vad Morgan hade sagt.

Eva fortsatte: "Det som gör det svårt att beskriva Aspergers syndrom är att symptomen kan skilja sig från individ till individ och delas in i ett flertal grupper. Vissa drar sig inom sig själva, mer åt det klassiskt autistiska hållet, medan andra är väldigt aktiva. Det är också sällan som Aspergers upptäcks tidigt. Föräldrarna kan känna oro över att deras barn uppför sig avvikande på något sätt, utan att kunna säga exakt vad det är som är fel. Och problemet är som sagt att det kan skilja mycket från barn till barn, vissa Aspergerbarn pratar ovanligt tidigt, vissa ovanligt sent, samma gäller för att börja gå och en massa andra utvecklingsområden. Vanligtvis börjar inte problematiken bli riktigt tydlig förrän i skolåldern men det är också då som de feldiagnostiseras med ADHD eller DAMP."

"Och hur ser problematiken ut då?" Martin glömde att äta, så fascinerad var han. Innan han sökte in till polishögskolan hade han lekt med tanken att läsa psykologi och ibland undrade han om han inte hade gjort fel val. Inget var så intressant som det mänskliga psyket och dess avarter.

"Det tydligaste symptomet är nog svårigheterna de har med social interaktion. De beter sig ständigt på ett opassande sätt, förstår inte sociala regler och har till exempel en tendens att hela tiden säga sanningar rätt ut, vilket självklart försvårar umgänget med andra människor. Det finns också en stark egocentrering. De har svårt att relatera till andra människors känslor och upplevelser och ser bara till sina egna behov. Ofta har de heller inget större behov av att umgås med andra människor. Om de ändå leker med andra barn vill de ofta bestämma allt, eller, vilket är vanligare bland flickor med syndromet, helt underkasta sig de andra barnens vilja. En annan tydlig signal är om barnet utvecklar ett specialintresse som det fullständigt uppslukas av. Aspergare har en förmåga att bli oerhört detaljintresserade och de lär sig ofta allt om sitt specialämne. Som vuxen kan det till en början vara spännande att få ta del av barnets kunskap, men de är så enkelspåriga och närmast besatta av sitt ämnesområde att andra snart tappar intresset. När barnen kommer upp i skolåldern börjar ofta tvångstankar och tvångshandlingar att bli märkbara. De måste göra

176

saker på ett visst sätt, och tvingar också sin omgivning att göra saker på det sättet."

"Språkligt då?" frågade Martin och mindes Morgans underliga sätt att uttrycka sig.

"Ja, språket är ytterligare en stark indikator." Eva skrapade upp det sista av salladen ur plastskålen och fortsatte sedan. "Det är en av de stora svårigheter som personer med Aspergers syndrom möter i sin vardag. När vi människor kommunicerar uttrycker vi vanligtvis så mycket mer än enbart det som orden säger. Vi använder kroppsspråk, ansiktsuttryck, vi ändrar satsmelodin, betonar annorlunda och använder oss friskt av metaforer och liknelser. Allt detta innebär svårigheter för en Aspergare. Ett uttryck som 'vi får nog hoppa över kaffet' kan för honom eller henne uppfattas som att man ska hoppa jämfota över en kaffekopp. Även när de själva pratar har de svårt att uppfatta hur de låter i jämförelse med andra. Rösten kan vara mycket låg, nästintill viskande, eller mycket hög och gäll. Ofta är den mässande och entonig."

Martin nickade. Morgans röst stämde in på den senare beskrivningen.

"Den person jag träffat rörde sig också på ett annorlunda sätt. Är det vanligt?"

Eva nickade. "Motoriken är ytterligare ett tydligt tecken. Den kan vara grov och hafsig, stel eller mycket minimalistisk. Ofta förekommer stereotypier också."

Hon såg på Martins min att det sista behövde förtydligas.

"Stereotypa rörelser som upprepas, till exempel små handviftningar."

"Om personen med Aspergers har problem med motoriken, har han det hela tiden?" Martin mindes Morgans fingrar som smidigt flög fram över tangentbordet.

"Nej, faktiskt inte. Det är vanligt att de i samband med sitt specialintresse, eller om de gör något annat som de fascineras av, har en mycket väl fungerande finmotorik."

"Hur är tonåren för dem med det här syndromet?"

"Ja, det är en sak för sig. Men vill du ha lite kaffe innan vi fortsätter? Det är mycket information att ta in. Ska du inte anteckna förresten, eller har du så gott minne?"

Martin pekade på den lilla bandspelaren som han ställt på bordet. "Min hjälpreda håller ordning på den saken. Men jag tar gärna lite kaffe på maten." Magen kurrade lite. Sallad var vanligtvis inte vad han åt till lunch och han insåg att han nog måste stanna till vid någon korv-moj på hemvägen.

Efter en kort stund kom Eva tillbaka med en kopp rykande hett kaffe i vardera handen. Hon slog sig ner igen och fortsatte:

"Var var vi? Jo, tonåren, ja. Då blir det återigen rätt svårt att diagnostisera en person med Aspergers, om han eller hon inte fått diagnosen tidigare. Så många av tonårens vanliga problem dyker upp, men blir ofta förstärkta och mer extrema av Aspergers. Hygienen är till exempel ett stort problem. Många slarvar med sin dagliga hygien, gillar inte att duscha, borsta tänderna eller byta kläder. Skolgången blir problematisk. De har svårt att förstå betydelsen av att anstränga sig i skolan och dessutom kvarstår problemen med att interagera socialt med skolkamrater och andra jämnåriga, vilket försvårar, och ibland helt omöjliggör, de arbeten i grupp som blir allt vanligare i högstadiet och gymnasiet. Depression är vanligt förekommande, liksom antisociala problem."

Här spetsade Martin öronen. "Vad lägger du in i det begreppet?"

"Ja, sådant som våldsbrott, inbrott och anlagda bränder."

"Det finns alltså en större benägenhet för personer med Aspergers att begå våldshandlingar?"

"Nja, nu är det ju inte så att Aspergare som grupp är mer våldsbenägna, men visst finns det en överrepresentation. Som jag sa tidigare, så har de en stark egofixering och en svårighet att förstå och sätta sig in i andra människors känslor. Brist på empati är ett starkt utmärkande drag. Lite förenklat skulle man kunna säga att sunt förnuft är ett begrepp som saknas hos en Aspergare."

"Om man hade en …", Martin tvekade, "person med Aspergers som förekommer i en mordutredning. Skulle det finnas anledning att titta närmare på honom då?"

Eva tog hans fråga på allvar och funderade en lång stund på sitt svar.

"Det kan inte jag svara på. Visst finns det, som jag sagt, vissa karakteristika i diagnosen som gör att barriären som hindrar oss från att begå våldshandlingar är sänkt, men samtidigt är det en försvinnande liten andel människor med Aspergers som går till sådana extremer som mord. Jo, jag läser tidningarna, så jag förstår vilket fall det är du pratar om", sa hon och snurrade eftertänksamt sin kaffekopp mellan handflatorna. "Enligt min högst personliga åsikt skulle jag därför anse det som ytterst farligt att snöa in på det spåret, om du förstår hur jag menar."

Martin nickade. Han förstod precis vad hon menade. Det hade hänt många gånger genom historien att människor blivit anklagade för sådant de inte gjort, bara för att de var annorlunda. Men kunskap var makt och han kände ändå att det hade varit ytterst värdefullt att få en inblick i Morgans värld.

"Jag vill verkligen tacka för att du tagit dig tid att prata med mig. Jag hoppas att det inte var några livsviktiga ärenden som du fick försaka på grund av mig."

"Nej då", sa Eva och reste sig för att följa honom ut. "Lite välbehövlig förnyelse av garderoben bara. Med andra ord inget som inte kan vänta till nästa vecka."

Hon gick med honom ut till kapprummet och väntade medan han tog på sig sin jacka, som nu hunnit torka något.

"Attans väder att ge sig ut i", sa Eva. De tittade genom fönstret på regnet som fortfarande öste ner och bildade stora pölar på torget.

"Ja, nog är det höst alltid", svarade Martin och sträckte fram handen för att ta adjö.

"Tack för lunchen, förresten. Och ring gärna om det dyker upp några fler frågor. Det var riktigt roligt att få fräscha upp kunskaperna på det här området. Det är inte så ofta man stöter på det."

"Ja, jag slår en pling om det behövs. Än en gång tack."

Fjällbacka 1924

Förlossningen hade varit mer fruktansvärd än hon någonsin kunnat föreställa sig. Hon hade plågats i nära två dygn och varit nära att stryka med själv, innan doktorn till slut lade sig på magen med hela sin tyngd och tvingade det första barnet ut i världen. För det var två. Den andra pojken kom sedan raskt efter och de visade stolt upp barnen för henne sedan de tvättats och virats in i varma filtar. Men Agnes vände sig bort. Hon ville inte se de varelser som förstört hennes liv och till och med nästan tagit kål på henne. Vad henne anbelangade kunde de skänka bort dem, eller slänga dem i floden eller vad som helst. Deras gälla små röster skar i öronen på henne och efter att ha tvingats lyssna på det ljudet en längre stund, höll hon för öronen och vrålade åt kvinnan som höll dem att ta bort dem. Förskräckt lydde sköterskan, och hon kunde höra hur man började viska runt henne. Men barnskriken avlägsnade sig och nu ville hon bara få sova. Sova i hundra år och sedan bli väckt av en kyss från en prins som tog henne bort från det här eländet och från de två krävande små monster som hennes kropp tvingat fram.

När hon vaknade trodde hon först att hennes dröm gått i uppfyllelse. En lång, mörk gestalt stod lutad över henne och för ett ögonblick tyckte hon sig se prinsen som hon väntat på. Men sedan ramlade verkligheten ner över henne och hon såg att det var Anders enfaldiga nuna. Hon äcklades av hans kärleksfulla ansiktsuttryck. Trodde han att saker och ting dem emellan skulle förändras nu, bara för att hon pressat ut två söner till honom? För hennes del kunde han gärna ta dem och låta henne få sin frihet tillbaka. För en kort stund kände hon hur tanken väckte en sprittande känsla i bröstet. Hon var inte längre stor och oformlig och havande. Hon kunde gå om hon ville, till det liv hon förtjänade, det hon hörde hemma i. Sedan insåg hon det omöjliga i den tanken. Utan en möjlighet att återvända till far, vart skulle hon då ta vägen? Hon hade inga egna pengar och ingen möjlighet att skaffa några, annat än genom att sälja sig som en gatflicka, och då var till och med det här livet bättre. Hopplösheten i hennes situation fick henne att vända bort huvudet och gråta. Anders strök sakta hennes hår och om hon hade orkat skulle hon ha lyft armarna och föst bort hans händer.

"De är så fina, Agnes. De är helt perfekta." Hans röst darrade en aning.

Hon svarade inte, stirrade bara in i väggen och stängde ute omvärlden. Om bara någon kunde komma och ta henne härifrån.

Sara hade fortfarande inte kommit tillbaka. Mamma hade ju förklarat att hon inte skulle det, men ändå hade hon trott att det bara var något mamma sa. Inte kunde hon väl bara försvinna så där? I så fall ångrade Frida att hon inte hade varit snällare mot henne. Hon skulle inte ha bråkat med Sara när hon tog hennes leksaker, utan bara låtit henne ha dem. Nu var det kanske för sent.

Hon gick fram till fönstret och tittade upp mot himlen igen. Den var grå och såg smutsig ut och inte kunde väl Sara trivas där?

Sedan var det det här med farbrorn också. Visst hade hon lovat Sara att hålla tyst, men ändå. Mamma sa att man alltid skulle tala sanning och att inte berätta något var väl nästan som att ljuga?

Frida slog sig ner framför sitt dockhus. Det var hennes favoritleksak. Hennes mamma hade haft det när hon var liten och nu hade Frida fått det. Hon hade svårt att föreställa sig att mamma hade varit lika gammal som hon själv var nu. Mamma var ju så – vuxen.

Dockskåpet visade tydliga spår av sjuttiotal. Det skulle föreställa ett tvåvånings tegelhus och var inrett i brunt och orange. Möblerna var samma som mamma hade haft. Frida tyckte att de var jättefina, men det var lite synd att det inte fanns mer rosa och blå saker i dockskåpet. Blått var hennes favoritfärg. Och rosa hade varit Saras favoritfärg. Frida tyckte att det var konstigt. Alla visste ju att rosa och rött skar sig och Sara hade rött hår och borde därför inte tycka om rosa. Men Sara gjorde det i alla fall. Hon skulle alltid vara så där. Tvärtemot liksom.

Det fanns fyra dockor som hörde till huset. Två barndockor och en mamma- och en pappadocka. Nu tog hon de två barndockorna, flickor båda två, och ställde dem mittemot varandra. Vanligtvis brukade hon själv vilja vara den i grönt, för den var finast, men nu när Sara var död så fick hon vara den gröna. Själv fick hon då vara dockan i brun klänning.

"Hej, Frida, vet du om att jag är död?" sa den gröna Sara-dockan.

"Ja, mamma har berättat det", sa den bruna.

"Vad säger hon om det då?"

182

"Att det betyder att du har åkt till himlen och inte kommer och leker med mig mer."

"Vad tråkigt", sa Sara-dockan.

Frida nickade med sin dockas huvud. "Ja, det tycker jag med. Hade jag vetat att du skulle dö och inte komma och leka med mig mer, så hade du fått vilka leksaker du ville och jag hade inte sagt något."

"Vad synd", sa Sara-dockan. "Att jag är död då."

"Ja, vad synd", sa den brunklädda.

Båda dockorna var tysta en stund. Sedan sa Sara-dockan med ett allvarligt tonfall: "Du har väl inte sagt något om farbrorn?"

"Nej, jag lovade ju."

"Ja, för det var vår hemlighet."

"Men varför får jag inte berätta? Farbrorn var ju elak?" Den bruna dockan fick en gnällig röst.

"Ja, just därför. Farbrorn sa att jag inte fick berätta något. Och man måste göra som elaka farbröder säger."

"Men du är ju död, då kan väl inte farbrorn göra något?"

På det hade den gröna Sara-dockan inget svar. Frida lade försiktigt tillbaka dockorna i huset och gick och ställde sig vid fönstret igen. Att allt skulle bli så svårt, bara för att Sara gick och dog.

Annika var tillbaka från sin lunch och ropade ivrigt på Patrik när han och Ernst kom tillbaka. Han vinkade avvärjande och såg ut att ha bråttom in på sitt rum, men hon insisterade. Han ställde sig i hennes dörröppning med en frågande min. Annika tittade på honom över kanten på sina glasögon. Han såg verkligen sliten ut, och regnet fick honom dessutom att likna en dränkt katt. Men mellan bebis och barnamord fanns det nog inte mycket energi över till egenvård.

Hon såg otåligheten i Patriks ögon och skyndade sig att framföra sitt ärende: "Jag har fått en del samtal i dag, med anledning av mediebevakningen."

"Är det något att ha då?" sa Patrik utan någon större entusiasm i rösten. Det var så sällan de fick in något bra från allmänheten att han inte hade särskilt stora förhoppningar.

"Både ja och nej", sa Annika. "Det mesta är förstås från de vanliga skvallerkärringarna som ringer och kommer med heta tips om sina svurna fiender och annat löst folk, och i det här fallet har homofobin verkligen blommat ut. Tydligen är man med automatik misstänkt för att vara

183

homosexuell och kapabel att göra hemska saker med barn om man är man och sysslar med blommor eller hårklippning."

Patrik bytte otåligt fot och Annika skyndade vidare. Hon tog den översta lappen i högen och räckte den till honom.

"Det här kändes som om det kunde vara något. En kvinna ringde, vägrade att uppge något namn, men menade att vi borde ta oss en titt på läkarjournalen för Saras lillebror. Hon ville inte säga mer än så, men något sa mig att det ligger något i det här. Kan vara värt att undersöka i alla fall."

Patrik såg inte tillnärmelsevis så intresserad ut som hon hade hoppats, men han hade å andra sidan inte hört det angelägna tonfallet hos kvinnan som ringde. Det skilde sig markant från den illa dolda skadeglädjen hos dem som älskade att sprida skvaller.

"Ja, det kan vara värt att kolla, men få inte upp hoppet för mycket. Anonyma tips ger ju oftast inte så mycket."

Annika började säga något, men Patrik höll avvärjande upp händerna.

"Ja, ja, jag vet. Något sa dig att det här är annorlunda. Och jag lovar att kolla upp det. Men det får vänta ett litet tag. Vi har mer brådskande saker att ta tag i just nu. Samling i köket om fem minuter, så ska jag berätta mer." Han slog ett snabbt tapto mot dörrkarmen med fingrarna och gick sedan iväg med hennes lapp i handen.

Annika undrade vad det var för nya, brådskande uppgifter som dykt upp. Hon hoppades att det skulle vara något som vände det här fallet. Stämningen på stationen hade varit alltför depressiv de senaste dagarna.

Han fick ingen arbetsro. Bilden av Saras ansikte lämnade honom inte i fred och polisernas besök på förmiddagen hade rört upp alla ångestkänslor till ytan. Kanske var det rätt också som alla sa, kanske hade han gått tillbaka till arbetet alldeles för tidigt. Men för honom hade det varit ett sätt att överleva. Att tvinga bort tankarna från det han inte ville tänka på och istället fokusera på magsår, liktornar, tredagarsfeber och öroninflammationer. Vad som helst, bara han slapp tänka på Sara. Och Charlotte. Men nu hade verkligheten obönhörligt trängt sig på och han kände hur han rusade fram mot avgrunden. Det blev inte bättre av att det var självförvållat. Skulle han vara ärlig, vilket tillhörde ovanligheterna när det gällde honom, så kunde han inte ens själv förstå varför han gjorde de saker han gjorde. Det var som om något inom honom ständigt

184

drev honom vidare i en hetsjakt mot något som låg utom räckhåll för honom. Trots att han redan hade så mycket. Eller åtminstone hade haft så mycket. Nu låg det livet i spillror och ingenting han sa, eller gjorde, kunde ändra på det.

Niclas bläddrade håglöst bland journalerna framför sig. Han hatade pappersarbetet i vanliga fall och i dag kunde han bara inte fokusera tillräckligt för att få det gjort. Och under det första patientbesöket efter lunch hade han till och med varit snäsig och otrevlig mot patienten. Annars var han alltid lika charmig, oavsett vem det var som kom för att besöka honom, men just i dag hade han inte haft tålamod att pjåska med ännu en kärring som sökte upp honom för inbillade krämpor. Patienten ifråga hade varit något av en stamkund på läkarstationen, men nu var det tveksamt om hon skulle komma tillbaka. Hans uppriktiga åsikt om hennes hälsotillstånd hade inte fallit henne i smaken. Nåja, sådant kändes inte längre så viktigt.

Med en suck började han att samla ihop alla journalerna. Sedan överväldigades han av känslorna han försökt hålla nere så länge, och i ett enda svep föste han ner allt på golvet. Papprena spred sig lättjefullt över golvet och landade i en enda röra. Niclas kunde plötsligt inte fort nog få av sig läkarrocken. Han kastade den på golvet, slet åt sig sin jacka och sprang ut från sitt rum som om han var jagad av djävulen. Vilket han på sätt och vis var. Han hejdade sig bara tillfälligt för att med tillkämpad kontroll säga åt sköterskan att avboka alla hans besök under eftermiddagen. Sedan rusade han ut i regnet. En salt regndroppe letade sig in i munnen på honom och sältan framkallade en bild av dottern, flytande i ett grått hav, medan vita gäss dansade på ytan runt hennes huvud. Det fick honom att springa ännu fortare. Med tårar som blev osynliga i regnet flydde han bort. Mest av allt flydde han från sig själv.

Kaffebryggaren pustade och stånkade men producerade samma svarta beck som vanligt. Patrik valde att stå vid diskbänken, medan de övriga slog sig ner med varsin kopp. Han räknade in samtliga utom Martin och skulle precis fråga om någon sett honom, när han kom inspringande med andan i halsen.

"Ursäkta att jag är sen. Annika ringde och sa att det var samling. Jag var iväg och …"

Patrik höll upp en avvärjande hand. "Vi tar det sedan. Jag har lite jag måste gå igenom."

Martin nickade och satte sig vid bordets kortända och tittade nyfiket på Patrik.

"Vi har fått analysresultaten på Saras mag- och lunginnehåll. Och de fann något underligt."

Stämningen var påtagligt spänd runt bordet. Mellberg tittade uppmärksamt på Patrik och till och med Ernst och Gösta såg intresserade ut för en gångs skull. Annika tog anteckningar som vanligt och skulle skicka ut en sammanställning till dem efter mötet.

"Någon har tvingat flickan att äta aska."

Om en knappnål hade fallit mot golvet skulle det ha låtit som åska, så tyst blev det i rummet. Sedan harklade sig Mellberg. "Aska, sa du aska?"

Patrik nickade. "Ja, den fanns både i magsäcken och i lungorna. Pedersens teori är att någon tvingat i henne den när hon redan var i badkaret. Aska hamnade i vattnet och när hon dränktes fick hon även aska i lungorna."

"Men varför?" sa Annika förbryllat och glömde för en gångs skull att anteckna.

"Ja, det är frågan. Och frågan är också om det kan leda oss framåt på något sätt. Jag har redan ringt och förberett en undersökning av familjen Florins badrum. Var vi än hittar askan, så är det den brottsplats vi söker."

"Men tror du verkligen att någon i familjen ..." Gösta avslutade inte sin fråga.

"Jag tror ingenting", sa Patrik. "Men dyker det upp någon annan möjlig brottsplats, så kommer vi att finkamma den också om eftermiddagens undersökning inte ger någonting. Florins hem är fortfarande det sista stället hon sågs vid, och då kan vi lika gärna börja där. Eller vad säger du, Bertil?"

Frågan var retorisk. Mellberg hade inte engagerat sig i utredningen överhuvudtaget, men alla visste att han uppskattade att få illusionen att han var den som hade kontrollen.

Mellberg nickade. "Låter som en bra idé. Men borde det inte redan ha gjorts en teknisk undersökning i deras hem?"

Patrik fick behärska sig för att inte grimasera. Det var illa nog att Ernst påpekat samma sak en stund tidigare, att få höra det från Mellberg också gjorde saken ännu värre. Men det var lätt att vara efterklok. Skulle Patrik vara riktigt ärlig, så hade de hittills inte haft någon giltig anledning att göra annat än en ytlig besiktning av hemmet, så han trodde

186

inte ens att han skulle ha kunnat utverka något tillstånd. Han valde dock att inte påpeka det. Istället svarade han så intetsägande som möjligt: "Kanske det, men jag tror att tidpunkten är bättre vald nu, när vi har något konkret att leta efter. I vilket fall som helst så kommer teamet från Uddevalla dit vid fyra. Jag tänkte delta och skulle vilja ha med mig dig, Martin, om du har tid?"

Patrik sneglade försiktigt på Mellberg när han sa det. Han hoppades att han inte skulle envisas med att tvinga på honom Ernst. Han hade tur. Mellberg sa inget. Kanske var den saken ur världen nu.

"Jag kan följa med", sa Martin.

"Då så. Då är mötet avslutat."

Annika hade precis tänkt öppna munnen för att berätta om samtalet hon fått, men alla hade redan börjat resa sig och hon bestämde sig för att avstå. Patrik hade ju faktiskt fått lappen och skulle säkert ta itu med det så snart som möjligt.

I Patriks bakficka låg den handskrivna lappen. Bortglömd.

Stig hörde stegen i trappan och stålsatte sig. Han hade hört Niclas och Lilians röster nedanför trappan och förstod att de pratade om honom. Försiktigt hasade han sig upp i halvsittande ställning. Det var som om tusen knivar skar i magen, men när Niclas klev in i rummet var Stigs ansikte slätt och uttryckslöst. Bilden av hans far på sjukhus, hjälplös och liten, borttynande i en kall och klinisk sjukhussäng, låg på hans näthinna och han svor återigen att det inte skulle hända honom. Det här var bara tillfälligt. Det hade gått över förut och det skulle gå över igen.

"Lilian säger att du var sämre i dag." Niclas satte sig på sängkanten och hade sin mest bekymrade läkarmin på. Stig såg att hans ögon var rödkantade. Och det var ju inte konstigt om pojken hade gråtit. Ingen människa borde behöva gå igenom det han gick igenom. Att förlora ett barn. Stig saknade själv tösungen så mycket att det värkte. Han insåg att Niclas väntade på ett svar.

"Äh, du vet hur fruntimmer är. Blåser upp allt man säger. Nej, jag låg nog lite konstigt i natt bara, men nu känns det bättre." Smärtan tvingade honom att bita ihop käkarna, och det kostade på att inte visa hur han kände.

Niclas betraktade honom misstänksamt, men plockade fram några attiraljer ur en rejält tilltagen läkarväska.

"Jag är inte säker på att jag tror dig, men jag tar väl blodtrycket och kollar lite annat till att börja med, så får vi se."

Han fäste blodtrycksmanschetten runt Stigs magra arm och pumpade upp den tills den spände ordentligt. Han betraktade mätaren som föll och knäppte sedan loss manschetten.

"150 genom 80, inte alltför illa. Knäpp upp skjortan, så får jag lyssna lite på bröstet också."

Stig lydde och knäppte upp skjortan med fingrar som var märkligt stela och ovilliga. Det kalla stetoskopet mot bröstkorgen fick honom att hastigt dra efter andan och Niclas sa barskt: "Långa, djupa andetag."

Varje andetag smärtade, men han lyckades ändå med ren viljestyrka göra som Niclas bad honom. Efter att ha lyssnat en stund tog Niclas stetoskopet ur öronen. Han tittade Stig rakt i ögonen.

"Ja, jag har inget konkret att gå på, men om du mår sämre så är det viktigt att du talar om det. Ska vi verkligen inte göra en ordentlig koll av dig? Om vi åker till Uddevalla kan de göra lite tester och se om det är något som är galet som jag inte kan se."

Med häftiga huvudskakningar visade Stig sin motvilja mot det förslaget. "Nej, jag mår rätt bra nu, det är säkert. Helt onödigt att slösa tid och pengar på mig. Jag har säkert bara fått någon elak bakterie och repar mig snart. Det har jag ju gjort tidigare, eller hur?" En ton av vädjan smög sig in i rösten.

Niclas skakade på huvudet och suckade. "Ja, säg inte att jag inte har varnat dig bara. Man kan inte vara nog försiktig när kroppen signalerar att något är fel. Men, jag kan inte tvinga dig. Det är din hälsa, du bestämmer. Fast jag ser inte fram emot att gå ner och konfrontera Lilian, det måste jag säga. Hon stod praktiskt taget redo att ringa ambulansen när jag kom hem."

"Ja, hon är ett riktigt rivjärn, min Lilian", skrockade Stig, men tystnade snabbt då knivarna åter högg honom i magen.

Niclas stängde sin väska igen och gav Stig en sista misstänksam blick. "Lovar du att säga till om det är något?"

Stig nickade. "Absolut."

Så fort han hörde Niclas steg på väg nedför trappan vred han sig plågat ner i liggande ställning igen. Det skulle snart gå över. Bara han undvek sjukhuset. Till varje pris måste han undvika det.

Lilians ansiktsuttryck visade ett brett register av känslor när hon öppnade dörren. Patrik och Martin stod längst fram, med ett teknikerteam på tre man, eller rättare sagt två män och en kvinna, bakom sig.

"Jaha, vadan detta uppbåd?"

"Vi har fått tillstånd att undersöka ert badrum."

Patrik hade svårt att möta hennes blick. Det var märkligt hur ofta det här yrket fick honom att känna sig som en okänslig skitstövel.

Lilians blick var hård som granit när hon betraktade dem. Men efter en kort stunds tystnad steg hon åt sidan och släppte in dem.

"Skita inte ner bara, jag har precis städat", fräste hon.

Kommentaren fick Patrik att återigen fundera på om han inte på något sätt borde ha sett till att få det här genomfört tidigare. Att döma av vad han sett av Florins hem tidigare i veckan så städades det mer eller mindre konstant. Om det hade funnits några spår där, så var de säkerligen bortstädade vid det här laget.

"Vi har ett badrum här nere, med dusch, och ett där uppe, med badkar." Lilian pekade uppför trappan. "Ta av er skorna", fräste hon och alla lydde. "Och stör inte Stig, han vilar." Med ilskna, ryckiga rörelser gick hon in i köket och började ljudligt slamra med disk där inne.

Patrik och Martin utbytte en blick och gick före teknikerna upp till övervåningen. Måna om att inte vara i vägen lät de teamet börja sitt arbete med badrummet och stannade själva kvar i hallen utanför. Dörren till Stigs rum var stängd och de talade med låga röster.

"Tror du verkligen att det här är rätt?" sa Martin. "Jag menar, vi har inget som pekar på att den skyldiga inte skulle vara en utomstående, och … ja, familjen har det ju svårt nog som det är."

"Du har helt rätt, självklart", svarade Patrik, fortfarande i ett lågt, nästan viskande tonläge. "Men vi kan inte utesluta det bara för att det känns obehagligt. Även om inte familjen förstår det nu, så gör vi ju allt med deras bästa i åtanke. Om vi kan avföra dem från listan på misstänkta så kan vi lägga större energi på andra spår sedan. Eller hur?"

Martin nickade. Jo, han visste att Patrik hade rätt. Det var bara så förbannat obehagligt alltihop. Steg i trappan fick dem att vända sig om och de mötte Charlottes frågande blick.

"Vad är det som försiggår här? Mamma sa att ni är här med ett helt uppbåd för att titta på vårt badrum. Varför det?" Rösten steg en aning och hon såg ut att göra en ansats att gå förbi dem. Patrik hejdade henne.

"Skulle vi kunna sätta oss en stund och prata?" frågade han.

Charlotte kastade en sista blick på teknikerna bakom dem och vände

189

för att gå nedför trappan igen. "Vi sätter oss i köket", sa hon, med huvudet bortvänt från Martin och Patrik. "Jag vill att mamma ska vara med också."

Lilian slamrade fortfarande ilsket med disken när de klev in i köket. Albin satt på en filt på golvet och betraktade mormoderns förehavanden med stora, allvarliga ögon. Han ryckte till som en räddhågsen hare varje gång någon höjde rösten.

"Ska ni skruva isär grejer också, så utgår jag ifrån att ni återställer allt." Lilians röst var som frost.

"Jag kan inte lova något, de kan behöva ta med sig någon del. Men de är så försiktiga som det bara går, det kan jag garantera", sa Patrik och slog sig ner.

Charlotte lyfte upp Albin från golvet och satte sig på en av köksstolarna med honom i knät. Han tryckte sig intill henne. Hon hade magrat och ringarna under ögonen var stora och svarta. Det såg ut som om hon inte hade sovit på en vecka. Vilket hon kanske inte hade gjort. Han såg att hon försökte få en darrande underläpp i schack när hon frågade: "Nå, varför dyker det upp ett gäng poliser här plötsligt? Varför är de inte ute och letar efter Saras mördare istället?"

"Vi vill bara utesluta alla möjligheter, Charlotte. Det är så att vi... vi har fått några nya uppgifter. Jag undrar, kan du tänka dig någon anledning överhuvudtaget till varför någon skulle ha velat få Sara att äta aska?"

Charlotte tittade på honom som om han förlorat vettet. Greppet om Albin hårdnade och han gnydde till. "Äta aska? Vad menar du?"

Han berättade vad rättsläkaren hade sagt och såg hur hon blev blekare för varje ord.

"Det måste vara en sinnessjuk människa som gör något sådant. Och då förstår jag ännu mindre varför ni lägger tid här?" Det sista lät som ett skrik och påverkad av sin mors oro började även Albin att skrika. Hon vyssjade honom genast och fick honom att sluta, men släppte inte Patrik med blicken.

Han upprepade det han hade sagt till Martin en liten stund tidigare. "Det är viktigt för oss att vi kan avföra er från utredningen. Det finns absolut inget som tyder på att någon i er familj skulle ha haft med Saras död att göra, men vi skulle inte göra vårt jobb om vi inte gjorde allt för att undersöka den möjligheten. Det har hänt, det vet du, och därför kan vi inte alltid ta den hänsyn som vi skulle önska."

Lilian fnös till där hon stod borta vid diskbänken och hela hennes

190

kroppshållning visade vad hon ansåg om Patriks lilla anförande.

"Ja, jag förstår det på sätt och vis", sa Charlotte, "bara ni inte slösar bort tid som ni skulle ha kunnat använda på bättre sätt."

"Vi arbetar för fullt med att undersöka alla möjligheter, det kan jag lova dig." Impulsivt böjde han sig fram över bordet och lade sin hand på hennes. Hon lät den ligga kvar där och mötte hans blick med en intensiv skärpa, som om hon ville titta in i hans själ och med egna ögon se om han talade sanning. Patrik vek inte undan med blicken utan lät henne forska i hans inre. Det hon fann var uppenbarligen tillfredsställande, för hon slog ner blicken och nickade lätt.

"Ja, jag måste väl lita på er, antar jag. Men det var nog tur för er att inte Niclas är hemma."

"Han var hemma en sväng förut", sa Lilian, utan att vända sig om. "Han tittade till Stig, men sedan åkte han igen."

"Varför kom han hem? Och varför sa han inte till mig att han var hemma?"

"Du sov väl, antar jag. Och inte vet jag varför han kom hem mitt på blanka eftermiddagen. Han behövde väl ta en paus. Ja, jag har ju sagt till honom att jag tycker att det var för tidigt att gå tillbaka till jobbet, men den pojken är så plikttrogen att det är bortom all fattning, och man måste beundra…"

Lilians utläggning avbröts av en demonstrativ suck från Charlotte och hon återgick till diskandet med ännu större frenesi. Patrik kunde praktiskt taget känna hur spända nerver vibrerade i rummet.

"I vilket fall som helst bör han också få höra det här. Jag ringer till läkarstationen."

Charlotte satte ner Albin på hans filt på golvet och ringde från den väggfasta telefonen i köket. Ingen annan sa något under tiden hon ringde och Patrik önskade inget hellre än att komma därifrån. Efter några minuter lade Charlotte på luren.

"Han var inte där", sa hon med ett undrande tonfall.

"Var han inte där?" Lilian vände sig om. "Var är han då?"

"Aina visste inte. Hon sa bara att han tagit ledigt resten av eftermiddagen. Hon antog att han åkt hem."

Lilian rynkade ögonbrynen, fortfarande vänd mot de övriga i köket. "Ja, han var då inte hemma här mer än en kvart. Han tittade upp till Stig en liten stund, sedan åkte han igen. Och jag fick uppfattningen att han skulle tillbaka och jobba."

Patrik och Martin utbytte en blick. De hade en egen teori om vart den sörjande fadern hade tagit vägen.

"Det här kommer nog att ta ett par timmar." Den ansvarige teknikern stack in huvudet genom dörröppningen till köket. "Ni får resultaten så snart vi är färdiga."

Patrik och Martin reste sig, lite olustiga till mods, och nickade tafatt åt Charlotte och Lilian.

"Ja, då tar väl vi och ger oss iväg då. Och skulle ni komma på något i samband med aska, så vet ni var vi finns."

Blek i ansiktet nickade Charlotte. Lilian låtsades att hon var döv borta vid diskhon och bevärdigade dem inte med ett ögonkast.

Tysta lämnade de huset och gick mot bilen.

"Skulle du kunna skjutsa hem mig?" sa Patrik.

"Men du har ju bilen kvar vid stationen. Behöver du inte den i helgen?"

"Jag orkar bara inte åka tillbaka dit nu. Och jag har ändå tänkt åka in och jobba lite på lördag eller söndag, och då kan jag ta bussen in och sedan bilen hem."

"Jag trodde att du hade lovat Erica att vara helledig den här helgen", sa Martin försiktigt.

Patrik grimaserade. "Ja, jag vet, men jag hade inte riktigt räknat med att vi skulle få en mordutredning på halsen."

"Jag ska ju jobba i helgen, så säg till om det är något jag kan göra."

"Det är schysst, men jag känner att jag behöver gå igenom allt i lugn och ro."

"Ja, bara du vet vad du gör", sa Martin och satte sig i bilen. Patrik slog sig ner på passagerarsidan och kände sig inte så säker på det.

Äntligen skulle hon få svärmor ur huset. Erica kunde knappt tro att det var sant. Alla förmaningar, alla snusförnuftigheter och dolda anklagelser hade fullständigt gjort slut på hennes tålamodsreserver och hon räknade minuterna tills Kristina skulle sätta sig i sin lilla Ford Escort och åka hem till sitt. Om hon hade haft dåligt självförtroende som mor innan svärmodern kom, så var det än värre nu. Inget hon gjorde var tydligen rätt. Hon kunde inte klä Maja på rätt sätt, kunde inte ge henne mat på rätt sätt, hon var för hårdhänt, hon var för fumlig, hon var för lat, hon borde vila mer. Det var ingen ände på hennes tillkortakommanden och där hon nu satt med dottern i knät kändes det som om det var lika bra att kasta in handduken med en gång. Hon skulle aldrig klara av det här. På nätterna drömde hon att hon lämnade över Maja till Patrik och reste bort. Långt, långt bort. Någonstans där det var lugnt och fridfullt, utan barnskrik och ansvar och krav. Någonstans där hon kunde få krypa ihop och vara liten, omhändertagen.

Samtidigt fanns det en konkurrerande känsla inom henne som styrde henne åt rakt motsatt håll. En beskyddarinstinkt och en visshet om att hon aldrig någonsin skulle kunna lämna det barn hon hade i famnen. Det var lika otänkbart som att hugga av sig ett ben eller en arm. De var ett nu och skulle bli tvungna att ta sig igenom det här tillsammans. Ändå hade hon börjat fundera på det som Charlotte hade tjatat om, innan det fruktansvärda hände med Sara. Att hon borde prata med någon, någon som förstod hur hon kände. Kanske var det inte som det skulle att må så här. Kanske var det inte normalt.

Det som fått henne att ens börja överväga det var just Saras död. Det hade satt hennes eget mörker i perspektiv, fått henne att se att hon, till skillnad från Charlotte, hade ett mörker som gick att skingra. Charlotte skulle få leva med sin sorg resten av livet. Själv kunde hon kanske göra något åt sin situation. Men innan hon gick och pratade med någon skulle hon pröva Anna Wahlgrens metoder. Kunde hon få Maja att sova någon annanstans än *på* henne, skulle mycket vara vunnet. Hon behövde bara uppamma lite jävlar anamma först, innan hon satte igång. Och få svärmor ur huset.

Kristina kom ut i vardagsrummet och betraktade Erica och Maja med en bekymrad min. "Får hon bröstet nu igen. Det kan inte ha varit mer än två timmar sedan sist." Hon väntade inte på något svar utan fortsatte oförtrutet: "Ja, jag har i alla fall försökt att hjälpa er med att få lite ordning här hemma. All tvätt är tvättad och det var en del, ska jag säga. Det finns ingen disk kvar och jag har försökt att damma av det mesta. Och ja, just det, jag har stekt lite pannbiffar och lagt i frysen, så ni får något annat i er än den där hemska färdigmaten. Ni måste äta ordentligt, vet du, och det gäller Patrik också. Han jobbar och sliter hela dagarna och sedan har jag ju sett att han får ta hand om Maja större delen av kvällarna, så han behöver all näring han kan få. Ja, jag blev riktigt förskräckt när jag såg honom. Han såg så blek och tagen ut att det var alldeles hemskt."

Litanian bara fortsatte och Erica fick bita ihop tänderna för att kunna motstå impulsen att sätta händerna för öronen och sjunga, som ett litet barn. Visserligen hade hon fått lite lediga stunder när svärmor var här, det kunde hon inte förneka, men nackdelarna övervägde helt klart. Med tårarna hotande nära stirrade hon envist rakt fram mot Ricki Lake på TV:n. Kunde hon inte ge sig av?

Det verkade som om hennes bön hörsammats, för Kristina ställde en packad väska i hallen och började ta på sig ytterkläderna.

"Är det riktigt säkert att ni klarar er nu då?"

Med en kraftansträngning flyttade Erica blicken från TV:n och lyckades till och med pressa fram ett litet leende.

"Jadå, det går så bra så." Efter en närmast herkulisk ansträngning fick hon till och med ur sig: "Och tack så hemskt mycket för hjälpen."

Hon hoppades att Kristina inte hörde hur falskt det lät. Tydligen inte, för svärmodern nickade nådigt och sa: "Ja, det är bara roligt att kunna vara till hjälp. Jag kommer nog snart igen."

Gå någon gång då, människa, tänkte Erica febrilt och försökte med ren viljekraft fösa ut svärmodern genom ytterdörren. På något mirakulöst sätt verkade det fungera, och när dörren slog igen bakom Kristina drog Erica en djup suck av lättnad. Men den blev inte långvarig. I tystnaden efter Kristinas avfärd, med Majas rytmiska snuttande som enda ljud, dök tankarna på Anna upp. Hon hade fortfarande inte fått tag på systern och Anna hade inte heller hört av sig. Frustrerad slog hon numret till Annas mobiltelefon, men fick som så många gånger förr de senaste veckorna bara tala med en telefonsvarare. Hon lämnade ett kort meddelande, för vilken gång i ordningen visste hon inte, och lade sedan på. Varför svarade hon inte? Erica började tänka ut den ena planen efter den andra för att ta reda på vad som hände med systern, men de föll en efter en då hon som vanligt övermannades av den stora tröttheten. Hon fick ta tag i det en annan dag.

Lucas sa att han gick ut för att söka jobb, men hon trodde inte för ett ögonblick på det. Inte hafsigt klädd, orakad och okammad. Vad han gjorde istället anade hon inte. Anna visste bättre än att fråga. Frågor var dåliga. Frågor bestraffades. Frågor ledde till hårda slag som lämnade synliga märken. Förra veckan hade hon inte kunnat lämna barnen på dagis. Märkena i hennes ansikte hade varit så tydliga att till och med Lucas insåg att det vore dumdristigt att släppa ut henne.

Hennes tankar kretsade ständigt kring hur det här skulle sluta. Allt hade gått utför så fort att det snurrade i huvudet på henne. Tiden i den fina lägenheten på Östermalm, med Lucas som varje dag gick välklädd och samlad till sitt arbete som börsmäklare, kändes som en avlägsen dröm. Hon kunde minnas att hon också då velat bort, men nu var det svårt att riktigt förstå varför. Jämfört med den här tillvaron kunde det knappast ha varit så illa. Visserligen fick hon några slag emellanåt, men det fanns goda tider också, och allt hade varit så fint, så ordnat. Nu tittade hon sig runt i den lilla tvåan och kände hur hopplösheten lade sig tung över henne. Barnen sov på madrasser på golvet i vardagsrummet och deras leksaker låg strödda överallt. Hon hade inte orkat plocka upp dem. Kom Lucas hem innan hon hittat kraften att ta tag i det, skulle säkerligen konsekvenserna bli hårda. Men hon orkade inte bry sig längre.

Det som skrämde henne mest var när hon tittade in i Lucas ögon och såg att något vitalt hade lämnat dem. Något mänskligt som hade slunkit undan och lämnat plats för något betydligt mörkare och farligare. Han hade förlorat så gott som allt, och inget var så farligt som en människa som inte hade något mer att förlora.

För ett ögonblick övervägde hon att göra ett försök att ta sig ur lägenheten och kalla på hjälp. Hämta barnen på dagis, ringa Erica och be henne hämta dem. Eller ringa polisen. Men det stannade vid en tanke. Hon visste aldrig när Lucas skulle komma hem och om han kom i samma ögonblick som hon försökte ta sig ur sitt fängelse, skulle hon aldrig mer få någon chans att fly, eller någon chans att leva.

Istället satte hon sig i fåtöljen vid fönstret och tittade ut över gården. Sakta lät hon skymningen falla över sitt liv.

Fjällbacka 1925

Ljudet av släggan som slog mot kilen ackompanjerades av hans visslande. Sedan pojkarna kom hade han återfått arbetsglädjen och varje dag gick han till stenbrottet i förvissning om att han hade några att arbeta för. De var allt han någonsin drömt om. De var bara ett halvår gamla men redan kontrollerade de hela hans värld och utgjorde hela hans universum. Bilden av deras skalliga små huvuden och tandlösa leenden kom för honom ständigt under arbetet, och varje gång sjöng det i bröstet och han längtade efter att det skulle bli kväll så att han kunde gå hem till dem.

Tanken på hustrun gjorde att de annars så taktfasta slagen mot graniten kom av sig för ett ögonblick. Hon verkade fortfarande inte ha knutit an till barnen, trots att det nu var länge sedan hon höll på att gå åt i barnsäng. Doktorn hade sagt att det för vissa kvinnor kunde ta lång tid att återhämta sig från en sådan upplevelse och att det i de fallen kunde ta månader innan de tog barnet, eller i det här fallet barnen, till sig. Men nu hade ju ett halvår gått. Och Anders hade försökt underlätta för Agnes så mycket han mäktat med. Trots sina långa arbetsdagar hade han tagit barnen när de vaknade på nätterna och eftersom hon vägrat lägga dem till bröstet, kunde han ju göra en insats där. Och det var med glädje som han matade, bytte på och lekte med dem. Men samtidigt var han tvungen att vara många, långa timmar i brottet och då var ju Agnes tvungen att ta hand om dem. Det oroade honom ofta. När han kom hem hände det inte sällan att de knappt fått blöjan bytt på hela dagen och grät förtvivlat i hunger. Han hade försökt tala med henne om det, men hon vände bara bort huvudet och vägrade lyssna. Till slut hade han gått över till Janssons och hört med Karin, Janssons hustru, om hon kunde tänka sig att gå över emellanåt och se hur de hade det, där hemma hos honom. Hon hade betraktat honom forskande och sedan lovat att göra så. Anders var henne evigt tacksam för detta. Det var ju inte så att hon inte hade nog att göra med sitt eget. De åtta barnen tog nog nästan all hennes tid i anspråk, ändå lovade hon utan att tveka att se till även hans två så ofta hon kunde. En sten hade fallit från hans hjärta med det löftet. Ibland hade han tyckt sig se en underlig glimt i Agnes ögon, men den försvann så snabbt att han kunde intala sig själv att det var inbillning. Men ibland kunde han se den där blicken framför sig när han stod och arbetade, och då fick han hindra sig själv från att kasta släggan och springa hem, bara för att försäkra sig om att pojkarna satt där på golvet och lekte, rosiga och friska.

På sistone hade han tagit på sig ännu mer arbete än vanligt. På något sätt måste han hitta ett sätt att göra Agnes mer tillfreds med livet, annars skulle hon göra dem allihop olyckliga. Hon hade ända sedan de flyttade till baracken tjatat om att de istället skulle hyra in sig någonstans inne i samhället, och Anders hade bestämt sig för att göra allt han kunde för att efterkomma den önskan. Kunde det göra henne bara aningen mer vänligt inställd till honom och barnen, skulle hans långa timmar vara mer än värda det. Varje extra öre lade han undan och samlade på hög. Nu när han hade hand om hushållspengarna var det möjligt att spara, även om det innebar att kosten blev rätt enahanda. Det var inte så mycket hans mor lärt honom laga och han köpte dessutom alltid de billigaste råvarorna han kunde hitta. Agnes hade dessutom motvilligt börjat ta på sig en del av en hustrus sysslor och efter några försök vid spisen började det hon tillagade närma sig ätlighet, så han hade visst hopp om att kunna slippa ansvaret för middagen inom en nära framtid.

Kom de nu bara in till Fjällbacka samhälle, med lite mer liv och rörelse, skulle saker och ting kanske ljusna. De skulle kanske till och med kunna få ett äktenskapligt samliv igen, något som hon förvägrat honom i över ett år.

Framför honom delades stenen i en perfekt spricka mitt itu. Han tog det som ett gott omen – hans plan ledde honom i rätt riktning.

Prick tio över tio rullade tåget in. Mellberg hade redan varit där i en halvtimme. Flera gånger hade han varit på väg att vända bilen och åka hem igen. Men det skulle inte ha tjänat något till. Han skulle bara ha frågat sig fram efter honom och snart skulle snacket ha kommit igång. Lika bra att konfrontera hela den här olustiga situationen på en gång. Samtidigt kunde han inte ignorera det faktum att något som liknade iver spritte till i bröstet på honom emellanåt. Först hade han inte ens kunnat identifiera känslan. Det var honom så ovant att känna förväntan inför något, vad som helst, att det tog honom en lång stund att komma på vad det bubblande inom honom var. När han till slut insåg det, förvånade det honom.

Han kunde inte stå still av ren nervositet när han inväntade tågets ankomst vid perrongen. Gång på gång bytte han ställning och för första gången i sitt liv önskade han att han rökte, så att han kunnat lugna nerverna med en cigarett. Innan han åkte hemifrån hade han slängt ett längtansfullt ögonkast på flaskan med Absolut som han hade hemma, men lyckats avhålla sig. Han ville inte lukta sprit första gången han träffade honom. Första intrycket var viktigt.

Sedan for den där tanken förbi igen och slog rot. Tänk om det inte var sant, det hon sa. Det var förvirrande att inte veta vad han egentligen hoppades på. Att det skulle vara sant, eller inte. Han hade redan svängt otaliga gånger fram och tillbaka, men just nu lutade han åt att han hoppades att brevet talade sanning. Hur märkligt det än kändes.

Ett tut på avstånd signalerade att tåget från Göteborg var på inkommande. Mellberg ryckte till, vilket fick håret han hade upprullat på huvudet att trilla ner över ena örat. Raskt och vant slängde han upp det på plats igen och försäkrade sig om att det kändes som det skulle. Han ville inte skämma ut sig det första han gjorde.

Tåget kom med sådan hastighet mot perrongen att han för ett ögonblick trodde att det inte skulle stanna. Att det skulle fara vidare mot det okända och lämna honom kvar där, med sin iver och sin osäkerhet. Men till slut saktade det in och med gnissel och allmänt oljud stannade det till slut. Han svepte med blicken över alla dörrarna. Med ens slog det honom att han inte ens visste om han skulle känna igen honom. Borde hon inte ha satt en nejlika i knapphålet på honom eller något sådant? Sedan insåg han att han var den ende som väntade på perrongen, så den som kom borde åtminstone förstå vem Mellberg var.

Bakersta dörren öppnades och Mellberg kände hur hjärtat för en sekund slutade slå. En dam i pensionsåldern klev försiktigt ner på trappan och besvikelsen fick igång hjärtat igen. Men sedan kom han. Och i samma ögonblick Mellberg såg honom undanröjdes allt tvivel. En stillsam, underlig, värkande glädje fyllde honom.

Helgerna försvann så snabbt. Erica njöt av att ha Patrik hemma då. Veckodagarna mellan helgerna var långa, och trots att lördag och söndag gick så fort var det de dagarna hon fokuserade på. Då kunde Patrik ta Maja på morgnarna och en av nätterna brukade hon dessutom pumpa ut en omgång mjölk som han kunde mata Maja med. På så sätt fick hon en hel natts välsignad sömn, visserligen till priset av att vakna upp med två värkande, läckande kanonkulor, men det var det värt. Aldrig hade hon kunnat föreställa sig att det kunde kännas som ett sådant nirvana att få sova en hel natt.

Men den här helgen hade känts annorlunda. Patrik hade åkt in till jobbet några timmar på lördagen och var tyst och inbunden. Även om hon förstod varför förargade det henne att han inte förmådde fokusera helt på henne och Maja, en känsla som i sin tur gav henne dåligt samvete och fick henne att känna sig som en dålig medmänniska. Om Patriks grubblande kunde leda till att Charlotte och Niclas fick reda på vem som mördat deras dotter, så borde väl Erica vara generös nog att överse med det. Men logik och rationella känslor verkade inte vara hennes starka sida numera.

På söndagseftermiddagen sprack det mulna vädret som regerat hela veckan upp, och de tog en långpromenad runt samhället. Erica kunde inte låta bli att förundras över hur solens entré kunde förändra miljön så till den milda grad. I storm och regn var Fjällbacka så kargt, så oförsonligt och grått, men nu gnistrade samhället åter där det låg inkilat mot berget. Inget spår syntes av vågkammarna som häftigt kastat sig mot bryggorna och tillfälligt orsakat översvämning på Ingrid Bergmans torg. Nu var luften klar att andas och vattnet låg stilla och blankt som om det aldrig hade gjort något annat.

Patrik sköt barnvagnen framför sig och Maja hade för en gångs skull gått med på att somna i den.

"Hur mår du, egentligen?" frågade Erica och Patrik ryckte till, som om han varit långt, långt borta.

"Det borde väl snarare jag fråga dig", sa Patrik skuldmedvetet. "Du har det jobbigt nog utan att behöva oroa dig för mig också."

Erica stack in sin arm under hans och lutade huvudet mot hans axel. "Vi oroar oss för varandra, okej? Och för att svara på din fråga först, så har det varit bättre, det måste jag erkänna, men det har också varit sämre. Så svara nu på min fråga."

Hon kände igen Patriks sinnesläge. Det hade varit likadant under förra mordutredningen som han varit ansvarig för, och nu var det dessutom ett barn som var mördat. Till råga på allt dottern till en av hennes egna väninnor.

"Jag vet bara inte hur vi ska gå vidare. Och så har jag känt ända sedan vi började den här utredningen. Jag satt och gick igenom allt om och om igen när jag åkte in till stationen i går, och jag har inga fler idéer."

"Har verkligen ingen sett något?"

Han suckade. "Nej, inte mer än att hon gick hemifrån. Efter det finns det inte ett spår av henne. Det är som om hon har gått upp i rök och sedan plötsligt dykt upp i havet."

"Jag försökte ringa Charlotte förut och Lilian svarade", sa Erica försiktigt. "Hon lät ovanligt kort även för att vara hon, är det något som jag bör känna till?"

Patrik tvekade, men bestämde sig sedan. "Vi gjorde en teknisk undersökning hemma hos dem i fredags. Lilian var lite upprörd över det ..."

Erica hissade upp ögonbrynen. "Jo, det kan jag tänka mig. Men varför gjorde ni det? Jag menar, det måste ju vara någon utomstående som har gjort det här?"

Patrik ryckte på axlarna. "Ja, troligtvis. Men vi kan inte bara förutsätta det. Vi måste undersöka allt." Han började bli irriterad på att alla ifrågasatte hur han skötte sitt jobb. Han kunde inte låta bli att undersöka familjen, bara för att det var obehagligt. Det var lika viktigt att syna dem i sömmarna, som det var att undersöka allt som ledde mot en extern förövare. Utan spår som ledde i någon riktning, fick alla riktningar vara lika viktiga.

Erica hörde hans irritation och klappade honom på armen för att visa att hon inte menade något illa. Hon kände hur han slappnade av.

"Behöver vi handla något?" De gick förbi det gamla läkarhuset som nu var dagis och såg Konsumskylten en bit fram.

"Något gott."

"Menar du middag eller godis?" sa Patrik och svängde nedför den lilla backen mot Konsums parkering.

Erica gav honom en blick och Patrik skrattade. "Både och. Vad tänkte jag på…"

När de efter en stund kom ut från affären med massor av godsaker lastade på vagnens underrede frågade Patrik förbryllat: "Inbillade jag mig eller tittade kvinnan som stod bakom oss i kön konstigt på mig?"

"Nej, du inbillade dig inte. Det var Monica Wiberg, granne till Florins. Hennes man heter Kaj och de har en son som heter Morgan, som visst är lite underlig."

Patrik förstod nu varför kvinnan stirrat argt på honom. Visserligen var det inte han som hade varit där och frågat ut sonen, men det räckte väl att han representerade samma yrkeskår.

"Han har Aspergers", sa Patrik.

"Vem?" sa Erica, som redan hade glömt vad de pratat om och var fullt upptagen med att ordna till Majas mössa som hade hamnat på sniskan när hon sov, så att ena örat var exponerat för höstkylan.

"Morgan Wiberg", sa Patrik. "Gösta och Martin var och pratade lite med honom och han sa själv att han hade något som hette Aspergers."

"Vad är det?" sa Erica nyfiket och lät Patrik rulla vagnen igen då Majas öra åter var skyddat av den varma mössan.

Patrik berättade en del av det han hade fått reda på av Martin under fredagen. Det hade varit ett bra initiativ att åka och träffa psykologen.

"Är han misstänkt?" frågade Erica.

"Nej, inte som det ser ut nu. Men det verkar som om han var den sista som såg Sara och det skadar inte att veta så mycket som möjligt om honom."

"Bara ni inte siktar in er på honom för att han är lite udda." Hon bet sig i tungan så fort hon sagt det. "Förlåt, jag vet att ni är proffsigare än så. Det är bara det att det alltid har varit så i de här små samhällena att udda människor pekas ut så fort något dåligt inträffar. Skyll det på byfånen, liksom."

"Å andra sidan har avvikande människor alltid mötts med större respekt i små samhällen än i storstäder. Originalen bara finns där som en naturlig del av vardagen och tas som de är, medan de blir betydligt mer isolerade i en storstad."

"Ja, du har rätt, men den toleransen har alltid vilat på en bräcklig grund, det är bara det jag säger."

"Ja, Morgan behandlas i vilket fall som helst inte annorlunda än någon annan, så mycket kan jag säga."

Erica svarade inte, utan stack bara sin arm under Patriks igen. Resten av promenaden hem pratade de om annat. Men hon märkte att hans tankar hela tiden befann sig någon annanstans.

På måndagen var det slut på det fina vädret som rått dagen innan. Nu var det lika grått och råkallt som tidigare och Patrik kurade ihop sig i en stor tjock ylletröja där han satt vid skrivbordet. I somras hade luftkonditioneringen inte fungerat och det hade varit som att jobba i en bastu. Nu sipprade det råa, blöta genom väggarna och han huttrade där han satt. En telefonsignal fick honom att rycka till.

"Du har besök", sa Annikas röst i luren.

"Jag väntar ingen?"

"En Jeanette Lind säger att hon vill träffa dig."

Patrik såg den kurviga lilla brunetten framför sig och undrade nyfiket vad det var hon ville.

"Skicka in henne till mig", sa han och reste sig för att gå och möta sin oväntade besökare. De hälsade artigt på varandra i korridoren utanför hans rum. Jeanette såg trött och sliten ut och han undrade vad som hade hänt mellan nu och i fredags då han träffade henne senast. Många kvällspass på restaurangen, eller något mer privat?

"Vill du ha en kopp kaffe?" frågade han artigt och hon nickade bara.

"Sätt dig så länge, så kommer jag med en kopp." Han pekade mot en av sina två besöksstolar.

En kort stund senare var han tillbaka med kaffet och ställde en kopp framför henne och en framför sig själv.

"Så, vad kan jag hjälpa till med?" Han lade armarna på skrivbordet och lutade sig framåt.

Det dröjde några sekunder innan hon svarade. Med blicken nedsänkt mot bordsskivan värmde hon händerna på kaffekoppen och verkade fundera på hur hon skulle börja. Sedan kastade hon tillbaka det tjocka, mörka håret och tittade honom rakt i ögonen.

"Jag ljög om att Niclas var hos mig i måndags", sa hon.

202

Patrik visade inte med en min sin bestörtning, men inom honom hoppade något till i bröstet.

"Berätta mer", sa han sakligt.

"Jag sa bara till er vad Niclas hade bett mig säga. Han gav mig tiderna och bad att jag skulle säga att han hade varit hos mig då."

"Och sa han varför han ville att du skulle ljuga för hans räkning?"

"Han sa bara att allt skulle bli så komplicerat annars. Att det var mycket enklare för alla om jag gav honom ett alibi."

"Och du ifrågasatte inte det?"

Hon ryckte på axlarna. "Nej, jag hade ingen anledning att göra det."

"Trots att ett barn mördats, så tyckte du inte att det var något anmärkningsvärt med att han bad dig ge honom alibi?" sa Patrik klentroget.

Återigen ryckte hon på axlarna i en likgiltig gest. "Nej", svarade hon kort. "Jag menar, Niclas skulle knappast haft ihjäl sin egen unge, eller hur?"

Patrik svarade inte. Efter en stunds tystnad sa han: "Niclas har inte sagt något om vad han då istället gjorde den förmiddagen?"

"Nej."

"Och du har ingen teori?"

Återigen den likgiltiga axelryckningen. "Jag antog bara att han tagit ledigt en förmiddag. Han jobbar ju jättemycket och hans fru är på honom hela tiden om att han ska hjälpa till hemma och så där, fast hon själv är hemma hela dagarna, så han tyckte väl bara att han behövde lite ledigt."

"Och varför skulle han riskera sitt äktenskap genom att be dig att ge honom alibi?" sa Patrik och försökte se bakom Jeanettes nollställda ansiktsuttryck. Men förgäves. Det enda som avslöjade några känslor hos henne var ett nervöst trummande med de långa naglarna mot kaffekoppen.

"Inte vet jag", sa hon otåligt. "Han tyckte väl att av två onda ting, så var det bättre att bli påkommen med en älskarinna än att bli misstänkt för mord på sin egen dotter."

Patrik tyckte att det lät långsökt, men människor reagerade märkligt under stress, det hade han sett prov på många gånger.

"Om du tyckte att det var okej att ge honom ett alibi så sent som i fredags, varför har du ändrat dig nu?"

Naglarna trummade vidare mot kaffekoppen. De var ytterst välmani-

203

kyrerade, det kunde till och med Patrik se.

"Jag … jag har funderat på det över helgen och det känns inte rätt. Jag menar, det är ju ändå ett barn som har dött, eller hur? Jag menar, ni borde ju veta allt då."

"Ja, det borde vi", sa Patrik. Han var osäker på om han trodde på hennes förklaring, men det spelade ingen roll. Niclas hade inte längre något alibi för måndagsmorgonen och han hade dessutom bett någon att ge honom ett falskt sådant. Det var tillräckligt för att få ett antal varningsflaggor att gå i topp.

"Då får jag tacka för att du ville komma hit och berätta", sa Patrik och reste sig. Jeanette sträckte fram en nätt liten hand och höll hans en aning för länge när de tog adjö. Omedvetet strök Patrik handen mot jeansen så fort hon klivit utanför dörren. Det var något med den unga kvinnan som gjorde att han började fatta en uppriktig motvilja mot henne. Men tack vare Jeanette hade de nu något konkret att gå vidare med. Det var dags att titta närmare på Niclas Klinga.

Med ens mindes Patrik lappen som han fått av Annika. Med lätt panik kände han i bakfickan och när han fiskade upp den lilla papperslappen var han ytterst tacksam att varken han eller Erica hade orkat tvätta i helgen. Han läste noga det som stod på den och satte sig sedan ner för att ringa några samtal.

Fjällbacka 1926

Tvååringarna stojade högljutt bakom henne och Agnes hyssjade irriterat åt dem. Hon hade aldrig sett maken till ungar att föra oväsen. Det var säkert för att de tillbringade så mycket tid borta hos Janssons och lärde sig av deras snorungar, tänkte Agnes och valde att blunda för det faktum att grannfrun mer eller mindre uppfostrat hennes söner som sina ända sedan de var halvåret gamla. Nu skulle det i alla fall bli ändring på saker och ting, nu när de skulle flytta in i samhället. Agnes tittade sig förnöjt bakåt där hon satt på flyttlasset. Hon hoppades att hon aldrig mer skulle behöva se den där eländiga baracken. Nu skulle hon komma steget närmare det liv hon förtjänade och åtminstone bo bland vettigt folk och få se lite liv och rörelse omkring sig. Huset de hyrde i var väl i och för sig inte så mycket att glädja sig över, även om rummen var både renare och ljusare och till och med några kvadratmeter större än delen i baracken, men det låg åtminstone inne i Fjällbacka. Hon kunde kliva utanför förstukvisten utan att sjunka ner till fotknölarna i lera och hon kunde börja odla bekantskaper som var betydligt mer stimulerande än de där enfaldiga stenhuggarhustrurna som inte gjorde annat än låg i barnsäng. Äntligen skulle hon få chansen att lära känna människor med helt andra vyer. Huruvida hon skulle vara en intressant bekantskap för dem, då hon nu tillhörde den skara stenhuggarhustrur som hon föraktade, valde Agnes att blunda för, eller kanske tänkte hon inte ens tanken att de inte skulle se att hon var annorlunda.

"Johan, Karl, lugna er nu. Sitt still i vagnen, annars kan ni trilla ner", sa Anders, halvt bakåtvänd, åt pojkarna. Som vanligt tyckte hon att han var alldeles för släpphänt med dem. Hade hon fått bestämma skulle han ha hutat åt dem med ett betydligt högre röstläge och även åtföljt bannorna med en örfil. Men i det fallet var han orubblig. Ingen fick bära hand på hans pojkar. En gång hade han kommit på henne med att ge Johan en hurring, och den uppsträckning hon fick då gjorde att hon aldrig vågade göra om det. I allt annat kunde hon få Anders att göra som hon ville, men när det gällde Karl och Johan hade han sista ordet. Till och med namnen hade han valt. Dög namnen åt kungar, dög de åt hans söner, hade han sagt. Agnes hade bara fnyst. Maken till fånerier. Men hon brydde sig inte ett dyft om vad ungarna hette, så ville han bestämma, så varsågod.

Det skulle framförallt bli skönt att slippa den där beskäftiga människan Jansson. Visst hade det varit bekvämt att hon tog hand om ungarna åt henne, varför hon nu gjorde det frivilligt, men samtidigt hade hennes förebrående blickar gått Agnes på nerverna. Som om hon skulle vara en sämre människa bara för att hon inte såg det som sin uppgift i livet att torka skiten från ungars ändor.

De kunde inte köra ända fram till huset, som låg längs en av de små smala backarna som ledde ner till havet, så de fick bära sina få tillhörigheter den sista biten. Anders skulle ta ett par vändor till och hämta deras skraltiga möbler, men Agnes hälsade på gubben som ägde huset och därmed var deras hyresvärd och steg sedan in i sitt nya hem. Hon hade aldrig trott att hon skulle kunna tycka att två små rum i ett minimalt hus var ett steg uppåt i livet, men i jämförelse med den mörka baracken tedde sig den nya bostaden som ett slott.

Hon svepte in med sina kjolar över tröskeln och konstaterade förnöjt att den förre hyresgästen lämnat det snyggt och rent efter sig. Hon avskydde att ha det smutsigt omkring sig, men i det lilla rummet i baracken hade det inte känts som någon större idé att hålla rent, och dessutom var hon inte särskilt hågad att vara den som såg till att det var städat. Men kunde hon tjata till sig ett par snygga gardiner och en matta av Anders, den snåljåpen, så kunde det bli åtminstone acceptabelt här inne.

Pojkarna svischade förbi hennes ben och började springa runt som galna i det tomma rummet, jagandes varandra. Agnes kände hur det kokade inombords när hon såg hur leran som de dragit med sig på skorna spreds överallt på det rena golvet.

”Karl! Johan!” röt hon och pojkarna frös till i skräck. Hon knöt händerna vid sidorna för att hindra dem från att utdela en rungande örfil och tvingade sig själv att nöja sig med att ta dem hårt i armen och släpa ut dem genom ytterdörren. Ett litet tjuvnyp tillät hon sig själv i armarna som hon höll i, och hon såg med tillfredsställelse hur deras små ansikten skrynklades ihop av gråt.

”Far!” började Karl tjuta och Johan stämde snart in i klagokören. ”Jag vill ha far!”

”Tyst med er”, väste Agnes och tittade sig oroligt omkring. Det skulle just vara snyggt att skämma ut sig redan första dagen. Men pojkarna hade kommit förbi den punkten då de kunde hejda sig.

"Far!" tjöt de i kör och Agnes fick tvinga sig att andas med djupa, behärskade andetag, för att inte göra något överilat. Sedan höjde pojkarna insatsen.

"Karin, vi vill ha Karin", skrek de och lade sig på marken och bultade med små nävar och fötter mot underlaget.

Små, förbannade lipsillar var de, precis som far sin. Tänk att de hade mage att föredra den där sketna kärringen framför sin egen mor. Hon kände hur det började rycka i foten av lust att drämma till precis i de mjuka delarna kring magen, men som tur var kom Anders precis då över krönet.

"Vad är det som står på?" sa han på sitt sjungande blekingemål och pojkarna var uppe på fötter som små oljade blixtar.

"Far! Mor är dum!"

"Vad är det nu som har hänt?" sa han uppgivet och gav Agnes ett fördömande ögonkast. Hon förbannade honom inombords. Han visste inte ens vad som hade hänt, och ändå tog han genast sönernas parti. Hon iddes inte ens förklara, utan vände bara på klacken och gick in i huset för att samla upp lersjoken som pojkarna hade lämnat efter sig. Bakom sig hörde hon dem snörvla med ansiktena begravda i Anders rock. Sådan far, sådana söner.

Hon sjukskrev sig hela måndagen. Bara en vecka hade gått sedan de hittade flickan, men det kändes som om år hade lagts till hennes liv sedan dess. Hon hörde Kaj rumstera runt i köket och visste att det bara var en tidsfråga. Mycket riktigt kom det strax.

"Monicaaaa. Var finns kaffet?"

Hon blundade och svarade med tillkämpat tålamod: "I burken i skåpet ovanför spisen. Där det har stått de senaste tio åren", kunde hon inte låta bli att lägga till.

Hon hörde ett muttrande till svar utifrån köket och reste sig suckande och gick dit. Bäst att hon hjälpte till. Hon kunde inte förstå att en vuxen människa kunde vara så hjälplös. Hur han hade kunnat driva ett företag med trettio anställda övergick hennes fattningsförmåga.

"Låt mig", sa hon och ryckte kaffeburken från honom.

"Vad är det med dig då?" svarade Kaj i samma irriterade tonfall.

Monica tog ett djupt andetag för att lugna ner sig medan hon tyst räknade kaffemåtten som hon hällde i. Det var inte värt att starta ett gräl med Kaj ovanpå allt annat.

"Inget", sa hon tyst. "Jag är bara lite trött. Och jag gillar inte att polisen var här och pratade med Morgan."

"Äh, vad kan det göra?" sa Kaj och satte sig vid köksbordet i väntan på att kaffet skulle serveras. "Han är ju trots allt vuxna karln, även om du inte vill tro det", lade han till.

"Du om någon borde veta vilka svårigheter Morgan har. Var har du varit i alla år? Har inte du varit delaktig i den här familjen?" Irritationen kröp tillbaka igen och hon skar upp några bitar rulltårta med häftiga rörelser.

"Jag har varit lika delaktig i den här familjen som du, tack så mycket. Däremot har jag inte varit lika benägen att dalta med Morgan. Och släpa honom från den ena hjärnskrynklaren till den andra. Vad har det tjänat till? Han sitter ju bara där ute i sin stuga hela dagarna och blir underligare och underligare för vart år som går."

"Jag har inte daltat med honom", sa Monica mellan hårt sammanbit-

208

na tänder. "Jag har försökt ge vår son den bästa vård han kan få, med tanke på vad han har haft att brottas med. Att du har valt att ignorera honom, det får stå för dig. Om du lade hälften så mycket tid på honom, som du lägger på träningen ..."

Hon praktiskt taget slängde fram fatet med rulltårta på bordet och ställde sig lutad mot diskbänken med korslagda armar.

"Ja, ja", sa Kaj avvärjande och stoppade in en bit av kakan i munnen. Inte heller han verkade så sugen på ett gräl så här på förmiddagen. "Vi behöver väl inte ta det där igen. Jag kan i alla fall hålla med om att det känns olustigt att polisen ränner här. Att de inte lägger sin energi på den där jävla kärringen istället."

Återigen inne på sitt favorittema drog han gardinen åt sidan och kikade ut mot Florins hus.

"Verkar vara lugnt där. Undrar vad det var, det där med alla bilar utanför i fredags? Och alla lådor och grejer de bar in?"

Monica sänkte motvilligt garden och satte sig mittemot honom vid köksbordet. Hon tog en bit rulltårta trots att hon visste att hon inte borde. Sötsakerna hade redan satt sig alldeles för mycket kring höfterna på henne. Men Kaj verkade inte bry sig, så varför skulle hon anstränga sig?

"Ja, inte vet jag, men det är inte värt att spekulera i. Huvudsaken är att de låter Morgan vara i fred."

Den kalla, sjunkande känslan i magen vägrade ge med sig. För var dag blev den värre och värre. Sockret i rulltårtan lugnade hennes nerver en kort stund, men hon visste att ångesten snart skulle övermanna henne igen. Förtvivlad betraktade hon Kaj tvärs över bordet. Hon övervägde att berätta allt för honom, men insåg snabbt det befängda i den tanken. Trettio år tillsammans och inget hade de gemensamt. Förnöjt tuggade han i sig en bit rulltårta till, omedveten om de vargklor som slet i hans hustrus inälvor.

"Borde inte du vara på jobbet?" sa Kaj och upphörde med tuggandet.

Typiskt. Hon borde ha gått för en timme sedan, men först nu märkte han att hon stannat hemma.

"Jag har sjukanmält mig. Jag mår inte bra."

"Du ser okej ut", sa han kritiskt. "Lite blek kanske. Ja, du vet att jag tycker att du borde säga upp dig helt och hållet. Det är vansinnigt att gå där och slita när du inte behöver. Vi har ju råd."

Ett våldsamt raseri blossade upp inom henne. Hon reste sig häftigt.

"Jag vill inte höra mer om det där. Jag var hemma i över tjugo år och gjorde inget annat än att stryka dina skjortor och laga middag till dig och dina affärsbekanta. Har jag inte äntligen rätt till ett eget liv!"

Hon ryckte åt sig tallriken med rulltårta på, gick bort till sophinken och hällde demonstrativt ner de sista bitarna bland kaffesump och matrester. Sedan lämnade hon Kaj gapande vid matbordet. Hon iddes inte se på honom en sekund till.

Hon ställde vagnen på baksidan av Järnboden och försäkrade sig om att Liam sov. Hon skulle bara springa in och handla några saker och orkade inte släpa med sig barnvagnen. Det blåste rejält ute, men det var värst på framsidan av affären, den sidan som vette mot vattnet. Baksidan var väl skyddad mot blåsten av Veddeberget och vagnen skulle stå bra där de fem minuter hon planerade att vara borta.

Det plingade i dörren när hon gick in. Affären var fylld av allt mellan himmel och jord, det mesta inriktat på den händige eller den båtsugne. Själv behövde hon dubbelkolla på lappen hon fått med sig från Markus för att veta vad hon skulle handla. Han hade lovat att sätta upp resten av hyllorna i barnkammaren i helgen om bara hon fixade grejerna som fattades.

Mia gladde sig åt att äntligen få det färdigt. Månaderna hade liksom sprungit iväg och trots att Liam redan var sex månader, såg hans rum fortfarande ut som en högst temporär boplats, inte som den mysiga, ombonade barnkammare hon alltid hade drömt om. Problemet var bara att hon var beroende av sin kille för att få den i det skicket. Själv hade hon aldrig hållit i en hammare och han var faktiskt ganska händig bara han fick tummen ur. Vilket tyvärr inträffade alltför sällan.

Ibland undrade hon om resten av livet skulle vara på det här viset. När de först träffades hade hon tyckt att hans filosofi om att alltid se till att ha roligt och aldrig göra något tråkigt var underbar. Hon hade hakat på hans livsstil och under nästan ett års tid hade de levt ett sorglöst, härligt liv, med mycket festande och spontana beslut. Men medan hon hade börjat tröttna och känna att vuxenlivet och ansvaret pockade på alltmer – inte minst sedan hon fått Liam – så hade han fortsatt att leva i sin lilla bubbla, och nu var det som om hon hade två barn att fostra. Inte bidrog han direkt till hyra och mat heller. Hade det inte varit för att hon var hemma med föräldrapenning så hade de väl fått svälta ihjäl. Markus lyckades i och för sig alltid snacka in sig på jobb, det var inte det som var

210

problemet. Nej, problemet var att inget jobb kunde leva upp till hans förväntningar, eller hans krav på att allt alltid skulle vara kul, så han slutade oftast efter bara ett par veckor. Sedan gick han och drog ett tag och levde på henne innan han lyckades charma in sig på ett nytt jobb. Han sov största delen av dagen också, så han hjälpte knappt till vare sig med hemmet eller med Liam. Istället satt han uppe hela nätterna och spelade dataspel.

Ärligt talat hade hon börjat lessna. Hon var tjugo år och kände sig som fyrtio. Ständigt hörde hon sig själv gnata och tjata och ibland kunde hon till sin fasa höra hur hon lät precis som sin mamma.

Hon suckade där hon gick längs ena gången. Hon läste på lappen. Spik och en del av det andra han behövde hittade hon ganska lätt, men hon fick be om hjälp för att hitta skruvarna. När Mia äntligen var färdig och skulle betala till Berit i kassan tittade hon på klockan. En kvart hade hunnit springa iväg medan hon bockade av på listan och hon kände hur svetten började rinna i armhålorna. Måtte bara Liam inte ha vaknat. Hon skyndade sig ut med påsarna och så fort hon slog upp ytterdörren hörde hon det hon befarat, hans genomträngande skrik. Men det var annorlunda än det brukade vara när han var arg, hungrig eller ledsen. Det här var ett skrik i full panik och det ekade gällt mot bergväggen. Modersinstinkten sa henne att något var fel och hon släppte kassarna och sprang mot vagnen. När hon tittade ner på honom slutade hennes hjärta att slå för ett ögonblick och hon försökte förstå vad det var hon såg. Liams ansikte var svart av något som såg ut som aska, eller sot. I hans öppna, skrikande mun såg hon hur askan samlats även där och han stack ut tungan emellanåt i ett försök att få bort det otäcka. Även insidan av vagnen var täckt med den svarta substansen och när Mia lyfte upp sin panikslagna son och tryckte honom mot bröstet fick hon kappan full. Fortfarande kunde hennes hjärna inte forma någon vettig teori om vad det var som hade hänt, men med Liam i famnen sprang hon in i Järnboden igen. Det enda hon visste var att någon gjort något med hennes son. Medan hon fick hjälp att ringa försökte hon förgäves få bort askan i munnen på honom med hjälp av en servett.

Det måste vara en sinnessjuk människa som kunde göra något sådant här.

Vid tvåtiden hade de fått alla uppgifter de behövde. Annika hade gjort grovarbetet och Patrik tackade henne lågmält när han samlade ihop de

211

sidor de fått faxade till sig i en strid ström. Han knackade på Martins dörr, men klev direkt in utan att vänta på svar.

"Tjena", sa Martin och lyckades få den lilla informella hälsningen att låta som en fråga. Han visste vilka uppgifter som Patrik och Annika jobbat med att få fram, och han behövde bara se Patriks ansiktsuttryck för att förstå att arbetet hade gett resultat.

Patrik svarade inte på hälsningen utan slog sig ner i stolen framför Martins skrivbord och lade faxutskrifterna på bordsskivan utan någon kommentar.

"Jag utgår från att ni hittat något", sa Martin och sträckte sig efter pappersbunten.

"Ja, sedan vi äntligen utverkat tillstånd för att få titta på det, så var det som Pandoras ask. Det finns hur mycket som helst. Läs själv."

Patrik lutade sig tillbaka i stolen i väntan på att Martin skulle hinna ögna igenom utskrifterna.

"Det ser inget vidare ut det här", sa Martin efter en stund.

"Nej, det gör inte det", sa Patrik och skakade på huvudet. "Totalt tretton gånger har Albin registrerats i sjukvårdens rullor med någon form av skada. Benbrott, skärsår, brännsår och Gud vet allt. Det är som att läsa en textbok om barnmisshandel."

"Och du tror att det är Niclas och inte Charlotte som har gjort det här?" Martin nickade mot bunten.

"För det första finns det inga konkreta bevis på att det är misshandel det är fråga om. Ingen har funnit någon anledning att börja ställa frågor hittills och teoretiskt sett kan han ju faktiskt vara jordens mest olycksdrabbade unge. Med det sagt så vet både du och jag att den sannolikheten är minimal. Troligtvis har någon misshandlat Albin vid upprepade tillfällen. Om det sedan är Niclas eller Charlotte, ja, det är omöjligt att säga helt säkert. Men Niclas är den som vi har störst frågetecken kring för tillfället, så jag skulle nog utgå från att det åtminstone är mer sannolikt att det är han som gjort detta."

"Kan vara båda också. Sådana fall har förekommit, det vet du."

"Ja, absolut", sa Patrik. "Allt är möjligt och vi kan inte utesluta någonting. Men med tanke på att Niclas har ljugit om sitt alibi – och dessutom försökt få någon annan att ljuga – skulle jag vilja ta in honom för ett allvarligt samtal. Är vi överens där?"

Martin nickade. "Ja, definitivt. Vi får ta in honom och presentera de här uppgifterna för honom och sedan se vad han säger, tycker jag."

"Då så. Då gör vi så. Ska vi sticka med en gång?"

Martin nickade. "Jag är klar att åka om du är det."

En timme senare hade de Niclas sittande mittemot sig i förhörsrummet. Han såg sammanbiten ut, men hade inte protesterat när de hämtade honom på läkarstationen. Det var som om han inte orkade komma med invändningar. Inte vid något tillfälle på resan till stationen hade han frågat varför de ville prata med honom. Istället hade han oseende tittat ut över landskapet och låtit tystnaden tala för sig själv. Patrik kände för ett kort ögonblick ett styng av medlidande. Det såg ut som om Niclas hjärna först nu hade registrerat att dottern var död och att han för tillfället ägnade all sin energi åt att försöka leva med den vetskapen. Sedan mindes han innehållet i läkarjournalerna och medlidandet släcktes snabbt och effektivt.

"Vet du varför vi har hämtat dig för ett samtal?" inledde Patrik lugnt.

"Nej", svarade Niclas och studerade bordsskivan.

"Vi har fått lite uppgifter som är ...", Patrik gjorde en paus för effektens skull, "oroande."

Inget svar från Niclas. Hela han slokade och händerna som låg knäppta på bordet darrade lätt.

"Undrar du inte vad det är för uppgifter?" sa Martin vänligt, men Niclas svarade inte heller denna gång.

"Då får väl vi tala om det för dig", fortsatte Martin konstaterande och lämnade med blicken över ordet till Patrik, som harklade sig.

"För det första har det visat sig att de uppgifter du har lämnat till oss om var du var under måndagsförmiddagen inte stämmer."

Här tittade Niclas för första gången upp. Patrik tyckte att han såg en glimt av förvåning, som försvann lika fort igen. I brist på något verbalt bemötande fortsatte Patrik.

"Den person som har gett dig alibi har tagit tillbaka sina uppgifter. På ren svenska: Jeanette har nu berättat för oss att du inte alls var hos henne som du har påstått, och hon säger dessutom att du bad henne ljuga om det."

Ingen reaktion från Niclas. Det verkade som om alla känslor tappats ur honom och bara lämnat tomrum kvar. Han visade varken ilska, förvåning, bestörtning eller någon av de känslor som Patrik hade förväntat sig. Tigande väntade han ut honom, men tystnaden fortsatte att råda.

"Du kanske vill kommentera det?" lirkade Martin.

213

Niclas skakade på huvudet. "Säger hon det så."

"Du kanske vill berätta för oss var du var någonstans under de timmarna?"

Bara en axelryckning. Sedan sa Niclas lågt: "Jag har inte för avsikt att uttala mig alls. Jag förstår inte ens varför jag är här och får de här frågorna. Det är ju min dotter som är död. Varför skulle jag ha gjort henne illa?" Han lyfte blicken och tittade på Patrik, som såg en lämplig ingång till nästa fråga.

"Kanske för att du har för vana att göra illa dina barn. Åtminstone Albin."

Nu ryckte Niclas till och han stirrade på Patrik med öppen mun. En lätt darrning på underläppen var den första indikation på känsla som de fått. "Vad menar du?" sa Niclas osäkert och flackade med blicken mellan Patrik och Martin.

"Vi vet", sa Martin lugnt och bläddrade demonstrativt i papprena han hade framför sig. Han hade kopierat faxutskrifterna så att han och Patrik hade var sin uppsättning.

"Vad är det ni tror att ni vet?" sa Niclas och rösten innehöll en lätt ton av trots. Men han kunde inte hindra blicken från att gång på gång fastna på papprena framför Martin.

"Tretton gånger har Albin behandlats för olika former av skador. Vad säger det dig som läkare? Vad skulle du själv dra för slutsats om någon kom in tretton gånger med ett barn som hade brännskador, benbrott och skärsår?"

Niclas pressade ihop läpparna.

Patrik fortsatte: "Ja, nu har ni ju inte åkt till samma ställe med honom varje gång. Det hade ju varit att utmana ödet, eller hur? Men samlar man ihop de journaler som finns på sjukhuset i Uddevalla och de kringliggande vårdcentralerna, så kommer man upp i tretton tillfällen. Är han ett ovanligt olycksdrabbat barn, eller?"

Fortfarande inget svar från Niclas. Patrik betraktade hans händer, var de händerna kapabla att skada ett litet barn?

"Det kanske finns en förklaring till det här", sa Martin med försåtligt mild röst. "Jag menar, jag kan förstå om det blir för mycket ibland. Ni läkare jobbar ju många timmar och är utslitna och stressade. Sara var dessutom ett väldigt krävande barn och en liten bebis ovanpå det kan ju räcka för att knäcka den bäste. Alla frustrationer som måste ut, som måste få ett utlopp. Vi är trots allt bara människor, eller hur? Och det kan ju

214

förklara varför det inte har kommit några fler anmälningar om 'olyckor' sedan ni flyttade till Fjällbacka. Hjälp med markservicen, mindre stressigt jobb, allt kanske plötsligt kändes lättare. Det fanns inget behov av att släppa ut frustrationer längre."

"Du vet inget om mig och mitt liv. Inbilla dig inte det", sa Niclas oväntat fränt och stirrade ner i bordsskivan. "Jag kommer inte att prata med er om det här, så ni kan lika gärna lägga av med psykologsnacket."

"Så du har ingen kommentar till det här, menar du?" sa Patrik och viftade med sin uppsättning av journalkopiorna.

"Nej, har jag ju sagt", svarade Niclas och fortsatte att envist studera ovansidan av bordet.

"Du inser att vi måste lämna över de här uppgifterna till socialen?" sa Patrik och lutade sig fram över bordet mot Niclas. Återigen bara den där lätta darrningen på läppen.

"Ni gör vad ni måste", sa Niclas med tjock röst. "Tänker ni hålla mig här, eller kan jag gå nu?"

Patrik reste sig. "Du kan gå. Men vi kommer att ha fler frågor till dig."

Han följde Niclas till ytterdörren, men ingen av dem gjorde någon ansats att skaka hand.

Patrik gick tillbaka till förhörsrummet, där Martin väntade.

"Vad tror du om det?" sa Martin.

"Jag vet faktiskt inte. Jag hade väl till att börja med förväntat mig aningen större reaktioner."

"Ja, det var som om han var helt avskärmad från yttervärlden. Men jag antar att det kan vara sorgen som yttrar sig på det sättet. Efter vad du har berättat så kastade han sig rakt in i arbetet som om inget hänt, och dessutom var han tvungen att vara stark hemma när Charlotte klappade ihop. Om hon är starkare nu, kanske hans sorg har hunnit ikapp honom. Vad jag säger är väl egentligen att vi inte kan utgå från att han har gjort något, trots hans underliga sätt att uppträda. Omständigheterna är ju rätt speciella."

"Ja, du har rätt", sa Patrik och suckade. "Men vissa fakta kan vi inte komma ifrån. Han bad Jeanette ljuga om hans alibi och vi vet fortfarande inte var han egentligen befann sig. Och om de här journalerna inte visar att Albin misshandlats, så är jag född i går. Och skulle jag gissa vem som är den mest trolige förövaren, så är det definitivt Niclas."

"Så vi lägger in en anmälan till socialen, som du sa?" frågade Martin.

Patrik tvekade. "Vi borde göra det bums, men något säger mig att vi ska vänta ett par dagar, tills vi vet mer."

"Ja, du bestämmer", sa Martin. "Jag hoppas bara att du vet vad du gör."

"Ska jag vara ärlig så har jag inte en jävla aning", sa Patrik med ett skevt leende. "Inte en sketen jävla aning."

Erica ryckte till när det knackade på dörren. Maja låg på rygg i sitt baby-gym och själv hade hon suttit i ena soffhörnet och försjunkit i en dvala av trötthet. Hon for upp och gick och öppnade. När hon såg vem som stod utanför höjde hon ögonbrynen lätt av förvåning.

"Hej, Niclas", sa hon, men gjorde ingen ansats att släppa in honom. De hade aldrig träffats mer än som hastigast och hon undrade vad han kunde ha för anledning att söka upp henne.

"Hej", sa han osäkert och tystnade sedan. Efter vad som kändes som väldigt lång tid sa han: "Får jag komma in en stund? Jag skulle behöva prata lite med dig."

"Javisst", sa Erica, fortfarande med ett undrande tonfall. "Kom in du bara, så sätter jag på en kopp kaffe."

Hon gick in i köket och gjorde i ordning kaffet medan Niclas hängde av sig ytterkläderna. Sedan plockade hon upp Maja som börjat gny där hon låg på golvet och hällde upp kaffe till dem med sin enda fria hand innan hon satte sig vid köksbordet.

"Det där känner jag igen", sa Niclas och skrattade, medan han slog sig ner mittemot Erica. "Den där förmågan som mammor utvecklar att kun-na göra allt lika lätt med en hand som med två. Jag förstår inte hur ni bär er åt."

Erica log tillbaka. Det var otroligt hur Niclas ansikte förändrades när han skrattade. Men sedan blev han åter allvarlig och ansiktet slöt sig igen.

Han smuttade på sitt kaffe som för att vinna tid. Nyfikenheten kröp i Erica. Vad ville han henne?

"Du undrar säkert varför jag är här", sa han som om han läst hennes tankar. Erica svarade inte. Niclas tog en klunk till ur koppen och fort-satte sedan: "Jag vet att Charlotte varit här och pratat med dig."

"Jag kan inte prata om vad vi …"

Han höll upp en avvärjande hand. "Nej, jag är inte här för att snoka i vad Charlotte sagt till dig. Jag är här för att du är den närmsta vän hon har här, och efter vad jag såg när du kom hem till oss så är du en god så-

216

dan. Och Charlotte kommer att behöva en vän nu."

Erica tittade frågande på honom, men fick samtidigt en otäck föraning om vad han skulle säga. Hon kände en liten hand mot kinden och tittade ner på Maja som förnöjt betraktade henne och viftade efter en hårlock. Skulle hon vara ärlig så visste hon inte om hon ville höra mer. Något inom henne ville stanna inom den lilla bubbla som hon levt i de senaste månaderna. Även om det ofta hade känts som om den kvävde henne, så var den samtidigt trygg och välbekant. Men hon betvingade den instinkten, flyttade blicken från Maja till Niclas och sa: "Jag hjälper gärna till på alla sätt jag kan."

Niclas nickade men verkade sedan tveka. Efter att ha snurrat kaffekoppen mellan händerna en stund drog han ett djupt andetag och sa: "Jag har svikit Charlotte. Jag har svikit min familj på värsta tänkbara sätt. Men det finns annat också. Annat som har tärt på oss, fått oss att driva isär. Saker som vi nu måste konfrontera. Charlotte vet inte om mitt svek ännu, men jag måste berätta det för henne, och då kommer hon att behöva dig."

"Berätta för mig", sa Erica mjukt och det var med uppenbar lättnad som Niclas började ösa ur sig allt, som en osammanhängande, smutsig, otrevlig massa.

När han var klar var lättnaden i hans ansikte uppenbar. Erica visste inte vad hon skulle säga. Hon smekte Majas kind, som för att värja sig mot en verklighet som var för ful och hemsk. En del av henne ville resa sig och skrika åt honom att dra åt helvete. En annan del av henne ville krama honom och stryka honom tröstande över ryggen. Istället sa hon: "Du måste berätta allt för Charlotte. Åk hem med en gång och säg allt det du sa till mig. Och jag finns här om hon behöver prata. Sedan…", Erica tystnade, osäker på hur hon skulle säga det, "sedan måste ni ta tag i ert liv. Om Charlotte, jag säger *om*, hon kan förlåta dig, så får du ta på ditt ansvar att se till att ni kan gå vidare. Det första du måste göra är att ordna så att ni kommer ifrån det där huset. Charlotte vantrivdes hemma hos Lilian redan innan och jag vet att sedan Sara dog har det bara blivit värre. Ni måste få ett eget hem. Ett hem där ni kan hitta tillbaka till varandra igen, där ni kan sörja Sara i fred. Där ni kan bli en familj."

Niclas nickade. "Ja, jag vet att du har rätt. Jag borde ha ordnat det för länge sedan, men jag var så uppe i mitt eget att jag inte såg…"

Han böjde huvudet mot bordet och stirrade stint ner i bordsskivan. När han tittade upp var ögonen fyllda med tårar. "Jag saknar henne så, Erica.

Jag saknar henne så att det känns som om hela jag håller på att gå i bitar. Sara är borta, Erica. Det är nog först nu jag förstår det. Sara är borta."

Tårarna rann nedför kinderna på honom och droppade ner på bordet. Han skakade i hela kroppen och ansiktet förvreds tills det inte längre gick att känna igen. Erica sträckte sig över bordet och tog hans ena hand i sin. Länge satt hon så och höll den medan han grät ut sin smärta.

I helgen hade det hänt igen. Det hade gått ett par veckor sedan sist, så han hade precis börjat hoppas att allt bara var en dröm, eller att det hade tagit slut, en gång för alla. Men sedan kom de där ögonblicken igen. Ögonblicken av äckel, förnekelse och smärta.

Om han bara hade vetat hur han skulle kämpa emot. När det hände kände han hur viljelösheten förlamade hans kropp och han lät sig bara flyta med.

Sebastian lade armarna om knäna där han satt uppe på Veddeberget. Högt uppe på toppen såg han ut över viken. Det var kallt och blåsigt, men på sätt och vis var det skönt. Då kändes det likadant utanpå som inuti. Fast helst skulle det ha regnat också. För det var precis så det kändes inom honom. Som om det regnade. Öste ner och sköljde bort allt som var gott och helt. Som om det spolades ner i ett jättelikt avlopp.

Rune hade skällt på honom dessutom. Ovanpå allting annat. Ryat och gormat och sagt att han minsann såg att han inte ansträngde sig tillräckligt. Att han måste göra bättre ifrån sig. Att han inte skulle ha någon framtid om han inte jobbade hårdare, för något läshuvud hade han då rakt inte. Men han hade försökt. Så mycket han kunde under omständigheterna. Det var inte hans fel att allt bara blev skit.

Det stack i ögonen och Sebastian drog fram tröjärmen och torkade sig ilsket. Det sista han ville var att sitta här och lipa som en barnunge. När allt egentligen var hans fel. Om han bara hade varit lite starkare, då hade det inte behövt hända. Inte den första gången. Inte den andra heller. Inte om och om och om igen.

Nu rann tårarna nedför kinderna och han torkade sig så häftigt med det grova tyget i tröjärmen att han fick röda ränder i ansiktet.

För ett kort ögonblick fick han en impuls att göra slut på allt. Det skulle vara så enkelt. Några steg fram till kanten och sedan kunde han bara kasta sig ut. På några sekunder skulle allt vara slut. Det spelade ju ändå ingen roll för någon. Rune skulle säkert bara bli lättad. Då skulle han slippa att ta hand om någon annans unge. Kanske kunde han till

218

och med träffa någon annan och få den där egna ungen som han så gärna ville ha.

Sebastian reste sig. Tanken förblev lockande. Han gick sakta mot bergets kant och tittade ner. Det var högt. Han försökte föreställa sig hur det skulle kännas. Att flyga genom luften, fullständigt viktlös under några korta ögonblick, och sedan dunsen när hans kropp mötte motstånd. Skulle han känna något alls i det ögonblicket? Prövande stack han ut en fot utanför klippkanten och lät den hänga fritt i luften. Sedan slog honom tanken att han kanske inte skulle dö av fallet. Tänk om han överlevde, men blev lam eller något sådant. Ett dreglande paket för resten av livet. Då skulle Rune verkligen få något att gnälla över. Fast han skulle väl skjutsa iväg honom till något vårdställe så fort som möjligt.

Han tvekade med foten över kanten. Sedan satte han ner den igen och backade långsamt tillbaka. Med armarna hårt korsade över bröstet tittade han bort mot horisonten. Länge, länge.

Så fort han kom innanför dörren kastade hon sig över honom.

"Vad har hänt? Aina ringde och sa att polisen kommit och hämtat dig på jobbet?" Rösten var orolig, gränsande till panikslagen. "Jag har inte sagt något till Charlotte", tillade hon.

Niclas viftade avvärjande med handen, men så lätt lät sig inte Lilian viftas bort. Hon följde honom tätt i hälarna när han gick mot köket och bombarderade honom med frågor. Han ignorerade henne och gick rakt mot kaffebryggaren och hällde upp en stor kopp kaffe. Bryggaren var avstängd och kaffet var knappt mer än ljummet, men det spelade ingen roll. Han behövde kaffe eller en stor whisky, och då var det nog bäst att han höll sig till det alkoholfria alternativet.

Han slog sig ner vid bordet och Lilian följde hans exempel medan hon betraktade honom ingående. Vad hade polisen fått för sig för dumheter nu? Visste de inte att Niclas var en man värd respekt, en läkare, en framgångsrik man? Återigen förundrades hon över att hennes dotter haft en sådan tur, att hon hade gjort ett sådant kap. De var visserligen bara ungdomar när de började träffas, men Lilian hade omedelbart sett att Niclas var en man med en framtid och uppmuntrat det hela. Att sedan Niclas valde Charlotte framför alla andra flickor som sprang efter honom, ja, det tillskrev hon turen. Visserligen var hon rätt söt om hon lade manken till, Charlotte, men hon hade redan under tonåren lagt på sig några kilon för mycket och framförallt hade hon inga ambitioner. Ändå hade hon lyckats med det som Lilian önskat allra mest. Lilian hade burit svärsonens framgång som en stjärna på bröstet, men nu riskerades allt det. Hon fasade för sladderkärringarna i samhället som genast skulle börja sprida rykten om det kom ut att polisen tagit in Niclas för förhör. Alldeles rödgråten var han också, så de måste ha gått hårt åt honom.

"Nå, vad ville de?"

"De hade lite frågor bara", sa Niclas avvärjande och drack det nu nästan kalla kaffet i stora klunkar.

"Vad då för frågor?" Lilian vägrade ge sig. Skulle hon behöva löpa gatlopp när hon gav sig ut på bygden framöver, så ville hon åtminstone veta vad det gällde.

Men Niclas nonchalerade henne. Han reste sig och ställde den tomma kaffekoppen i diskmaskinen.

"Är Charlotte i källaren?"

"Hon vilar", svarade Lilian och dolde inte sin ilska över att inte få några svar.

"Jag går ner och pratar med henne."

"Vad vill du prata med henne om?" Lilian gav sig inte. Men nu hade Niclas fått nog.

"Det är mellan mig och Charlotte. Jag har redan sagt att det inte var något särskilt. Jag utgår från att jag får prata med min egen fru utan att du ska behöva informeras? Erica har nog rätt, det är dags att jag och Charlotte skaffar något eget."

Lilian ryggade tillbaka inför varje ord. Niclas hade alltid behandlat henne respektfullt och orden kändes som örfilar. Speciellt efter allt hon hade gjort för honom. För honom och Charlotte. Det orättvisa i det hela fick det att koka i henne och hon letade efter något fränt att svara, men hittade inget innan han redan hunnit halvvägs nedför trappan. Hon satte sig vid köksbordet igen. Tankarna tumlade runt i huvudet på henne. Hur kunde han tala så till henne? Hon som inte gjorde annat än såg till deras bästa. Som ständigt offrade sig och satte sina egna intressen sist. De var som iglar, sög all kraft ur henne. Lilian såg det så tydligt nu. Stig, Charlotte och nu till och med Niclas. Alla utnyttjade de henne. Tog och tog ur hennes framsträckta hand, men utan att ge något i gengäld.

Charlotte satt och tänkte på sin far. Det var märkligt, men under de åtta år som gått sedan han dog, så hade hon tänkt på honom alltmer sällan. Minnena hade blivit svaga ögonblicksbilder, med otydlig skärpa. Men sedan Sara dog mindes hon honom lika klart som om han försvunnit i går.

De hade stått varandra nära, hon och Lennart. Mycket närmare än hon och hennes mor någonsin hade gjort, och ibland hade det känts som om de hade en och samma själ. Han hade alltid kunnat få henne att skratta. Hennes mor skrattade sällan och hon kunde inte minnas ett enda tillfälle när de gjort det tillsammans. Fadern hade varit diplomaten i familjen. Ständigt medlat och försökt förklara. Förklara varför Lilian ständigt hackade på henne, varför ingenting Charlotte gjorde var gott nog. Varför hon aldrig levde upp till sin mors förväntningar. Sin far hade hon däremot aldrig gjort besviken. I hans ögon hade hon varit perfekt, det visste hon.

Det kom som en chock när han började bli sjuk. Det gick så sakta, så gradvis att det tog ett bra tag innan de ens såg att det hände. Ibland undrade Charlotte om hon hade kunnat förhindra hans död om hon varit mer uppmärksam. Sett tecknen tidigare. Men hon bodde med Niclas i Uddevalla och väntade Sara och hade varit så upptagen med sitt. När hon sedan såg att han inte mådde bra, hade hon för en gångs skull gjort gemensam sak med Lilian och grälat på honom tills han gick och undersökte sig. Men det var för sent. Efter det gick det så fort. Bara en månad senare var han död. Läkarna sa att han hade fått en sällsynt sjukdom som angrep nerverna, vilket gradvis bröt ner hans kropp. De hade sagt att det inte skulle ha hjälpt om han kommit in tidigare. Men det dåliga samvetet fanns där ändå.

Hon undrade om hon hade kunnat hålla minnet mer levande om hon hade fått mer utrymme att sörja honom. Men Lilian hade tagit upp allt det utrymme som fanns. Lagt beslag på all rättighet till sorg och krävt att hennes sorgearbete skulle få gå före alla andras. En strid ström av människor hade passerat genom deras hem veckorna efter att Lennart gick bort och för dem hade Charlotte lika gärna kunnat vara en del av inredningen. Alla kondoleanser, alla beklagande ord gick till Lilian som höll audiens likt en drottning. I de ögonblicken hade hon hatat sin mor. Det ironiska var att precis innan de fick beskedet om Lennarts sjukdom, hade hon trott att hennes far stod i begrepp att lämna Lilian. Grälandet och gnabbandet hade eskalerat och en separation verkade oundviklig. Men sedan blev Lennart sjuk och hon var tvungen att erkänna att hennes mor då hade slängt allt gammalt groll åt sidan och ägnat sig helhjärtat åt sin make. Det var bara precis efteråt som Charlotte hade fått en besk smak i munnen av moderns till synes outtömliga behov av att vara i centrum.

Men åren gick och hon lade bitterheten åt sidan. Livet innehöll för mycket annat för att hon skulle orka fokusera på att hålla liv i den. Inte heller hade hon haft tid att tänka på och minnas sin far. Så var inte längre fallet. Livet hade kommit ikapp henne, kört över henne och lämnat henne mörbultad vid vägkanten. Nu hade hon all tid i världen att tänka på den som borde ha varit här just nu. Som skulle ha vetat vad han skulle säga, som skulle ha strukit henne över håret och sagt att allt skulle bli bra. Lilian brydde sig som vanligt för mycket om sitt eget för att ta sig tid att lyssna till henne, och Niclas, ja, han var Niclas. Det korta hopp hon hade känt om att de skulle komma varandra närmare i sorgen hade släckts. Det var som om han hade stängt sig inne i en egen liten kokong. Han hade visserligen aldrig släppt in henne i sitt innersta, men nu var han som en skuggfigur som hukande smög sig in och ut ur hennes liv. Han lade huvudet på kudden bredvid hennes varje kväll, men då låg de sida vid sida, noga med att inte nudda varandra. Rädda för att en plötslig och oväntad kontakt av hud mot hud skulle fläka upp sår som borde lämnas orörda. De hade varit igenom så mycket tillsammans. Mot alla odds hade de behållit en åtminstone ytlig enhet, men nu undrade hon om de inte kommit till vägs ände.

Steg i trappan väckte henne ur de tunga tankarna. Hon tittade upp och såg Niclas. Ett ögonkast på klockan visade att det ännu var ett par timmar kvar tills han borde komma hem från jobbet.

"Hej, är du hemma redan?" sa hon förvånat och började resa sig.

"Sitt kvar, vi behöver prata", sa han. Hennes hjärta sjönk. Vad det än var han hade att säga, så var det inget bra.

Fjällbacka 1928

Livet i huset innebar inte en så stor förbättring som hon hade hoppats. Den hon var nu vägde fortfarande tyngre än den hon hade varit. Och för vart år som gick växte hennes bitterhet sig allt större och det liv hon hade levt tidigare kändes alltmer som en avlägsen dröm. Hade hon verkligen gått i fina klänningar, suttit vid flygeln på stora fester, haft kavaljerer som slogs om en dans med henne och, framförallt, kunnat äta så mycket av mat och godsaker som hon velat?

Hon hade förhört sig om sin far och till sin tillfredsställelse fått höra att han var en bruten man. Han bodde nu ensam i det stora huset och gick bara ut för att gå till sitt arbete. Agnes gladdes åt det och hyste samtidigt en liten, liten förhoppning om att han kanske skulle ta henne till nåder igen om hans liv blev tillräckligt eländigt. Men åren gick och inget hände och det hoppet kändes alltmer fåfängt.

Pojkarna var nu fyra år gamla och fullkomligt hopplösa. De sprang vilt i kvarteret, så små de var, och Agnes hade varken lust eller ork att uppfostra dem. Och Anders hade ännu längre arbetsdagar nu när han var tvungen att ta sig från samhället bort till stenbrottet. Han gick innan pojkarna vaknade och kom hem efter att de somnat. Bara på söndagarna kunde han tillbringa lite tid med dem och då var de så glada över att han var hemma att de uppförde sig som små änglar. Inga fler barn hade det blivit, det hade Agnes noga sett till. Anders hade gjort några tafatta försök att ta upp ämnet och sin vilja att få komma till hennes säng, men hon hade inte haft några svårigheter att säga nej. Den lust hon en gång känt för honom var henne helt främmande. Nu äcklade han henne bara och hon fick rysningar av att känna hans smutsiga, såriga fingrar i närheten av sin hud. Att han inte protesterade mot det långa påtvingade celibatet gjorde också att hennes förakt för honom ökade. Vad vissa skulle kalla snällhet kallade hon ryggradslöshet och det faktum att han fortfarande skötte det mesta i hemmet befäste den bilden. Ingen riktig karl tvättade sina barns kläder och gjorde sin egen matsäck och hon valde effektivt att blunda för att anledningen till att han gjorde det var att hon vägrade.

223

"Mor, Johan slog mig!" Karl kom springande där hon satt på ytter-trappen och rökte en cigarett, en ovana som hon skaffat sig de senaste åren och trotsigt bad Anders om pengar till, nästan i hopp om att han skulle protestera.

Hon betraktade kallt den gråtande pojken framför sig och blåste sedan sakta ett rökmoln i ansiktet på honom. Han började hosta och gned sig i ögonen. Han tryckte sig mot henne i ett försök att finna tröst, men som så många gånger förr vägrade hon att besvara hans ömhetsbetygelser. Det där fick Anders sköta. Han klemade nog med barnen, så hon behövde inte göra dem till morsgrisar också. Bryskt puttade hon bort honom och gav honom en dask i baken.

"Lipa inte, slå tillbaka istället", sa hon lugnt och blåste en rökpuff till upp i den klara vårluften.

Karl gav henne ett ögonkast som rymde all den sorg han kände över att åter bli avvisad, men böjde sedan huvudet och lommade iväg i rikt-ning mot sin bror.

Häromåret hade grannfrun haft mage att komma över och tala om för henne att hon borde ha bättre uppsikt över sina ungar. Hon hade sett dem leka ensamma ute på bryggan vid lastkajen. Agnes hade bara tittat tomt på den fula lilla kvinnan och sedan lugnt talat om för henne att hon skulle sköta sina egna affärer, och att med tanke på att hennes äld-sta dotter rymt till stan och enligt ryktet försörjde sig på att visa sig som Gud skapat henne så skulle hon inte komma här och tala om för Agnes hur hon skulle ta hand om sina barn. Gumman hade visat upp ett sårat ansiktsuttryck och sedan gått därifrån och mumlat något om "stackars pojkar", men hon hade inte vågat komma och knacka på igen, vilket var precis så som Agnes ville ha det.

Hon lutade sig tillbaka i vårsolen och påminde sig själv att inte njuta alltför länge av solstrålarna som kändes så sköna mot hennes ansikte. Hon ville inte bli brun i skinnet utan behålla den vita hy som var kän-netecknet för en kvinna av högre klass. Det enda hon hade kvar från sitt tidigare liv var sitt utseende och det var något hon i högsta grad utnytt-jade för att sätta lite guldkant på sin i övrigt sorgliga tillvaro. Det var för-vånansvärt hur mycket man kunde skaffa sig från handlaren mot att låta sig utlånas till ett famntag eller mer än så, bara hon fick tillräckligt i ut-byte. På så sätt hade hon kunnat skaffa hem sötsaker och extra mat, av vilket familjen inte fick någon del, och till och med en bit tyg som hon nogsamt gömt för Anders och tills vidare fick nöja sig med att gå och känna på emellanåt, och stryka mot kinden för att känna dess silkeslenhet. Slaktaren hade också kommit med små antydningar, men det fanns gränser för vad det kunde vara värt att få extra fina köttbitar. Medan handlaren var en relativt ung man med trevligt utseende som inte alls var oäven att byta kyssar med ute på lagret, så var slaktaren en fet, flottig karl i sextioårsåldern och Agnes skulle kräva betydligt mer än en bit fransyska för att låta hans korvfingrar med intorkat blod under naglarna söka sig in under kjolen.

Att folk pratade bakom ryggen på henne, det hade hon förstått. Men sedan hon insett att hon aldrig skulle kunna återfå sin tidigare status, så brydde hon sig inte längre. De fick väl prata då. Kunde hon unna sig lite av livets goda, så tänkte hon inte låta ett gäng inskränkta arbetares åsikter hindra henne från det. Och om det dessutom plågade Anders att emellanåt höra vad folk sa om hans hustru, så var det bara en fördel. I Agnes ögon var det hans fel att hon satt där hon satt och kunde hon åsamka honom smärta i någon form, så gladde det henne bara.

Men de sista veckorna hade något oroat henne. Det kändes som om något var på gång, som hon stod utanför, och hon hade ett flertal gånger kommit på Anders med att fundersamt stirra ut i luften, som om han övervägde något viktigt. Vid ett tillfälle hade hon till och med frågat honom om det var något särskilt han funderade på, men han hade bara svarat nekande, dock inte särskilt övertygande. Han höll på med något, det var hon säker på. Något som berörde henne, men som hon av någon anledning ännu inte fick veta något om. Det höll på att reta gallfeber på henne, men vid det här laget kände hon sin man tillräckligt väl för att veta att det inte var lönt att försöka få honom att avslöja något innan han var redo. Han kunde vara envis som en åsna om han satte den sidan till.

Fundersamt tog hon cigarettpaketet och reste sig för att gå in. Hon undrade slött vart pojkarna kunde ha sprungit iväg, men ryckte sedan på axlarna och tänkte att de nog redde sig. Själv tänkte hon ta sig en liten middagslur.

Eftermiddagen gick långsamt. Patrik hade tillbringat alldeles för mycket tid med att gång på gång ögna igenom Albins journaler. Han undrade om han hade fattat rätt beslut när han bestämde sig för att vänta med att koppla in de sociala myndigheterna. Men något sa honom att han måste veta mer innan han fattade ett sådant beslut. När byråkratins kvarnar väl börjat mala var det svårt att stoppa processen och han visste att både polis och läkare drog sig för att anmäla misstankar om barnmisshandel. Risken fanns alltid att det fanns en naturlig förklaring, men att ingen skulle vara beredd att lyssna på det örat efter att hjulen börjat rulla. Dessutom hade det inte inträffat några incidenter sedan familjen Klinga flyttat till Fjällbacka. Troligtvis hade situationen stabiliserats. Men säker kunde han ju inte vara och om Albin blev skadad igen visste han med sig att det skulle falla på hans ansvar.

En signal från telefonen avbröt hans svåra tankar.

"Patrik Hedström."

"Ja, hej, detta är Lars Karlfors från polisen i Göteborg."

"Ja?" sa Patrik frågande. Mannen lät som om det var meningen att han skulle veta vem han var, men han kunde inte påminna sig att han hört namnet tidigare. Ännu mindre visste han vad det kunde gälla.

"Ja, vi har ju skickat över information om ett pågående ärende till er. Det skulle komma dig tillhanda, vad jag förstod."

"Jaha?" sa Patrik, nu ännu mer frågande. "Jag kan inte på rak arm påminna mig att jag fått något ärende från Göteborg på mitt skrivbord. När skulle det ha kommit, och vad gäller det?"

"Jag tog kontakt med er för över tre veckor sedan. Jag jobbar vid roteln för sexuellt utnyttjande av barn och vi håller på att kartlägga en barnpornografiring. Under det arbetet stötte vi på en person från ert distrikt och det var därför jag tog kontakt med er."

Patrik kände sig som en idiot, men han hade inte en aning om vad mannen pratade om. "Vem fick du tala med hos oss?"

"Jaa, du var visst föräldraledig den dagen så jag blev kopplad till en ... jag ska se ..." Det lät som om han bläddrade bland sina papper. "Här har jag det. Jag fick prata med en Ernst Lundgren."

Patrik kände hur ilskan kringskar hans syn och gjorde att han fick tunnelseende. För sitt inre såg han hur han lade händerna kring Ernsts hals och sakta klämde till. Med tillkämpat lugn sa han: "Vi måste ha haft en miss i kommunikationen här på stationen. Du kanske skulle kunna ge mig den informationen nu istället, så ska jag undersöka vad det är som har hänt här sedan."

"Ja, visst kan jag göra det."

Lars Karlfors berättade i stora drag vad deras arbete gick ut på och hur de kommit att arbeta med den barnpornografiring som nu stod högst på deras agenda. När han kom till den bit där Tanumshede polisstation skulle kunna tänkas bidra med något, drog Patrik häftigt efter andan. Han tvingade sig att lyssna färdigt, lovade att de skulle ge det här högsta prioritet och avslutade med de sedvanliga artighetsfraserna. Men så fort han lagt på luren var han på fötter. Han tog sig över golvet i två stora kliv och vrålade rakt ut i korridoren: "ERNST!"

Erica satt och försökte sortera sina tankar när en knackning på dörren åter fick henne att rycka till. Hon misstänkte vem det var och gick för att öppna. Charlotte stod utanför. Hon hade inga ytterkläder på sig och såg ut att ha sprungit hela vägen hemifrån. Svetten rann från hennes panna och hon skakade okontrollerat.

"Så du ser ut", sa Erica impulsivt men ångrade snabbt ordvalet och föste in Charlotte i värmen.

"Stör jag?" frågade Charlotte ynkligt och Erica skakade häftigt på huvudet.

"Det är klart att du inte gör. Du är välkommen när som helst, det vet du."

Charlotte nickade bara och huttrade fortfarande med armarna tätt virade runt sin kropp. Håret hade klistrats mot huvudet av svetten och den fuktiga luften, och en slinga hängde ner i ögonen på henne. Hon såg ut som en genomblöt, misskött och övergiven hundvalp.

"Vill du ha lite te?" frågade Erica.

Charlotte hade något vilt i blicken, som blandades med det mörka som funnits där sedan beskedet om Sara kom. Men hon nickade tacksamt som svar på Ericas erbjudande.

"Sätt dig, så kommer jag snart", sa Erica och gick ut i köket. Hon slängde en blick på Maja i vardagsrummet, men hon verkade förnöjd med tillvaron och betraktade intresserat Charlotte när hon gick förbi.

"Det blir blött i soffan om jag sätter mig", sa Charlotte och lät som om det skulle innebära världens undergång.

"Skit i det", sa Erica. "Det torkar. Du, jag har bara smultronte, funkar det, eller tycker du att det är för sött?"

"Det går bra", sa Charlotte, och Erica misstänkte att hon skulle ha sagt samma sak om hon så erbjudits te med hästsmak.

Erica återvände snart med en bricka med två stora koppar te, en burk honung och två skedar. Hon ställde den på bordet framför soffan och slog sig ner bredvid Charlotte. Försiktigt lyfte Charlotte koppen och smuttade på teet. Erica satt tyst bredvid och gjorde likadant. Hon ville inte pressa Charlotte att prata, men hon kände nästan fysiskt hur stark längtan var hos väninnan att anförtro sig. Kanske visste hon bara inte i vilken ände hon skulle börja. Hon undrade om Niclas berättat för Charlotte att han redan varit och besökt henne. Efter ytterligare en lång stunds tystnad där Majas små jollrande läten var det enda som hördes, besvarade Charlotte den frågan.

"Jag vet att han varit här. Han berättade det. Så du vet redan. Att han har haft en annan. Igen, borde jag kanske tillägga." Ett bittert litet skratt undslapp Charlotte och tårarna som legat där och väntat bröt äntligen fram.

"Ja, jag vet", sa Erica. Hon visste också vad väninnan menade med igen. Charlotte hade berättat för henne om Niclas återkommande affärer. Men också att hon trodde att de nu upphört i och med att de bestämt sig för att börja om i Fjällbacka. Han hade lovat att det skulle bli en ny start även i det avseendet.

"Han har träffat henne i flera månader. Kan du fatta det? I flera månader. Här, i Fjällbacka. Utan att någon kommit på dem. Han måste ha haft sådan otrolig jävla tur." Skrattet hade nu en anstrykning av hysteri och Erica lade en lugnande hand på Charlottes ben.

"Vem är det?" sa Erica stilla.

"Sa inte Niclas det till dig?" frågade Charlotte.

Erica skakade på huvudet, så Charlotte besvarade frågan.

"Någon jävla brutta på tjugofem år. Jag vet inte vem hon är. Jeanette någonting." Charlotte viftade avvärjande med handen. Hon hade varit med förr. Vem tjejen var betydde inte så mycket för henne. Föremålen hade växlat, det var Niclas svek som var det som räknades.

"Så mycket skit som jag tagit genom åren. Så många gånger jag har

228

förlåtit och hoppats och sagt att jag glömt och lovat att vi ska gå vidare. Och den här gången skulle det verkligen bli annorlunda. Vi skulle komma bort från allt det där som hade hänt, vi skulle byta miljö, bli nya människor, antar jag." Sedan kom det där olycksbådande skrattet igen. Men tårarna fortsatte samtidigt att trilla.

"Jag är så otroligt ledsen, Charlotte." Erica strök henne över ryggen.

"Vi har så många år tillsammans. Vi har fått två barn, vi har tagit oss igenom mer än någon annan kan föreställa sig, vi har förlorat ett barn, och så kommer det här."

"Varför berättade han det nu?" sa Erica och smuttade lite på sitt te.

"Sa han inte det?" frågade Charlotte förvånat. "Du kommer inte att tro det här. Men han berättade det på grund av att polisen hämtade honom till förhör i dag."

"Gjorde de?" sa Erica. Inte för att Patrik berättade allt han gjorde för henne, men hon hade inte fått några signaler om att de var extra intresserade av Niclas. "Varför det?"

"Han visste inte riktigt, sa han. Men de hade fått reda på hans affär med den här tjejen och det kanske gjorde att de ville kolla upp honom. Men det är utrett nu, sa han. De vet att han aldrig skulle göra illa sin egen dotter och ville nog bara få svar på en del frågor."

"Är du säker på att det bara var därför?" Erica kunde inte hejda sin fråga. Hon visste tillräckligt om Patriks jobb för att tycka att det kändes som en lite tunn förklaring till att ta in någon till förhör. Särskilt offrets pappa. Samtidigt började hon ifrågasätta Niclas motiv till att besöka henne. Hon var trots allt inte bara väninna till hans fru, hon var också tillsammans med den polis som var ansvarig för utredningen.

Charlotte såg förvirrad ut. "Ja, det var vad han sa i alla fall. Men det var något som ..."

"Ja?"

"Äsch, jag vet inte, men det kändes faktiskt som om han inte talade om allt, nu när du säger det. Men när han berättade det, var jag så fokuserad på det han sa om sin älskarinna att jag nog var både blind och döv för allt annat."

Charlotte lät så bitter och Erica ville ta henne i famnen och vagga henne som ett barn. Men hon kände sig alltid lite obekväm när hon blev för fysisk med andra människor, så hon nöjde sig med att fortsätta stryka Charlotte över ryggen.

"Du har ingen aning om vad det skulle kunna finnas för andra skäl?"

229

Inbillade hon sig eller drog det plötsligt en mörk hinna över Charlottes ansikte? Men den försvann så fort att hon kände sig osäker.

Charlottes svar kom åtminstone snabbt och säkert: "Nej, jag har ingen aning om vad det skulle kunna vara." Sedan tystnade hon och tog en liten klunk av teet. Hon var lugnare än när hon kom och grät inte längre. Men ansiktsuttrycket var bistert och om ett krossat hjärta kunde synas utanpå så gjorde det det hos Charlotte i detta ögonblick.

"Hur blev du och Niclas tillsammans, från början?" sa Erica, mer av egen nyfikenhet än i något terapeutiskt syfte.

"Oj, det är en soppa, ska jag säga." För första gången sedan hon kom lät skrattet nästan äkta.

"Han gick klassen över mig i gymnasiet. Jag hade egentligen inte lagt så mycket märke till honom, utan var kär i en kompis till honom, men av någon anledning så fattade Niclas intresse för mig och började visa det och så sakteliga blev jag intresserad av honom. Vi blev ihop och det höll väl någon månad eller två, sedan ledsnade faktiskt jag."

"Du gjorde slut med honom?"

"Låt inte så förvånad, jag kan bli förolämpad." Hon skrattade och Erica instämde i skrattet.

"Tyvärr höll jag inte fast vid det beslutet mer än ett par månader. Sedan trillade jag dit en kväll igen, och så var karusellen igång. Den här gången var vi tillsammans hela sommaren, sedan åkte han iväg på suparresa med sina polare. När han kom hem drog han först en historia om att jag kanske skulle få höra av de andra att han försvann sista kvällen, men förklaringen till det var att han druckit lite för mycket och somnat bakom en bar. Den förklaringen höll inte särskilt länge och när sanningen kröp fram så var det slut för andra gången. Efter det så var jag ärligt talat rätt lättad över att ha kommit undan med blotta förskräckelsen och några få tårar. Niclas började gå fram bland tjejerna i Uddevalla som om varje dag var hans sista och du skulle inte tro en del av de historier som jag fick höra. Skam till sägandes hände det väl vid något enstaka tillfälle att jag själv var svagare i köttet än i anden, men de incidenterna lämnade en rätt bitter eftersmak. Och så här i efterhand hade kanske det bästa varit om historien tog slut där och Niclas förblev ett simpelt tonårsmisstag, men trots att jag föraktade så mycket av det han gjorde och den han blivit, så fanns han länge där i bakhuvudet. Och ett par år senare träffades vi av en slump ute och ja, resten är historia. Så det låter som om jag borde ha vetat vad jag gav mig in på, eller hur?"

230

"Människor förändras ju vanligtvis. Att han uppförde sig på ett sätt under tonåren innebar inte att du automatiskt kunde förutsätta att han skulle bedra dig som vuxen. De flesta människor mognar ju med åren."

"Tydligen inte Niclas", sa Charlotte och lät åter bitterheten ta över. "Samtidigt kan jag bara inte hata honom. Vi har varit igenom så mycket tillsammans och ibland får jag se små glimtar av hur han egentligen är. Vid några tillfällen har jag sett honom sårbar och öppen och det är de tillfällena som jag älskar honom för. Jag vet ju också allt om hur han hade det hemma och det där som hände med hans pappa när han var sjutton, så det har jag väl sett som en förmildrande omständighet på något sätt. Samtidigt är det svårt att förstå att han är kapabel att göra mig så illa."

"Vad ska du göra nu?" sa Erica. Hon kastade en blick på Maja och trodde inte sina ögon när hon såg att dottern somnat för sig själv i babysittern. Det hade aldrig tidigare hänt.

"Jag vet inte. Jag orkar inte ta tag i det här nu. Och på ett sätt känns det som om det kvittar. Sara är död och inget Niclas kan göra eller säga gör tillnärmelsevis lika ont som det. Niclas vill att vi ska börja om på nytt, hitta något eget och flytta ifrån mamma och Stig så fort det bara går. Men jag vet varken ut eller in för tillfället…"

Hon sänkte huvudet. Sedan reste hon sig abrupt.

"Jag måste gå hem nu. Mamma har redan haft Albin större delen av dagen. Tack för att jag fick prata av mig en stund."

"Du är alltid välkommen, det vet du."

"Tack." Erica fick en hastig kram och sedan försvann Charlotte lika fort som hon kommit.

Med dröjande steg gick Erica tillbaka in i vardagsrummet. Förundrat stannade hon framför babysittern och betraktade den sovande dottern. Det kanske fanns hopp om livet ändå. Tyvärr visste hon inte om Charlotte kunde säga detsamma.

Han hade kommit till sin favoritdel av dataspelet som han jobbade med. Den då första hugget med svärdet föll. Huvuden rullade och enligt manuset skulle det finnas gott om extrema effekter. Fingrarna sprang snabbt över tangentbordet och på skärmen växte scenen fram med blixtens hastighet. Morgan beundrade och avundades verkligen dem som kunde skriva ihop historierna som det sedan var hans jobb att omvandla till virtuell verklighet. Om det var något han saknade i sitt liv, så var det den där fantasin som andra människor hade, som sprängde alla gränser och flödade fritt. Visst hade han försökt. Ibland hade han tvingats att försöka också. Uppsatsskrivningarna i skolan, till exempel. De hade varit en mardröm. Ibland hade de fått ett ämne, ibland hade de bara fått en bild, och utifrån det förväntades de spinna ett helt nät av händelser och personer. Han hade aldrig kommit längre än till första meningen. Sedan var det som om hans hjärna fullkomligt släckte ner all verksamhet. Det blev blankt. Pappret låg tomt framför honom och fullkomligt skrek efter ord att fyllas med, men inget kom. Lärarna hade skällt på honom. Åtminstone tills morsan hade kommit och snackat med dem, efter att de fått diagnosen. Sedan hade de bara betraktat hans försök med nyfikna ögon, iakttagit honom som om han var ett främmande väsen. De visste inte hur rätt de hade. Det var så han själv kände sig där han satt i skolbänken, med pappret framför sig och ljudet från klasskamraternas raspande pennor runt omkring. Ett främmande väsen.

När han hittat till datorernas värld hade han för första gången känt sig hemma någonstans. Det var något som kom lätt för honom, som han behärskade. Det verkade som om den udda pusselbit som var han, Morgan, äntligen hade hittat en annan pusselbit som den passade ihop med.

När han var yngre hade han lika maniskt gått in för att lära sig allt om kodspråk. Han hade läst allt han kommit över om ämnet och kunde rabbla upp sin kunskap i timmar. Det var något med siffrorna och bokstäverna som användes i snillrika kombinationer som hade tilltalat honom. Men när intresset för datorer kom hade han från en dag till en annan helt tappat fascinationen för koder. Fast kunskapen fanns fortfarande där och han kunde när som helst plocka fram allt han någonsin lärt sig i ämnet. Det var bara inte intressant längre.

Blodet som rann längs svärdets egg fick honom att tänka på flickan igen. Han undrade om blodet hade stelnat i henne nu när hon var död. Om det bara var en enda kompakt massa som låg i hennes ådror. Kanske hade det också blivit så där brunt som gammalt blod kunde bli, det hade han sett en av de gånger han på prov skurit sig i handlederna. Fascinerat hade han stirrat på blodet som sipprade fram men som hade saktat ner sitt flöde efterhand, stelnat och börjat ändra färg.

Hans mor hade blivit förskräckt när hon kom in till honom den gången. Han hade försökt förklara att han bara ville se hur det var att dö, men hon hade utan att svara tvingat in honom i bilen och kört honom till läkarstationen. Fast egentligen hade det inte behövts. Det gjorde ont att skära, så han hade inte skurit tillräckligt djupt och blodet hade ju redan stelnat. Men hysterisk hade hon blivit ändå.

Morgan förstod inte varför döden verkade vara ett så otäckt begrepp för de normala människorna. Det var ju bara ett tillstånd, precis som det var att leva. Och ibland föreföll honom döden som oerhört mycket mer lockande än livet. Så ibland avundades han flickan. Nu visste hon. Visste gåtans lösning.

Han tvingade sig att koncentrera sig på spelet igen. Ibland kunde tankar om döden få flera timmar att försvinna utan att han märkte det. Det sabbade hans schema.

Sammanbiten satt Ernst framför honom. Han vägrade att möta Patriks blick och studerade istället sina oputsade skor.

"Svara då!" skrek Patrik. "Fick du ett samtal från Göteborg om barnpornografi?"

"Ja", svarade Ernst buttert.

"Och varför har det inte kommit till vår kännedom?"

En lång tystnad följde.

"Jag upprepar", sa Patrik, med olycksbådande låg röst, "varför har du inte rapporterat det till oss?"

"Jag trodde inte att det var så viktigt", sa Ernst undanglidande.

"Trodde inte att det var så viktigt!" Patriks röst var iskall och han slog knytnäven så hårt mot skrivbordsskivan att tangentbordet hoppade.

"Nej", sa Ernst.

"Och varför inte det?"

"Nja, det var så mycket annat just då … Och det kändes lite osannolikt, jag menar, det är ju sådant där de sysslar med i storstäderna."

"Prata inte strunt", sa Patrik utan att kunna dölja sitt förakt. Han hade inte brytt sig om att sätta sig på stolen utan stod upptornad bakom skrivbordet. Ilskan fick honom att se en decimeter längre ut. "Du vet mycket väl att barnpornografi inte är beroende av geografi. Det förekommer lika gärna på små orter. Så sluta nu snacka skit och tala om den egentliga anledningen för mig. Och tro mig, om det är som jag anar, så kommer du att ligga jävligt illa till!"

Ernst tittade upp från skorna och blängde trotsigt på Patrik, men han visste när det var dags att lägga korten på bordet.

"Jag tyckte inte att det lät sannolikt bara. Jag menar, jag känner ju snubben och det verkade bara inte vara något som han skulle pyssla med.

233

Så jag tänkte att snutarna i Göteborg säkert gjort något misstag och nu skulle någon oskyldig få sota för det om jag rapporterade det vidare. Du vet ju själv hur det är", sa han och blängde på Patrik, "det skulle inte spela någon roll om de ringde igen efter ett tag och sa: 'Öh, ursäkta, men det har blivit något fel här och ni kan glömma det där namnet vi gav er', han skulle ju vara rökt ändå här i bygden. Så jag tänkte att jag väntar ett tag och ser vad som händer."

"Du väntar ett tag och ser vad som händer!" Patrik var så rasande att han fick tvinga sig att artikulera för att inte börja stamma.

"Ja, jag menar, du måste själv hålla med om det orimliga i det här. Han är ju känd för allt jobb han gör med ungdomarna. Han gör en massa bra grejer, ska jag säga dig."

"Jag skiter i vad han gör för bra grejer! Om kollegorna i Göteborg ringer och säger att hans namn dykt upp i en utredning om barnpornografi, så kollar vi upp det. Det är vårt jobb, för fan! Och om ni är dödspolare ..."

"Vi är inte dödspolare", mumlade Ernst.

"... eller bekanta eller vad fan som helst, så saknar det betydelse, fattar du inte det! Du kan inte sitta och göra bedömningar av vad som ska utredas eller inte beroende på vem du känner eller inte känner!"

"Efter så många år i yrket som jag har ..." Ernst hann inte fortsätta meningen, utan Patrik avbröt honom.

"Efter så många år i yrket borde du tamejfan veta bättre! Och du tänkte inte på att säga något när hans namn dök upp i en mordutredning? Borde inte åtminstone det ha varit ett bra läge att informera oss. Va?"

Ernst hade återgått till att studera sina skor och brydde sig inte om att försöka gå i svaromål. Patrik suckade och satte sig ner. Han knäppte händerna och studerade Ernst allvarligt.

"Ja, det är inte mycket vi kan göra åt det nu. Vi har fått alla uppgifterna från Göteborg och kommer att hämta in honom till förhör, och vi har även fått tillstånd att genomföra en husrannsakan. Du kan be på dina bara knän att han inte har fått reda på något och hunnit städa undan allt. Och Mellberg är underrättad och kommer säkert att vilja ta ett snack med dig."

Ernst sa inte ett ord när han reste sig ur stolen. Han visste att han troligtvis hade begått den största tabben i hela sin karriär. Och i hans fall sa det inte lite ...

"Mamma, om man har lovat att hålla en hemlighet, hur länge måste man hålla den då?"

"Jag vet inte", svarade Veronika. "Egentligen ska man väl inte berätta en hemlighet alls, eller hur?"

"Hmmm", sa Frida och ritade cirklar i yoghurten med skeden.

"Håll inte på så där med maten", sa Veronika och torkade med irriterade rörelser av diskbänken. Sedan stannade hon till mitt i en rörelse och vände sig mot dottern.

"Varför frågar du det, förresten?"

"Vet inte", sa Frida och ryckte på axlarna.

"Det vet du visst. Berätta nu, varför frågar du det?" Veronika satte sig på en av köksstolarna bredvid dottern och betraktade henne fundersamt.

"Om man inte alls kan berätta en hemlighet, så kan jag ju inte säga något, eller hur? Men ..."

"Vad då, men?" Veronika lirkade försiktigt med henne.

"Men om någon som man lovat något är död, måste man hålla löftet då också? Tänk om man säger något och så kommer den som är död tillbaka och blir jättearg."

"Gumman, är det Sara som fick dig att lova att hålla något hemligt?"

Frida fortsatte rita cirklar i sin skål med yoghurt.

"Vi har pratat om det förut, och du måste tro mig när jag säger att jag är jätteledsen, men Sara kommer aldrig tillbaka. Sara är i himlen och hon kommer att stanna där, alltid, alltid."

"Alltid, alltid, i evigheters evigheter? Tusen miljoners miljoner år?"

"Ja. Tusen miljoners miljoner år. Och vad gäller hemligheten så skulle Sara säkert inte bli arg om du bara berättade det för mig."

"Är du säker?" Frida tittade oroligt upp mot den grå himlen hon såg genom köksfönstret.

"Jag är helt säker." Veronika lade en lugnande hand på dotterns arm.

Efter en stunds tankfull tystnad då Frida uppenbarligen begrundade det mamman sagt sa hon tvekande: "Sara var jätterädd. Det var en otäck farbror som skrämde henne."

"En otäck farbror? När då?" Veronika väntade spänt på dotterns svar.

"Dagen innan hon for till himlen."

"Är du säker på att det var då?"

Ilsken över att bli ifrågasatt rynkade Frida ögonbrynen. "Jaa, jag är säker. Jag kan alla veckodagarna ju. Jag är ingen bebis."

235

"Nej, nej, jag vet, du är en stor tjej, det är klart att du vet vilken dag det var", sa Veronika lugnande.

Försiktigt försökte hon locka fram mer information. Frida surade fortfarande över misstroendet, men lockelsen att dela med sig av hemligheten var för stark.

"Sara sa att farbrorn var jätteläskig. Han kom och pratade med henne när hon lekte nere vid vattnet och han var elak."

"Sa Sara hur han var elak?"

"Mmm", sa Frida och ansåg sig med det ha besvarat moderns fråga.

Tålmodigt fortsatte Veronika. "Vad sa hon då? På vilket sätt var han elak?"

"Han tog henne i armen så det gjorde ont. Så här, sa hon." Frida visade genom att med högerhanden ta ett hårt grepp om sin vänstra överarm. "Och sedan sa han dumma saker också."

"Vad då för dumma saker?"

"Sara förstod inte allt. Hon sa bara att hon förstod att det var taskigt. Något om Gävles föda eller något sådant."

"Gävles föda?" sa Veronika och såg ut som ett levande frågetecken.

"Ja, jag sa ju att det var konstigt och att hon inte förstod. Men det var elakt, det sa hon. Och han pratade inte som vanligt med henne, utan han skrek åt henne. Jättehögt. Så hon fick ont i öronen." Nu visade Frida genom att hålla händerna för sina öron.

Varsamt lyfte Veronika bort hennes händer och sa: "Vet du, det här kan nog inte vara en hemlighet som du bara berättar för mig."

"Men du sa ju ..." Fridas röst blev upprörd och hennes blick sökte sig återigen oroligt till den grå himlen utanför.

"Jag vet att jag sa så, men vet du vad, jag tror faktiskt att Sara skulle vilja att du berättade den här hemligheten för polisen."

"Varför det?" sa Frida, fortfarande med oro i blicken.

"För att när någon dör och åker till himlen, så vill polisen veta den personens alla hemligheter. Och de personerna brukar vilja att polisen ska få veta deras hemligheter. Och det är polisens jobb att ta reda på allt."

"Ska de veta alla hemligheter?" sa Frida förundrat. "Måste jag berätta om den gången jag inte ville äta upp smörgåsen och gömde den i soffan också?"

Veronika kunde inte låta bli att dra på munnen. "Nej, den hemligheten tror jag inte polisen behöver veta."

"Nej, inte nu när jag lever, nej, men om jag dog, skulle du behöva berätta det för dem då?"

Leendet försvann från Veronikas ansikte. Hon skakade häftigt på huvudet. Samtalet hade tagit en alldeles för obehaglig vändning. Lågmält sa hon, medan hon sakta strök dottern över det ljusa håret: "Det behöver du inte fundera på, för du ska inte dö."

"Hur vet du det, mamma?" sa Frida nyfiket.

"Det vet jag bara." Veronika reste sig häftigt från stolen och med hjärtat hopsnörpt så hårt att hon fick svårt att andas, gick hon ut i hallen. Utan att vända sig om, så att dottern inte skulle se tårarna, ropade hon med en röst som blev onödigt barsk: "Klä på dig ytterkläderna. Vi åker och pratar med polisen med detsamma."

Frida lydde. Men när de gick ut till bilen hukade hon sig omedvetet under den gråa, tunga himlen. Hon hoppades att mamma hade rätt. Hon hoppades att Sara inte skulle bli arg.

Fjällbacka 1928

Kärleksfullt klädde han pojkarna och kammade deras hår. Det var söndag och han skulle ta med pojkarna ut på promenad i solskenet. Det var svårt att få på dem kläderna, då de hoppade upp och ner av glädje över att få gå ut tillsammans med sin far, men till slut var de klädda och färdiga att ge sig iväg. Agnes svarade inte när pojkarna ropade adjö åt henne, och det skar i hjärtat på honom att åter se den törstande, besvikna blicken i deras ögon när de tittade på sin mor. Även om hon inte förstod det, så längtade de efter henne. Längtade efter hennes lukt i näsborrarna och känslan av hennes armar runt dem. Att hon förstod men förvägrade dem det med vilje var en möjlighet han inte ens ville föreställa sig, men det var en tanke som ändå trängde sig på allt oftare. Nu när pojkarna hade hunnit bli fyra år gamla, kunde han bara konstatera att det var något onaturligt över hennes sätt att förhålla sig till dem. I början hade han trott att det berodde på den svåra upplevelsen när sönerna föddes, men åren gick och hon verkade fortfarande inte ha knutit an till dem.

Själv kände han sig aldrig så rik som när han vandrade iväg nedför backen, med en liten barnnäve i ett fast grepp i var hand. De var fortfarande så små att de hellre skuttade än gick, och ibland fick han småspringa för att hinna med dem, trots att hans ben var så mycket längre än deras. Folk log och lyfte på hatten när de kom skuttande längs med huvudgatan. Han visste att de utgjorde en anslående syn – han, lång och stor i sina bästa söndagskläder, och pojkarna, också de så fint klädda som stenhuggarsöner någonsin kunde vara och med sina identiska blonda kalufser som hade precis samma nyans som hans eget hår. De hade till och med fått hans bruna ögon. Anders fick ofta höra hur lika de var honom, och han pöste av stolthet var gång. Ibland tillät han sig en suck av tacksamhet över att de inte verkade ta efter Agnes i något, vare sig till utseende eller sätt. Han hade genom åren märkt en hårdhet hos henne, som han innerligt hoppades att barnen inte skulle ärva.

När han passerade handlaren skyndade han på stegen och undvek noga att titta ditåt. Visserligen var han tvungen att gå dit då och då för att inhandla de förnödenheter som de behövde, men eftersom han hade hört vad folk pratade försökte han begränsa besöken så mycket det gick. Om han bara hade trott att det inte låg någon sanningshalt i kärringpratet, så skulle han nog ha kunnat gå in där med högburet huvud, men det värsta var att han inte tvivlade ett ögonblick på det. Och om han hade tvivlat så skulle handlarens överlägsna leende och fräcka tonfall ha varit nog för att övertyga honom. Ibland undrade han var gränsen gick för vad han skulle behöva stå ut med, och hade det inte varit för pojkarna så skulle han ha tagit sitt pick och pack för länge sedan. Men de gjorde att han var tvungen att hitta en annan utväg än att lämna henne, och han trodde att han hade hittat den vägen. Anders hade en plan och det hade krävts ett år av hårt arbete för att genomföra den, men nu var han nära. Om bara några sista bitar föll på plats skulle han kunna erbjuda sin familj en ny början, en chans att vända allt rätt, och kanske hade han då möjlighet att ge Agnes mer av det hon längtade efter så att det svarta som växte sig allt större i bröstet på henne försvann. Han tyckte sig redan se hur det nya livet skulle kunna se ut. Han, Agnes och pojkarna, tillsammans i ett liv som erbjöd så mycket mer än det här.

Han kramade pojkarnas händer extra hårt och log mot dem när de frågande lutade sina huvuden långt tillbaka för att kunna titta på honom. ”Far, skulle vi kunna få en kola?” sa Johan i hopp om att faderns uppenbart goda humör skulle göra honom välvilligt inställd till en sådan förfrågan. Han fick rätt, Anders nickade jakande efter en stunds fundering och pojkarna jublade och hoppade upp och ner i förväntan. Inköp av kola skulle visserligen innebära ett besök hos handlaren, men det fick det vara värt. Snart skulle han slippa allt det där.

Gösta satt och hukade inne på sitt rum. Stämningen hade varit minst sagt tryckt sedan Ernst fadäs hade kommit fram i ljuset. Han skakade på huvudet för sig själv där han satt. Nog för att kollegan hittat på både det ena och det andra genom åren, men den här gången hade han överskridit alla gränser för hur en polis borde bedriva sitt arbete. Och för första gången trodde Gösta att Ernst faktiskt kunde få gå på grund av sitt misstag. Inte ens Mellberg kunde väl hålla honom om ryggen efter det här.

Missmodigt tittade han ut genom fönstret. Det här var den årstid han avskydde mest av allt. Den var till och med värre än vintern. För han hade fortfarande sommaren i färskt minne och han kunde ännu rabbla scoren på i princip varenda golfrunda han spelat. Framåt vintern brukade åtminstone en barmhärtig glömska börja rulla in, då han ibland undrade om han verkligen hade gjort de där perfekta utslagen, eller om det bara var en härlig dröm.

En ringsignal störde hans dagdrömmar.

"Gösta Flygare."

"Hej, Gösta, det är Annika. Du, jag har Pedersen på tråden här, han söker Patrik, men Patrik är ju lite svår att få tag på nu. Kan du prata med honom?"

"Javisst, koppla in honom." Han väntade några sekunder och hörde hur det klickade på linjen. Sedan hördes rättsläkarens stämma.

"Hallå?"

"Ja, jag är här. Det är Gösta Flygare."

"Ja, jag hörde att Patrik var ute på jobb. Men du arbetar också med utredningen av mordet på flickan, eller hur?"

"Ja, det gör vi allihop på stationen, i större eller mindre omfattning."

"Bra, då kan väl du ta emot de uppgifter vi har fått in, men det är viktigt att allt vidarebefordras till Hedström."

Gösta undrade för en sekund om Pedersen hade hört talas om Ernsts miss, men insåg sedan att det var omöjligt. Han ville väl bara understryka att den som var ansvarig för utredningen skulle få alla uppgifter. Och Gösta tänkte då rakt inte göra om Lundgrens misstag, det var en sak som var säker. Hedström skulle få reda på minsta harkling.

"Jag ska ta noggranna anteckningar och ni faxar väl också som vanligt?"

"Ja, självklart", sa Pedersen. "Det är så att vi redan har hunnit få analysen av askan klar. Alltså den aska som flickan hade i magsäck och lungor."

"Ja, jag är bekant med detaljerna", sa Gösta som inte kunde dölja att en viss irritation smög sig in i svaret. Trodde Pedersen att han bara var någon jävla smörgåsnisse på stationen, eller?

Om han hörde irritationen så ignorerade Pedersen den och fortsatte lugnt: "Ja, vi har fått reda på en del intressanta saker. För det första så är askan inte direkt färsk. Innehållet i den, eller åtminstone vissa delar, skulle kunna karakteriseras som", han tvekade, "ganska gammalt."

"Ganska gammalt", sa Gösta, fortfarande lätt vresigt. Men han kunde heller inte förneka att en viss nyfikenhet infunnit sig. "Vad innebär 'ganska gammalt'? Pratar vi stenålder, eller det glada sextiotalet?"

"Nja, det är det som är kruxet. Det är enligt SKL oerhört svårt att fastställa. Den bästa uppskattning jag har kunnat få är att askan är någonstans mellan femtio och hundra år gammal."

"Hundra år gammal aska?" sa Gösta förbluffat.

"Ja, eller femtio. Eller någonstans där emellan. Och det var inte det enda som de fann anmärkningsvärt. Det fanns också fina stenpartiklar kvar i askan. Närmare bestämt granit."

"Granit? Var fan är askan ifrån då? Det är knappast en bit granit som brunnit, eller hur?"

"Nej, sten brinner som bekant inte. Stenen måste ha varit i fina partiklar redan från början. Själva materialet håller de fortfarande på att analysera för att kunna säga något mer bestämt. Men..."

Gösta hörde att något stort var på gång. "Ja?" sa han uppfordrande.

"Det de kan säga så här långt är att det verkar vara en blandning. De har funnit rester av trä blandat med...", han gjorde en paus men fortsatte sedan, "biologiska rester."

"Biologiska rester? Säger du vad jag tror att du säger? Är det aska från en människa?"

"Nja, det är det som vidare analyser måste visa. Det går ännu inte att bestämma om det är mänskligt eller kvarlevor från något djur. Och det är tydligen inte säkert att det går att bestämma det, men SKL skulle försöka få fram mer. Och det är som sagt i vilket fall som helst uppblandat med annat: trä och, som jag nämnde, granit."

"Se på fan", sa Gösta. "Och någon har alltså sparat den här gamla askan."

"Ja, eller hittat någonstans."

"Ja, det är sant, så kan det ju också vara."

"Så nu har ni lite att gräva i", sa Pedersen torrt. "Förhoppningsvis kan vi inom ett par dagar få reda på mer, till exempel om det är mänskliga kvarlevor i askan. Men till dess räcker väl det här en bit."

"Ja, det gör nog det", sa Gösta och såg redan kollegornas miner framför sig när han berättade vad han hade fått reda på. Informationen var sprängstoff. Frågan var bara hur i all sin dar de skulle jobba vidare med den.

Dröjande lade han på luren och gick till faxen. Det som snurrade mest i hans huvud var granitpartiklarna som Pedersen talat om. De borde ge honom en ledtråd.

Men tanken gled undan.

Asta stånkade när hon reste sig upp. Det gamla trägolvet hade lagts när huset byggdes och tålde inget annat än rengöring med såpa. Men inte blev det lättare med åren att lägga sig på knä och skrubba. Fast ett tag till skulle väl den gamla kroppen hålla.

Hon tittade sig runt i huset. I fyrtio år hade hon bott här. Hon och Arne. Innan dess hade han bott här med sina föräldrar och de första åren hade svärföräldrarna bott kvar hos dem, innan de båda hastigt gick bort med några månaders mellanrum. Hon skämdes för att hon ens tänkte det, men de där åren hade varit svåra. Arnes far hade varit barsk som en general och hans mor hade inte stått långt efter. Arne hade aldrig pratat med henne om det, men hon förstod av förflugna kommentarer att han hade fått mycket stryk när han var liten. Kanske var det därför han hade varit så hård mot Niclas. Den som tror sig älskas med piska, älskar nog också med piskan när den dagen kommer. Fast i Arnes fall hade det förstås varit bältet. Det stora bruna som alltid hängde på insidan av skafferidörren och som användes var gång sonen hade gjort något som inte föll honom i smaken. Men vem var hon att ifrågasätta hur Arne hade uppfostrat deras son? Visst hade det krossat hennes hjärta att höra sonens kvävda skrik av smärta, och nog hade hon torkat hans tårar med öm hand när plågan var över, men Arne hade ju alltid vetat bäst.

Med möda klev hon upp på en av köksstolarna och tog ner gardinerna. Det syntes ingen smuts på dem än, men som Arne alltid sa, har något hunnit bli smutsigt skulle det redan ha tvättats för länge sedan. Hon stannade mitt i rörelsen, med händerna ovanför huvudet, just då hon stod i begrepp att lyfta av gardinstången. Visst hade hon gjort samma sak den där förfärliga dagen? Jo, det trodde hon bestämt. Hon hade stått och bytt gardiner när hon hört höjda röster utifrån trädgården. Hon var visserligen van att höra Arnes vredgade röst, men det ovanliga var att även Niclas hade höjt rösten. Det ofattbara i det och dess möjliga konsekvenser gjorde att hon skyndsamt hade hoppat ner från stolen och sprungit ut i trädgården. Mittemot varandra hade de stått. Som två kombattanter. Rösterna som inifrån huset låtit högljudda ekade nu smärtsamt mot hennes trumhinnor. Oförmögen att hejda sig hade hon sprungit fram och tagit Arne i armen.

"Vad är det som står på?" Hon hade själv hört hur desperat hennes röst lät. Och så fort hon hade tagit det där taget om Arnes arm visste hon att det var fel sak att göra. Han hade tystnat och vänt sig mot henne med ögon som var fullkomligt tömda på känslor. Sedan höjde han handen och gav henne en örfil. Tystnaden som följde hade varit olycksbådande. De hade stått fullständigt stilla. Som en trehövdad staty av sten. Sedan hade hon som i slow motion sett hur Niclas arm drogs tillbaka, näven knöts och handen for ut i riktning mot hans fars ansikte. Ljudet av knytnäven som träffade Arnes ansikte hade abrupt brutit den märkliga tystnaden och åter satt allt i rörelse. Arne tog sig klentroget för ansiktet och betraktade häpet sonen. Sedan såg hon hur armen drogs tillbaka igen och for ut mot Arne igen. Efter det var det som om den inte kunde sluta. Niclas rörde sig som en robot, armen tillbaka, armen ut, armen tillbaka, armen ut. Arne tog emot slagen utan att verka förstå vad det var som hände. Till slut gav benen vika under honom och han föll ner på knä. Niclas andhämtning var tung och ansträngd. Han betraktade sin far, på knä framför honom, med blod rinnande ur ena näsborren. Sedan vände han om och sprang.

Det var efter den dagen som hon inte fick nämna Niclas namn igen. Han hade varit sjutton år.

Asta klev försiktigt ner från stolen med gardinerna i famnen. På sistone hade hon fått så många oroande tankar, och det var nog ingen slump att minnena från den där dagen trängde sig på just nu. Flickans död hade rivit upp så många känslor, så mycket som hon försökt glömma genom åren. En insikt om hur mycket hon hade förlorat på grund av Arnes envisa orubblighet hade kommit smygande och väckte saker som bara skulle göra livet besvärligt för henne. Men redan när hon gick och besökte sonen på läkarstationen hade hon börjat ifrågasätta mycket av det hon tagit för givet genom åren. Kanske Arne ändå inte visste allt. Kanske Arne inte var den som nödvändigtvis skulle bestämma hur allt skulle vara, även för henne. Kanske kunde hon själv börja fatta egna beslut om sitt liv. Tankarna oroade henne och hon sköt bort dem tills vidare. Nu hade hon gardiner att tvätta.

Patrik knackade på med en myndig rörelse. Han fick redan nu arbeta på att hålla sitt ansikte neutralt. Men inom sig kände han hur motviljan fullkomligt vällde upp och gav honom en äcklig smak i munnen. Det här var det lägsta av det lägsta. Den vidrigaste typ av människor han kunde föreställa sig. Enda trösten, vilket var något han aldrig skulle säga högt, var att när de väl hamnade bakom lås och bom, så fick de det inte lätt bakom murarna. Pedofilerna stod längst ner på rangskalan och behandlades därefter. Med rätta.

Han hörde steg som närmade sig och tog ett steg tillbaka. Martin rörde sig spänt bredvid honom och bakom dem fanns några kollegor från Uddevalla. Bland annat några som besatt ovärderlig expertis i de här fallen, de datakunniga.

Dörren öppnades och Kajs magra gestalt blev synlig. Han var som alltid korrekt klädd och Patrik undrade om han inte ägde några myskläder. Själv kröp han alltid i ett par slitna joggingbrallor och en myströja det första han gjorde när han kom hem.

"Vad är det om nu då?" Kaj stack ut huvudet genom dörren och rynkade ögonbrynen när han såg två polisbilar parkerade på hans uppfart. "Ska det vara nödvändigt att skylta med att ni är här på det här viset? Nu lär kärringen sitta där inne och gnugga händerna. Har ni något att fråga om hade ni väl bara kunnat lyfta luren, eller åtminstone bara skickat hit någon istället för ett helt uppbåd!"

Patrik betraktade honom fundersamt och undrade om han verkligen kände sig så säker att ett antal uniformerade poliser utanför hans dörr inte väckte några tankar om att ha blivit avslöjad, eller om han helt enkelt spelade väl. Nåja, det skulle snart visa sig.

"Vi har tillstånd för husrannsakan. Och du ombeds även att följa med till stationen för ett samtal." Patriks röst var ytterst formell och röjde inga av de känslor han hade.

"Husrannsakan, vad fan? Är det den där jävla kärringen som har hittat på något igen. Jag ska tamejfan ..." Kaj klev ut på trappavsatsen och såg ut att vara på väg över till Florins hus. Patrik höll upp en avvärjande hand och Martin ställde sig så att han blockerade vägen för honom.

"Det har inget med Lilian Florin att göra. Vi har uppgifter som sätter dig i samband med barnpornografi."

Kaj stelnade till. Nu trodde inte Patrik att han hade spelat tidigare. Han hade verkligen inte tänkt sig den möjligheten. Stammande försökte han hitta fattningen igen.

"Vad, vad i, vad är det som du säger, människa?" Men utropet lät kraftlöst och chocken hade fått hans axlar att säcka ihop.

"Vi har som sagt tillstånd för husrannsakan, och om du är vänlig att följa med till en av bilarna, så tänker vi fortsätta det här samtalet i lugn och ro på stationen."

Smaken av galla i munnen tvingade Patrik att svälja oupphörligt. Helst ville han kasta sig över Kaj och ruska honom, fråga honom hur, varför, vad det var som lockade honom med barn, pojkar, som han inte kunde få i en vuxen relation. Men tids nog skulle de frågorna komma. Nu var det viktigaste att säkra bevis.

Kaj verkade vara fullständigt lamslagen och utan att svara och utan att ta med sig någon jacka, följde han med nedför trappan och satte sig fogligt i baksätet på en av bilarna.

Patrik vände sig till kollegorna från Uddevalla. "Vi tar in honom och påbörjar förhöret. Ni gör det ni ska här, och ring om ni hittar något vi kan ha nytta av. Jag vet att jag inte behöver påpeka det, men jag säger det i alla fall, plocka med er alla datorer och glöm inte att tillståndet även gäller för stugan på tomten. Där vet jag att det finns minst en dator."

Kollegorna nickade och gick med beslutsamma miner in i huset.

Lilian hade långsamt och njutningsfullt passerat polisbilarna när hon gick förbi, på väg hem. Det var som om hennes drömmar hade gått i uppfyllelse. Poliser och polisbilar i full utryckning utanför grannens hus och till råga på allt fick Kaj med moloken uppsyn krypa in i en av polisbilarna. En känsla av fröjd steg inom henne. Efter alla dessa år av besvär med honom och hans familj hade äntligen hans karma kommit ifatt honom. Själv hade hon minsann aldrig agerat annat än korrekt. Kunde hon hjälpa att hon ville att saker och ting skulle gå rätt och riktigt till? Kunde

245

hon hjälpa att han hade gjort saker som avvek från god grannsed, som hon sedan blev tvungen att bemöta? Och så hade folk mage att påstå att hon var grälsjuk. Jo, hon hade nog hört hur pratet gick på bygden. Men hon frånsvor sig allt ansvar för det bråk som hade varit. Hade inte han hållit på och besvärat dem och hittat på dumheter, så skulle inte hon ha bråkat. I vanliga fall fanns det ingen som var så blid och god att ha att göra med som hon. Och hon hade då rakt inte något dåligt samvete för att hon gjort polisen medveten om den där underlige sonen de hade. Det visste man ju att sådant där folk som det var fel i huvudet på förr eller senare skulle ställa till med problem, och även om hon kanske överdrivit Morgans smygkikande en aning inför polisen, så var det bara för att förebygga framtida problem, inget annat. Sådana där kunde ju ta sig för vad som helst om de fick härja fritt och att de hade en överdriven sexdrift, det visste ju alla.

Men nu skulle folk få se hur det egentligen låg till. Inte var det utanför hennes hus som polisen svärmade. Hon stannade utanför ytterdörren och betraktade skådespelet med korslagda armar och ett skadeglatt leende på läpparna.

När polisbilen med Kaj kört iväg klev hon motvilligt in. Hon funderade en stund på att gå över och som orolig medborgare fråga vad det var som pågick, men poliserna hann in i huset innan hon hade avslutat den tanken och hon ville inte verka så angelägen att hon gick dit och knackade på.

Medan hon tog av sig skorna och hängde upp sin jacka undrade hon om Monica visste vad som pågick. Hon kanske skulle ringa ett litet samtal till biblioteket och informera henne, som en god granne naturligtvis. Men Stigs röst uppifrån avbröt henne innan hon hade fattat något beslut.

"Lilian, är det du?"

Hon gick uppför trappan. Han lät svag i dag. "Ja, älskling, det är jag." "Var har du varit?"

Han tittade ömkligt upp på henne när hon kom in i hans sovrum. Vilket svagt litet liv han var nu. En ömhetskänsla steg upp inom henne när hon insåg hur beroende han var av hennes omsorg. Det värmde att vara så behövd. Det var som när Charlotte var liten. Vilken maktkänsla det hade varit att ha ansvar för ett så hjälplöst liv. Egentligen hade hon tyckt bäst om den perioden. Efterhand som Charlotte växte upp hade hon alltmer glidit henne ur händerna. Om hon hade kunnat skulle hon ha fryst tiden och hejdat henne från att växa upp. Men ju hårdare hon försökte binda henne till sig, desto mer hade Charlotte dragit sig undan och istället hade hennes far helt oförtjänt fått all den kärlek och respekt som Lilian ansåg att hon förtjänade. Hon var ju Charlottes mor. Nog borde en far stå lägre i kurs än en mor. Det var trots allt hon som hade fött henne och under de första åren var det hon som hade tillfredsställt alla hennes behov. Sedan hade Lennart tagit över. Skördat frukten av allt arbete som hon lagt ner. Gjort Charlotte till pappas flicka. När Charlotte sedan flyttade och det bara var de två, hade han börjat tala om att lämna henne, som om det bara var Charlotte som hade räknats i alla år. Minnet fick ilskan att stiga upp i halsen på henne och hon tvingade sig själv att le mot Stig. Han behövde henne åtminstone. Och till viss del Niclas, även om han inte förstod det själv. Charlotte hade ingen aning om hur bra hon hade det. Istället gnällde hon över att han inte hjälpte till, att han inte drog sitt strå till stacken när det gällde barnen. Otacksam, det var vad hon var. Men Lilian hade också börjat bli djupt besviken på Niclas. Komma hem och fräsa åt henne och prata om att flytta. Men hon visste nog var grillerna kom ifrån. Hon hade bara inte trott att han skulle vara så lättpåverkad.

"Vad du ser bister ut", sa Stig och sträckte ut sin hand efter henne. Hon låtsades att hon inte såg den och slätade istället omsorgsfullt till överkastet.

Stig ställde sig alltid på Charlottes sida, så hon kunde inte säga något till honom om det hon nyss tänkt. Istället sa hon: "Det är ett himla pådrag hos grannen. Det kryllar av poliser och polisbilar. Ja, det är inte roligt, ska jag säga dig. Att ha sådant folk så nära inpå sig."

Stig satte sig häftigt upp. Rörelsen fick honom att grimasera och ta sig för magen. Men ansiktet uttryckte hoppfullhet: "Det måste handla om Sara. Tror du att de har fått reda på något om Sara?"

Lilian nickade häftigt med huvudet. "Ja, det skulle inte förvåna mig. Varför skulle det annars vara ett sådant pådrag?"

"Det vore en välsignelse för Charlotte och Niclas om vi kunde få ett slut på det här."

"Ja, och du vet hur det här har plågat mig, Stig, nu kanske jag kan få lugn i själen igen."

Nu lät hon Stig klappa hennes hand och hans röst var lika kärleksfull som vanligt när han sa: "Ja, men självklart, älskling. Du som har ett så gott hjärta, det måste ha varit en fruktansvärd tid för dig." Han vände

247

upp hennes hand och kysste insidan av den.

Hon lät honom hållas en sekund, men ryckte sedan till sig handen. Stramt sa hon: "Ja, det var ju skönt att höra att någon bekymrar sig för mig som omväxling. Låt oss nu bara hoppas att vi har rätt och att det är på grund av Sara som de hämtat Kaj."

"Vad tror du annars att det skulle kunna vara?" Stig lät förbryllad.

"Jaa, jag vet inte. Jag tänkte nog inte egentligen. Men jag om någon vet ju vad han är kapabel till ..."

"När är begravningen?" avbröt Stig henne.

Lilian reste sig från sängen.

"Vi väntar fortfarande på besked om när vi kan få tillbaka kroppen. Troligtvis nästa vecka någon gång."

"Usch, använd inte det där ordet, 'kroppen'. Det är ju vår Sara vi pratar om."

"Det är faktiskt mitt barnbarn, inte ditt", fräste Lilian.

"Jag älskade henne också, det vet du", sa Stig milt.

"Ja, jag vet, kära du, förlåt mig. Det är bara så jobbigt för mig, allt det här, och det verkar inte vara någon som förstår det." Hon torkade en tår och såg ångerfullheten i Stigs ansikte.

"Nej, det är du som ska förlåta mig. Det var dumt av mig. Kan du förlåta mig, älskling?"

"Självklart", sa Lilian storsint. "Och nu tycker jag du ska vila och inte tänka så mycket på allt det här. Jag går ner och gör lite te och kommer upp med en kopp till dig, så kanske du kan sova en stund sedan."

"Vad har jag gjort för att förtjäna dig?" sa Stig och log mot sin hustru.

Det var inte lätt att koncentrera sig på arbetet. Inte för att han någonsin hade prioriterat den delen av sitt liv, men något litet brukade han åtminstone få gjort. Och situationen som Ernst hade orsakat borde ha upptagit större delen av hans tankar. Men sedan i lördags var inget sig likt. Hemma i hans lägenhet satt pojken och spelade TV-spel. Det nya, det som han köpt till honom i går. Han som alltid hållit hårt i plånboken hade plötsligt känt ett oemotståndligt behov av att få ge. Och TV-spel var tydligen det som stod högst på listan, så TV-spel fick det bli. En X-box och tre spel hade han köpt, och även om han baxnat över priset så hade han inte tvekat.

För pojken var ju hans. Simon, hans son. Hade han haft några tvivel innan så undanröjdes de så fort han såg honom kliva av tåget. Det var

248

som att se sig själv som ung. Samma trevligt rundade kroppsbyggnad, samma kraftfulla anletsdrag. De känslor det hade framkallat hos honom hade överraskat honom. Mellberg var fortfarande chockad över att han var kapabel till sådana känslodjup. Han som annars satte en ära i att han inte behövde någon annan. Ja, förutom möjligtvis sin mor då.

Hon hade alltid påpekat att det var synd och skam att sådana ypperliga gener som hans inte fick föras vidare. Och där hade hon onekligen haft en poäng. Det var en av de främsta anledningarna till att han skulle ha önskat att hans mor hunnit träffa hans son. För att visa henne att hon hade haft rätt. Det räckte att slänga ett ögonkast på sonen för att se att han ärvt många av sin fars egenskaper. Äpplet föll sannerligen inte långt från trädet. Och det pojkens mor hade skrivit i brevet som hon skickade till honom, att han var lat, omotiverad, uppstudsig och gjorde uselt ifrån sig i skolan, ja, det sa antagligen mer om hennes förmåga att uppfostra än om pojken. Fick han bara spendera lite tid med far sin, en manlig förebild, så var det säkert bara en tidsfråga innan det blev karl av honom.

Visserligen kunde han kanske tycka att Simon åtminstone hade kunnat säga "tack" när han fick TV-spelet, men pojkstackarn var väl så chockad över att få något av någon att han inte visste vad han skulle säga. Tur att han själv var en sådan människokännare. Det skulle inte vara produktivt att tvinga fram något i det här skedet, så mycket visste han om barnuppfostran. Visserligen hade han ingen praktisk erfarenhet i ämnet, det måste han erkänna, men hur svårt kunde det vara? Det var väl bara att använda det sunda förnuftet. Pojken var visserligen tonåring och det skulle visst vara besvärligt, påstod folk, men enligt hans mening handlade det bara om att prata med bönder på bönders språk och med de lärde på latin. Och var det någon som kunde prata med allt och alla på rätt nivå, så var det han, och han var övertygad om att det inte skulle bli några som helst problem.

Röster ute i korridoren skvallrade om att Patrik och Martin var tillbaka. Förhoppningsvis med det där pedofilkräket i släptåg. Det här var ett förhör han för ovanlighetens skull tänkte delta i. Mot sådana där var man tvungen att ta i med hårdhandskarna.

Fjällbacka 1928

Det började som en vanlig dag. Pojkarna hade sprungit över till grannen redan på förmiddagen och hon hade haft sådan tur att de stannade där ända till kvällen. Kärringen hade till och med förbarmat sig över dem och gett dem mat, så hon hade sluppit ställa sig och laga något, även om det för det mesta bara innebar att hon bredde ett par smörgåsar åt dem. Det hade fått henne på så gott humör att hon hade nedlåtit sig till att svabba golven. Så när kvällningen kom kände hon sig säker på att få lite välförtjänt beröm av sin man. Även om hon inte brydde sig nämnvärt om vad han ansåg, kändes det alltid bra att få lite av den varan.

När Anders steg hördes på förstutrappen låg Karl och Johan redan och sov, och hon satt vid köksbordet och läste i ett kvinnomagasin. Hon tittade förstrött upp på honom och nickade, men hajade sedan till. Han såg inte lika trött och modstulen ut som han brukade göra när han kom hem, utan hade en lyster i ögonen som hon inte sett på länge. En diffus oroskänsla vaknade inom henne.

Tungt slog han sig ner på en av pinnstolarna mittemot henne och knäppte förväntansfullt händerna och vilade dem mot den slitna bordsskivan.

"Agnes", sa han och satt sedan tyst tillräckligt länge för att den obehagliga känslan i hennes mage skulle växa till en klump. Han hade uppenbarligen något på hjärtat och om det var något hon lärt sig av sitt öde, så var det att överraskningar sällan var av godo.

"Agnes", sa han igen, "jag har tänkt mycket på vår framtid, och på vår familj, och kommit fram till att vi måste ändra på något."

Jo, så långt höll hon med. Hon kunde bara inte riktigt se vad han skulle kunna göra för att förändra hennes liv till det bättre.

Anders fortsatte med uppenbar stolthet. "Så därför har jag tagit på mig så mycket extrajobb jag bara har kunnat det senaste året och lagt undan alla pengarna för att kunna köpa oss en enkel biljett."

"Biljett. Vart då?" frågade Agnes med stigande oro och med en begynnande irritation när insikten om att han undanhållit pengar började sjunka in.

"Till Amerika", svarade Anders och verkade sedan invänta en positiv reaktion från hennes sida. Istället kände Agnes hur chocken fick känseln att försvinna i hennes ansikte. Vad hade den idioten nu ställt till med?!

"Amerika?" var allt hon fick fram.

Han nickade ivrigt. "Ja, vi åker redan om en vecka och jag har fixat och donat, må du tro. Jag har varit i kontakt med några av de svenskar som åkt över dit från Fjällbacka och de har lovat att det finns gott om arbete för sådana som mig, och är man bara händig kan man skapa sig en god framtid 'over there'", sa han på sin breda blekingska, uppenbart stolt över att han redan kunde två ord på sitt nya språk.

Agnes ville bara luta sig fram och slå honom rätt över hans flinande, glada ansikte. Vad tänkte han på! Var han så enfaldig att han trodde att hon skulle sätta sig på en båt till ett främmande land tillsammans med honom och hans ungar! Hamna än mer i beroendeställning till honom, i ett okänt land, med okänt språk och okända människor. Visst hatade hon sin tillvaro här, men hon hade åtminstone möjligheten att någon gång ta sig ifrån det helveteshål hon hamnat i. Fast i ärlighetens namn hade hon själv lekt med tanken på att resa till Amerika, men då på egen hand, utan honom och barnen som en boja runt benet.

Men Anders såg inte fasan i hennes ansikte utan plockade överlyckligt fram biljetterna och lade dem på bordet. Med desperation betraktade Agnes de fyra papperslapparna, utspridda som en solfjäder framför honom, och hon ville bara sjunka ihop och gråta.

Hon hade en vecka. En ynka vecka på sig att på något sätt ta sig ur den här situationen. Med stela läppar log hon mot Anders.

Monica hade åkt iväg till Konsum för att handla. Men plötsligt ställde hon ifrån sig korgen och gick ut genom dörren utan att köpa några varor. Det var något som sa henne att hon skulle åka hem. Hennes mor och mormor hade varit likadana. De hade känt på sig saker och ting och hon hade lärt sig att lyssna på sin inre röst.

Hon trampade gasen i botten på sin lilla Fiat när hon tog vägen runt berget, förbi Kullenområdet. Då hon svängde runt hörnet på vägen upp mot Sälvik såg hon polisbilen som var parkerad utanför deras hus och visste att hon hade gjort rätt då hon lyssnat på sina instinkter. Hon parkerade precis bakom polisbilen och klev försiktigt ur, skräckslagen inför vad hon skulle mötas av. Varje natt den senaste veckan hade hon haft precis den här drömmen. Poliser som kom hem till dem, som tvingade fram det som hon hade gjort allt för att inte tänka på. Nu var det verklighet, inte dröm, och hon närmade sig huset med pyttesteg. Allt för att skjuta upp det oundvikliga ögonblicket. Sedan hörde hon Morgan vråla och då började hon springa. Uppför trädgårdsgången, bort mot hans lilla hus. Framför dörren till hans stuga stod han och skrek åt två poliser. Med armarna utsträckta försökte han blockera ingången för dem.

"Ingen får komma in i mitt hus! Det är mitt!"

"Vi har tillstånd", sa den ena polisen i ett försök att resonera lugnt med honom. "Vi måste få göra vårt jobb, så släpp in oss nu."

"Nej, ni tänker bara stöka till!" Morgan bredde ut armarna ännu mer.

"Vi lovar att vara försiktiga och ställa till det så lite som möjligt. Däremot måste vi kanske ta med en del saker, om du har en dator där, till exempel."

Morgan avbröt polismannen med ett illvrål. Ögonen flackade fram och tillbaka och det hade börjat rycka okontrollerat i hans kropp.

"Nej, nej, nej, nej, nej", mässade han och såg ut att vara beredd att försvara datorerna med sitt liv. Vilket Monica trodde låg rätt nära sanningen. Hon skyndade sig fram mot den lilla gruppen.

"Vad är det frågan om? Kan jag hjälpa till med något?"

"Vem är du?" frågade den polisman som stod närmast, men han släppte inte Morgan med blicken medan han talade.

"Jag är Morgans mamma. Jag bor här." Hon pekade mot stora huset.

"Skulle du då kunna förklara för din son att vi har tillstånd att gå in i stugan och titta oss omkring och även att ta med oss den datautrustning som finns."

Vid omnämnandet av datorerna började Morgan skaka häftigt på huvudet igen och upprepa: "Nej, nej, nej, nej..."

Monica klev lugnt fram till honom och medan hon fäste blicken på polismännen lade hon armen om sin son och strök honom över ryggen.

"Kan ni tala om varför ni är här först, så kan jag säkert hjälpa er sedan."

Den yngre av de två poliserna såg besvärad ut och tittade i marken, men den äldre som säkerligen var mer luttrad svarade henne lugnt: "Vi har tagit in din man för förhör och vi har även tillstånd för husrannsakan."

"Och varför det, undrar jag då? Är det något i min fråga som är oklart, så förtydligar jag gärna." Hon hörde att hon lät onödigt kylig, men att se dem stå och försöka tvinga sig förbi Morgan utan att lämna en vettig förklaring till henne, det var inget hon tänkte acceptera.

"Er mans namn har dykt upp i samband med innehav av barnpornografi."

Handen som strukit Morgans rygg stoppade tvärt. Hon försökte prata men allt som kom ut var ett väsande.

"Barnpornografi?" Hon harklade sig för att försöka återfå kontrollen över rösten. "Ni måste ha tagit miste, skulle min man vara inblandad i barnpornografi?"

Saker och ting började tumla runt i hjärnan på henne. Saker hon alltid undrat, alltid funderat över, men mest överväldigande var känslan av lättnad. De hade inte kommit på det som hon fruktade mest av allt.

Hon tog några sekunder på sig för att samla sig och vände sig sedan mot Morgan.

"Lyssna på mig nu. Du måste låta dem gå in i stugan. Och du måste låta dem ta datorerna. Du har inget annat val, det är polisen, det är deras rättighet."

"Men tänk om de stökar till. Och mitt schema?" Det höga, gälla tonfallet var inte lika tonlöst som vanligt utan uppvisade ovanlig känslosamhet.

"De är säkert försiktiga, precis som de sa. Och du har inget val." Hon underströk den sista meningen och kände hur han började lugna ner sig. Det var alltid lättare för Morgan att hantera situationer där han inte hade någon valmöjlighet.

"Lovar ni att inte stöka till?"

Poliserna nickade och Morgan började sakta förflytta sig bort från dörren.

"Och ni måste vara försiktiga med det som finns på datorerna. Jag har massa jobb där."

Återigen nickade de, och nu klev han helt undan från dörren och lät dem gå in.

"Varför gör de det här, mamma?"

"Jag vet inte", ljög Monica. Lättnad var fortfarande den mest dominerande känslan inom henne. Men sakta hade också verkligheten i vad poliserna sagt börjat sjunka in. En äckelkänsla började formas i magtrakten och arbeta sig uppåt. Hon tog Morgan i armen och ledde honom mot husets framsida. Han vände hela tiden på huvudet och tittade oroligt tillbaka mot stugan.

"Oroa dig inte, de har ju lovat att vara försiktiga."

"Ska vi gå in i stora huset?" sa Morgan. "Jag brukar aldrig gå in i stora huset vid den här tiden."

"Nej, jag vet", sa Monica. "Men i dag får vi göra något helt annat. Vi ska nog inte störa poliserna där inne. Du får följa med mig till moster Gudrun istället."

Han såg förvirrad ut. "Dit brukar jag bara åka när det är jul. Eller när någon av dem fyller."

"Jag vet", sa Monica tålmodigt. "Men i dag får vi göra ett undantag."

Han begrundade detta ett ögonblick och bestämde sig sedan för att det fanns logik i det hon sa.

När de gick mot bilen såg Monica i ögonvrån hur gardinen i Florins kök drogs undan. I fönstret stod Lilian och tittade på dem. Hon log.

"Ja, Kaj. Det var ingen rolig historia det här." Patrik satt mittemot honom, med Martin bredvid sig och Mellberg diskret placerad på en stol i hörnet. Till Patriks stora lättnad hade han frivilligt erbjudit sig att inta en passiv roll under förhöret. Helst hade Patrik inte velat ha honom med alls, men han var ju trots allt chefen.

Kaj svarade inte. Han hängde med huvudet och gav Patrik och Martin en närstudie av ovansidan av hans huvud, där håret tunnats ut med åren så att en rosa skalp lyste igenom mellan de svarta hårstråna.

"Har du själv någon förklaring till varför ditt namn förekommer på en beställningslista över barnpornografi? Och kör inte med den där valsen om att det måste vara fel namn. Du står med både namn och adress, så det är ingen tvekan om att det är du som är beställaren."

"Det måste vara någon som vill åt mig", mumlade Kaj ner i knät.

"Jaså?" sa Patrik med överdrivet tonfall. "Då kanske du kan berätta varför någon skulle göra sig besväret att försöka sätta dit dig? Vad är det för ärkefiender som du har skaffat dig genom åren?"

Kaj svarade inte. Martin slog handflatan i bordet för att väcka hans uppmärksamhet, vilket fick Kaj att rycka till.

"Hörde du inte frågan? Vem eller vilka skulle vara intresserade av att sätta dit dig?"

Fortfarande tystnad, så Martin fortsatte: "Det är inte så lätt att svara på, eller hur? För det finns ingen."

Det låg en del papper framför Patrik och Martin. Under en stunds tystnad bläddrade Patrik bland papprena, drog fram några här och där och samlade dem han tagit fram till en egen bunt.

"Vi har massor av material om dig, förstår du. Vi har namn på de andra med...", han letade efter rätt beteckning, "samma intresse, som du har varit i kontakt med. Vi har uppgifter på när du har beställt material från dem, vi vet att du har skickat material själv och vi har även viss chattkommunikation som kollegorna i Göteborg har varit försigkomna nog att lägga vantarna på. Finns en del duktiga datakillar där, förstår du. Som inte har låtit sig hejdas av alla försiktighetsåtgärder som ni vidtagit för att ingen skulle kunna komma in i ert lilla sällskap och lyssna på vilka trevligheter som ni avhandlar. Ingenting är idiotsäkert, som bekant."

Nu tittade Kaj upp och blicken flackade oroligt mellan Patrik och papprena framför honom. Hela hans värld höll på att rasa samman medan klockans sekundvisare tickade fram på väggen bakom honom. Patrik såg att han var skakad av avslöjandet att någon hade kunnat tränga in i filer som de hade trott var helt skyddade, och nu undrade han hur mycket de egentligen visste. Det var helt rätt läge att pressa honom ytterligare.

"Just i detta ögonblick håller vi på att gå igenom hela ditt hus. Och de kollegorna är heller inga amatörer. Det finns inget gömställe som de inte sett tidigare. Inga genialiska gömmor som de inte kan hitta. Och din dator kommer att skickas till Uddevalla för att gås igenom av några killar som är riktiga sådana där hackers. Du vet, killar som kan ta sig in på banker via Internet och flytta lite pengar, om de fick lust och inte råkade tillhöra de hederligas sida."

Patrik var lite osäker på om han överdrev kollegornas datakompetens en aning, men det visste ju inte Kaj. Och han såg att taktiken fungerade. Små svettpärlor hade börjat framträda i pannan och han kände, mer än såg, hur Kajs ben skakade okontrollerat.

"Ja, och även om du själv är en amatör på det här med datorer, så har kanske Morgan informerat dig om att bara för att du har deletat en fil, så betyder inte det att den är borta. Våra datakillar kan plocka fram det mesta, så länge det inte är någon åverkan på hårddisken." Martin körde vidare på Patriks spår.

"Så snart de har haft möjlighet att gå igenom den, så kommer vi att få ett samtal. Då kommer vi att veta precis vad du har haft för dig. Både vi och Göteborg jobbar nu för fullt med att försöka identifiera dem som figurerar på det material som polisen har lagt beslag på. Informationen vi fått hittills indikerar att dina favoritoffer är unga pojkar. Stämmer det? Va, är det så, Kaj? Föredrar du pojkar utan hår på bröstet, unga, oförstörda?"

Kajs underläpp darrade, men han sa fortfarande inget.

Patrik lutade sig fram och sänkte rösten. Nu hade han kommit fram till det ögonblick som förhöret var avsett att leda till.

"Men hur är det med flickor? Duger det med småflickor också? Ganska frestande med en så nära, precis bredvid i grannhuset. Måste varit nästintill oemotståndligt. Särskilt som det var en chans att komma åt Lilian också. Vilken känsla. Att rakt framför näsan på henne hämnas alla år av oförrätter. Men något gick fel, eller hur? Hur gick det till? Började flickan kämpa emot, sa att hon skulle berätta för mamma, blev du tvungen att dränka henne för att få tyst på henne?"

Med gapande mun tittade Kaj ömsom på Patrik, ömsom på Martin. Ögonen var runda och blanka. Han skakade häftigt på huvudet.

"Nej, det där har jag inget att göra med. Jag har inte rört henne, jag lovar!"

Det sista lät som ett skrik och Kaj såg ut som om han skulle få en hjärtinfarkt när som helst. Patrik undrade om han skulle bli tvungen att avbryta förhöret, men bestämde sig för att fortsätta lite till.

"Och varför skulle vi tro dig? Vi har bevis för att du har ett sexuellt intresse av barn, och vi kommer snart att se om det finns bevis för att du själv har förgripit dig på någon. Och en sjuårig flicka i huset bredvid ditt hittas dränkt. Är inte det ett märkligt sammanträffande, så säg?"

Han nämnde inget om att det inte hade funnits några spår av övergrepp på Sara. Men som Pedersen hade sagt, så behövde det inte betyda att det inte förekommit något sådant.

"Men jag svär. Jag har ingenting med flickans död att göra! Hon har aldrig varit innanför dörren hos oss, jag svär!"

"Det lär visa sig", sa Martin bistert och kastade en blick på Patrik. Han såg samma "fan också" i hans ögon som han kände i sina egna. Patrik nickade lätt och Martin reste sig för att gå ut och ringa ett samtal. De hade missat att säga till om ett teknikerteam för att kolla badrummet. När det misstaget var korrigerat och han hade fått löfte om en omedelbar utryckning, gick han in i förhörsrummet igen. Patrik hade fortsatt att fråga om Sara.

"Så du förväntar dig verkligen att vi ska tro dig när du säger att du aldrig ens varit frestad att ... ta dig an grannflickan. Söt flicka var det också."

"Jag har inte rört henne, har jag sagt. Och söt vet jag inte. En jäkla satunge var vad det var. Smet in i trädgården i somras och drog upp alla Monicas blommor. Det var säkert hennes jävla mormor som fick henne till det."

Patrik häpnade över hur snabbt Kajs nervositet försvann och hatet till Lilian Florin tog över. Till och med under de här omständigheterna låg känslorna så djupt att de för ett ögonblick fick Kaj att glömma varför han satt där. Sedan såg Patrik hur verkligheten trängde sig på igen och hans axlar sjönk åter ner mot bordet.

"Jag tog inte livet av jäntungen", sa Kaj tyst. "Och jag har inte rört henne, jag svär."

Patrik utbytte återigen ett ögonkast med Martin och bestämde sig sedan. De verkade inte komma så mycket längre nu. Förhoppningsvis skulle de få mer material när husrannsakan och genomgången av Kajs dator var klar. Och hade de riktig tur så hittade teknikerna något när de gick igenom badrummet.

Kaj fördes tillbaka till cellen av Martin, och Mellberg gav sig iväg strax därefter. Patrik satt ensam kvar. Han tittade på klockan. Nu fick det vara nog även för hans del. Nu tänkte han åka hem och kyssa Erica och sticka in näsan i Majas lilla halsgrop och insupa doften av henne. Det var nog det enda som kunde få bort den klibbiga känslan han hade efter att ha suttit instängd i ett litet rum med Kaj. Känslan av otillräcklighet fick honom också att längta efter tryggheten hemma. Han fick bara inte sjabbla bort det här. Sådana som Kaj fick inte gå fria. Speciellt inte om de hade en liten flickas död på sitt samvete.

Han var precis på väg ut genom dörren när Annika hejdade honom. "Du har besök, de har väntat en bra stund. Och Gösta ville prata med dig så fort det gick. Och jag har fått in en anmälan som du nog borde titta på. Omedelbart."

Patrik suckade och lät dörren glida igen. Det verkade som om han fick släppa tankarna på att åka hem. Nu såg det istället ut som om han skulle bli tvungen att ringa Erica och säga att han skulle bli sen. Det var ett samtal han inte såg fram emot.

Charlotte tvekade med fingret vid ringklockan. Sedan bestämde hon sig och efter ett djupt andetag tryckte hon till. Hon hörde signalen gå fram. För en sekund övervägde hon att vända på klacken och fly. Sedan hörde hon steg innanför och tvingade sig själv att stå kvar.

Hon kände vagt igen henne när dörren öppnades. Samhället var inte större än att de säkerligen hade sprungit på varandra, och hon såg att den andra visste precis vem hon var. Efter ett kort, tvekande ögonblick öppnade Jeanette dörren och steg åt sidan.

Det förvånade Charlotte hur ung den andra såg ut. Tjugofem, hade Niclas sagt när hon pressat honom. Hon visste inte själv varför hon ville veta sådana detaljer. Det var som ett urbehov, en drift att få veta så mycket som möjligt. Kanske var det för att hon hoppades att på något sätt förstå vad det var han sökte som hon inte kunde ge honom. Och kanske var det just därför som hon dragits hit som av en obönhörlig kraft. Hon hade aldrig tidigare konfronterat någon av hans snedsteg. Hon hade velat se dem, men inte vågat. Men efter Saras död var allt så förändrat. Det var som om hon var osårbar. Alla rädslor hade försvunnit. Hon hade redan drabbats av det värsta en människa kunde drabbas av, så mycket av det som tidigare lamslagit och förskräckt henne tedde sig nu som obetydliga små hinder. Inte för att det var lätt att gå hit, det kunde hon inte påstå. Men hon gjorde det. Sara var död, så hon gjorde det.

"Vad vill du?" Jeanette betraktade henne avvaktande.

Charlotte kände sig stor i jämförelse med henne. Den andra var nog inte mer än runt 1,60 lång och med sina 1,75 kände sig Charlotte som en jätte. Jeanette hade inte heller fått sin figur förändrad av två barna födslar och Charlotte kunde inte låta bli att notera att brösten i den tätt sittande toppen inte behövde någon behå för att peka uppåt. En syn dök upp för hennes inre. Jeanette naken, i säng med Niclas, som smekte hennes perfekta bröst. Hon skakade lätt på huvudet för att få bilden att försvinna. Den typen av självplågeri hade hon redan ägnat alldeles för mycket tid åt genom åren. Nu besvärade inte bilderna henne lika mycket heller. Hon hade värre bilder än så i huvudet. Bilder av Sara, flytande i vattnet.

Charlotte tvingade sig tillbaka till verkligheten. Hon sa med lugn röst: "Jag vill bara prata lite. Kan vi ta en kopp kaffe?"

Hon visste inte om Jeanette hade förväntat sig att hon skulle komma, eller om situationen tedde sig så absurd för henne att hon inte riktigt kunde ta till sig den. I vilket fall som helst så röjde Jeanettes ansikte ingen överraskning och hon nickade bara och gick in i köket. Charlotte följde efter strax bakom. Nyfiket tittade hon sig runt i lägenheten. Den såg väl ut ungefär som hon trodde. En liten tvåa, med mycket furumöbler, ryschiga gardiner och souvenirer från utlandsresor som främsta dekoration. Troligtvis sparade hon vartenda öre hon fick över för att kunna åka på partyresor till solen, och de resorna utgjorde säkert höjdpunkterna i hennes liv. Förutom när hon låg med gifta män förstås, tänkte Charlotte bittert och slog sig ner vid köksbordet. Hon kände sig inte lika självsäker som hon trodde att hon framstod. Inuti bröstet bultade hjärtat hårt och nervöst. Men hon hade bara varit tvungen att själv se den andra i ögonen. Att för första gången få se vilken typ av människa det var som gjorde att en stund i sänghalmen vägde tyngre än äktenskapslöften, barn och anständighet.

Till sin förvåning var Charlotte besviken. Hon hade alltid föreställt sig Niclas älskarinnor av en helt annan klass. Visst var Jeanette söt och kurvig, det kunde hon inte blunda för, men hon var så ..., hon sökte efter rätt ord, ... så menlös. Hon utstrålade ingen värme, ingen energi och av det Charlotte kunde se av henne och hennes hem, så verkade hon inte ha vare sig kapacitet eller ambitioner att göra något annat än att likgiltigt följa med strömmen i livet.

"Här", sa Jeanette vresigt och ställde en kaffekopp framför Charlotte. Sedan slog hon sig ner på andra sidan bordet och började nervöst smutta på kaffet. Charlotte noterade att hon hade långa, perfekt manikyrerade naglar. Ännu en sak som inte fanns i småbarnsmammors begreppsvärld.

"Är du förvånad över att se mig här?" sa Charlotte och betraktade med skenbart lugn kvinnan mittemot.

Jeanette ryckte på axlarna. "Vet inte. Kanske. Jag har inte funderat så mycket på dig."

Hon är åtminstone ärlig, tänkte Charlotte. Om det var av uppriktighet eller ren dumhet, det kunde hon inte avgöra än.

"Visste du att Niclas berättat för mig om dig?"

Återigen samma nonchalanta axelryckning. "Jag visste väl att det skulle komma fram förr eller senare."

"Hur visste du det?" sa Charlotte.

"Folk snackar ju så mycket här. Det är alltid någon som har sett något någonstans och sedan känner sig tvungen att förmedla det."

"Låter som om det inte är första gången du spelar med i det här spelet", sa Charlotte.

Ett litet leende lekte i Jeanettes mungipa. "Kan väl inte rå för att de bästa ofta redan är upptagna. Inte för att det brukar bekymra dem så mycket."

Charlottes ögon smalnade. "Så Niclas bekymrade sig inte heller för det? Att han var gift och hade två barn?" Hon stakade sig på ordet "hade" och kände hur känslorna på nytt hotade att välla in och ta över. Med möda tvingade hon tillbaka dem.

Hennes tvekan över formuleringen hade uppenbarligen fått Jeanette att inse att hon kanske hade vissa medmänskliga plikter. Stelt sa hon: "Jag beklagar verkligen det där med er dotter. Med Sara."

"Ta inte min dotters namn i din mun, tack", sa Charlotte med en iskyla som fick Jeanette att rygga tillbaka. Hon slog ner blicken och rörde runt i sin kaffekopp.

"Svara istället på min fråga: bekymrade sig Niclas någonsin över att han låg med dig, medan han hade en familj hemma?"

"Han pratade inte om er", sa Jeanette undvikande.

"Aldrig?" frågade Charlotte.

"Vi hade annat att göra än att prata om er", undslapp det Jeanette, innan hon åter insåg att hon åtminstone av ren klädsamhet borde hålla en lägre profil.

Charlotte betraktade henne med avsmak. Men ännu mer avsmak och förakt kände hon för Niclas som tydligen hade varit beredd att kasta bort allt de hade för det här – en dum, småsint tjej som trodde att omvärlden låg för hennes fötter bara för att hon en gång blev vald till klassens Lu-

260

cia i högstadiet. Jo, Charlotte kände igen typen. För mycket uppmärksamhet under de år då jaget var som mest påverkbart hade blåst upp hennes ego till enorma proportioner. Att hon sårade andra människor, tog det som inte tillhörde henne, det hade ingen betydelse för tjejer som Jeanette.

Charlotte reste sig. Hon ångrade att hon kommit. Hon skulle hellre ha velat behålla bilden av Niclas älskarinna som en vacker, intelligent, passionerad kvinna. Någon som hon kunde hysa viss förståelse för som konkurrent. Men den här tjejen kändes bara billig. Tanken på Niclas med henne fick det att vända sig i magen på henne, och hon kände hur den lilla respekt hon ändå behållit för honom genom åren sakta försvann ut i intet.

"Jag hittar själv ut", sa hon och lämnade Jeanette sittande vid köksbordet. På utvägen "råkade" hon stöta till en keramikåsna med texten "Lanzarote 1998" som stod på hallbyrån. Den gick i tusen bitar mot golvet. En åsna för en åsna, tänkte Charlotte och klev njutningsfullt på resterna innan hon stängde dörren bakom sig.

Fjällbacka 1928

Det var en söndag som katastrofen slog till. Båten till Amerika skulle avsegla från Göteborg på fredagen och de hade redan packat det mesta. Anders hade skickat ner Agnes för att köpa några sista saker som han trodde att de skulle komma att behöva "over there", och för ovanlighetens skull hade han betrott henne med pengar.

Hon hade korgen full med varor när hon svängde om hörnet och började gå uppför backen. Människor som ropade hördes på avstånd och hon snabbade på stegen. Röken nådde henne några hus bort från deras och hon såg hur den blev kraftigare längre upp i backen. Agnes släppte korgen och sprang sista biten hem. Det första hon såg var elden. Kraftiga flammor steg ut från fönstren i huset och människor sprang fram och tillbaka som yra höns, männen och några av kvinnorna med spannar med vatten, resten av kvinnorna med händerna kring huvudet och skrikande i panik. Elden hade spridit sig till ett antal hus och verkade ta alltmer av kvarteret i besittning. Den spred sig otroligt snabbt. Agnes betraktade det hela med munnen gapande och ögonen vidöppna av chock. Inget hade kunnat förbereda henne på den här synen.

En tjock, gråsvart rök började lägga sig som ett lock ovanför husen och gjorde luften i marknivå gråaktigt grumlig, som en lätt dimma. Agnes stod fortfarande som fastfrusen när en av grannfruarna kom fram till henne och ryckte henne i armen.

"Agnes, kom med här, stå inte och titta på't." Hon försökte dra henne med sig, men Agnes lät sig inte rubbas. Ögonen tårades av röken när hon stirrade på de flammande resterna av deras hem. Det verkade vara det som brann klarast av dem alla.

"Anders ..., pojkarna ...", sa hon tonlöst och grannkvinnan drog nu förtvivlat i hennes blustyg för att förmå henne att gå därifrån.

"Vi vet inget än", sa kvinnan, som Agnes vagt hade för sig hette Britt, eller kanske Britta. Hon fortsatte: "Folk uppmanas att samlas nere på torget. Kanske de redan är där nere", sa hon, men Agnes hörde hur tvivlande orden uttalades. Kvinnan visste likaväl som Agnes att hon inte skulle finna någon av dem där nere.

Sakta vände hon sig om och kände hur hettan från branden värmde hennes rygg. Viljelöst följde hon med Britt eller Britta nedför backen och lät sig ledas bort till torget där kvinnornas gråt steg mot himlen. Men det blev tyst när Agnes kom dit. Ryktet hade redan spritt sig, att medan de grät över förlorade hem och ägodelar, så kunde Agnes gråta över sin man och sina två små pojkar. Alla mödrarna iakttog henne med värkande hjärtan. Vad de än hade sagt och tänkt om henne tidigare, var hon i detta ögonblick bara en mor som förlorat sina barn och de tryckte sina egna små tätt intill sig.

Agnes höll blicken stadigt fäst mot marken. Hon grät inte.

De reste sig när Patrik kom emot dem. Veronika höll sin dotter hårt i handen och släppte den inte när Patrik gick före dem till sitt lilla rum. Han visade på de två stolarna och de satte sig ner.

"Vad kan jag hjälpa er med då?" sa Patrik och log lugnande mot Frida när han såg hennes ängsliga ansikte. Sökande tittade hon upp mot sin mor, som nickade.

"Frida har något att berätta", sa Veronika och nickade ännu en gång mot dottern.

"Egentligen är det en hemlighet", sa Frida med tunn röst.

"Oj, en hemlighet", sa Patrik. "Vad spännande."

Han såg att flickan var högst osäker på om hon skulle berätta eller inte, så han fortsatte: "Men du vet, polisens jobb är att höra alla hemligheter, så det räknas nästan inte om man berättar en hemlis för polisen."

Det fick Fridas ansikte att lysa upp. "Får ni veta alla hemligheter i hela världen då?"

"Nja, kanske inte riktigt", sa Patrik. "Men nästan. Så vad var det för hemlighet du hade?"

"Det var en elak farbror som skrämde Sara", sa hon och pratade nu fort för att få ur sig allt. "Han var jätteotäck och sa att hon var Gävles föda och Sara blev jätterädd, men jag fick lova att inte berätta något för någon, för då var hon rädd att farbrorn skulle komma tillbaka."

Hon hämtade andan och Patrik kände hur ögonbrynen åkte upp i pannan. Gävles föda?

"Hur såg farbrorn ut, Frida? Minns du det?"

Hon nickade. "Han var jättegammal. Hundra år minst. Som morfar."

"Morfar är sextio", sa Veronika förtydligande och kunde inte hålla tillbaka ett leende.

Frida fortsatte: "Håret var alldeles grått och han hade bara svarta kläder." Hon verkade stå i begrepp att fortsätta men sjönk sedan ihop i stolen. "Sedan minns jag inte mer", sa hon moloket och Patrik blinkade åt henne.

"Det var jättebra. Och det var en bra hemlighet att berätta för polisen."

"Så du tror inte att Sara blir arg när hon kommer tillbaka från himlen då, för att jag har berättat?"

Veronika tog ett djupt andetag för att åter förklara dödens realiteter för sin dotter, men Patrik avbröt.

"Nej, för vet du vad jag tror. Jag tror att Sara har det alldeles för bra i himlen för att vilja komma tillbaka, och hon bryr sig säkert inte om ifall du har berättat hemligheten eller inte."

"Säkert?" sa Frida skeptiskt.

"Säkert", sa Patrik.

Veronika reste sig. "Ja, ni vet ju var vi finns om ni skulle behöva fråga något mer. Men jag tror faktiskt inte att Frida vet mer än så här." Hon tvekade. "Tror ni att det kan vara …?"

Patrik skakade bara på huvudet och sa: "Omöjligt att säga, men det var jättebra att ni kom och berättade det här. All information är viktig."

"Kan jag få åka polisbil?" sa Frida och tittade uppfordrande på Patrik.

Han skrattade. "Inte i dag, men jag ska se om vi inte kan ordna det en annan gång."

Hon lät sig nöja med det och gick före sin mor ut i korridoren.

"Tack för att ni kom", sa Patrik och tog Veronika i hand.

"Ja, jag hoppas att ni snart har fått tag på den som gjorde det här. Jag vågar knappt släppa henne ur sikte", sa hon och strök varsamt sin dotter över håret.

"Vi gör vårt bästa", sa Patrik med mer tillförsikt än han kände och följde dem till ytterdörren.

När dörren slog igen bakom dem funderade han på det Frida sagt. En elak farbror? Beskrivningen hon gett stämde inte in på Kaj. Vem kunde det vara?

Han gick fram till Annika där hon satt bakom glasluckan och sa trött efter en titt på klockan: "Du hade någon anmälan som jag skulle kika på också."

"Ja, här", sa hon och sköt fram ett papper till honom. "Och glöm inte att Gösta ville prata med dig också. Han är nog snart på väg att gå, så det är kanske bäst att du haffar honom direkt."

"Ja, vissa har det bra som kan gå hem", suckade han. Erica hade inte blivit glad när han ringde, och det dåliga samvetet gnagde.

"Han går väl hem när du säger att han får gå hem", sa Annika och tittade över glasögonen på Patrik.

"I teorin har du rätt, men i praktiken är det nog bäst att Gösta får gå hem och vila sig lite. Han tillför inte så mycket om han sitter här och gnäller."

Det lät vassare än Patrik avsett, men ibland blev han bara så trött på att mer eller mindre behöva släpa med sig sina kollegor. Två av dem i alla fall. Nåja, han fick åtminstone vara tacksam för att Gösta var alldeles för initiativlös för att ställa till med sådana problem som Ernst gjorde.

"Det är väl bäst att jag tar reda på vad han vill då."

Patrik tog pappret med uppgifterna om anmälan och gick mot Göstas rum. Han stannade i dörröppningen och hann se hur Gösta snabbt släckte ner ett parti patiens på datorn. Att kollegan satt och slösade bort sin tid medan Patrik jobbade häcken av sig gjorde honom så irriterad att han fick bita ihop käkarna. Han orkade inte ta den diskussionen med Gösta nu, men förr eller senare ...

"Jaså, där är du", sa Gösta med ett misslynt tonfall som fick Patrik att överväga om inte "förr" trots allt var ett bättre alternativ.

"Ja, jag hade en viktig sak att ta hand om", svarade han och ansträngde sig för att inte låta så grinig som han kände sig.

"Ja, jag har en del att komma med också, förstår du", sa Gösta, och Patrik hörde till sin förvåning en viss iver i kollegans röst.

"Shoot", sa Patrik och insåg av Göstas förbryllade min att engelska uttryck nog inte var hans starkaste sida. Såvida de inte var golfrelaterade förstås ...

Gösta berättade om samtalet från Pedersen och Patrik lyssnade med stigande intresse på det han hade att säga. Han tog emot faxutskrifterna som Gösta räckte honom och satte sig ner medan han ögnade igenom det som stod där.

"Ja, det här var onekligen intressant", sa han. "Frågan är bara hur det hjälper oss att komma vidare?"

"Ja", sa Gösta. "Jag har funderat över samma sak. Det jag ser just nu är att det kan hjälpa oss att binda någon vid mordet om vi väl finner rätt person. Men till dess ger det oss inte mycket att gå på."

"Och de kunde inte säga säkert om det var djur eller människa som utgjorde de här biologiska resterna?"

"Nej", svarade Gösta och skakade beklagande på huvudet. "Men inom ett par dagar kunde vi få svar på det."

Patrik såg fundersam ut. "Du, en gång till, vad sa Pedersen om stenen?"

"Att det var granit."

"Jävligt sällsynt här i Bohuslän med andra ord", sa Patrik ironiskt och drog modlöst handen genom håret. "Om vi bara kunde komma på vilken roll askan spelade, så kan jag slå vad om att vi också skulle veta vem det var som mördade Sara", fortsatte han.

Gösta nickade instämmande.

"Nej, vi kommer väl inte längre just nu", sa Patrik och reste sig. "Men det var jävligt intressanta uppgifter. Ta du och gå hem nu, Gösta, så fortsätter vi med friska krafter i morgon." Han lyckades till och med tvinga fram ett leende.

Gösta var inte nödbedd. Inom två minuter hade han släckt ner datorn, tagit sina grejer och var på väg ut genom dörren. Patrik var inte riktigt lika lyckligt lottad. Klockan var redan kvart i sju och han gick in och satte sig vid sitt skrivbord och började läsa igenom pappret han fått av Annika. Sedan kastade han sig på telefonen.

Ibland kändes det som om hon stod utanför den verkliga världen, innesluten i en liten, liten bubbla, som ständigt krympte. Nu var den så liten att det kändes som om hon skulle kunna ta på dess väggar om hon sträckte ut handen.

Maja sov vid hennes bröst. Återigen hade hon försökt lägga ner henne och få henne att sova på egen hand, och återigen hade Maja vaknat ett par minuter senare, högljutt protesterande över den enorma fräckheten att lägga hennes lilla person i en *barnsäng*. När man sov så alldeles utmärkt vid mammas bröst. Funderingarna på att försöka med *Barnabokens* råd hade än så länge stannat vid funderingar. Så Erica hade som vanligt resignerat och tystat barnskriken genom att lägga Maja till bröstet och låta henne somna där i godan ro. Ofta kunde hon sova där i en timme eller två, förutsatt att Erica inte rörde sig märkbart eller att hon inte stördes av höga ljud från telefonen eller TV:n. Därför satt Erica nu sedan en halvtimme tillbaka som en stenstod i fåtöljen, med telefonen avstängd och TV:n på utan ljud. Utbudet var dessutom uruselt vid den här tiden på dagen, så hon tittade på en dum amerikansk såpa som TV4 verkade ha köpt in tusen avsnitt av. Hon hatade sitt liv.

Skuldmedvetet betraktade hon det lilla fjuniga huvudet som vilade förnöjt mot amningskudden, med den halvöppna munnen och ögonlocken som emellanåt fladdrade till. Det hade egentligen inget att göra med avsaknad av moderskärlek. Hon älskade Maja hett och innerligt, men kunde samtidigt känna det som om hon invaderats av en fientlig parasit som sög all livslust ur henne och tvingade in henne i en skuggtillvaro som inte hade något gemensamt med det liv hon levt innan.

Ibland kände hon sådan bitterhet mot Patrik också. För att han kunde göra små gästspel i hennes värld och sedan glatt gå ut i den riktiga världen som en vanlig människa. För att han inte förstod hur det kändes att leva hennes liv just nu. Men i klarsyntare ögonblick insåg hon att hon inte var rättvis. För hur skulle han kunna förstå? Han var inte fysiskt bunden på samma sätt som hon var, och inte känslomässigt heller för den delen. På gott och ont var bandet mellan mor och dotter så starkt nu i början att det fungerade både som fotboja och livlina.

Ena benet hade somnat och Erica försökte försiktigt ändra ställning. Det var en risk hon tog, det visste hon, men till slut blev smärtan i benet för stor. Chansningen lyckades inte den här gången. Maja började röra på sig, slog upp ögonen och började omedelbart söka efter mat med vidöppen mun. Suckande petade Erica in bröstet igen. Den här gången hade Maja bara sovit en halv timme och Erica visste att det inte skulle dröja länge innan hon ville sova igen. Sittfläsket skulle få sig en omgång i dag med. Nej, jävlar i mig, tänkte hon i nästa stund. Nästa sovpass skulle hon få Maja att sova själv!

Det blev en viljornas kamp. I ena ringhörnan Erica, 72 kilo. I andra ringhörnan, Maja, 6 kilo. Med fasta tag drog Erica barnvagnen över tröskeln mellan vardagsrummet och hallen. Hela armen, in, ut. Hon undrade i sitt stilla sinne hur någon skulle kunna sova i en vagn som skakade som under en jordbävning, men enligt Barnaboken skulle det vara precis så. Tydliga och klara besked till bebisen om att "nu ska du sova, mamma har koll på läget". Fast en kvart in i försöket var väl inte "koll på läget" det sätt Erica ville beskriva sin situation på. Trots att Maja, enligt alla hennes beräkningar, borde vara jättetrött, så skrek hon i högan sky och var mäkta förbannad över att förvägras rätten till sin jätteapp i människoform. För ett ögonblick var Erica frestad att ge upp och sätta sig och amma henne till sömns, men sedan besinnade hon sig. Hur förbannad Maja än var över nyordningen, och hur mycket skriken än skar i hjärtat på Erica, så var Maja mer betjänt av en mamma som mådde bra och orkade ta hand om henne. Så hon fortsatte. Varje gång Maja skrek i protest, "vagnade" hon bestämt. Tystnade Maja och var på väg att somna, så stannade Erica försiktigt vagnen. Enligt Anna Wahlgren var det viktigt att inte frestas att "vagna" bebisen till sömns, utan sluta precis innan, så bebisen fick somna av egen kraft. Och Halleluja! En halvtimme senare somnade Maja i vagnen. Försiktigt drog hon in henne i arbetsrummet, stängde dörren och satte sig i soffan med ett saligt leende på läpparna.

Hennes goda humör höll i sig, trots att klockan hann bli åtta på kvällen och Patrik fortfarande inte hade kommit hem. Erica hade inte orkat gå runt och tända lamporna, så efterhand som skymningen övergått i kväll, så hade det blivit allt mörkare i huset. Nu var det bara ljuset från TV:n som lyste och hon tittade slött på en av de många dokusåpor som gick på kvällarna medan hon återigen matade Maja. Skam till sägandes hade hon fastnat för alldeles för många av dem och Patrik muttrade alltmer över att ständigt behöva översköljas av intriger och mediekåta människor. Hans sporttittande hade blivit rejält kringskuret, men så länge det inte var han som satt och ammade hela kvällarna, så tänkte hon vara chef över fjärrkontrollen. Hon höjde ljudet och häpnade över hur en hoper jättesnygga tjejer kunde kråma sig för en fåfäng, fjantig ungkarl som försökte lura i dem att han var redo för äktenskap, medan det var uppenbart för alla tittare att han snarare såg sin medverkan i programmet som ett sätt att öka sin raggningspotential på Stockholms innekrogar. Visst kunde hon hålla med Patrik om att programmen var intelligensbefriade, men hade man väl börjat titta så kunde man inte sluta.

Ett ljud bortifrån dörren fick henne att sänka volymen igen. För ett kort ögonblick tog hennes gamla mörkerrädsla över, men sedan skärpte hon sig och insåg att det måste vara Patrik som äntligen kom hem.

"Vad mörkt du har det", sa han och tände ett par lampor innan han kom bort till henne och Maja. Han lutade sig fram och kysste henne på kinden, drog handen mjukt över Majas huvud och satte sig sedan tungt i soffan.

"Jag är verkligen ledsen att det blev så sent", sa han, och trots sina barnsliga känslor tidigare på dagen, så rann irritationen av henne i samma stund.

"Det gör inget", sa hon. "Vi har klarat oss bra, jag och lilltjejen." Hon var fortfarande euforisk över att ha fått några korta stunder för sig själv när Maja sov i vagnen i arbetsrummet.

"Ingen chans att man kan få se lite hockey, antar jag?" Patrik slängde en längtansfull blick på TV:n, utan att ha noterat Ericas osedvanligt goda humör.

Erica fnös bara till svar. Maken till dum fråga.

"Det var väl det jag trodde", sa han och reste sig. "Jag ska göra lite mackor till mig, vill du ha?"

Hon skakade på huvudet. "Jag åt för en stund sedan. Men en kopp te hade varit gott. Hon måste snart ha ätit klart." Som om hon förstått vad Erica sa, släppte Maja taget och tittade förnöjt upp på henne. Erica rätade tacksamt på sig, satte Maja i babysittern och följde efter Patrik in i köket. Han stod vid spisen och rörde ner O'boy-pulver i en kastrull med mjölk, och hon ställde sig tätt bakom hans rygg och lade armarna om honom. Det kändes så skönt och hon insåg hur lite kroppskontakt de haft sedan Maja föddes. Mest beroende på henne, var hon tvungen att erkänna.

"Hur har dagen varit?" frågade hon och insåg att också det var något som hon inte gjort på länge.

"För jävlig", sa han och plockade fram smör, ost och kaviar ur kylen.

"Jag hörde att ni hämtat in Kaj", sa hon försiktigt, osäker på hur mycket Patrik ville berätta. Själv hade hon bestämt sig för att inte säga något om de visiter hon hade fått under dagen.

"Skvallret har spridit sig som en löpeld, antar jag?" sa Patrik.

"Det kan man nog säga."

"Vad säger folk då?"

"Att han måste ha något med Saras död att göra. Är det så?"

"Jag vet inte." Patriks rörelser var trötta när han hällde upp den varma chokladen i en kopp och bredde ett par mackor. Han slog sig ner mittemot Erica och började doppa sina ost- och kaviarmackor i chokladen. Efter en stund fortsatte han: "Vi hämtade honom inte på grund av mordet på Sara, utan av en annan anledning."

Han tystnade åter. Erica visste bättre men kunde inte låta bli att fortsätta fråga. För sin inre syn såg hon Charlottes håglösa blick.

"Men är det något som tyder på att han kan ha haft något att göra med Saras död?"

Patrik doppade en macka till i chokladen och Erica försökte att inte titta. Hon tyckte att den vanan var minst sagt barbarisk.

"Ja, det är det väl. Men vi får se. Vi får inte riskera att snöa in oss. Det finns lite annat att titta på också", sa han och undvek hennes blick.

Hon frågade inte mer. Några protesterande grymtningar borta från vardagsrummet indikerade att Maja tröttnat på att sitta mol allena och Patrik reste sig och hämtade babysittern med dottern i. Hon gurglade tacksamt och viftade med både händer och fötter när Patrik satte upp

270

henne på köksbordet. Tröttheten i hans ansikte försvann och det särskilda ljus som han reserverade för sin dotter sken ur hans ögon.

"Är det pappas lilla älsklingsgull? Har pappas lilla älskling haft det bra i dag? Är man sötaste tjejen i heeela världen", gullade han på barnspråk med ansiktet tätt intill Majas. Sedan förvreds Majas ansikte, blev högrött och efter ett par rejäla stånkande läten hördes ett brak från de nedre regionerna och en tät stank spred sig runt bordet. Erica reste sig automatiskt för att åtgärda problemet.

"Jag tar det, sitt du", sa Patrik och Erica sjönk tacksamt ner på köksstolen igen.

När Patrik kom tillbaka med en nybytt och pyjamasklädd Maja, berättade hon med stor entusiasm om det lyckade "vagnandet" och att hon fått Maja att somna på det sättet.

Patrik såg skeptisk ut. "Skrek hon i fyrtiofem minuter innan hon somnade! Ska hon verkligen göra det? De sa ju på BVC att skriker de, så ska man ge dem bröstet. Kan det verkligen vara bra att hon får skrika så?"

Hans brist på entusiasm och förståelse fick Erica att bli förbannad. "Det är klart att det inte är meningen att hon ska skrika i fyrtiofem minuter. Det ska minska inom ett par dagar och förresten, om du nu inte tycker att det är en bra idé, så får du stanna hemma och ta hand om henne! Det är ju inte du som får sitta och amma dygnet runt, så jag förstår att du inte ser något behov av att ändra på något!"

Sedan brast hon i gråt och rusade upp i sovrummet. Patrik satt kvar vid köksbordet och kände sig som en idiot. Att han aldrig tänkte innan han öppnade munnen.

Fjällbacka 1928

Två dagar senare kom hennes far till Fjällbacka. Hon satt i det lilla rummet där hon fått tillfälligt tak över huvudet och väntade, med händerna knäppta i knät. När han steg in reflekterade hon över att skvallret hade haft rätt. Han såg eländig ut. Håret hade tunnats ut ännu mer uppe på hjässan och då han ett par år tidigare hade varit trivsamt rund, var han nu på gränsen till fet och andades med flämtande andetag. Hans ansiktsfärg var glansigt röd av ansträngningen, men strax under låg en gråhet som vägrade vika för det röda. Han såg inte frisk ut.

Tvekande klev han över tröskeln, med en min av vantro när han såg hur litet och mörkt det var, men när han fick syn på Agnes sprang han de få stegen över tiljorna och omfamnade henne hårt. Hon lät honom göra det men besvarade inte omfamningen, utan lät händerna ligga kvar i knät. Han hade svikit henne och inget kunde förändra den saken.

August försökte få ett gensvar av henne, men gav sedan upp och släppte henne. Ändå kunde han inte låta bli att smeka henne över kinden. Hon ryckte till som om han slagit henne.

"Agnes, Agnes, min stackars Agnes." Han satte sig på stolen bredvid henne men undvek att röra vid henne. Medlidandet i hans ansikte äcklade henne. Det var så dags att komma nu. För fyra år sedan hade hon behövt honom, behövt hans faderliga omsorger. Nu var det för sent.

Hon vägrade nogsamt att titta på honom, medan han talade till henne med en angelägen röst som emellanåt stockade sig.

"Agnes, jag förstår att jag handlade fel och att inget jag säger kan ändra på den saken. Men låt mig hjälpa dig nu när du har det svårt. Kom hem igen, och låt mig ta hand om dig. Det kan bli som förr, allt kan bli som förr. Det är så förfärligt det som hänt, men tillsammans kan vi få dig att glömma."

Rösten steg och sjönk i bedjande vågor men slogs i spillror mot hennes hårda skal. Hans ord kändes som ett hån.

"Snälla Agnes, kom hem. Du får allt du vill."

Hon såg i ögonvrån hur hans händer darrade och hans bedjande tonfall skänkte henne mer tillfredsställelse än hon någonsin kunnat föreställa sig. Och hon hade föreställt sig det, drömt om det, många gånger under de mörka åren som varit.

Sakta vände hon ansiktet mot honom. August tog det som ett tecken på att hon hörsammade hans böner och försökte ivrigt ta hennes händer. Utan att röra en min drog hon bryskt undan sina händer.

"Jag åker till Amerika på fredag", sa hon och njöt av det bestörta ansiktsuttryck som uttalandet orsakade.

"A... aa ... merika", stammade August och Agnes såg hur några svettpärlor bröt fram på hans överläpp. Vad han än hade förväntat sig, så var det inte detta.

"Anders hade köpt biljetter till oss allesammans. Han drömde om en framtid för oss där. Jag tänker ära hans önskan och åker själv", sa hon dramatiskt och flyttade blicken från sin far ut genom fönstret. Hon visste att hennes profil var vacker i motljuset och den svarta klädseln framhävde den blekhet som hon vårdat så noga.

Folk hade tassat på tå omkring henne i två dagar. Ett litet rum hade ställts till hennes förfogande, och hon hade blivit lovad att få stanna så länge hon ville. Allt prat bakom ryggen på henne, allt förakt de öst över henne, allt det var som bortblåst. Kvinnorna kom med mat och kläder till henne. Det hon hade på sig nu var alltihop lånat eller skänkt. Inget av hennes eget fanns kvar.

Anders arbetskamrater i stenbrottet hade också kommit förbi. I sina finaste söndagskläder och rentvättade så gott det nu gick, hade de med mössan i näven och blicken i golvet tagit henne i hand och mumlat några ord om Anders.

Agnes kunde inte vänta tills hon skulle slippa deras lappade och slitna skara. Hon längtade efter att få kliva ombord på båten som skulle föra henne till en annan kontinent och att låta havsluften blåsa bort smutsen och förfallet som hon tyckte låg som en hinna över hennes hud. Ett par dagar till var hon tvungen att stå ut med deras medlidande och deras patetiska försök att visa välvilja, sedan skulle hon ge sig iväg och aldrig mer se sig om. Men först visste hon vad hon ville utverka från den feta, rödmosiga mannen bredvid henne, som övergav henne så grymt för fyra år sedan. Hon skulle se till att han fick betala. Dyrt, för vart och ett av de fyra år som gått.

Han stammade, fortfarande i chock över det besked hon nyss gett honom. "Men, men, hur ska du försörja dig där borta?" frågade han oroligt

273

och strök svett ur pannan med en liten näsduk som han halat fram ur fickan.

"Jag vet inte", svarade hon med en djup, dramatisk suck och lät en bekymrad skugga glida över ansiktet. Snabbt, men tillräckligt länge för att hennes far skulle hinna se den.

"Kan du inte ändra dig då, hjärtat? Stanna hos din gamle far istället."

Hon skakade häftigt på huvudet och väntade på att han skulle komma med något annat förslag. I det avseendet gjorde han henne inte besviken. Män var så lätta att genomskåda.

"Kan jag inte få hjälpa dig då? En kassa att komma igång med, och ett underhåll så du klarar dig? Skulle jag inte kunna få göra åtminstone det för dig? Annars kommer jag att oroa ihjäl mig för dig, ensam, så långt borta."

Agnes såg ut att fundera en stund, och August skyndade sig att lägga till: "Och jag kan säkert se till att du får en bättre biljett för överresan också. En egen hytt, i första klass, det låter väl lite bättre än att resa inklämd bland en massa andra."

Hon nickade nådigt och sa efter en stunds tystnad: "Nåväl, det skulle du väl kunna få göra. Du kan ge mig pengarna i morgon. Efter begravningen", lade hon till och August ryckte till som om han bränt sig på något.

Trevande försökte han hitta de rätta orden. "Pojkarna", började han med darr i stämman, "var de lika vår sida av släkten?"

De hade varit små avbilder av Anders, men med hård stämma sa Agnes: "De såg ut precis som de bilder av dig jag sett från när du var liten. Som små kopior av dig. Och de frågade ofta varför de inte hade någon morfar, som de andra barnen", lade hon till och såg hur kniven vreds om i bröstet på honom. Lögner och åter lögner, men ju mer samvetet tyngde honom, desto mer skulle han fylla på hennes kassa.

Med tårar i ögonen reste han sig för att ta farväl. I dörröppningen vände han sig om för att se på henne en sista gång, och hon bestämde sig för att ge honom åtminstone en liten skärv och nickade nådigt åt honom. Som hon förutsett blev han övermåttan glad åt den lilla gesten från hennes sida, och han log med blanka ögon.

Agnes såg med hat efter hans försvinnande ryggtavla. Henne förrådde man bara en gång. Sedan gavs man inga fler möjligheter.

Patrik satt i bilen och försökte fokusera på dagens första uppgift. Det kändes angeläget att så snart som möjligt följa upp det samtal han gjort precis innan han gick från jobbet i går. Men han hade svårt att släppa tankarna på sina korkade ord till Erica i går. Att det skulle vara så svårt. Han hade alltid trott att det där med barn var lätt. Nåja, möjligtvis arbetsamt, men inte så ångestladdat som det hade varit under de senaste två månaderna. Han suckade uppgivet.

Först när han parkerade utanför de vita och bruna lägenhetshusen vid Fjällbackas södra infart, lyckades han koncentrera sig på nuet och glömma problemen där hemma. Lägenheten han skulle till låg i det första huset, i andra uppgången, och han tog trappan upp till första våningen. Svensson/Kallin stod det på den ena dörren och där knackade han försiktigt på. Han visste att det bodde en baby där och var väldigt medveten om hur ogärna man ville få sin telning väckt av okänsliga människor. En kille i tjugofemårsåldern öppnade dörren och trots att klockan var halv nio såg han tjurig och nyväckt ut.

"Mia, det är till dig."

Han klev åt sidan utan att hälsa på Patrik och gick med släpiga steg in i ett rum som låg i anslutning till hallen. Patrik kikade in i ett litet rum som verkade vara menat som ett gästrum, men som nu var inrett som spelrum, med en dator, flera joysticks och massor av spel utströdda på ett skrivbord. Ett "skjuta ihjäl så många fiender som möjligt-spel" drog igång på datorn och killen, som Patrik antog var antingen Svensson eller Kallin, började spela och såg ut som om han gick in i en annan värld.

Köket låg till vänster i hallen och Patrik klev in efter att ha lämnat skorna vid ytterdörren.

"Kom in, jag håller på och ger Liam mat."

Lillkillen satt i en vit barnstol och matades med gröt och någon form av fruktpuré. Patrik vinkade till honom och belönades med ett grötigt leende.

"Slå dig ner", sa Mia och pekade på stolen mittemot dem.

Han följde hennes anvisning och tog fram sitt anteckningsblock.

"Skulle du kunna berätta vad det var som hände i går?"

En lätt darrning på handen som höll skeden visade hur uppskakande gårdagen hade varit för henne. Hon nickade och berättade i korta drag vad som hänt. Patrik antecknade, men det var samma uppgifter som Annika fått dagen innan när Mia ringt in sin anmälan.

"Och du såg ingen i närheten av vagnen?"

Mia skakade på huvudet och Liam som uppenbarligen tyckte att det såg skojigt ut, skakade frenetiskt på huvudet han med, vilket avsevärt försvårade införseln av gröt.

"Nej, jag såg ingen. Varken före eller efter."

"Du parkerade vagnen på baksidan, sa du?"

"Ja, det är mer avskilt där och det kändes lugnare att lämna honom i vagnen då. Jag ville inte ta med honom in. Dels sov han, dels kändes det lite bökigt att släpa med sig vagnen in i affären och jag skulle bara vara borta några minuter."

"Och sedan när du kom ut, så såg du en gråsvart substans i vagnen och på Liam."

"Han skrek som en galning. Han måste ha haft hela munnen full men lyckats spotta ut det mesta, för hela insidan av hans mun var färgad svart."

"Tog du honom till en läkare?"

Åter skakade hon på huvudet och han såg att han träffat en öm punkt.

"Nej. Jag borde väl ha gjort det, men vi hade bråttom hem och han verkade må bra, förutom att han var rädd och förbannad, så jag ..."

Rösten försvann och Patrik skyndade sig att säga: "Det är säkert ingen fara. Du gjorde helt rätt. Han ser ju ut att må bra, lillkillen."

Liam viftade bekräftande och gapade otåligt efter nästa sked med gröt. Aptiten var det uppenbarligen inget fel på, något som syntes på de välfyllda dubbelhakorna.

"Tröjan jag ringde om i går, har du ..."

Hon reste sig. "Ja, jag tvättade den inte, precis som du bad mig. Och den är full av det där svarta joxet. Ser ut som aska, tycker jag."

Hon gick för att hämta tröjan och Liam tittade längtansfullt efter skeden som hon lagt bredvid skålen. Patrik tvekade en sekund, sedan flyttade han sig till stolen som hon suttit på och tog vid där hon slutat. Två skedar gick som på räls, sedan beslutade sig Liam för att demonstrera sitt billjud och brummade med läpparna så att Patrik sprejades med gröt i hår

276

och ansikte. Precis då kom Mia tillbaka med tröjan. Hon kunde inte hejda ett skratt.

"Som du ser ut. Jag hade kunnat varna dig, eller ge dig en regnrock och sydväst åtminstone. Jag ber verkligen om ursäkt."

"Det gör inget", sa Patrik och torkade leende bort lite gröt som fastnat i ögonfransarna. "Min är bara två månader, så det är bara bra att jag får prova på hur det blir sedan."

"Ja, prova på du", sa Mia och slog sig ner på den stol där han suttit och lät Patrik fortsätta med matningen. "Här är i alla fall tröjan", sa hon och lade den på bordet framför sig.

Patrik tittade på den. Hela framsidan var svart och smutsig.

"Jag skulle gärna vilja ta den med mig. Går det bra?"

"Ja, ta den bara. Jag hade nog tänkt slänga den ändå. Jag lägger den i en plastpåse åt dig."

Patrik tog emot påsen och reste sig.

"Kommer du på något mer så kan du väl ringa", sa han och lämnade över sitt kort.

"Ja, det ska jag göra. Jag förstår bara inte varför någon skulle göra något sådant här? Och vad tror ni att ni kan ha för nytta av tröjan?"

Han skakade bara på huvudet till svar. Patrik kunde inte säga något om anledningen till sitt intresse. Ännu hade inget läckt ut om askan som de funnit i samband med mordet på Sara. Han sneglade på Liam. Tack och lov hade det inte gått så långt i det här fallet. Frågan var bara om det aldrig hade varit meningen, eller om något hade stört personen som gjort detta. Och innan de fått askan på tröjan analyserad, kunde de inte ens säga om den gick att koppla till Saras död. Fast han vågade redan sätta en slant på att de skulle finna ett samband. Det här var inte bara ett sammanträffande.

När han satte sig i bilen kände han i jackfickan efter mobilen. Han hade inte hört något från teamet som utförde husrannsakan hos Kaj i går och tyckte att det var lite underligt. Han hade haft för mycket i huvudet i går för att reagera på det, men nu undrade han varför de inte hade rapporterat tillbaka till honom. Med en svordom insåg han att han stängt av telefonen när han skulle in och förhöra Kaj och sedan glömt att sätta på den igen. Meddelandeikonen blinkade och indikerade att det fanns ett meddelande på hans telefonsvarare. Han ringde 133 och lyssnade spänt på vad rösten som lämnat meddelandet sa. Med en lätt triumf i blicken smällde han igen locket på telefonen och stoppade ner den i jackfickan.

Patrik hade åter valt köket som mötesplats. Det var det rymligaste rummet på polisstationen och det kändes också som att närheten till nybryggt kaffe skulle vara välgörande i denna situation. Annika hade kilat bort till bageriet en bit ner på gatan och köpt en rejäl påse med nöttoppar, kärleksmums och chokladbollar. Ingen var nödbedd och när Patrik ställde sig bredvid skrivtavlan mumsade alla på något kaloririkt.

Han harklade sig. "Som ni vet så var gårdagen ganska händelserik."

Gösta nickade och sträckte sig efter en nöttopp till. Han låg dock efter Mellberg som redan var inne på sin tredje kaka och inte såg främmande ut för en fjärde. Ernst satt lite för sig själv och alla undvek noga att titta på honom. Sedan hans enorma fadäs vilade det ett slags domedagsskugga över honom och ingen visste när bilan skulle falla. Allt sådant fick stå tillbaka så länge de var uppe i det mest intensiva skedet av utredningsarbetet. Men sedan visste alla att det bara var en tidsfråga. Inklusive Ernst.

Allas blickar var fästa på Patrik. Han fortsatte: "Jag tänkte sammanfatta vad vi har så här långt. Det mesta är säkert sådant ni redan vet, men det kan vara bra att få en överblicksbild av var vi står."

Han harklade sig än en gång, tog en penna och började skissa på blocket samtidigt som han pratade.

"Först och främst har vi ju haft pappan, Niclas, inne och ställt lite frågor rörande hans alibi. Vi vet fortfarande inte var han befann sig på förmiddagen på måndagen och frågan är varför han försökte ljuga ihop ett alibi. Vi har också misstanken om barnmisshandel, baserad på de uppgifter vi fått om skador som sonen Albin kommit in till sjukvården med. Frågan är om Sara också var utsatt för misshandel och om det kan ha eskalerat till mord."

Han ritade en punkt på blocket, skrev "Niclas" bredvid och drog sedan streck till de två orden "alibi", och "misstänkt misshandel". Efter det vände han sig mot kollegorna igen.

"Sedan kom Saras lekkamrat Frida in i går med sin mamma, och flickan berättade då att någon som hon kallade en 'elak farbror' skrämt upp Sara rejält dagen innan hon dog. Han hade uppträtt hotfullt mot henne och bland annat kallat henne 'Gävles föda'. Är det någon som kan förklara innebörden av det?"

Patrik tittade frågande på de församlade. Ingen svarade först, de satt tysta och verkade anstränga sig att förstå vad ett så underligt begrepp kunde betyda.

Annika tittade på dem, skakade på huvudet åt deras tröghet och sa sedan: "Han sa antagligen 'Djävulens avföda'."

Alla såg ut som om de ville slå sig för pannan.

"Ja, men självklart", sa Patrik och förbannade också han sin dumhet. Bara man kom på det var det ju så uppenbart. "Låter onekligen som något fanatiskt religiöst. Och Frida beskrev farbrorn som en äldre man med grått hår. Martin, kan du kolla med Saras mamma om det stämmer in på någon de känner?"

Martin nickade.

"Sedan fick vi in en intressant anmälan i går. En tjej ställde en barnvagn med sin sovande son bakom Järnboden och gick in för att handla. När hon kom ut så skrek han för full hals och innanmätet i vagnen var täckt med någon svart substans som han också hade i munnen. Det verkade som om någon försökt tvinga honom att svälja den. Jag åkte och pratade med pojkens mamma i morse och fick med mig tröjan som han hade på sig. Hela framsidan är full av något som mycket väl skulle kunna vara aska."

Det blev tyst kring bordet. Ingen tuggade, ingen sörplade kaffe. Patrik fortsatte: "Jag har redan skickat iväg den för analys, och något säger mig att det är samma aska som vi fann i Saras magsäck. Vi har en mycket exakt tidpunkt för när det här ... övergreppet skedde, så det kan vara läge att kolla lite alibin. Gösta, du och jag tar den biten."

Gösta nickade och plockade med pekfingret upp de sista kokossmulorna från tallriken.

Blocket var nu fullt av anteckningar och punkter och Patrik hejdade sig en kort sekund med pennan ovanför blocket. Sedan gjorde han ännu en punkt och skrev "Kaj" bredvid. Det var uppenbart för alla att han nu kommit till den del av dragningen som han bedömde som allra viktigast.

"Efter att vi fått ett samtal från kollegorna i Göteborg, så kom det till vår kännedom att Kaj Wiberg förekommer i en utredning av en pedofilring."

Alla ansträngde sig ännu hårdare för att inte titta på Ernst och han vred sig en aning i stolen.

"Vi tog in honom för förhör i går och genomförde även en husrannsakan i hans hem, med stöd från kollegorna i Uddevalla. Förhöret gav inget konkret, men vi ser det som ett första steg och kommer att fortsätta våra samtal med Kaj. Utifrån det material vi får från Göteborg kommer

279

vi också att se om vi kan identifiera några offer med lokal anknytning. Kaj har ju under många år varit en aktiv figur inom ungdomsverksamheten i Fjällbacka, så det är inte helt långsökt att tro att det förekommit övergrepp under hans år där."

"Finns det något som visar på att han kan kopplas till mordet på Sara?" frågade Gösta.

"Jag kommer till det snart", svarade Patrik undvikande och fick ett förbryllat ögonkast från Martin. De hade ju inte lyckats få fram något sådant under förhöret.

"Husrannsakan kan ha gett oss vårt första stora genombrott i utredningen."

Spänningen steg märkbart och Patrik kunde inte låta bli att dra ut på det lite för effektens skull. Sedan sa han: "Vid husrannsakan hemma hos Kaj i går, så fann man Saras jacka."

Alla drog efter andan.

"Var hittade de den?" sa Martin och såg lite harmsen ut över att Patrik inte talat om det här för honom.

"Det är just det", svarade Patrik. "Den låg inte inne i stora huset, utan fanns i stugan på tomten, där sonen Morgan bor."

"Ja, jesiken", sa Gösta. "Jag hade kunnat ge mig fan på att den där kufen var inblandad. Sådana där ..."

Patrik avbröt honom. "Jag kan hålla med om att det är graverande, men jag vill ändå inte att vi låser fast oss vid det redan nu. Dels vet vi inte vem av far och son som lagt jackan där, det kan ju lika gärna vara Kaj som velat gömma undan den. Dels finns det för många andra oklarheter, och då menar jag exempelvis Niclas försök att skaffa sig ett alibi, för att vi helt ska kunna bortse från dem. Vi ska därför fortsätta att jobba med alla", han underströk det sista ordet, "punkter som jag har satt upp här på tavlan. Frågor på det?"

Mellberg upphävde sin stämma. "Ser finfint ut, Hedström. Bra jobbat. Och visst, kolla upp de där andra grejerna du skrivit upp där också", han viftade slött åt blocket, "men jag är böjd att hålla med Gösta. Han verkar ju inte vara riktigt riktig, den där Morgan, och om jag var du", han höll teatraliskt handen mot bröstet, "så skulle jag sätta till alla klutar för att klämma åt honom. Men det är klart, du är ansvarig för utredningen, det är du som avgör", sa Mellberg, men på ett sådant sätt att det var uppenbart för alla att han ansåg att Patrik gjorde bäst i att följa hans råd.

Patrik svarade inte, vilket Mellberg tolkade som att han nått fram med sitt budskap. Han nickade förnöjt. Nu var det bara en tidsfråga innan fallet var uppklarat.

Sammanbitet gick Patrik in i sitt rum och började ta itu med dagens uppgifter. Gubbfan fick tro vad han ville, men han tänkte inte dansa efter *hans* pipa. Visserligen hade uppgiften om att de hittat jackan i Morgans stuga fått också honom att vilja dra vissa slutsatser, men något, om det var instinkt, erfarenhet eller bara ren misstänksamhet, sa honom att allt inte var som det såg ut.

Fjällbacka 1928

Med ryggen mot den svenska kusten slöt hon ögonen och kände vinddraget mot ögonlocken. Så det var så här friheten kändes.

Båten mot Amerika hade avseglat från Göteborg exakt på klockslaget och kajen hade varit full av människor som med både hopp och sorg tagit farväl av anhöriga. Ingen visste om de skulle ses igen. Amerika var så långt borta, så avlägset, att de flesta som åkte dit aldrig återvände och endast hördes av igen via brev.

Men ingen hade varit där för att ta farväl av Agnes. Precis så som hon ville ha det. Hon lämnade allt det gamla bakom sig och for mot ett nytt liv, och med hennes fars check på fickan och en fin hytt i första klass kändes det för första gången på länge som om hon var på rätt spår.

För ett ögonblick for tankarna till Anders och pojkarna. Kyrkan hade varit fylld till brädden under begravningen och högljudda snyftningar hade stigit mot taket i en sorgsen kör. Själv hade hon inte gråtit. Bakom hattens flor hade hon betraktat de tre kistorna framme i koret. En stor och två små. Vita, med mängder av blommor och kransar på och omkring. Den största kransen var från hennes far. Hon hade förbjudit honom att komma.

Inte för att det hade funnits mycket att lägga i kistorna. Elden hade brunnit med en så förtärande värme att inget återstod. Så kistorna innehöll bara några små rester. Prästen hade föreslagit urnor istället med tanke på kvarlevornas skick, men Agnes hade velat ha det så här. Tre kistor som skulle sänkas ner i jorden.

Några av Anders arbetskamrater hade gjort stenen. En och samma sten till dem alla tre, med namnen vackert ingraverade.

De hade blivit brandens enda offer. I övrigt hade bara egendom förstörts, men förödelsen hade varit omfattande. Hela nedre delen av Fjällbacka, den del som var närmast havet, var nu svart och förkolnad. Hus var borta och brända pålar stack upp ur vattnet där bryggor tidigare legat. Men få hade klagat över förlusten av sina hem. Varje gång de fick lust att gråta över det de förlorat, hade de tänkt på Agnes och det hon berövats. Mangrant hade de kommit till begravningen och hjärtat värkte på dem när bilden av de små blonda pojkarna hand i hand med sin far kom för dem.

Men deras mor fällde inga tårar. När begravningen var över åkte hon till sitt tillfälliga hem och packade några få ägodelar som hon fått till skänks. Välgörenhet. Att hon behövt ta emot allmosor ingav henne sådan olust att det sved i skinnet på henne, men aldrig mer skulle hon behöva göra det.

Där hon stod på båtens översta däck kunde ingen ana att hon till alldeles nyss hade levt ett liv i fattigdom. Nya kläder hade hastigt införskaffats och bagaget var det elegantaste som fanns att köpa. Njutningsfullt strök hon handen över det mjuka tyget. Vilken skillnad det var mot de nötta, urblekta kläder som varit hennes lott i fyra år.

Det enda som nu fanns kvar av hennes gamla liv var en blå träask som hon omsorgsfullt placerat längst ner i packningen. Asken i sig var inte det viktiga utan dess innehåll. Hon hade smugit sig ut kvällen innan och fyllt den. Det skulle påminna henne om att aldrig låta något stå i vägen för det liv hon förtjänade. Hon hade gjort misstaget att lita på en man, och det hade kostat henne fyra år av hennes liv. Så som hennes far hade svikit henne skulle hon aldrig låta någon man svika henne igen. Och hon skulle se till att han fick betala dyrt för det. Ensamheten var det högsta priset, men hon tänkte också se till att pengarna flödade i hennes riktning. Det hade hon förtjänat. Och hon visste precis vilka knappar hon skulle trycka på för att hålla hans dåliga samvete vid liv. Män var så lättmanipulerade.

En harkling väckte henne ur hennes tankar så abrupt att hon hoppade till.

"Åh, ursäkta, jag hoppas att jag inte skrämde frun?"

En elegant klädd man log förbindligt mot henne och sträckte fram sin hand till en presentation.

Agnes granskade honom vant och snabbt innan hon besvarade hans leende och lade sin handskbeklädda hand i hans. Dyrbar, skräddarsydd kostym och händer som aldrig sett grövre arbete. Uppskattningsvis i trettioårsåldern och med ett behagligt, ja, till och med riktigt trevligt utseende. Ingen ring på ringfingret. Den här överresan kunde kanske bli betydligt trevligare än hon förväntat sig.

"Agnes, Agnes Stjernkvist. Och det är fröken, inte fru."

283

Dan hade kommit på besök. Trots att de talats vid i telefon ett par gånger hade han ännu inte varit hemma och tittat på Maja, men nu fyllde hans stora kroppshydda hallen och vant tog han bebisen från Erica.

"Heeej, lilltjejen. Vilken liten skönhet det var här då", gullade han och hissade henne högt mot taket. Erica fick bekämpa en impuls att rycka tillbaka sin dotter, men Maja såg inte ut att vantrivas med situationen på något sätt. Och med tanke på att Dan hade tre döttrar så visste han nog vad han gjorde.

"Hur mår lilla mamma då", sa han och gav Erica en av sina björnkramar. En gång, långt tillbaka i tiden, hade de varit tillsammans, men nu var de sedan många år nära vänner. Deras vänskap hade visserligen fått sig en rejäl knäck för två vintrar sedan när de båda under olyckliga omständigheter blev inblandade i ett mord, men tidens gång kunde reparera det mesta. Sedan han skilde sig från sin fru Pernilla hade de dock haft lite mindre kontakt med varandra, då Dan gått in i singellivet med allt vad det innebar, samtidigt som Erica gått åt rakt motsatt håll. Han hade avverkat en rad märkliga flickvänner, men för tillfället var han lös och ledig, och Erica tyckte att han såg mer tillfreds ut än han gjort på länge. Skilsmässan hade tagit honom hårt och han sörjde att inte få vara tillsammans med sina döttrar mer än varannan vecka, men efterhand hade han väl börjat vänja sig och gå vidare.

"Jag tänkte höra om du vill gå med på en promenad?" sa Erica. "Maja börjar bli trött och går vi en sväng så somnar hon nog i vagnen."

"En kortis då", muttrade Dan. "Det är riktigt ruggigt ute och jag såg fram emot att få komma in i värmen."

"Bara tills hon somnar", lirkade Erica och han tog motvilligt på sig skorna igen.

Hon höll sitt löfte. Tio minuter senare var de inne i hallen igen och Maja sov lugnt ute under vagnens regnskydd.

"Har du något babylarm?" sa Dan.

Erica skakade på huvudet. "Nej, jag får titta till henne emellanåt."

"Du skulle ha sagt något, så hade jag kunnat kolla om vi har kvar vårt någonstans."

"Du kommer väl lite oftare nu", sa Erica, "så du kan ta med det nästa gång."

"Ja, ursäkta att det tog sådan tid innan jag kom mig för att hälsa på", sa han urskuldande. "Men jag vet ju hur de första månaderna är, så jag ..."

"Du behöver inte ursäkta dig", sa Erica. "Du har helt rätt. Det är först nu jag börjat känna mig mogen att umgås med folk."

De slog sig ner i soffan där Erica hade dukat fram fika och Dan högg med god aptit in på bullarna hon värmt i ugnen.

"Mmmm", sa han. "Har du bakat de här?" Han kunde inte hindra en ton av förundran att smyga sig in i rösten.

Erica blängde surt på honom. "Om så vore fallet, så behöver du faktiskt inte låta så där förvånad. Men nej, det är inte jag, svärmor bakade dem när hon var här", var hon tvungen att erkänna.

"Ja, jag tänkte väl att det var något sådant. De här är inte tillräckligt svarta för att vara dina", retades Dan.

Erica fann inte något mer dräpande svar än: "Äh!" Han hade ju faktiskt rätt. Hon och bakning gick bara inte ihop.

Efter en stunds gemytligt prat och uppdateringar om vad som hänt sedan sist, reste sig Erica.

"Jag ska bara gå och titta till Maja."

Försiktigt gläntade hon på ytterdörren och kikade ner i vagnen. Konstigt, Maja måste ha hasat ner under täcket. Hon lossade så ljudlöst hon kunde på regnskyddet och vek upp täcket. Paniken slog henne med full kraft. Maja låg inte i vagnen!

Det knakade i ryggen när han satte sig ner och Martin sträckte upp armarna ovanför huvudet för att få ordning på kotorna. Allt bärande av kartonger och möbler under flytten hade fått honom att känna sig som en gammal gubbe. Plötsligt insåg han att några timmar på gymmet kanske skulle ha varit en bra idé, men det var så dags att vara efterklok nu. Pia sa dessutom att hon gillade hans gängliga lekamen och då såg han ingen anledning att ändra på något. Men nog fan gjorde det ont i ryggen.

Fast fint hade det blivit, det var han tvungen att erkänna. Pia var den av dem som hade fått bestämma var saker och ting skulle stå och resultatet var betydligt bättre än något han lyckats åstadkomma i sina ungkarlsbostäder. Han önskade dock att han fått behålla lite mer av sina grejer. Nu var det bara hans stereo, TV och en Billybokhylla som hade funnit nåd inför hennes kritiska ögon. Resten hade utan pardon gått iväg till tippen. Sorgligast hade det varit att ta farväl av den gamla skinnsoffan som han haft i vardagsrummet. Visserligen kunde han hålla med om att den sett bättre dar, men minnena ... Vilka minnen.

Fast vid närmare eftertanke var det kanske just därför som Pia hävdat så bestämt att den måste skrotas och att en soffa modell Tomelilla från IKEA skulle införskaffas. Ett gammalt köksbord i furu hade han faktiskt också fått behålla, men Pia hade raskt införskaffat en duk som hon täckte varje centimeter av bordet med.

Nåja, det var bara små gruskorn i maskineriet. Så här långt fanns det inget negativt med sambolivet. Han älskade att komma hem till Pia varje kväll, krypa upp i soffan och kika på något värdelöst på TV:n med Pias huvud i sitt knä, lägga sig i den nya dubbelsängen och somna tillsammans. Allt var precis lika underbart som han drömt om. Han visste att han kanske borde vara mer bedrövad över att ungkarlsdagarnas glada festtid var över, det var i alla fall vad några av hans polare sa, men han saknade den inte mer än han saknade en rejäl baksmälla. Och Pia, ja, hon var bara perfekt.

Martin tvingade bort det fånigt nykära leendet från ansiktet och letade upp familjen Florins telefonnummer. Han slog numret och hoppades att det inte var den där hemska harpan som svarade. Charlottes mamma påminde honom om sådana där nidporträtt av svärmödrar.

Han hade tur. Charlotte svarade själv. Han kände en ilning av medlidande i hjärtat när han hörde hur klanglös hennes röst var.

"Ja, hej, detta är Martin Molin från Tanumshede polisstation."

"Vad gäller det?" frågade Charlotte försiktigt.

Martin förstod mer än väl att ett samtal från dem väckte både farhågor och förhoppningar, så han fortsatte snabbt. "Jo, det är så att vi skulle vilja kolla en sak med dig. Vi har fått in en uppgift om att någon hotade Sara dagen innan hon ...", han stakade sig, "dog."

"Hotade?" sa Charlotte och han kunde nästan se hennes frågande ansiktsuttryck framför sig. "Vem säger det? Sara sa inget om det."

"Hennes lekkamrat, Frida."

"Men varför har inte Frida sagt något om det innan?"

"Sara fick henne att lova att inte säga något. Frida sa att det var en hemlighet."

"Men vem?" Först nu verkade Charlotte vakna till och ställa den relevanta frågan.

"Frida visste inte vem det var. Men hon beskrev mannen, för det var en man, som äldre med grått hår och svarta kläder. Och han kallade troligtvis Sara för 'Djävulens avföda'. Finns det någon ni känner till som stämmer in på den beskrivningen?"

"Det gör det sannerligen", sa Charlotte sammanbitet. "Det gör det sannerligen."

Smärtan hade intensifierats de senaste dagarna. Det var som om ett hungrigt djur satt och rev honom i magen med sina klor.

Stig vände sig försiktigt på sidan. Ingen ställning var riktigt bekväm. Hur han än låg, så gjorde det ont någonstans. Men ondast av allt gjorde det i hjärtat. Han tänkte allt oftare på Sara. På hur de haft långa, allvarliga samtal om allt möjligt. Skolan, vänner, hennes lillgamla funderingar om allt som försiggick omkring henne. Han trodde inte att de andra haft tid att se den sidan av henne. De hade bara fokuserat på det kantiga, det högljudda, det besvärliga. Och Sara hade reagerat på deras bild av henne och blivit ännu besvärligare, bråkat än mer, slagit sönder saker. En ond cirkel av frustration som ingen av dem hade vetat hur de skulle ta sig ur.

Men i stunderna hos honom hade hon funnit lugn. Och han saknade henne så mycket att det gjorde ont. Han hade sett så mycket av Lilian i henne. Lilians styrka och beslutsamhet. Hennes kantighet som dolde sådana enorma omvårdande, kärleksfulla resurser.

Som om hon kunde läsa hans tankar klev Lilian in i rummet. Stig hade varit så djupt försjunken i sina minnen att han inte ens hade hört hennes steg i trappan.

"Här kommer lite frukost, jag har varit ute och köpt färska frallor", kvittrade hon och han kände hur det vände sig i magen på honom bara vid åsynen av det som stod på brickan.

"Jag är inte så hungrig", försökte han, men visste samtidigt som han sa det hur fruktlöst det var.

"Du måste äta om du ska bli frisk", sa Lilian med sin mästrande sjuksköterskeröst. "Här, jag hjälper dig."

Hon satte sig på sängkanten och tog en skål filmjölk från brickan. Försiktigt lyfte hon en sked och förde den till hans läppar. Han öppnade motvilligt munnen och lät sig matas. Känslan av filmjölk som rann ner i strupen fick honom att kväljas, men han lät henne hållas. Hon ville bara väl och i princip visste han att hon hade rätt. Om han inte åt skulle han aldrig bli frisk.

"Hur mår du nu?" frågade Lilian medan hon tog en av frallorna med ost och smör och förde den till hans mun så att han kunde ta en tugga.

Han svalde och svarade, med ett tillkämpat leende: "Jag tror det är lite bättre faktiskt. Har sovit riktigt bra i natt."

"Vad skönt att höra", sa Lilian och klappade hans hand. "Sin hälsa ska man inte leka med och du måste lova att du säger till om det blir värre. Lennart var likadan som du, envis till tusen och vägrade låta någon titta på honom innan det var för sent. Ibland undrar jag om han fortfarande varit i livet om jag insisterat mer ..." Med en sorgsen blick riktad mot fjärran stannade hon till mitt i rörelsen, med handen som höll skeden hängande i luften.

Stig strök hennes hand och sa milt: "Du har inget att förebrå dig, Lilian. Jag vet att du gjorde allt för Lennart när han var sjuk, för det är en sådan person du är. Du bär ingen skuld i hans död. Och jag mår bättre, helt säkert. Jag har ju blivit bra av mig själv förut, så om jag bara får vila upp mig, så går det över igen. Det är säkert bara sådan där utbrändhet som de har pratat så mycket om. Oroa dig inte, du har så mycket annat som är värre att bekymra dig om."

Lilian suckade och nickade. "Ja, du har väl rätt. Det är mycket för mig att bära just nu."

"Ja, din stackare. Jag önskar att jag var kry nu på momangen, så att jag kunde vara ett större stöd för dig i sorgen. Ja, jag sörjer också jäntan något alldeles förskräckligt, så jag kan inte ens föreställa mig hur du måste känna. Och hur mår Charlotte, förresten? Det var ett par dagar sedan hon var uppe hos mig."

"Charlotte?" sa Lilian och för ett ögonblick tyckte han sig se en misslynt glimt i ögonen på henne. Men den försvann så fort att han intalade sig att han måste ha inbillat sig. Charlotte var ju Lilians allt, hon påpekade jämt hur dottern och hennes familj var det hon levde för.

"Ja, Charlotte mår bättre än under de första dagarna i alla fall. Även om jag tycker att hon borde ha fortsatt att ta lugnande. Jag förstår inte varför man nödvändigtvis ska försöka klara allt själv, när det finns så bra mediciner att ta. Och henne var Niclas minsann villig att skriva ut tabletter till, medan han vägrade att ge mig några. Har du hört något så dumt? Jag sörjer väl och är upprörd nästan lika mycket som Charlotte.

288

Sara var ju mitt barnbarn, eller hur?"

Lilians röst hade fått en skarp, upprörd ton, men precis när Stig kände hur hans panna började dra ihop sig i irritation, så ändrade hon tonfall igen och var åter den kärleksfulla, omvårdande hustru som hans sjukdom verkligen fått honom att uppskatta. Ja, han kunde väl knappast vänta sig att hon skulle vara som vanligt, efter allt som hänt. Stressen och sorgen påverkade ju henne också.

"Nej, då ska du få vila lite, när du ätit så duktigt", sa Lilian och reste sig.

Stig hejdade henne med en lätt vinkning. "Har ni hört något mer om varför polisen hämtade Kaj? Har det med Sara att göra?"

"Nej, vi har inte hört något än. Vi är väl de sista som får veta något", fnyste Lilian. "Men jag hoppas att de sätter åt honom riktigt ordentligt."

Hon vände ryggen till och gick ut genom dörren, men hon vände sig inte fortare än att han hann se ett leende i hennes ansikte.

New York 1946

Livet "over there" hade inte blivit så som hon förväntat sig. Bittra streck av besvikelse var ristade runt hennes mun och ögon, men Agnes var trots det fortfarande en vacker kvinna vid fyrtiotvå års ålder.

De första åren hade varit härliga. Hennes fars pengar hade tillförsäkrat henne en mycket god livsstil och de bidrag hon fick från sina manliga beundrare hade ytterligare förbättrat den. Hon hade inte behövt sakna något. Den eleganta lägenheten i New York hade ständigt ljudit av glada fester och det vackra folket hade inte haft svårt att hitta dit. Anbuden om äktenskap hade varit ett flertal till antalet, men hon hade bidat sin tid i jakt på någon ännu rikare, stiligare, världsvanare och under tiden inte förnekat sig någon form av förlustelse. Det var som om hon var tvungen att kompensera för de förlorade åren och leva dubbelt så fort och mycket som alla andra. Det hade funnits en febrig iver i hennes sätt att älska, festa och spendera pengar på kläder, smycken och inredning till lägenheten. De åren kändes nu så avlägsna.

När Kreugerkraschen kom hade hennes far förlorat allt. Några dåraktiga investeringar och så var den förmögenhet han byggt upp borta. När telegrammet kom hade hon känt ett sådant förtärande raseri över att han hade burit sig så dåraktigt åt att hon rivit det i bitar och stampat på det. Hur understod han sig att förlora allt det som en dag skulle ha blivit hennes? Allt det som var hennes trygghet, hennes liv.

Hon skickade ett långt telegram tillbaka, där hon utförligt berättade vad hon ansåg om honom och på vilket sätt han förstört hennes liv.

När det en vecka senare kom ett telegram med besked om att han hade satt en pistol för tinningen och fyrat av, hade Agnes bara skrynklat ihop lappen och kastat den i papperskorgen. Hon var varken förvånad eller upprörd. Vad henne anbelangade förtjänade han inget annat.

Åren som följde hade varit svåra. Inte lika svåra som dem med Anders, men likafullt en kamp för överlevnad. Hon fick nu enbart leva på mäns välvilja, och när hon inte själv hade några medel till sitt förfogande längre, byttes hennes förmögna, belevade kavaljerer ut mot allt sämre upplagor. Äktenskapsanbuden upphörde helt. Istället var anbuden av ett helt annat slag, och så länge männen gjorde rätt för sig hade hon inte så mycket emot det. Det verkade också som om något skadats vid den svåra förlossningen, så hon råkade inte i olycka, vilket förhöjde hennes värde bland de tillfälliga kavaljererna. Ingen av dem ville bindas till henne med en unge, och själv skulle hon hellre kasta sig ut från hustaket än att gå igenom den förfärliga upplevelsen igen.

Den vackra lägenheten hade hon fått ge upp och den nya var betydligt mindre, mörkare och låg långt ifrån stadskärnan. Inga fester hölls där och de flesta av sina ägodelar hade hon fått panta eller sälja.

När kriget kom hade allt som varit dåligt blivit ännu sämre. Och för första gången sedan hon klev på båten i Göteborg, längtade Agnes hem. Längtan växte gradvis till beslutsamhet, och när kriget slutligen upphörde bestämde hon sig för att åka hem. I New York hade hon ingenting av värde, men i Fjällbacka fanns det något som hon fortfarande kunde kalla sitt. Efter den stora branden hade hennes far köpt tomten som huset de bott i hade stått på, och låtit uppföra ett nytt hus på samma ställe. Kanske i hopp om att hon en dag skulle återvända hem. Huset stod skrivet på henne, och därför fanns det fortfarande kvar, trots att allt annat han ägt var borta. Det hade varit uthyrt under alla år och intäkterna hade satts in på ett konto i händelse av hennes hemkomst. Några gånger under åren hade hon försökt få tillgång till de pengarna, men ständigt fått svaret av förvaltaren att hennes far stipulerat i villkoren att hon endast fick dem om hon flyttade tillbaka till hemlandet. Då hade hon svurit åt det som hon ansåg var en orättvisa, men nu fick hon motvilligt erkänna att det kanske inte hade varit så dumt. Agnes beräknade att hon skulle kunna överleva på de pengarna i minst ett år och under den tiden hade hon föresatt sig att hitta någon som kunde försörja henne.

För att det skulle lyckas var hon tvungen att hålla fast vid den historia hon spunnit om sitt liv i Amerika. Hon hade sålt allt hon hade och lagt vartenda öre på en dräkt av ypperlig kvalité och ett fint bagage. Väskorna var tomma, hon hade inte haft nog med pengar för att fylla dem med något, men det skulle ingen kunna se när hon klev iland. Hon såg ut som en framgångsrik kvinna och hon hade också upphöjt sig själv till änka efter en förmögen man med diffus affärsverksamhet. "Något inom finans", hade hon tänkt säga och sedan rycka blaserat på axlarna. Hon var säker på att det skulle fungera. Folk hemma i Sverige var så naiva och så imponerade av folk som hade varit i det förlovade landet. Ingen skulle tycka att det var konstigt att hon kom hem i triumf. Ingen skulle misstänka något.

Det var fullt med folk på kajen. Agnes knuffades hit och dit där hon gick med en väska i var hand. Pengarna hade inte på långt när räckt till en förstaklass- eller ens en andraklassbiljett, så hon skulle sticka ut som en påfågel bland de grå massorna i tredje klass. Hon skulle med andra ord inte lura någon på båten med sin förklädnad som fin dam, men bara hon klivit av i Göteborg skulle ingen kunna veta hur hennes överfärd hade skett.

Hon kände något mjukt som nuddade vid hennes hand. Agnes tittade ner och en liten flicka i vit volangklänning betraktade henne med tårar rullande nedför kinderna. Runt omkring henne slöt folkmassan tätt och den böljade fram och tillbaka, utan att märka den lilla flickan som måste ha kommit bort från sina föräldrar.

"Where is your mummy?" sa Agnes på det språk hon nu behärskade nästintill perfekt.

Flickan grät bara ännu häftigare och Agnes mindes vagt att barn kanske inte hade börjat prata i den späda ålder som flickan såg ut att vara i. Hon verkade just ha lärt sig gå och såg ut att när som helst kunna falla in under de trampande fötter som omringade henne.

Agnes tog flickan i handen och såg sig omkring. Ingen tycktes höra samman med den lilla flickan. Det var bara grova arbetarkläder vart hon än tittade och barnet såg definitivt ut att tillhöra någon ur en annan samhällsklass. Agnes stod precis i begrepp att tillkalla någons uppmärksamhet när en tanke slog henne. Den var djärv, otroligt djärv, men genialisk. Skulle inte hennes historia om den rika äkta mannen som dog och gjorde henne till änka för andra gången få ytterligare trovärdighet om hon också medförde ett litet barn? Och även om hon mindes hur besvärliga pojkarna hade varit, så skulle det bli något helt annat med en liten flicka. Hon var ju söt som socker, flickebarnet. Henne skulle man kunna klä i söta klänningar och de där ljuvliga lockarna var som gjorda att knyta rosetter i. En riktig liten "darling". Tanken tilltalade Agnes alltmer och på en bråkdel av en sekund bestämde hon sig. Hon tog båda väskorna i ena handen och flickan i den andra och gick bestämt mot båten. Ingen reagerade när hon klev på och hon trotsade lusten att se sig om. Tricket var att se ut som om barnet med självklarhet tillhörde henne, och flickan hade till och med slutat gråta av ren häpenhet och följde villigt med. Agnes tog det som ett tecken på att hon gjorde rätt. Föräldrarna var säkert inte snälla mot henne eftersom hon så lätt följde med en främmande kvinna. Fick Agnes lite tid på sig skulle hon kunna ge flickan allt hon pekade på, och hon visste att hon skulle bli en ypperlig mor. Pojkarna hade ju varit så besvärliga. Den här flickan var annorlunda. Det kände hon. Allt skulle bli annorlunda.

Niclas kom hem så fort hon ringde. Eftersom hon inte hade velat säga vad det rörde sig om, sprang han med andan i halsen in genom ytterdörren. I trappan såg han Lilian komma ner med en bricka och hon såg förbryllad ut.

"Varför är du hemma?"

"Charlotte ringde efter mig. Du vet inte vad det gäller?"

"Nej, hon berättar väl aldrig något för mig", sa Lilian snävt. Sedan log hon insmickrande mot honom. "Jag har precis varit och köpt färska frallor, de ligger i en påse i köket!"

Han ignorerade henne och tog trappan ner till källarvåningen i två kliv. Det skulle inte förvåna honom om Lilian stod med örat mot dörren just nu och försökte höra vad de sa.

"Charlotte?"

"Jag är här, jag håller på och byter på Albin."

Han gick till toaletten och såg henne stå vid skötbordet med ryggen mot honom. Redan på hennes hållning såg han att hon var arg och han undrade vad det kunde vara som hon fått reda på nu.

"Vad var det som var så viktigt, jag hade faktiskt patienter inbokade." Anfall var bästa försvar.

"Martin Molin ringde."

Han letade i minnet efter namnet.

"Polisen i Tanumshede", förtydligade hon och nu mindes han. Den unge, fräknige killen.

"Vad ville han?" sa han spänt.

Charlotte, som nu hade bytt färdigt och klätt på Albin, vände sig mot Niclas med sonen i famnen.

"De har fått reda på att någon hotade Sara. Dagen innan hon dog." Hennes röst var iskall och Niclas väntade spänt på fortsättningen.

"Jaa?"

"Mannen som hotade henne beskrivs som en äldre man med grått hår och svarta kläder. Han kallade henne för 'Djävulens avföda'. Låter det som någon du känner?"

Ilskan var över honom inom en bråkdels sekund.

"Helvetes jävlar", sa han och sprang uppför trappan. När han slet upp dörren till markplanet hade han nästan omkull Lilian. Han hade haft rätt i sin gissning. Kärringen hade stått där och lyssnat. Men det var inte ens värt att irritera sig på nu. Han satte fötterna i skorna utan att bry sig om att knyta dem, tog jackan i handen och sprang ut till bilen.

Tio minuter senare stannade han med en tvär sladd utanför sitt föräldrahem efter att ha kört med alldeles för hög hastighet genom samhället. Huset låg uppe på berget, strax ovanför minigolfbanan, och såg precis likadant ut som det hade gjort när han var liten. Han vräkte upp bildörren och brydde sig inte ens om att stänga den innan han rusade fram till ytterdörren. För en sekund stannade han upp, sedan tog han ett djupt andetag och knackade hårt på dörren. Niclas hoppades att fadern var hemma. Hur okristen han själv än var, så passade det sig inte att göra det han tänkte göra i en kyrka.

"Vem är det?" Den välbekanta, hårda stämman hördes inifrån huset. Niclas kände på handtaget. Som vanligt var dörren olåst. Utan att tveka klev han in och ropade inåt huset.

"Var är du, din fega gubbjävel?"

"Vad i all sin dar är det som står på?" Hans mor kom ut i hallen från köket, med en kökshandduk och en tallrik i handen. Därefter såg han sin fars strama gestalt komma ut från vardagsrummet.

"Fråga honom där." Niclas pekade med ett darrande finger på sin far, som han inte sett annat än på avstånd sedan han var sjutton år.

"Jag förstår inte vad han pratar om", sa fadern och vägrade att tilltala sonen direkt. "Maken till fräckhet att komma in hit och ställa sig och rya. Nu räcker det, det är bara att pallra sig iväg."

"Du vet mycket väl vad jag pratar om, gubbjävel." Niclas såg till sin tillfredsställelse hur fadern ryckte till vid ordvalet. "Och maken till feghet att ge sig på en liten unge! Är det du som gjort henne illa så ska jag se till att du aldrig mer kan stå upprätt, din satans, jävla ..."

Modern tittade förskräckt mellan dem och höjde sedan rösten. Detta var något så ovanligt att Niclas tystnade tvärt, och även fadern stängde munnen efter att ha tänkt gå i svaromål.

"Nu är någon av er så god och talar om för mig vad det här rör sig om. Niclas, du kan inte bara rusa in här och börja skrika, och är det något som gäller Sara, så har jag också rätt att få veta."

Efter att ha tagit ett par djupa andetag sa Niclas genom hårt sammanbitna tänder: "Polisen har fått reda på att han där", han klarade knappt av att titta på fadern, "har gapat och skrikit och hotat Sara. Dagen innan hon dog." Ilskan tog över igen och han skrek: "Vad fan är det för fel i huvudet på dig? Skrämma en sjuåring från vettet och kalla henne för 'djävulens avföda' eller något sådant. Hon var sju år, fattar du det, sju år! Och ska jag bara tro att det är en slump att du går på henne dagen innan hon hittas mördad! Va?"

Han tog ett steg i riktning mot fadern, som hastigt backade ett par steg.

Asta stirrade nu på sin make. "Talar han sant, pojken?"

"Jag behöver inte stå här och svara inför någon. Jag svarar bara inför Vår Herre", sa Arne högtravande och vände ryggen åt sonen och hustrun.

"Försök inte med det där, nu ska du svara inför mig."

Niclas tittade förvånat på sin mor som följde efter Arne in i vardagsrummet, med händerna stridslystet i sidorna. Också Arne verkade häpen över att hans hustru vågade trotsa honom, och han öppnade och stängde munnen utan att några ljud kom ur den.

"Nå, nu är du så god och svarar", fortsatte Asta och fick Arne att backa ännu mer inåt rummet när hon klev närmare. "Har du träffat Sara?"

"Ja, det har jag", sa Arne trotsigt i ett sista försök att hävda den auktoritet han tagit som självklar i fyrtio års tid.

"Och vad sa du till henne då?" Det var som om Asta växte en meter framför ögonen på dem. Niclas tyckte själv att hon såg skräckinjagande ut, och av uttrycket i faderns ögon kunde han se att han tyckte detsamma.

"Ja, jag var ju tvungen att se om hon var av bättre virke än far sin. Om hon hade mer från min sida."

"Från din sida", fnös Asta. "Jo, det skulle vara något det. Skenheliga lismare och högfärdiga fruntimmer, det är vad din släkt består av. Skulle det vara något att stå efter? Vad kom du fram till då?"

Med ett sårat uttryck i ansiktet svarade Arne: "Tig kvinna, jag kommer från gudfruktigt folk. Och det tog inte lång stund att konstatera att flickan inte var av något gott virke. Näsvis och uppstudsig och gapig på ett sätt som flickor rakt inte borde vara. Jag försökte prata med henne om Gud, jag, och hon räckte ut tungan åt mig. Så jag sa henne ett par sanningens ord. Det anser jag fortfarande att jag var i min fulla rätt att göra. Någon hade ju uppenbarligen inte brytt sig om att fostra ungen, så det var dags att någon tog henne i örat."

"Så du skrämde vettet ur henne", sa Niclas och knöt nävarna.

"Jag såg djävulen i henne rygga tillbaka", sa Arne stolt.

"Din förbannade ..." Niclas tog ett steg fram mot honom, men hejdade sig när en hård knackning hördes på dörren.

Tiden stod stilla en sekund och sedan var ögonblicket över. Niclas visste att han stått vid avgrundens rand och sedan klivit tillbaka. Hade han börjat ge sig på sin far, skulle han inte ha slutat. Inte den här gången.

Han gick ut ur rummet, utan att titta vare sig på sin far eller mor, och öppnade ytterdörren. Mannen utanför verkade förvånad över att se honom där.

"Öh, hej. Martin Molin. Vi har träffats förut. Jag är från polisen. Tänkte byta några ord med din far."

Niclas klev åt sidan utan att säga ett ord. Han kände polismannens blickar i ryggen när han gick mot sin bil.

"Var är Martin?" sa Patrik.

"Han åkte till Fjällbacka", svarade Annika. "Charlotte identifierade vår elake farbror utan någon större svårighet. Det är Saras farfar, Arne Antonsson. Lite av en tokstolle enligt Charlotte, och han och sonen har tydligen inte pratat med varandra på många Herrans år."

"Bara Martin kommer ihåg att kolla hans alibi, både för morgonen då Sara mördades och för incidenten i går med den lille killen."

"Det sista han gjorde innan han gick var att dubbelkolla den aktuella tiden för gårdagen. Mellan ett och halv två, inte sant?"

"Stämmer utmärkt. Skönt att det finns några man kan lita på."

Annikas ögon smalnade. "Har Mellberg tagit Ernst i örat än? Jag menar, jag blev förvånad när han dök upp i morse. Trodde att han skulle ha blivit om inte sparkad, så åtminstone avstängd redan."

"Ja, jag vet, jag trodde att det var just det som hände när han fick gå hem i går. Jag blev lika förvånad som du när han satt där som om inget hänt. Jag får ta ett samtal med Mellberg. Det här kan han bara inte se genom fingrarna med. I så fall slutar jag!" En bister rynka hade bildats mellan Patriks ögonbryn.

"Säg inte så där", sa Annika förskräckt. "Ta ett snack med Mellberg, han har säkert en plan för hur han ska hantera Ernst."

"Det där tror du inte ens på själv", sa Patrik och Annika vek undan med blicken. Han hade rätt. Hon tvivlade verkligen på det.

Hon bytte samtalsämne. "När ska ni förhöra Kaj igen?"

"Nu hade jag tänkt. Men jag hade ju helst velat ha Martin med..."

"Ja, han åkte alldeles nyss, så det lär dröja innan han kommer tillbaka. Han försökte säga till dig, men du satt i telefon..."

"Ja, jag höll på och kollade Niclas alibi för gårdagen. Vilket förresten var vattentätt. Patientbesök utan uppehåll mellan klockan tolv och klockan tre. Och det är inte bara enligt tidsbokningen, utan har bekräftats av var och en av patienterna som besökte honom."

"Så vad betyder det?"

"Om jag det visste", sa Patrik och masserade näsroten med fingrarna. "Det ändrar ju inte det faktum att han inte har kunnat visa upp något alibi för måndagsmorgonen och det är fortfarande suspekt att han försökte ljuga ihop ett. Men i går var det inte han i alla fall. Gösta skulle ringa övriga i familjen för att höra var de var i går vid den tiden."

"Jag antar att även Kaj kommer att få besvara den frågan ingående", sa Annika.

Patrik nickade. "Ja, det kan du lita på. Och hans fru. Och hans son. Jag tänkte prata med dem efter att jag pratat med Kaj igen."

"Och trots allt detta, så kan det fortfarande vara någon helt annan, som vi ännu inte stött på", sa Annika.

"Ja, det är det jävligaste av allt. Medan vi jagar runt efter våra svansar, så kan mördaren sitta hemma och skratta åt oss. Men efter i går är jag åtminstone säker på att han, eller hon, fortfarande finns i närheten, och att det troligtvis rör sig om någon från orten."

"Eller så har vi redan mördaren i förvar", sa Annika och nickade med huvudet i riktning mot häktet.

Patrik log. "Eller så har vi redan mördaren i förvar. Nej, nu hinner jag inte stanna här längre, jag måste snacka med en man om en jacka..."

"Lycka till", ropade Annika efter honom.

"Dan! Dan!" skrek Erica. Hon hörde paniken i sin röst och det jagade bara upp henne ytterligare. Frenetiskt rotade hon igenom sängkläderna i vagnen, som om dottern på något mirakulöst sätt skulle ha kunnat gömma sig i något skrymsle. Men vagnen var och förblev tom.

"Vad är det?" sa Dan som kom springande och oroligt tittade sig runt. "Vad har hänt? Varför skriker du?"

Erica försökte tala, men tungan kändes tjock och otymplig och hon fick inte fram några ord. Istället pekade hon darrande mot vagnen och Dan vände snabbt blicken dit.

Klentroget tittade han ner i det tomma utrymmet och hon såg att insikten drabbade även honom som ett hammarslag.

"Var är Maja? Är hon borta? Var är …?" Han fullföljde inte meningen utan tittade sig vilt omkring. Erica klamrade sig panikslaget fast vid honom. Nu forsade orden fram ur henne.

"Vi måste hitta henne! Var är min dotter? Var är Maja? Var är hon?"

"Schhh, seså, vi ska hitta henne. Oroa dig inte nu, vi hittar henne." Dan dolde sin egen panik för att kunna lugna Erica, och han lade sina händer på hennes axlar och tittade henne rakt in i ögonen. "Nu måste vi hålla oss lugna. Jag går ut och letar. Du ringer polisen. Kom igen, det ordnar sig."

Erica kände hur bröstkorgen rörde sig ryckigt upp och ner i en konstig imitation av andning, men gjorde som han sa. Dan lät ytterdörren stå öppen och kalla vindar drog in i huset. Men de bekom henne inte. Hon kände inget annat än den förlamande paniken som rev i henne och fick hjärnan att sluta fungera. Hon kunde inte för sitt liv minnas var hon lagt telefonen och till slut sprang hon bara runt, runt i vardagsrummet och rev upp kuddar och kastade omkring saker. Slutligen insåg hon att den låg mitt på vardagsrumsbordet och hon slängde sig över den och började med stela fingrar slå numret till stationen. Sedan hörde hon Dans röst utanför: "Erica, Erica, jag har hittat henne!"

Hon kastade telefonen och rusade mot ytterdörren, i riktning mot hans röst. I bara strumporna sprang hon nedför trappan och ut på uppfarten. Vätan och kylan trängde rätt igenom, men hon kunde inte bry sig mindre. Hon såg hur Dan kom springande emot henne, från husets framsida, med något rött i famnen. Ett illvrål steg upp mot himlen och Erica kände hur lättnaden sköljde över henne som en stormvåg. Maja skrek, hon levde.

Erica sprang de sista metrarna som skilde henne och Dan och slet till sig barnet. Snyftande tryckte hon dottern mot sig för en sekund, innan hon kastade sig ner på knä, lade Maja på marken och slet upp hennes röda overall och for med blicken över henne. Hon såg oskadd ut och skrek nu i högan sky och viftade med armar och ben. Fortfarande stående på knä lyfte Erica upp henne och tryckte henne åter hårt mot sin bröstkorg medan hon lät tårar av lättnad blanda sig med regnet som föll från himlen.

"Kom, vi går in. Ni blir genomblöta", sa Dan milt och hjälpte Erica att komma upp på fötter igen. Utan att lossa på greppet om barnet följde hon honom uppför trappen och in i huset. Lättnaden hon kände var fysisk på ett sätt som hon aldrig kunnat föreställa sig. Det var som om hon förlorat en kroppsdel som nu åter satts fast på hennes kropp. Fortfarande undslapp hon sig hulkande snyftningar och Dan klappade henne lugnande på axeln.

"Var hittade du henne?" fick hon mödosamt fram.

"Hon låg på marken på framsidan."

Det var som om de båda först nu förstod att någon måste ha flyttat på Maja. Av någon anledning hade denna någon tagit henne ur vagnen och smugit runt huset och lagt det sovande barnet på marken. Paniken som den insikten väckte fick Erica att åter börja hulka.

"Schh ... Det är över nu", sa Dan. "Vi hittade henne och hon ser ju oskadd ut. Men vi bör nog ringa polisen omedelbart. För du hann väl aldrig ringa?"

Erica skakade på huvudet som en bekräftelse.

"Vi måste ringa Patrik", sa hon. "Kan du ringa, jag vill aldrig mer släppa henne igen." Hon tryckte Maja hårt intill sig. Men nu noterade hon något hon missat tidigare. Hon tittade på framsidan av Dans tröja, och höll Maja en bit ifrån sig för att kunna granska även henne.

"Vad är det här?" sa hon. "Vad är allt det här svarta?"

Dan såg på den nedsölade overallen men sa bara: "Vad är numret till Patrik?"

Erica rabblade med darrande stämma numret till hans mobil och såg på när Dan slog det. En hård boll av skräck vägde tungt i henne mage.

Dagarna gled in i varandra. Känslan av maktlöshet var förlamande. Inget hon sa eller gjorde undgick honom. Han bevakade varje steg, varje ord.

Våldet hade också trappats upp. Nu njöt han öppet av att se hennes smärta och förnedring. Han tog det han ville ha, när han ville ha det och nåde henne om hon protesterade eller kämpade emot. Inte för att hon ens skulle komma på idén nu. Det var så uppenbart att det var något som slagit slint i huvudet på honom. Alla spärrar var borta och det fanns något ont i hans ögon som väckte hennes överlevnadsinstinkt och sa åt henne att gå med på allt han begärde. Bara hon fick leva.

För egen del hade hon stängt av. Det var att se barnen som smärtade henne mest. De fick inte längre gå till dagis och tillbringade sina dagar i samma skuggexistens som hon själv. Håglösa och klängiga betraktade de henne med döda ögon och det kändes som en anklagelse. Och den skulden tog hon på sig till fullo. Hon borde ha beskyddat dem. Hon borde ha hållit Lucas borta ur deras liv, precis som hennes föresats hade varit. Men ett enda ögonblick av rädsla och hon hade fallit till föga. Låtit intala sig att hon gjorde det för barnens skull, för deras trygghet. Istället var det sin egen feghet som hon gett efter för. Sin vana att alltid ta den väg som åtminstone vid första åsynen erbjöd minst motstånd. Men den här gången hade hon gravt missbedömt sitt vägval. Hon hade valt den smalaste, snårigaste och mest otillgängliga väg som stod att finna, och hon hade tvingat med sina barn på den vandringen.

Ibland drömde hon om att döda honom. Förekomma honom i det som hon nu visste skulle bli det oundvikliga slutet. Det hände att hon betraktade honom där han sov bredvid henne, under de långa timmarna på nätterna då hon låg vaken, oförmögen att slappna av tillräckligt för att kunna fly in i sömnen. Då kunde hon njutningsfullt känna hur en av köksknivarna gled in i hans kött och skar av den sköra tråden som höll honom kvar i livet. Eller så kunde hon känna repet som skar in i händerna på henne när hon försiktigt smög det runt hans hals och drog till.

Men det stannade bara vid underbara drömmar. Något inom henne, kanske den där inneboende fegheten, fick henne att ligga kvar i sängen, medan de mörka tankarna studsade innanför kraniet.

Ibland såg hon Ericas barn framför sig i natten. Flickan som hon ännu inte sett. Hon avundades henne. Hon skulle få samma värme, samma omsorg som Anna själv fått av Erica när de växte upp, mer som mor och dotter än som systrar. Men då hade hon inte uppskattat det. Hon hade känt sig kvävd och mästrad. Bitterheten som deras mors brist på kärlek hade gett upphov till hade antagligen gjort hjärtat så hårt att det inte var mottagligt för det som systern försökte ge henne. Anna hoppades innerligt att Maja skulle vara bättre lämpad att ta emot den stora ocean av kärlek som hon visste att Erica var förmögen att ge. Inte minst för systerns skull. Trots avståndet mellan dem, både i år och geografiskt, kände Anna systern så väl, och hon visste att om det var någon som var i desperat behov av att älskas tillbaka så var det Erica. Det märkliga var att Anna alltid hade sett henne som så stark, och hennes egen bitterhet hade spätts på av den känslan. Nu, när hon själv var svagare än någonsin tidigare, såg hon systern som hon egentligen var. Livrädd för att alla skulle se det som deras mor sett, det som gjorde att hon uppenbarligen inte ansåg dem vara värda att älskas. Om Anna bara fick en enda chans till, skulle hon slå armarna om Erica och tacka henne för alla åren av villkorslös kärlek. Tacka henne för oron, för bannorna, för den bekymrade blicken i hennes ögon när hon ansåg att Anna var fel ute. Tacka henne för allt det som Anna ansett sig kvävd och bunden av. Vilken ironi. Hon hade inte ens vetat vad kvävd och bunden verkligen innebar. Inte förrän nu.

Ljudet av nyckeln i låset fick henne att hoppa högt. Barnen stelnade också till i sina rörelser där de håglöst satt och lekte på golvet.

Anna reste sig och gick honom till mötes.

Arnold tittade bekymrat på honom genom sina mörka solglasögon. Schwarzenegger. The Terminator. Tänk om han bara hade varit som honom. Cool. Tuff. En maskin utan förmåga att känna.

Sebastian stirrade upp mot planschen där han låg på sängen. Han kunde fortfarande höra Runes röst, hans falska, bekymrade ton. Hans smetiga, låtsade omsorg. Det enda han egentligen bekymrade sig för var vad folk skulle säga om honom själv. Vad var det han hade sagt?

"Jag har fått höra några alldeles förfärliga anklagelser mot Kaj. Ja, jag har ju svårt att tro att det är något annat än rent förtal, men jag måste ändå ställa frågan: Har han vid något tillfälle uppfört sig på ett otillbörligt sätt mot dig eller någon av de andra pojkarna? Tittat på er i duschen, eller så där?"

Sebastian hade skrattat inombords åt Runes naivitet. "Tittat på er i duschen ..." Det hade väl inte varit så farligt. Det var det andra som han inte kunde leva med. Inte nu när allt skulle komma fram. Han visste nog hur sådana där fungerade. De tog sina bilder och sparade och bytte, och hur väl de än gömde dem skulle de nog komma fram nu.

Det skulle inte ta mer än en förmiddag, så skulle det vara ute över hela skolan. Tjejerna skulle titta på honom, peka och fnissa, och killarna skulle komma med bögskämt och göra fjolliga handrörelser när han gick förbi. Ingen skulle ha något medlidande med honom. Ingen skulle se hur stort hålet i bröstet var.

Han vred huvudet lite åt vänster och tittade på planschen med Clintan som Dirty Harry. En sådan pistol skulle man haft. Eller ännu hellre, en k-pist. Så hade han kunnat göra som de där killarna i USA. Springa in på skolan i lång svart rock och meja ner alla han kom åt. Särskilt de coola. De som skulle vara värst. Men han visste att det bara var en förflugen tanke. Det låg inte för honom att göra illa någon annan. Det var inte deras fel, egentligen. Han hade bara sig själv att skylla och det var bara sig själv han ville göra illa. Han kunde ju ha satt stopp för det. Hade han egentligen någonsin sagt nej? Inte så där uttalat. På något sätt hade han väl hoppats att Kaj skulle se hur det plågade honom, hur illa han gjorde honom, och sluta på eget bevåg.

Allt hade varit så komplicerat. För en del av honom gillade samtidigt Kaj. Han hade varit schysst och i början hade han fått den där pappakänslan från honom. Den där som han aldrig fick av Rune. Han hade kunnat snacka med Kaj. Om plugget, om tjejer, om morsan och om Rune, och Kaj hade lagt armen om honom och lyssnat. Det var först efter ett tag som det hade ballat ur.

Det var tyst i huset. Rune hade gått till jobbet, nöjd över att ha fått bekräftat det han redan trodde sig veta, att alla anklagelser mot Kaj var fullkomligt grundlösa. Säkert skulle han sitta i fikarummet och högljutt beklaga sig över hur polisen kunde komma med ogrundade beskyllningar på det där sättet.

Sebastian reste sig från sängen och gick ut ur sitt rum. Han stannade till i dörröppningen och vände sig om. Han betraktade dem var och en och nickade kort, som om han hälsade. Clintan, Sylvester, Arnold, Jean-Claude och Dolph. De som var allt det han inte var.

För ett kort ögonblick tyckte han att det såg ut som om de nickade tillbaka.

Adrenalinet svallade fortfarande efter mötet med fadern och han kände sig tillräckligt stridslysten för att ta sig an nästa person på listan över dem han hade något otalt med.

Han körde nedför Galärbacken och tvärstannade när han såg att Jeanette var inne i sin butik, i full färd med att förbereda öppethållandet under allhelgonahelgen. Han parkerade bilen och gick in i affären. För första gången sedan de träffades kände han inget pirr i underlivet när han såg henne. Han kände bara en sur, metallisk avsmak, både för sig själv och för henne.

”Vad fan tror du att du håller på med?”

Jeanette vände sig om och tittade kallt på Niclas när han smällde igen dörren bakom sig så att ”Öppet”-skylten fladdrade.

”Jag förstår inte vad du pratar om.” Hon vände ryggen åt honom och fortsatte att packa upp en låda med prydnadssaker som skulle prismärkas och sättas upp i hyllorna.

"Det gör du visst. Du vet precis vad jag pratar om. Du har varit hos polisen och dragit någon jävla rövarhistoria om att jag skulle ha tvingat dig att ljuga ihop ett alibi åt mig. Hur jävla lågt kan man sjunka? Är det hämnd du är ute efter, eller njuter du bara av att ställa till problem? Och vad fan tror du egentligen? Jag förlorade min dotter för en vecka sedan och du fattar inte att jag inte längre vill fortsätta gå bakom ryggen på min fru."

"Du lovade saker", sa Jeanette med gnistrande ögon. "Du lovade att vi skulle vara tillsammans, att du skulle skilja dig från Charlotte, att vi skulle skaffa barn ihop. Du lovade en jävla massa, Niclas."

"Ja, vad fan tror du att jag gjorde det för? För att du älskade att höra det. För att du villigt särade på benen när du fick höra löften om ring och framtid. För att jag ville ha lite förströelse med dig i sängen emellanåt. Inte fan kan du ha varit så jävla dum att du trodde på mig. Du kan ju det här spelet lika bra som jag. Du har haft din beskärda del av gifta män tidigare, menar jag", sa han rått och såg hur hon ryckte till vid varje ord, som om han slagit henne. Men det rörde honom inte i ryggen. Han hade redan passerat gränsen och hyste ingen önskan att vara finkänslig eller att skona hennes känslor. Nu passade bara den rena, oförfalskade sanningen och efter vad hon gjort, förtjänade hon att höra den.

"Din förbannade, jävla gris", sa Jeanette och sträckte sig efter ett av föremålen som hon höll på att packa upp. Nästa sekund visslade en porslinsfyr tätt förbi hans huvud, men den missade och träffade istället skyltfönstret. Med ett öronbedövande krasch gick rutan sönder och stora sjok av glas rasade in. Tystnaden som följde var så djup att den ekade mellan väggarna och som två kombattanter stirrade de på varandra medan ömsesidigt raseri gjorde att bröstkorgarna hävdes häftigt. Sedan vände Niclas på klacken och gick lugnt ut ur affären, och det enda som hördes var ljudet av glas som krasade under hans skor.

Han stod hjälplös och tittade på medan hon packade. Om hon inte hade varit så beslutsam skulle den synen ha gjort henne så överraskad att hon avbröt det hon gjorde. Arne hade aldrig tidigare varit hjälplös. Men ilskan hjälpte henne att få händerna att fortsätta vika kläder och lägga dem i den största resväskan som de hade. Hur hon skulle få med sig den ut ur huset, och vart hon skulle ta vägen, det visste hon ännu inte. Det spelade ingen roll. Hon tänkte inte stanna en minut till i samma hus som han. Äntligen hade fjällen fallit från hennes ögon. Den där känslan av dissonans som hon alltid haft, känslan av att saker och ting kanske inte låg till så som Arne sa, hade äntligen tagit över. Han var inte allsmäktig. Han var inte fullkomlig. Han var bara en svag, patetisk man som njöt av att sätta sig på andra människor. Och hans gudstro. Den gick nog inte särskilt djupt. Asta såg nu klart hur han använde Guds ord på ett sätt som märkligt nog alltid överensstämde med hans egna åsikter. Om Gud var som Arnes Gud, då fick det vara för hennes del.

"Men Asta, jag förstår inte. Varför gör du på det här sättet?"

Rösten var gnällig som en liten pojkes och hon brydde sig inte ens om att svara honom. Han stod kvar i dörröppningen och vred sina händer medan han såg hur plagg efter plagg försvann ur lådor och garderober. Hon tänkte inte komma tillbaka, så det var bäst att hon fick med sig allt med en gång.

"Vart ska du ta du ta vägen då? Du har ju ingenstans att gå?"

Nu vädjade han, men det ovanliga i den situationen fick henne bara att rysa. Hon försökte att inte tänka på alla år hon förspillt, och lyckligtvis var hon av pragmatiskt virke. Det som var gjort, var gjort. Men nu tänkte hon inte slösa bort en dag till av livet.

Akut medveten om att situationen höll på att glida honom ur händerna försökte sig Arne nu på ett mer beprövat koncept, att få kontroll genom att höja rösten:

"Asta, nu får det vara slut på de här dumheterna. Packa upp dina kläder genast!"

För ett ögonblick slutade hon att packa och gav honom en blick som sammanfattade fyrtio år av förtryck. Hon samlade all sin vrede, allt sitt hat och kastade det mot honom. Till sin tillfredsställelse såg hon hur han ryggade tillbaka och krympte ihop inför hennes blick, och när han talade igen var det med en tyst, ömklig röst. Rösten hos en man som insåg att han för evigt förlorat kontrollen.

"Jag menade inte ... Jag menar, jag skulle naturligtvis inte ha talat så till flickan, det inser jag så här i efterhand. Men hon saknade respekt så till den milda grad, och när hon var uppstudsig mot mig kunde jag höra Guds stämma som sa till mig att jag var tvungen att ingripa och ..."

Asta avbröt honom bryskt. "Arne Antonsson. Gud har aldrig, och kommer aldrig, att tala till dig. Det är du för dum och döv för. Och vad gäller det där tjatet jag har hört i fyrtio år om att du aldrig fick bli präst för att far din söp bort pengarna, så ska du veta att det inte var pengar som fattades. Mor din höll hårt i penningarna och lät inte din far supa bort mer än nödvändigt. Men hon berättade för mig innan hon dog, att hon inte tänkte kasta deras pengar i sjön genom att skicka dig till en prästutbildning. Hon må ha varit ett elakt fruntimmer, men hon var klarsynt, och hon såg att du inte var lämpad att bli präst."

Arne kippade efter andan och stirrade på henne medan han sakta blev allt blekare i ansiktet. För ett ögonblick trodde hon att han skulle få en hjärtattack och kände mot sin vilja att hon mjuknade inombords. Men sedan vände han på klacken och marscherade ut ur huset. Sakta, sakta lät hon luften sippra ut mellan läpparna. Hon hade inte funnit något nöje i att krossa honom, men till slut hade han inte gett henne något val.

Göteborg 1954

Hon förstod inte hur hon ständigt kunde göra så mycket fel. Än en gång hade hon hamnat här nere i källaren, och i mörkret ömmade såren på rumpan så mycket mer. Det var spännet på bältet som rev upp såren och änden med spännet tog Mor bara till när hon hade varit riktigt elak. Om hon bara hade kunnat förstå vad det var för hemskt med att ta en liten, liten kaka. De hade ju sett så goda ut och kokerskan hade gjort så många att det inte skulle märkas om en enda försvann. Men ibland undrade hon om hennes mor kunde känna på sig när hon stod i begrepp att stoppa något gott i munnen. Ljudlöst kunde hon komma smygande bakom en, precis när handen skulle sluta sig om godbiten, och då var det bara att stålsätta sig och hoppas att Mor hade en bra dag så att det blev något av de mildare straffen som kom ifråga.

I början hade hon försökt titta vädjande på Far, men han slog alltid undan blicken, tog sin tidning och gick ut och satte sig på verandan medan Mor utdelade den bestraffning hon valt. Nu försökte hon inte ens längre få någon hjälp från honom.

Hon skakade av köld. Små rasslande läten förstorades i hennes huvud till jättelika råttor och jättelika spindlar och hon kunde höra hur de närmade sig henne. Det var så svårt att hålla reda på tiden. Hon visste inte hur lång tid hon hade suttit nere i mörkret, men att döma av det tilltagande knorrandet i magen så rörde det sig om timmar. I och för sig var hon alltid hungrig, vilket var anledningen till att Mor höll efter henne så hårt. Det var som om det fanns något i henne som ständigt längtade efter mat, kakor och godis, som skrek efter att fyllas med sötsaker. Nu kände hon istället den sträva, torra, unkna smaken av det som Mor alltid tvingade henne att äta en sked av när slagen slutat hagla och det var dags för henne att sätta sig i källaren. Mor sa att det hon matade henne med var Ödmjukhet. Mor sa också att hon straffade henne för hennes eget bästa. Att en flicka inte kunde tillåta sig att bli tjock, för då skulle ingen man se efter henne och hon skulle få vara ensam hela livet.

Egentligen förstod hon inte vad det var som skulle vara så hemskt med det. Mor verkade aldrig titta på Far med någon glädje i ögonen, och ingen av de män som alltid svassade omkring hennes magra figur och gav henne komplimanger och fjäskade för henne tycktes ge henne någon större tillfredsställelse. Nej, hellre skulle hon vara ensam än att leva i den kyla som rådde mellan hennes föräldrar. Kanske var det därför som maten och godiset lockade henne så. Kanske skulle det kunna ge henne ett tjockt, skyddande hölje över den hud som var så känslig, både för Mors ständiga förebråelser och för bestraffningarna. Att hon inte kunde leva upp till sin mors förväntningar hade hon vetat länge, så liten hon var. Om inte annat hade Mor talat om det för henne. Hon hade verkligen försökt. Hon hade gjort allt som Mor sagt till henne och inte minst försökt att svälta bort fettet som obönhörligt samlades under hennes hud, men inget verkade hjälpa.

Men hon hade börjat lära sig vems fel allt egentligen var. Mor hade förklarat att det var Far som krävde så mycket av dem, och därför var Mor tvungen att vara så sträng mot henne. I början hade det låtit lite underligt. Far höjde ju aldrig rösten och verkade alldeles för vek för att kunna ställa några krav på Mor, men ju fler gånger det upprepades, desto mer började det låta som sanningen.

Hon hade börjat hata Far. Om han bara slutade vara så elak och oresonlig, så skulle Mor bli snäll och bestraffningarna skulle upphöra och allt skulle bli mycket bättre. Då skulle hon kunna sluta äta, och bli lika smal och vacker som Mor, och Far skulle kunna vara stolt över dem. Istället fick han Mor att gråtande smyga sig upp på hennes rum om kvällarna och viskande berätta om hans olika sätt att plåga henne. Vid de tillfällena berättade hon hur smärtsamt det var för henne att behöva vara den som bestraffade. Hon kallade henne "darling", precis som när hon var liten, och lovade att det skulle bli annorlunda. Man gjorde det man måste, sa Mor och kramade om henne, vilket var så ovanligt och främmande att hon i början hade suttit stel som en pinne, oförmögen att besvara omfamningen. Efterhand hade hon börjat längta efter de där tillfällena, då hennes Mors smala armar lades om hennes hals och hon kände henne gråtblöta kinder mot sina egna. Då kände hon sig behövd.

Där hon satt i mörkret kände hon hur hatet mot Far byggdes upp som ett stort monster inom henne. På dagarna, uppe i ljuset, fick hon dölja det hatet för honom, le och niga och leka låtsasleken. Men nere i mörkret kunde hon släppa fram monstret och låta det växa i lugn och ro. Hon trivdes faktiskt med det. Monstret hade blivit som en gammal god vän, den enda vän hon hade.

"Du kan komma upp nu."

Rösten ovanifrån var klar och kall. Hon öppnade sig och släppte in monstret inombords. Där fick det vara tills hon hamnade i källaren nästa gång. Då skulle det få komma ut och växa igen.

Samtalet kom till Patrik i samma ögonblick som han skulle leda Kaj till förhörsrummet. Han lyssnade under tystnad och gick sedan för att hämta Martin. Precis när han skulle till att knacka på hans dörr mindes han att Annika sagt att Martin hade åkt till Fjällbacka, och han svor inombords när han insåg att han skulle bli tvungen att ta med sig Gösta istället. Ernst övervägde han inte ens. Bara tanken på honom fick vreden att stiga i halsen på honom, och om karln visste sitt eget bästa skulle han hålla sig så långt ifrån Patrik som det bara var möjligt.

Men han hade tur. Just som han med tunga steg styrt kosan mot Göstas rum hörde han Martins stämma ute i receptionen och skyndade ut till honom.

"Där är du ju. Fan vad bra. Jag trodde inte du skulle hinna tillbaka. Du får åka med mig med en gång."

"Vad är det som har hänt?" sa Martin och följde efter Patrik, som skyndade ut genom ytterdörren efter en hastig vinkning till Annika bakom glaset.

"En ung kille har hängt sig. Han har efterlämnat ett brev där Kaj nämns."

"Åh fan."

Patrik satte sig bakom ratten på polisbilen och drog på blåljusen. Martin kände sig som en gammal tant när han automatiskt sträckte sig efter handtaget ovanför dörren på passagerarsidan, men med Patrik i förarsätet var det fråga om ren överlevnadsinstinkt.

Blott femton minuter senare svängde de in framför familjen Rydéns hus i det område i Fjällbacka som av någon anledning kallades för "Sumpan". En ambulans hade parkerat framför den låga tegelvillan och ambulansmännen höll som bäst på att lyfta ut en bår ur luckan där bak. En liten tunnhårig man i dryga fyrtioårsåldern sprang fram och tillbaka på uppfarten och verkade befinna sig i ett chocktillstånd. Medan Patrik och Martin parkerade och klev ur bilen gick en av ambulanskillarna fram till mannen, svepte en gul filt runt hans axlar och verkade försöka övertala honom att sätta sig ner. Mannen lydde till slut och med filten hårt virad runt sig sjönk han ner på en låg stenkant som markerade gränsen mellan uppfarten och rabatten.

De hade träffat ambulanspersonalen tidigare och bryddе sig inte om att presentera sig. Istället hälsade de med en kort nick.

"Vad är det som har hänt?" frågade Patrik.

"Styvpappan kom hem och hittade sin son i garaget. Han har hängt sig." En av ambulansmännen nickade mot garagedörren, som någon dragit ner så att inget innanför syntes ut mot gatan.

Patrik tittade mot den lille mannen några meter bort och tänkte att det han just hade sett borde ingen människa behöva se. Mannen skakade nu som av frossa och han kände igen det som ett av tecknen på chock. Men det fick ambulanspersonalen hantera.

"Kan vi gå in?"

"Ja, vi tänkte bara kolla med er innan vi lyfte ner honom. Han har hängt ett par timmar, så det fanns liksom ingen anledning att skynda sig på. Det var förresten vi som drog ner garagedörren igen. Känns onödigt att låta honom hänga till allmänt beskådande."

Patrik klappade honom på axeln. "Helt rätt tänkt. Med tanke på kopplingen till en pågående mordutredning, så har jag ringt efter teknikerna också. Därför var det bra att ni inte skar ner honom. De borde komma när som helst, och de vill nog att det ska vara så få som möjligt som klampar runt där inne, så jag föreslår att bara jag och Martin går in och att ni väntar utanför så länge. Har ni den situationen under kontroll förresten?" Han nickade med huvudet i riktning mot styvpappan.

"Johnny tar hand om honom. Han är chockad. Men ni kan säkert prata med honom om en stund. Han har sagt att han hittade ett brev på killens rum och han hade inget med sig ut, så det ligger nog kvar där uppe."

"Bra", sa Patrik och gick med långsamma steg mot garagedörren. Han grinade illa och stålsatte sig när han böjde sig ner för att ta tag i handtaget och öppna dörren.

Synen var precis så fruktansvärd som han förväntat sig. Han hörde bakom sig hur Martin drog djupt efter andan.

För ett ögonblick tyckte Patrik att det kändes som om pojken stirrade på dem, och han fick stålsätta sig för att inte vända och springa därifrån. Ett hulkande ljud bakom fick honom att inse att han nog borde försökt förvarna Martin, hur man nu gjorde det i sådana här fall. Men nu var det för sent. Han vände sig om i tid för att se Martin springa ut ur garaget, bort till en buske där han tömde magen.

Han hörde hur ytterligare en bil stannade vid polisbilen och ambulansen och antog att det var teknikerteamet som anlände. Han bemödade sig att röra sig försiktigt, så att han inte skulle få bannor av teamet och framförallt för att inte råka förstöra några bevis om allt inte var vad det verkade vara. Men ingenting han såg motsade att det skulle röra sig om ett självmord. Ett tjockt rep hängde från en krok i taket. Snaran låg runt pojkens hals och en stol hade sparkats omkull och låg på golvet. Det såg ut att vara en köksstol som hade hämtats inifrån huset. Stolen hade en dyna klädd i tyg med lingon, vars käckhet stod i skarp kontrast till den makabra scenen.

Patrik hörde en välbekant röst bakom sig.

"Stackars sate, han var inte gammal." Torbjörn Ruud, chef för teknikerteamet från Uddevalla, klev in i garaget och tittade upp mot Sebastian.

"Fjorton år", sa Patrik och de tystnade en stund inför det ofattbara att en fjortonåring finner livet så outhärdligt att döden är enda utvägen.

"Finns det någon anledning att tro att det inte var självmord?" sa Torbjörn, medan han förberedde kameran han hade i handen.

"Nej, inte egentligen", svarade Patrik. "Det finns till och med ett brev, som jag i och för sig inte sett än. Fast i det brevet nämns ett namn på en person som förekommer i en mordutredning, så jag vill inte lämna något åt slumpen."

"Flickan?" sa Torbjörn och Patrik nickade bara.

"Okej, då ska vi med andra ord behandla det som ett misstänkt dödsfall. Be en av de andra att ta hand om brevet med en gång, så att det inte hanteras av för många innan vi får lägga vantarna på det."

"Jag gör det med en gång", sa Patrik, lättad över att få en ursäkt att gå ut ur garaget. Han gick fram till Martin som förläget stod och torkade sig om munnen med en servett.

"Ursäkta", sa han och betraktade dystert sina skor som fått stänk av lunchen.

"Det gör inget. Jag har gjort det där själv", sa Patrik. "Men nu får teknikerna och sedan ambulanskillarna ta hand om honom. Jag går och kollar på det där brevet, så kan väl du se om det går att få snacka lite med pappan."

Martin nickade och böjde sig ner för att torka av skorna så gott det gick. Patrik vinkade på en av teknikerna från Uddevalla. Hon tog sin väska med utrustning och följde med utan ett ord.

Huset var kusligt tyst när de gick in. Pojkens pappa hade följt dem

312

med blicken när de klev in genom ytterdörren.

Patrik tittade sig sökande runt.

"Jag skulle gissa på övervåningen", sa teknikern, som han hade för sig hette Eva. Hon var en av dem som hade varit med och gjort undersökningen av Florins badrum.

"Ja, här nere ser jag inget som ser ut som ett pojkrum, så du har nog rätt."

De gick uppför trappan och Patrik fick en minnesbild från det hus han själv växt upp i. Husen såg ut att vara byggda ungefär samtidigt och han kände väl igen stilen, med vävtapeter på väggarna och ljus furutrappa med bred ledstång.

Eva hade rätt. Vid trappans slut stod en dörr öppen som ledde till ett rum som otvivelaktigt beboddes av en tonårspojke. Dörren, väggarna och till och med taket var klädda med planscher, och det krävdes inget geni för att hitta det gemensamma temat. Pojken hade älskat action-hjältar. Alla som slog först och snackade sedan fanns där. Männen dominerade förstås, men en enda kvinna hade förärats en plats i samlingen – Angelina Jolie, som Laura Croft. Fast Patrik misstänkte att Sebastian hade haft fler skäl än hennes tuffhet att sätta upp hennes bild på väggen – närmare bestämt två skäl. Och han kunde inte klandra honom…

Ett vitt ark mitt på skrivbordet fick honom att minnas allvaret igen och de gick tillsammans bort till brevet. Eva tog på sig ett par tunna handskar och plockade fram en plastpåse ur sin rymliga väska. Försiktigt, med tummen och pekfingret om ena hörnet av brevet, lade hon ner det i plastpåsen och räckte det sedan till Patrik. Nu kunde han läsa utan att förstöra eventuella fingeravtryck.

Patrik ögnade igenom brevet under tystnad. Smärtan som slog emot honom från raderna fick honom nästan att tappa balansen. Men han harklade sig för att behålla fattningen och räckte efter avslutad läsning över brevet till Eva. Han tvivlade inte på att brevet var äkta.

Patrik kände sig förbannad och beslutsam. Han kunde inte erbjuda Sebastian någon Schwarzenegger som skulle skipa rättvisa i coola solglasögon, men han kunde definitivt erbjuda Patrik Hedström. Sedan fick han hoppas att det skulle räcka.

Hans telefon ringde och han svarade frånvarande, fortfarande fast i ilskan över pojkens meningslösa död. Han såg lätt förvånad ut när han hörde Dans röst i luren. Ericas kompis brukade aldrig ringa direkt till honom. Den förvånade minen ersattes snart av bestörtning.

313

Eftersom adrenalinet hade fortsatt att pumpa inom honom tänkte Niclas att det var lika bra att ta allt jobbigt på en gång, innan hans vanliga flyktinstinkt satte in igen. Så mycket av allt som gått fel i hans liv kunde skyllas på just det: att han var så konflikträdd, så svag när det gällde. Han började mer och mer inse att det var Charlotte han hade att tacka för det som fortfarande var bra i hans liv.

När han svängde upp framför huset tvingade han sig själv att sitta kvar någon minut och bara andas. Han behövde tänka igenom vad han skulle säga till Charlotte. Han bara måste hitta de exakt rätta orden. Ända sedan han tvingats erkänna för henne att han haft en affär med Jeanette, hade han känt hur klyftan mellan dem vidgats mer och mer för var minut som de var tillsammans. Sprickorna hade redan funnits där, både före hans avslöjande och före Saras död, så det var inte svårt för dem att växa. Snart skulle det vara för sent. Och den hemlighet som de delade förde dem inte samman, utan skyndade på processen som sköt dem isär. Det var där han trodde att de var tvungna att börja. Om de inte från och med nu var ärliga om allt, skulle inget kunna rädda dem. Och för första gången på mycket länge, kanske någonsin, var han säker på att det var det han ville.

Dröjande klev han ur bilen. Någonting inom honom sa fortfarande åt honom att fly, att åka tillbaka till läkarstationen och begrava sig i arbetet, att hitta en ny kvinna att famna, att återgå till känt territorium. Men han tvingade tillbaka den instinkten, skyndade på stegen och klev in genom dörren.

Han hörde mumlande röster uppifrån och förstod att Lilian var uppe hos Stig. Tack och lov. Han ville inte än en gång ställas inför hennes spärreld av frågor, och han stängde dörren så tyst han kunde för att det inte skulle höras upp.

Charlotte tittade förvånat upp när han kom ner i källarvåningen.

"Är du hemma?"

"Ja, jag tyckte att vi borde prata."

"Har vi inte pratat nog?" sa hon likgiltigt och fortsatte vika tvätt. Albin satt bredvid på golvet och lekte med sina leksaker. Charlotte såg trött och håglös ut. Han visste att hon bara låg och kastade sig av och an på natten och att hon inte fick sova många timmar. Fast han hade inte låtsats om att han märkt det. Inte pratat med henne, inte strukit henne över kinden eller tagit henne i famnen. Huden under hennes ögon var mörk och han kunde se hur hon magrat. Så många gånger som han miss-

314

lynt tänkt tanken att hon borde ta sig i kragen och banta ner sig. Nu skulle han ge vad som helst för att hon skulle få tillbaka sin rondör.

Niclas satte sig på sängen bredvid henne och tog hennes hand. Hennes förvånade min sa honom att det var något han gjorde alldeles för sällan. Det kändes till och med ovant och fumligt, och för ett ögonblick ville han åter fly. Men han behöll hennes hand i sin och sa: "Jag är så fruktansvärt ledsen, Charlotte. För allt. För alla år som jag varit frånvarande, både fysiskt och psykiskt, för allt jag i mitt huvud anklagat dig för, men som egentligen bara varit mitt eget fel, för de snedsteg jag tagit, för den fysiska närhet jag stulit från dig och gett till andra, för att jag inte hittat ett sätt för oss att ta oss ur det här huset tidigare, för att jag inte lyssnat på dig, för att jag inte älskat dig tillräckligt. Jag är ledsen för allt det och mer därtill. Men jag kan inte ändra det som varit, bara lova att allt från och med nu blir annorlunda. Tror du på mig? Snälla Charlotte, jag måste få höra att du tror på mig?"

Hon höjde blicken och tittade på honom. Tårarna samlades och vällde över och hon tittade honom rakt in i ögonen.

"Ja, jag tror på dig. För Saras skull, så tror jag på dig."

Han nickade bara, oförmögen att fortsätta. Sedan harklade han sig och sa: "Då är det en sak vi måste göra. Jag har verkligen tänkt på det här och vi kan inte leva med en hemlighet. Monster lever i mörker."

Efter en kort tvekan nickade hon. Med en suck lutade hon huvudet mot hans axel och han kände det som om hon föll in i honom.

De satt så länge.

Han var hemma på fem minuter. Hårt och länge kramade han Erica och Maja och tryckte sedan tacksamt Dans hand.

"Vilken jävla tur att du var här", sa han och förde upp Dan på listan över människor att hysa tacksamhet mot.

"Ja, men jag förstår inte vem som skulle kunna få för sig att göra något sådant här? Och varför?"

Patrik satt bredvid Erica i soffan och höll hennes hand. Efter en tveksam blick mot henne sa han: "Det har troligtvis något samband med mordet på Sara."

Erica ryckte till. "Vad då? Varför tror du det? Varför skulle ...?"

Patrik pekade på Majas overall på golvet. "Det där ser ut som aska." Hans röst bröts och han fick harkla sig för att kunna fortsätta. "Sara hade aska i lungorna och det har även förekommit ett ...", han letade efter rätt ord, "…angrepp på ett annat litet barn. Där förekom samma aska."

"Men…?" Erica såg ut som ett frågetecken. Inget av det hon hörde verkade vettigt.

"Ja, jag vet", sa Patrik trött och strök med handen över ögonen. "Vi förstår inte heller. Vi har skickat iväg askan vi fann på det andra lilla barnets kläder för att analysera om det har samma kemiska sammansättning som den i Sara, men vi har inte fått något svar än. Och nu skulle jag vilja skicka iväg Majas kläder också."

Erica nickade stumt. Paniken hade övergått i ett chockat dvalliknande tillstånd och Patrik kramade henne hårt. "Jag ringer in och säger att jag stannar hemma resten av dagen. Jag måste bara få iväg Majas kläder så att de kan börja med analysen så fort det går. Vi ska få fast den som gjorde det här", sa han bistert, och det var ett löfte som han gav till sig själv lika mycket som till Erica. Hans dotter var visserligen oskadd, men den psykiska grymhet som handlingen innebar gav honom en oroande känsla av att den de letade efter var mycket, mycket störd.

"Kan du stanna tills jag kommer tillbaka?" frågade han Dan som nickade till svar.

"Absolut. Jag stannar så länge det behövs."

Patrik kysste Erica på kinden och klappade Maja ömt. Sedan plockade han upp Majas overall, tog på sig jackan och skyndade iväg. Han ville fort komma hem igen.

316

Göteborg 1954

Flickan var hopplös. Agnes suckade inombords. Så många förhoppningar hon haft för henne, så många drömmar. Hon hade varit så söt när hon var liten, och med sitt mörka hår hade hon med lätthet kunnat tas för hennes dotter. Agnes hade bestämt sig för att kalla henne för Mary. Dels skulle det påminna alla om hennes år i Staterna och den status som följde med utlandsvistelsen, dels var det ett vackert namn till ett bedårande barn.

Men efter ett par år hade något hänt. Hon hade börjat svälla på alla bredder och fettet lade sig som ett filter över hennes söta drag. Det äcklade Agnes. Redan då flickan var fyra hade låren dallrat och kinderna hängt som på en sanktbernhardshund, men ingenting verkade kunna få henne att sluta äta. Och gudarna skulle veta att Agnes verkligen hade försökt. Men ingenting fungerade. De gömde maten och satte lås på skåpen, men likt en råtta sniffade Mary alltid rätt på något som hon kunde stoppa i sig, och nu, vid tio års ålder, var hon ett riktigt fettberg. Timmarna i källaren verkade inte ha någon avskräckande effekt, istället kom hon alltid upp därifrån hungrigare än någonsin.

Agnes förstod det bara inte. Hon hade alltid lagt enorm vikt vid sitt eget utseende, inte minst för dess förmåga att skaffa henne de saker hon ville ha i livet. Att någon medvetet kunde förstöra för sig på det viset var ofattbart.

Ibland ångrade hon sitt tilltag att ta med sig flickan från kajen i New York. Men bara delvis. Det hade ju faktiskt fungerat precis på det sätt som hon tänkt sig. Ingen hade kunnat motstå den rika änkan med den bedårande lilla dottern, och det hade bara tagit henne tre månader att hitta den man som skulle kunna ge henne den livsstil hon förtjänade. Åke hade kommit till Fjällbacka en vecka i juli för lite rekreation och istället fångats in så effektivt av Agnes att han friade redan efter två månaders bekantskap. Hon hade med klädsam blyghet accepterat och efter en stillsam vigselakt tagit med sig dottern och flyttat till Göteborg där han hade en stor våning på Vasagatan. Huset i Fjällbacka hade åter hyrts ut och hon drog en lättnadens suck över att slippa ifrån den isolering som månaderna i det lilla samhället hade inneburit. Hon hade inte heller känt sig tillfreds med att folk ständigt envisades med att dra upp hennes förflutna. Så lång tid hade gått, men ändå verkade Anders och pojkarna leva i allra högsta grad i folks minne och hon kunde inte förstå det behov de verkade ha av att ständigt älta det som hänt. En dam hade till och med haft fräckheten att fråga hur hon klarade av att bo på den plats där hennes familj förolyckats. Vid det laget hade hon redan haft Åke säkert på kroken, så hon hade kostat på sig att helt enkelt ignorera kommentaren och bara vända på klacken och gå därifrån. Det skulle säkert pratas om det, men det spelade inte längre någon roll för henne. Hon hade nått sitt mål. Åke hade en hög position på ett försäkringsföretag och skulle ge henne ett komfortabelt liv. Han verkade visserligen inte vara så mycket för socialt umgänge, men det skulle hon snart ändra på. Agnes längtade efter att för första gången på länge få vara mittpunkten på en glittrande fest. Hon skulle ha dans och champagne och vackra klänningar och smycken, och ingen skulle någonsin kunna ta ifrån henne det igen. Effektivt raderade hon ut minnena från sitt förflutna, till den grad att det oftast bara kändes som en obehaglig, avlägsen dröm.

Men livet hade än en gång spelat henne ett spratt. De glittrande festerna hade blivit få och hon badade inte direkt i vackra smycken. Åke visade sig vara notoriskt snål och hon fick slåss för vartenda öre. Han hade också visat en inte särskilt klädsam besvikelse när det ett halvår efter bröllopet kom ett telegram som meddelade att alla de tillgångar som hon ärvt efter sin förmögne avlidne make tyvärr hade förlorats genom en felsatsning av den man som satts att förvalta dem åt henne. Hon hade naturligtvis skickat telegrammet till sig själv, men var riktigt stolt över den teaterföreställning hon spelat upp när det kom, inklusive den dramatiska svimningen. Hon hade inte räknat med att Åke skulle reagera så häftigt som han gjorde, och det fick henne att misstänka att hennes förespeglade tillgångar hade spelat en större roll vid hans frieri än hon själv trott. Men gjort var gjort för dem båda, och de försökte nu stå ut med varandra så gott det gick.

I början hade hon bara känt en vag irritation över hans snålhet och hans absoluta brist på initiativförmåga. Helst ville han bara sitta hemma, kväll efter kväll, äta middagen som sattes framför honom på bordet, läsa tidningen och kanske ett par kapitel i en bok för att efter det byta om till sin gubbpyjamas och krypa i säng strax före nio. Under deras första tid som gifta hade han famlat efter henne i sängen var och varannan kväll, men nu hade det till hennes lättnad minskat till två gånger per månad, alltid med lampan släckt och utan att han ens brydde sig om att ta av sig pyjamasjackan. Agnes hade dock märkt att hon morgonen därpå med större lätthet kunde utverka en mindre summa pengar till eget bruk och hon lät aldrig ett sådant tillfälle gå förlorat.

Men allt eftersom åren gick hade hennes irritation växt till hat och hon hade börjat leta efter ett lämpligt verktyg att använda mot honom. När hon märkte att han alltmer började knyta an till flickan, insåg hon att hon hade funnit det. Hon visste att han starkt ogillade hennes bestraffningar, men också att han var för konflikträdd och svag för att våga stå upp för Mary. Och den största njutningen fann hon i att sakta men säkert vända flickan emot honom.

Hon var mycket väl medveten om hur mycket Mary längtade efter lite uppmärksamhet och ömhet, och om hon gav henne det samtidigt som hon droppade sitt gift i form av lögner om Åke i hennes öra, då kunde hon praktiskt taget se hur det spred sig och fick fäste. Sedan kunde hon i lugn och ro låta det verka.

Stackars Åke visste inte vad han gjorde för fel. Han såg bara hur flickan drog sig undan alltmer, och han kunde knappast undgå att se föraktet i hennes ögon. Nog misstänkte han att Agnes var den som bar skulden, men han kunde aldrig sätta fingret exakt på vad det var hon gjorde som fick flickan att avsky honom så. Han pratade med henne så ofta han hann och försökte till och med köpa hennes tillgivenhet genom att sticka till henne de sötsaker han visste att hon trängtade så efter. Men inget verkade hjälpa. Obönhörligt gled hon längre och längre bort från honom och bitterheten mot hustrun växte ju större avståndet blev. Åtta år efter giftermålet visste Åke att han gjort ett stort misstag. Men han orkade inte ta sig ur det. Och även om flickan inte ville veta av honom, kände han ändå att han var hennes sista chans till trygghet. Om han försvann ur hennes liv, visste han inte vad hustrun skulle kunna ta sig till. Han hade inte längre några illusioner om henne.

Agnes var medveten om allt detta. Ibland var hennes intuition av det kusliga slaget och hon kunde läsa människor som en öppen bok.

Hon satt framför sitt toalettbord och gjorde sig i ordning. Utan Åkes vetskap hade hon det senaste halvåret haft en passionerad affär med en av hans närmaste vänner. Hon satte upp sitt svarta hår, som fortfarande inte hade fått ett enda grått hårstrå, och duttade lite parfym bakom öronen, på handlederna och i klyftan mellan brösten. Hon var klädd i de svarta silkesunderkläderna med spets som visade att hon fortfarande hade en figur som skulle få många unga flickor att bli avundsjuka.

Hon såg fram emot mötet, som precis som vanligt skulle äga rum på hotell Eggers. Per-Erik var en riktig karl, till skillnad från Åke, och hade till hennes tillfredsställelse börjat prata alltmer om att skiljas från sin hustru. Hon var inte så naiv att hon förbehållslöst trodde på sådana utfästelser från gifta män, men hon visste att han uppskattade hennes förmåga i sänghalmen mer än vad som var hälsosamt, och hans knubbiga lilla hustru stod sig slätt i jämförelse med henne.

Återstod då problemet med Åke. Agnes hjärna arbetade för högtryck. I spegeln såg hon dotterns mulliga ansikte och de stora ögonen som hungrigt betraktade henne.

Trots att han bytt kläder och tagit en lång dusch sedan gårdagen, tyckte Martin fortfarande att han kunde känna lukten av spyor i näsborrarna. Självmordet och sedan samtalet från Patrik där han berättade att någon gett sig på Maja hade skakat honom, och han hade fyllts av en känsla av maktlöshet. Det var så många trådar, så många konstiga saker som skedde på en gång, att han inte för sitt liv kunde förstå hur de skulle kunna bringa någon reda i härvan.

Utanför Patriks dörr tvekade han. Med tanke på vad som hänt var han inte säker på att Patrik skulle arbeta i dag. Men ljud inifrån rummet sa honom att Patrik trots allt hade kommit till jobbet.

Han knackade försiktigt.

"Kom in", ropade Patrik och Martin klev på.

"Jag var inte säker på att du skulle vara här i dag", sa han. "Jag trodde att du kanske ville vara hemma hos Erica och Maja."

"Nog ville jag det", sa Patrik. "Men ännu mer vill jag sätta dit psykfallet som gör det här."

"Men ville Erica verkligen vara ensam hemma?" sa Martin försiktigt, osäker på om det var rätt sak att säga.

"Ja, jag vet, jag hade också velat ha någon hos dem, men hon insisterade på att det gick bra. Trots det har jag ringt och pratat med hennes kompis Dan, han som var hemma hos oss i går när det hände, och han lovade kila över och titta till dem."

"Gick det inte att ta några spår?" frågade Martin.

"Tyvärr." Patrik skakade på huvudet. "Det regnade, så alla spår hade sköljts bort. Men jag har skickat iväg Majas overall med askan, så får vi se vad det ger. Som jag ser det är det bara en formalitet, det skulle vara en alltför stor slump om det inte hängde ihop med det övriga."

"Men varför Maja?"

"Vem vet?" sa Patrik. "Troligtvis var det en varning riktad mot mig. Något som jag gjort, eller inte gjort, under fallets gång. Äh, jag vet inte", sa han frustrerat. "Men det bästa vi kan göra nu är att jobba vidare med full fart, så att vi får löst det här så fort som möjligt. Innan dess kan nog ingen av oss slappna av."

"Vad gör vi först, förhör vi Kaj, eller?"

"Ja", sa Patrik bistert. "Vi förhör Kaj."

"Men du inser väl att Kaj redan satt i förvar i går när ..."

"Ja, det är klart jag vet", sa Patrik irriterat. "Det betyder väl inte att han inte kan vara inblandad ändå. Eller att han har andra saker att stå till svars för."

"Okej, jag kollade bara", sa Martin och höll defensivt upp händerna. "Jag ska bara hänga av mig jackan, så ses vi där", sa han och gick till sitt rum.

Patrik höll precis på att samla ihop sina saker för att gå till förhörsrummet, när telefonen ringde. Han såg på displayen att det var Annika och lyfte luren med förhoppningen att det inte skulle vara något viktigt. Han såg verkligen fram emot att ta itu med skitstöveln som de hade i häktet. Nu mer än någonsin.

"Ja?" Han hörde själv att han lät kort i tonen, men Annika hade hård hud och skulle inte ta åt sig. Hoppades han.

Patrik lyssnade med stigande intresse och sa till slut: "Okej, skicka in dem till mig."

Han sprang snabbt in till Martin som just fått av sig jackan och sa: "Charlotte och Niclas är här och söker mig. Vi får vänta lite med förhöret tills jag har hört vad de vill."

Utan att vänta på svar sprang han snabbt tillbaka till sitt rum. Bara några sekunder senare hörde han steg och ett lågmält mumlande i korridoren. Saras föräldrar klev avvaktande in till honom och Patrik chockades över hur härjad Charlotte såg ut. Bara sedan han såg henne sist hade hon åldrats avsevärt och kläderna hängde löst på hennes kropp. Också Niclas såg trött och sliten ut, men inte i samma omfattning som sin fru. De slog sig ner i besöksstolarna och under den tystnad som följde hann Patrik undra vad det var de ville som var så viktigt att de kom in oanmälda.

Det var Niclas som tog till orda först: "Vi ... vi har ljugit för er. Eller rättare sagt, vi har förtigit saker för er, och det är väl nästan lika illa som att ljuga." Patrik kände intresset stiga avsevärt, men väntade ut Niclas som efter en stunds tystnad fortsatte. "Albins skador. De som ni trodde, ja, eller säkert tror, att det är jag som tillfogat honom. Det var, det var ..." Han verkade leta efter orden och Charlotte fortsatte i hans ställe.

322

"Det var Sara." Tonfallet var mekaniskt och tömt på alla känslor. Patrik studsade till i stolen. Det var inte det han hade väntat sig att få höra.

"Sara?" sa han utan att förstå.

"Ja", sa Charlotte. "Ni vet ju att Sara hade vissa problem. Hon hade svårt att kontrollera sina impulser och kunde få de mest fruktansvärda raseriattacker. Innan Albin kom så vände hon ilskan mot oss, men vi var ju stora nog att försvara oss och se till att hon varken skadade sig själv eller oss. Men när Albin kom ..." Rösten bröts och Charlotte tittade ner på sina händer som darrande låg i knät.

"Allt eskalerade bortom vår kontroll när Albin föddes", sa Niclas. "Vi trodde i vår enfald att det kanske till och med skulle ha en positiv inverkan på Sara med ett litet syskon. Någon som hon kunde känna ansvar för och beskydda. Men så här i efterhand var det nog ganska naivt tänkt av oss. Hon hatade honom och den tid han krävde av oss. Hon tog alla chanser hon kunde att göra honom illa och även om vi försökte vara där och bevaka dem varje sekund, så är det inte möjligt. Hon var så snabb ..." Han tittade mot Charlotte som nickade svagt.

Niclas fortsatte: "Vi försökte allt. Kurator, psykolog, aggressionshantering, medicinering. Det finns inget vi inte prövat. Vi försökte ändra hennes kost, tog bort allt socker och alla snabba kolhydrater, då det enligt vissa rön skulle kunna ha en positiv inverkan, men inget, absolut inget, verkade fungera. Till slut visste vi inte vad vi skulle göra. Förr eller senare skulle hon skada honom riktigt, riktigt allvarligt. Vi ville ju inte behöva skicka bort henne. Och vart skulle vi skicka henne? Så när tjänsten i Fjällbacka utlystes så tänkte vi att det kanske var lösningen. Ett fullständigt miljöombyte, och Charlottes mamma och Stig i närheten som kunde hjälpa till att avlasta oss. Det lät perfekt."

Nu var det Niclas röst som bröts och Charlotte lade sin hand på hans och kramade den lätt. Tillsammans hade de varit i helvetet och vänt, och på sätt och vis befann de sig fortfarande där.

"Jag beklagar verkligen", sa Patrik. "Men jag måste också fråga: Har ni något bevis för att det är som ni säger?"

Niclas nickade. "Jag förstår att du måste fråga. Vi tog med en lista på dem vi varit i kontakt med gällande Sara. Vi har också kontaktat dem och berättat att polisen kanske kommer att ringa och ställa frågor och att de då inte behöver hävda någon patientsekretess utan ska ger er all information."

323

Niclas sträckte fram listan till Patrik som tigande tog emot den. Han betvivlade inte för en sekund sanningshalten i vad han just hört, men det skulle ändå behöva styrkas.

"Har ni kommit någonvart? Med Kaj?" sa Charlotte trevande och betraktade Patrik.

"Vi håller på och förhör honom gällande vissa saker. Mer kan jag tyvärr inte säga."

Hon nickade bara.

Patrik såg att Niclas ville säga något mer, men att han hade svårt att få fram orden. Han väntade lugnt ut honom.

"Vad gäller alibit..." Han tittade på Charlotte som återigen bara nickade, nästan omärkligt. "Jag rekommenderar att ni tar ett samtal till med Jeanette. Hon ljög om att jag inte var där, för att hämnas för att jag gjorde slut på förhållandet. Jag är säker på att om ni pressar henne lite, så kommer sanningen fram."

Patrik var inte förvånad. Han hade tyckt att något klingade falskt i Jeanettes redogörelse. Nåja, henne fick de ta itu med vid tillfälle. Om det behövdes. Förhoppningsvis skulle frågan om Niclas hade alibi eller inte bli överflödig i och med eftermiddagens förhör.

De reste sig och tog i hand. Plötsligt ringde Niclas mobiltelefon. Han tog samtalet ute i korridoren och fick snart ett bestört uttryck i ansiktet.

"Sjukhuset? Nu? Lugn bara, vi kommer på stört."

Han vände sig mot Charlotte som stod kvar bredvid Patrik i dörröppningen.

"Stig har hastigt blivit sämre. Han är på väg till sjukhuset."

Patrik tittade långt efter dem när de skyndade sig bort genom korridoren. Hade de inte lidit tillräckligt snart?

Han hade tagit sin tillflykt till kyrkan. Astas ord virvlade fortfarande runt inom honom som en ilsken getingsvärm. Hela hans värld höll på att rämna och de svar han hade hoppats hitta i kyrkan hade ännu inte infunnit sig. Istället var det som om stenväggarna sakta slöt sig runt honom där han satt på främsta bänken. Och hade inte Jesus på korset ett hånflin på läpparna, som han aldrig lagt märke till förut?

Ett ljud bakifrån fick honom att häftigt vända sig om. Några senkomna tyska turister klev under högljutt prat in genom dörren och började fotografera frenetiskt. Han hade retat sig på turisterna som kom hit i alla år, och det här blev droppen som fick bägaren att rinna över.

Arne ställde sig upp och skrek med spottet stänkande ur munnen. "Ge er iväg härifrån. Genast! Ut med er!"

Trots att de inte förstod ett ord av vad han sa, gav tonfallet inget utrymme för tveksamhet och de slank förskrämt ut genom dörren igen.

Nöjd över att äntligen ha satt ner foten slog han sig ner i bänken igen, men Jesus hånfulla leende återförde honom raskt till hans dystra sinnesstämning.

En blick på predikstolen gav honom nytt mod. Det var dags att göra det han borde ha gjort för länge, länge sedan.

Livet var så orättvist. Hade han inte behövt kämpa i uppförsbacke ända sedan han föddes? Inget hade han fått gratis. Ingen såg hans verkliga kvaliteter. Ernst förstod inte hur folk var funtade helt enkelt. Vad var problemet? Varför tittade de alltid snett på honom, viskade bakom ryggen på honom, bestal honom på de möjligheter som borde vara hans? Det hade alltid varit likadant. Redan i småskolan hade de gaddat ihop sig mot honom. Flickorna hade fnissat och pojkarna hade gett honom stryk på vägen hem från skolan. Inte ens när hans far föll och landade på en högaffel, fick han någon sympati. Istället visste han nog vad folket i stugorna sa med sina sladdrande tungor. Att hans stackars mor skulle ha haft något med det att göra. Ingen skam i kroppen hade de.

Han hade alltid trott att det skulle bli bättre så fort han gått ur skolan. När han kom ut i den riktiga världen. Han hade valt polisyrket för att han skulle få en chans att visa sig som den kraftkarl han var, men efter tjugofem år inom polisen var han tvungen att erkänna att saker och ting inte gått riktigt som han tänkt sig. Men han hade aldrig tidigare suttit så djupt i skiten som han satt nu. Han hade bara inte kunnat tänka sig att Kaj skulle ha något med det där att göra. De spelade ju kort ihop, Kaj var en schysst kompis och dessutom en av de få som faktiskt ville umgås med honom. Och man hade ju hört talas om hur sådana där grundlösa beskyllningar hade förstört oskyldiga karlars liv. När Ernst så hade fått en chans att göra en polare en tjänst, så hade han förstås gjort det. Det var väl inget han borde klandras för? Han hade haft de allra bästa avsikter när han struntade i att rapportera det där samtalet från Göteborg, men det verkade ingen förstå. Och nu hade allt exploderat i ansiktet på honom. Att han jämt skulle ha sådan satans otur! Han var inte heller dummare än att han insåg att pojkens självmord under gårdagen skulle lägga sten på bördan för hans del.

Men när han satt där inne på sitt rum, förvisad till ensamhet likt en fånge i Sibirien, så fick han en snilleblixt. Han visste precis hur han skulle vända situationen till sin egen fördel. Han tänkte bli dagens hjälte och en gång för alla visa den där snorvalpen Hedström vem som var den mest erfarne polismannen av dem. Han hade nog sett hur han himlade med ögonen på mötet, när Mellberg hade påpekat att de nog borde syna byfånen lite närmare i sömmarna. Men den enes bröd, den andres död. Ville inte Hedström ta den fyrfiliga motorvägen till mordets lösning, så fick väl Ernst offra sig och köra i gräddfilen. Det var ju uppenbart för vem som helst att det var den där Morgan som var skyldig och att flickans jacka hittades hemma hos honom ställde det bortom allt tvivel.

Det som tilltalade honom allra mest var det genialiskt enkla i hans plan. Han skulle ta in Morgan för förhör, få honom att erkänna på nolltid och därmed få fast mördaren. På samma gång kunde han visa Mellberg att han, Ernst, minsann lyssnade till vad en överordnad sa, medan den där Hedström inte bara var inkompetent utan också ifrågasatte sin chefs omdöme. Därefter skulle han säkert tas till nåder igen.

Han reste sig och gick med osedvanligt energiska steg mot dörren. Här skulle bedrivas lite högkvalitativt polisarbete. I korridoren tittade han sig noga runt för att kontrollera att ingen såg honom när han smet iväg. Men kusten var klar.

Göteborg 1957

Mary kände inget där hon stod i hällregnet. Varken hat eller glädje. Bara en kall tomhet som fyllde hela hennes kropp, ända utifrån hudens yttersta lager in till skelettets vita ben.

Bredvid henne snyftade hennes mor. Hon var stiligare än vanligt. De svarta begravningskläderna klädde henne. Det dramatiska i hennes skönhet undgick ingen. Med en darrande hand lät hon en ensam röd ros falla ner mot sin makes kista och kastade sig sedan hulkande in i Per-Eriks famn. Strax bakom stod hans hustru, med medlidande skrivet i sitt alldagliga ansikte, tack vare sin totala omedvetenhet om hur ofta hennes make lägrat den kvinna som nu vätte ner hans rockslag med sina tårar.

Med värkande hjärta betraktade Mary sin mors rygg och längtade intensivt efter att Mor istället skulle ha valt att söka tröst i hennes famn. Än en gång bortvald. Än en gång ratad. Tvivlet ansatte henne med full kraft, men hon tvingade sig själv att slå bort det. Hon kunde inte börja ifrågasätta allt nu, då skulle hon gå under.

Regnet var kallt mot hennes kinder och hennes ansikte röjde inte en min. Med stela ben gick hon de få stegen fram till öppningen i marken och försökte få fingrarna att hålla fram den ros hon kramade i sin hand. Monstret rörde lite på sig inom henne, manade på, förmådde henne att stumt lyfta armen och hålla ut rosen över kistan som blänkte svart där nere i hålet. Sedan såg hon som i slow motion hur fingrarna släppte taget om den taggiga stjälken, och outhärdligt sakta singlade blomman ner mot den hårda ytan. Hon tyckte det ekade högt när den slog i träet, men ingen verkade reagera så ljudet måste bara ha funnits inuti hennes huvud.

Hon stod där i vad som kändes som en evighet, innan hon kände en lätt beröring mot sin armbåge. Per-Eriks hustru log vänligt mot henne och nickade åt henne att det var dags att gå. Framför dem gick det övriga begravningsföljet, med Agnes och Per-Erik i spetsen. Han hade sin arm om Mors axlar och hon lutade sig mot honom.

Mary sneglade mot kvinnan bredvid sig och undrade hånfullt hur hon kunde vara så dum och naiv att hon inte såg den aura av sexuell spänning som omgav paret framför dem. Hon var bara tretton, men såg det lika tydligt som regnet som föll på dem. Nåja, den dumma kvinnan skulle snart bli varse hur verkligheten såg ut.

Ibland kände hon sig så mycket äldre än tretton år. Hon såg på människors enfald med ett förakt som vida översteg en vanlig tonårings, men så hade hon också haft en ypperlig läromästare. Mor hade lärt henne allt hon kunde om hur alla bara var ute efter att se om sitt eget hus och att man själv var tvungen att skaffa sig det man ville ha i livet. Inget fick stå i vägen, hade Mor mässat, och Mary hade varit en ypperlig elev. Nu kände hon sig vis och erfaren och redo att få den respekt hon förtjänade från Mor. Hon hade ju trots allt bevisat hur långt hennes kärlek sträckte sig. Hade hon inte gjort den yttersta uppoffringen för henne? Nu skulle hon få tillbaka den kärleken med råge, det visste hon. Aldrig mer skulle hon behöva sitta nere i källarens mörker och se monstret växa.

I ögonvrån såg hon hur Per-Eriks hustru betraktade henne med ett bekymrat ansiktsuttryck. Hon upptäckte att hon hade ett brett leende på läpparna och tvingade snabbt bort det. Det var viktigt att upprätthålla skenet. Det sa alltid Mor. Och Mor hade alltid rätt.

Ljudet av sirener hördes långt, långt borta. Han ville sätta sig upp och protestera, kräva att de skulle vända ambulansen och köra hem honom igen. Men hans lemmar vägrade lyda honom och när han försökte prata kom det bara ett kraxande ut mellan läpparna. Lilians oroliga ansikte svävade över honom. "Sschhh, försök inte prata. Spara på krafterna. Vi är snart framme i Uddevalla."

Motvilligt gav han upp försöken att spjärna emot. Det fanns inga krafter till det. Smärtan var fortfarande där. Men nu var den värre än någonsin.

Det hade gått så fort. På morgonen hade han känt sig ganska kry och till och med orkat äta lite grann. Men sedan hade han känt att nivån på smärtan stegrats alltmer och till slut hade den blivit outhärdlig. När Lilian kom upp med förmiddagsteet hade han inte längre kunnat prata och hon hade tappat brickan i förskräckelse. Sedan hade cirkusen satt igång. Ljud av sirener utanför, klamp i trappan, händer som varligt flyttade honom till en bår och lastade in honom i en ambulans. En färd i hög hastighet som han endast var vagt medveten om.

Skräcken inför att hamna på sjukhus var till och med värre än smärtan han kände. Inom sig såg han gång på gång bilden av sin far där han låg i sjukhussängen, så liten och ömklig, så annorlunda mot den bullrande, glada man som brukat hissa honom i luften när han var liten och kärleksfullt brottats med honom när han blev äldre. Nu visste Stig att han skulle dö. Hamnade han på sjukhus så var det bara en tidsfråga.

Han skulle vilja lyfta armen och stryka Lilian över kinden. Så kort tid de fick tillsammans. Visst hade de haft sina duster och till och med en rejäl svacka, då han till och med trott att de skulle gå skilda vägar, men de hade lyckats hitta tillbaka till varandra igen. Nu skulle hon få hitta någon annan att åldras med.

Han skulle även sakna Charlotte och barnen. Barnet, rättade han sig och kände hur det högg till i hjärttrakten av en annan sorts smärta än den kroppsliga. Det var förresten det enda positiva han kunde se med det som skedde. Han trodde fullt och fast att det fanns ett liv efter döden, ett bättre ställe, och kanske kunde han få träffa flickebarnet där och få reda på vad det var som egentligen hände den där morgonen.

Han kände Lilians hand på sin kind. Medvetslöshet började lösa upp verkligheten, och han slöt tacksamt ögonen. Det skulle åtminstone bli skönt att slippa smärtan.

Blåsten piskade honom när han gick mot Morgans lilla stuga. Ernsts entusiasm hade mattats något på vägen men väcktes nu på nytt. Han hade bytet inom räckhåll.

En myndig knackning fick inleda segertåget och belönades efter några sekunder med steg från insidan. Morgans magra ansikte syntes i dörröppningen och han sa med sitt underliga, monotona tonfall: "Vad vill du?"

Hans raka fråga överrumplade Ernst och det krävdes en kort stunds mental omgruppering innan han fortsatte: "Du ska följa med in till stationen."

"Varför det?" frågade Morgan och Ernst kände irritationen komma krypande. Maken till underlig människa.

"För att vi behöver prata med dig om några saker."

"Ni tog mina datorer. Jag har inte kvar mina datorer. Ni tog dem", mässade Morgan och Ernst såg en möjlighet öppna sig.

"Just det, det är därför du behöver komma med. För att du ska få tillbaka dina datorer. Vi är klara med dem, förstår du." Ernst var ofantligt nöjd med sin snilleblixt.

"Varför kan ni inte komma hit med dem då? Ni hämtade dem ju här."

"Vill du ha datorerna eller inte?" exploderade Ernst, vars tålamod nu på allvar började tryta.

Efter en stunds tvekan och inre överläggning verkade utsikten att få tillbaka datorerna övervinna Morgans motvilja mot att bege sig till okänd mark.

"Jag följer med. Så att jag kan hämta mina datorer."

"Bra, duktig pojke", sa Ernst och log inombords medan Morgan gick och hämtade sin jacka.

Hela vägen till stationen satt de tysta, och Morgan stirrade stint ut genom fönstret på sin sida. Ernst såg inte heller något behov av att småprata utan sparade på krutet till förhöret. Då skulle han nog få idioten att bli desto pratsammare.

Väl framme vid stationen återstod ett litet, litet dilemma. Hur få in förhörsoffret utan att någon av de andra upptäckte vad han höll på med?

En sådan upptäckt skulle förstöra hela hans briljanta plan och det fick inte på några villkor ske. Till slut kom han på en vattentät idé. Från sin mobil ringde han till receptionen och med förställd röst meddelade han Annika att han hade ett paket att leverera vid bakre ingången. Därefter väntade han några sekunder med Morgan i ett fast grepp, smög sedan med andan i halsen till entrédörren och hoppades att Annika skyndat iväg till andra änden av stationen. Det hade fungerat. Hon satt inte på sin plats. Snabbt drog han med sig Morgan förbi receptionen och in i det närmaste förhörsrummet. Han stängde dörren bakom sig, låste och tillät sig ett litet segervisst leende innan han uppmanade Morgan att sätta sig ner i en av stolarna. Någon hade lämnat ett fönster halvöppet för att vädra och det stod och slog i blåsten. Ernst ignorerade ljudet. Han ville komma igång så fort som möjligt, innan någon råkade titta in här.

"Såå, min gode vän, då sitter vi här då." Ernst gjorde stor affär av att slå på bandspelaren.

Morgan hade börjat flacka med blicken. Något sa honom att allt inte var som det skulle.

"Du är inte min vän", sa han konstaterande. "Vi känner ju inte varandra, så hur kan du vara min vän? Vänner känner varandra." Efter en stunds tystnad fortsatte han. "Jag skulle hämta mina datorer. Det var därför jag kom hit. Du sa att mina datorer var klara."

"Jag sa visst det, ja", sa Ernst och flinade. "Men ser du – jag ljög. Och du har rätt i en sak: Jag är inte din vän. Jag är just nu din värsta fiende." Lite väl dramatiskt kanske, men Ernst var grymt nöjd med den repliken. Han trodde att han hört den i en film någon gång.

"Jag vill inte vara här längre", sa Morgan och började titta mot dörren. "Jag vill ha mina datorer och jag vill åka hem."

"Det kan du glömma. Det kommer att dröja länge innan du får återse ditt hem igen." Fan vad bra han var. Han borde fasen skriva manus till amerikanska actionfilmer. Han fortsatte: "Du förstår, vi vet att det är du som hade ihjäl den lilla flickan. Vi har hittat hennes jacka i din stuga och vi har en massa andra tekniska grejer som visar att det var du som mördade henne." Rent ljug det senare påståendet, men det visste ju inte Morgan. Och i det här spelet fanns inga regler.

"Men jag hade inte ihjäl henne. Även om jag ville ibland", tillfogade Morgan tonlöst.

Ernst kände hur det spritte i bröstet. Fan, det här gick ju bättre än han någonsin räknat med.

"Det är ingen idé att du försöker köra med de där valserna, vi har de andra tekniska bevisen och vi har jackan och mer behöver vi liksom inte. Men det är klart, det vore ju bättre för dig om du berättade hur det gick till. Då blir det kanske inte hela livet i fängelse. Och där får du inte ha dina jävla datorer med dig."

Nu såg han för första gången en äkta känsla hos idioten. Bra, det såg ut som om paniken började få fäste. Då var han nog mör snart. Men för att förbättra läget ytterligare skulle han använda sig av ett litet trick som han lärt sig av På spaning i New York och de andra snutserierna från USA som han följde slaviskt. Han skulle låta honom svettas i ensamhet en stund. Fick han tänka över sin situation ett slag skulle han nog erkänna snabbare än Ernst hann säga "Andy Sipowicz".

"Jag måste gå och pinka. Vi fortsätter det här samtalet strax." Han vände Morgan ryggen och började gå mot dörren.

Morgan pladdrade nu oavbrutet i ett bönfallande tonfall. "Jag har inte gjort det. Jag kan inte sitta i fängelse resten av livet. Jag hade inte ihjäl henne. Jag vet inte hur jackan hamnade hos mig. Hon hade den på sig när hon gick in till sig. Snälla, lämna mig inte här. Hämta mamma, jag vill prata med mamma. Mamma kan reda ut det här, snälla ..."

Ernst stängde snabbt dörren bakom sig för att inte idiotens babbel skulle höras ut i korridoren. Efter ett par steg fick Annika syn på honom och gav honom en misstänksam blick.

"Vad gjorde du där borta?"

"Nej, jag bara kollade en grej. Jag trodde jag hade lagt min plånbok i ett av förhörsrummen."

Hon såg inte ut som om hon trodde honom helt, men lät det bero. Sekunden efter tittade hon ut genom fönstret och utbrast: "Men vad i all sin dar?"

"Vad då?" sa Ernst med en begynnande oroskänsla i magen.

"En karl har precis klättrat ut genom ett av fönstren och springer nu bort mot vägen."

"Vad fan!" Ernst höll på att knäcka axeln när han kastade sig mot den första av dörrarna och i hastigheten glömde att den alltid var låst.

"Öppna dörren, för fan!" skrek han till Annika och hon lydde förskräckt. Han slängde upp den andra dörren och rusade efter Morgan. Han såg hur Morgan kastade en blick bakom sig och ökade farten ytterligare. Med fasa upptäckte Ernst att en svart minibuss närmade sig i en hastighet som definitivt låg över den tillåtna.

"Neeeej", skrek han panikslaget.
Sedan kom dunsen och allt blev stilla.

Martin undrade vad det var som Charlotte och Niclas så brådskande behövde prata med Patrik om. Han hoppades att det var något som skulle ge dem anledning att lyfta bort Niclas från listan över misstänkta. Tanken på att det kunde vara flickans egen pappa som gjort något mot henne kändes för jävlig.

Han fick inget grepp om Niclas. Albins journaler var nog så graverande och Niclas hade inte lyckats övertyga honom om att det inte var han som orsakat skadorna på barnet. Ändå var det något som inte stämde. Niclas var en minst sagt komplex man. Han gav ett tryggt och stabilt intryck när man satt öga mot öga med honom, men han verkade ha gjort fullkomlig slarvsylta av sitt privatliv. Även om Martin inte hade varit någon ängel i sitt glada singelliv, så kunde han nu, när han själv blivit sambo, inte förstå hur någon kunde bedra sin äkta hälft på det där sättet. Vad sa han till Charlotte när han kom hem efter att ha varit med Jeanette? Hur kunde han få tonen att låta otvungen, hur kunde han se henne i ögonen efter att bara några timmar tidigare ha vältrat sig i sängen med sin älskarinna? Martin förstod det bara inte.

Niclas hade visat prov på ett humör som var svårt att ana sig till. Martin hade sett blicken i hans ögon när han tidigare under dagen dök upp hemma hos sin far. Det såg ut som om han hade velat slå ihjäl honom, och Gud vet vad som hade hänt om inte Martin dykt upp.

Men ändå. Trots Niclas motstridiga natur trodde inte Martin att han med vett och vilja skulle ha kunnat dränka sin dotter. Och vilket motiv skulle han ha haft till att göra det?

Han avbröts i sina tankar då han hörde steg i korridoren och såg Charlotte och Niclas hasta förbi. Han undrade nyfiket vad det var som brådskade.

Patrik uppenbarade sig i dörröppningen och Martin höjde frågande på ögonbrynen.

"Det var Sara som skadade Albin", sa Patrik och slog sig ner i besöksstolen.

Vilket svar Martin än förväntat sig, så var det inte det. "Hur vet vi att det är som de säger?" frågade han. "Kan inte det bara vara ett försök av Niclas att få bort misstankarna från sig själv?"

"Jo, så kan det ju vara", sa Patrik trött. "Men jag måste faktiskt säga

333

att jag tror dem. Fast självklart måste vi belägga det, jag har fått namn och telefonnummer till personer som vi kan kontakta. Dessutom ser Niclas alibi ut att hålla trots allt. Han påstår att Jeanette ljög om att han inte var hos henne, som ett sätt att hämnas efter att han avslutat deras förbindelse. Och även där är jag benägen att ta honom på orden, även om vi självklart får ta ett allvarligt samtal med henne."

"Vilken jävla…", sa Martin och behövde inte ens avsluta meningen innan Patrik nickade instämmande.

"Ja, mänskligheten har inte visat sig från sin ädlaste sida i den här utredningen", sa han och skakade på huvudet. "Och apropå det, ska vi ta tag i det där förhöret nu?"

Martin nickade, tog sitt block och reste sig för att följa efter Patrik som redan var på väg ut genom dörren. Till hans ryggtavla sa han: "Förresten, har du hört något från Pedersen än? Om askan på lillkillens tröja?"

"Nej", svarade Patrik utan att vända sig om. "Men de skulle sätta in högväxeln och analysera både tröjan och Majas overall så snart som möjligt, och jag kan sätta pengar på att de kommer att konstatera att det är aska från samma källa."

"Vad den nu är", sa Martin.

"Ja, vad den nu är."

De klev in i förhörsrummet och slog sig ner mittemot Kaj. Ingen sa något till en början och Patrik bläddrade lugnt igenom sina papper. Han såg till sin tillfredsställelse att Kaj oroligt vred sina händer och att små svettdroppar bildats på överläppen. Bra, han var nervös. Det skulle underlätta förhöret. Och med tanke på hur mycket de hade på fötterna efter husrannsakan kände sig Patrik inte det minsta orolig. Sådana här bevis skulle man ha i alla utredningar, då skulle livet vara betydligt lättare.

Sedan dämpades humöret. Han hade fått fram en fotostatkopia av pojkens brev och det blev en abrupt påminnelse om varför de gjorde det här och vem mannen framför dem var. Patrik knöt beslutsamt händerna. Han betraktade Kaj, som flackade med blicken.

"Vi behöver egentligen inte prata med dig. Vi har tillräckligt med bevis från husrannsakan för att placera dig bakom lås och bom, länge, länge. Men vi vill ändå ge dig en chans att förklara din sida av saken. För att det är sådana vi är. Schyssta killar."

"Jag förstår inte vad ni pratar om", sa Kaj med darr på stämman. "Det här är justitiemord, ni kan inte hålla mig här. Jag är oskyldig."

Patrik nickade bara deltagande.

"Vet du, det är nästan så jag tror dig. Och det skulle jag kanske göra, om det inte var för de här." Han plockade fram några fotografier ur sin tjocka mapp och sköt fram dem mot Kaj. Nöjt konstaterade han att Kaj först blev blek och sedan röd. Han tittade förvirrat på Patrik.

"Jag sa ju att vi har duktiga datakillar, gjorde jag inte det? Och sa jag inte att saker och ting inte är borta bara för att man deletar dem. Du har varit jätteduktig på att rensa datorn kontinuerligt, men tyvärr inte tillräckligt duktig. Vi har fått tag på allt du har laddat ner och delat med dina peddo-polare. Fotografier, mejl, videofiler. Allt. Rubb och stubb."

Kaj öppnade och stängde munnen. Det såg ut som om han försökte forma ord men att de envisades med att fastna på tungan.

"Inte så mycket att säga nu, eller hur? Det kommer förresten två kollegor från Göteborg i morgon som också gärna vill prata med dig. De anser att våra fynd är ytterst intressanta."

Kaj teg, så Patrik fortsatte, fast besluten att rubba honom på något sätt. Han avskydde mannen framför sig, han avskydde allt han representerade, allt han gjort. Men han lät det inte synas. Lugnt och i sansad ton fortsatte han att prata med honom, som om han diskuterade vädret och inte övergrepp på barn. Han övervägde för en stund att ta upp fyndet av Saras jacka direkt, men beslöt till slut att vänta en aning med det. Istället lutade han sig fram över bordet, tittade Kaj i ögonen och sa: "Tänker ni någonsin på dem som är era offer? Ägnar ni dem minsta lilla tanke, eller är ni alltför upptagna av att tillfredsställa era egna behov?"

Han hade inte väntat sig ett svar och han fick det inte heller. Till Kajs tigande ansikte fortsatte han: "Vet du något om vad som händer inne i en ung kille när han råkar ut för en sådan som dig? Vet du vad som går sönder, vad du tar ifrån honom?"

Bara en lätt ryckning i ansiktet visade att Kaj hört honom. Utan att ta blicken ifrån honom plockade Patrik fram ett av pappersarken framför sig och sköt det sakta över bordet. Först vägrade Kaj titta ner, sedan flyttade han långsamt blicken mot pappersarket och började läsa. Men ett klentroget uttryck i ansiktet tittade han på Patrik som bara nickade bistert.

"Jo, det är precis vad det ser ut att vara. Ett självmordsbrev. Sebastian Rydén tog livet av sig i morse. Hans pappa hittade honom hängd i garaget. Jag var själv med när vi skar ner honom."

335

"Du ljuger." Kajs hand darrade när han lyfte upp brevet. Men Patrik såg på honom att han visste att det inte var en lögn.

"Skulle det inte vara skönt att sluta ljuga", sa Patrik lent. "Du brydde dig säkert om Sebastian, det är jag säker på, så för hans skull. Du ser ju vad han skriver. Han vill att det ska få ett slut. Du kan ge oss det slutet."

Tonen var förrädiskt sympatisk. Patrik kastade en snabb blick mot Martin som satt redo med pennan ovanför blocket. Visserligen surrade bandspelaren som en liten humla i rummet, men Martin hade ändå som vana att alltid ta egna anteckningar.

Kaj smekte brevet med fingrarna och öppnade munnen för att säga något. Martin höjde pennan, beredd att börja skriva.

I just det ögonblicket slet Annika upp dörren.

"Det har hänt en olycka här utanför, skynda er!"

Sedan försvann hon springande bort i korridoren och efter en sekunds chockad tystnad kastade sig Patrik och Martin efter henne.

I sista stund kom Patrik ihåg att låsa dörren om Kaj. De fick ta vid där de slutat vid ett senare tillfälle. Han hoppades bara att ögonblicket inte gått dem förbi.

Han kunde inte förneka att han kände sig lite bekymrad. Det hade visserligen bara gått ett par dagar, men han kände inte att de fått den där riktiga far–son-kontakten än. Visst, han kanske borde tåla sig lite, men han tyckte faktiskt inte att han fick den uppskattning som han förtjänade. Den där fadersrespekten. Den där villkorslösa kärleken som alla föräldrar talade om, kanske uppblandad med lite hälsosam rädsla. Pojken verkade snarare helt likgiltig. Han hängde i Mellbergs soffa hela dagarna, åt enorma mängder chips och lekte med sitt TV-spel. Mellberg kunde inte förstå varifrån han hade fått det där slöa draget. Det måste vara från sin mors sida. Själv ville han minnas att han hade varit ett riktigt energiknippe som ung. Visserligen kunde han inte med bästa vilja komma ihåg de sportprestationer han måste ha levererat – han kunde faktiskt inte ens få fram någon minnesbild av sig själv i sportigare sammanhang – men det tillskrev han tidens tand. Hans bild av sig själv som ung var definitivt av en muskulös pojke med spring i benen.

Han tittade på klockan. Tidig förmiddag. Fingrarna trummade otåligt mot skrivbordsskivan. Kanske borde han ta sig hem istället och spendera lite kvalitetstid tillsammans med Simon. Det skulle säkert göra honom glad. När Mellberg tänkte efter insåg han att sonen nog bara var lite blyg och inombords längtade efter att hans pappa, som varit frånvarande så länge, skulle komma och dra ut honom ur hans skal. Så var det naturligtvis. Mellberg suckade av lättnad. Det var tur att han förstod sig på ungar, annars skulle han nog ha gett upp vid det här laget och låtit pojken sitta där i soffan och känna sig eländig. Men Simon skulle snart bli varse vilken tur han haft i faderslotteriet.

Med stor fryntlighet drog Mellberg på sig jackan medan han funderade på vad de skulle kunna hitta på för lämplig far-och-son-aktivitet. Oturligt nog fanns det inte mycket för två riktiga karlar att hitta på i den här gudsförgätna hålan. Om de hade varit i Göteborg skulle han ha kunnat ta med sonen på hans första besök på en strippklubb, eller lärt upp honom vid rouletten, men nu visste han inte riktigt vad de skulle göra. Nåja, han skulle nog komma på något.

När han passerade Hedströms dörr tänkte han att det var jävligt otrevligt det där med hans dotter. Det var ytterligare ett bevis på att man aldrig visste när något kunde hända och att det var bäst att njuta av sina barn medan tid var. Med det i åtanke intalade han sig att ingen kunde klandra honom för att han gick tidigt i dag.

Visslande gick han mot receptionen men slutade tvärt när han såg dörrar slås upp och hans mannar springa i riktning mot utgången. Något var på färde och i vanlig ordning hade ingen brytt sig om att informera honom.

"Vad är det som händer?" ropade han till Gösta som inte var lika snabb som de övriga och därför hamnat sist.

"Någon har blivit påkörd här utanför."

"Åh fan", sa Mellberg och började också han springa efter bästa förmåga.

Strax utanför ytterdörren stannade han till. En stor svart familjebuss stod mitt i vägen och någon som måste vara föraren irrade runt och höll sig för huvudet. Airbagen hade utlösts på förarplatsen och han såg oskadd men förvirrad ut. Framför bilens kylare låg ett bylte på vägen. Patrik och Annika låg på knä där bredvid medan Martin försökte lugna ner föraren. Ernst stod lite vid sidan av, med de långa armarna hängande utmed kroppen och en ansiktsfärg som var lika vit som ett ark papper. Gösta sällade sig till honom och Mellberg såg hur de pratade lågmält sinsemellan. Göstas bekymrade ansiktsuttryck oroade Mellberg djupt. Han fick en obehaglig känsla i magen.

"Har någon ringt efter ambulans?" frågade han och Annika svarade jakande. Tafatt och osäker på vad han skulle göra, gick han bort till Ernst och Gösta. "Vad var det som hände?" frågade han. "Vet någon av er?"

En olycksbådande tystnad från båda parter talade om för honom att han troligtvis inte skulle vara särdeles förtjust i svaret. Han såg att Ernst klippte oroligt med ögonen och fixerade honom med blicken.

"Nå, ska någon svara, eller ska jag behöva slita orden ur er?"

"Det var en olyckshändelse", sa Ernst med gnällig stämma.

"Kan du kanske ge mig lite detaljer kring denna 'olyckshändelse'?", sa Mellberg och fortsatte att stirra ner på sin underlydande.

"Jag skulle bara ställa lite frågor till honom, och han flippade ur. Han var ju helt jävla psyko, den killen, det kunde väl inte jag hjälpa?" Ernst höjde stridslystet rösten i ett desperat försök att ta kontroll över situationen som så plötsligt hade glidit honom ur händerna.

Den olycksbådande känslan i Mellbergs mage växte. Han tittade mot byltet på vägen, men ansiktet doldes av Patrik och han kunde inte se om det var någon han kände igen.

"Vem är det som ligger där under kylaren på bilen, Ernst? Kan du vara så vänlig att tala om det för mig nu?"

Han viskade, nästan väste fram orden, och det mer än något annat sa Ernst vilken knipa han försatt sig i.

Efter att ha tagit ett djupt andetag viskade han: "Morgan. Morgan Wiberg."

"Vad fan säger du!" vrålade Mellberg så häftigt att både Ernst och Gösta ryggade tillbaka, och Patrik och Annika vände sig om.

"Visste du om det här, Hedström?" frågade Mellberg.

Patrik skakade bistert på huvudet. "Nej, jag har inte gett några instruktioner om att Morgan skulle hämtas in för förhör."

"Såå, du skulle glänsa lite hade du tänkt." Mellberg hade åter sänkt rösten till ett försåtligt lugnt tonfall.

"Du sa ju att vi borde titta på idioten först. Och till skillnad från den där", Ernst pekade med huvudet i riktning mot Patrik, "så har jag förtroende för dig och lyssnar på vad du säger."

I normala fall skulle smicker vara helt rätt väg att ta, men den här gången hade Ernst gått så långt att inte ens det kunde få Mellberg vänligt inställd igen.

"Sa jag uttryckligen att Morgan skulle hämtas in? Nå, sa jag det?"

Ernst såg ut att tveka en stund, sedan viskade han: "Nej."

"Då så", röt Mellberg. "Och var fan är den jävla ambulansen! Har de

tagit en fikapaus någonstans längs vägen, eller?" Han kände frustratio-
nen spruta åt alla håll och kanter och det blev inte bättre av att Hed-
ström lugnt sa: "Jag tror inte att de behöver skynda sig. Han har inte an-
dats sedan vi kom hit. Troligtvis var döden ögonblicklig."

Mellberg slöt ögonen. Framför honom dansade en hel karriär iväg.
Alla års hårda slit, kanske inte med det dagliga polisarbetet, men med att
navigera rätt i den politiska djungeln och hålla sig väl med dem som
hade inflytande och sparka på dem som kunde lägga hinder i hans väg.
Allt detta förlorade nu sin mening på grund av en dum jävla lantissnut.

Sakta vände han sig om mot Ernst igen. Med iskall stämma sa han:
"Du är avstängd i väntan på utredning. Och om jag var du skulle jag inte
förvänta mig att få komma tillbaka."

"Men", sa Ernst och laddade för protester. Han tystnade tvärt när
Mellberg satte upp ett pekfinger i luften.

"Schhh", var det enda han sa och med det visste Ernst att spelet var
förlorat. Han kunde lika gärna gå hem.

Göteborg 1957

Lättjefullt sträckte Agnes ut sig på den stora sängen. Det var något med känslan efter att precis ha älskat med en man som gjorde att hon kände sig levande och vibrerande. Hon betraktade Per-Eriks breda ryggtavla där han satt på sängkanten och tog på sig de välpressade kostymbyxorna.

"Nå, när ska du meddela Elisabeth då?" sa hon och betraktade sina rödmålade naglar i jakt på ofullkomligheter. Hon fann inga. Bristen på svar från honom fick henne att titta upp från naglarna.

"Per-Erik?" sa hon frågande.

Han harklade sig. "Jag tycker det känns lite tidigt. Det är ju inte mer än någon månad sedan Åke dog och vad ska folk säga om ..." Han lät fortsättningen på meningen osagd klinga ut i rummet.

"Jag trodde att det vi hade betydde mer för dig än 'folks' åsikter", sa hon med en skärpa i rösten som han aldrig tidigare hört.

"Det gör det, älskling, det gör det. Jag tycker bara att vi borde ... vänta lite", sa han och vände sig om och smekte hennes nakna ben.

Misstänksamt betraktade Agnes honom. Hans ansiktsuttryck var outgrundligt. Det retade henne att hon aldrig riktigt kunde läsa honom, så som hon alltid kunnat läsa alla andra män, men samtidigt var det kanske därför hon för första gången i sitt liv kände att hon träffat en man som kunde leva upp till hennes förväntningar. Och det var på tiden. Visserligen såg hon mycket bra ut för sina femtiotre år, men tiden kom med ovälkomna förändringar även för henne och snart kanske hon inte skulle kunna förlita sig på sitt yttre längre. Tanken skrämde Agnes, och just därför var det så viktigt för henne att Per-Erik höll de löften han så frikostigt gett henne. Under de år som deras förhållande varat, hade hon hela tiden varit den som haft kontrollen. Åtminstone hade hon upplevt det så. Men för första gången kände Agnes ett styng av tvivel. Kanske hade hon låtit sig duperas. Hon hoppades för hans skull att så inte var fallet.

340

Harald Spjuth trivdes med livet som präst. Men som människa kände han sig ibland lite ensam. Trots att han var fyrtio år fyllda hade han ännu inte hittat någon att dela livet med och det var ett faktum som smärtade honom djupt. Kanske hade prästkragen varit en hindrande faktor, för inget i hans personlighet indikerade att han skulle ha några svårigheter att hitta kärleken. Han var en genuint trevlig och god människa, även om det kanske inte var termer han skulle välja för att beskriva sig själv, då han därtill var både ödmjuk och blygsam. Utseendet var inte heller en faktor som hans ensamhet kunde skyllas på. Man skulle inte med bästa vilja kunna säga att han platsade som hjälte på vita duken, men han hade trevliga ansiktsdrag, allt sitt hår i behåll och den avundsvärda egenskapen att inte lägga på sig ett uns för mycket fett trots en förkärlek för god mat och de många kafferep som livet som präst på en liten ort innebar. Ändå hade det inte riktigt velat sig.

Men Harald hade inte misströstat. Han undrade vad församlingen skulle säga om de visste hur produktiv han hade varit när det gällde kontaktannonser den senaste tiden. Efter att ha prövat både logdans och matlagningskurser utan framgång, hade han på senvåren satt sig ner och skrivit sin första annons och sedan hade det bara rullat på. Ännu hade han inte träffat den stora kärleken, men han hade haft flera trevliga middagsmöten och på köpet skaffat sig ett par riktigt goda brevvänner. Hemma på köksbordet låg tre brev och väntade på att han skulle få tid att sätta sig ner och läsa dem. Men plikten först.

Han hade varit på hembesök hos några av de äldre som uppskattade att få prata bort en stund och passerade prästgården på väg till kyrkan. Många av hans mer ambitiösa kollegor skulle nog ha tyckt att församlingen var aningen liten, men Harald stortrivdes. Den gula prästgården var ett vackert hem att få bo i och han slogs alltid av hur ståtlig kyrkan var när han gick den lilla backen upp genom allén. När han passerade den gamla kyrkskolan som låg mittemot prästgården, reflekterade han för ett ögonblick över den infekterade debatt som blossat upp i samhället. Ett bostadsbolag ville riva det i högsta grad fallfärdiga huset och byg-

ga lägenheter, men projektet hade omedelbart genererat en rad protest-
artiklar och insändare från folk som ville att huset till varje pris skulle
bevaras som det var. Harald kunde på sätt och vis förstå båda sidor, men
det var ändå anmärkningsvärt att de flesta av motståndarna inte var bo-
fasta, utan sommargäster med bostäder i samhället. De ville självklart att
deras retreat Fjällbacka skulle förbli så där härligt pittoreskt och gulligt,
så att de kunde vandra runt i samhället på helgerna och skatta sig lyck-
liga för att de hade en sådan trevlig tillflyktsort långt bort från vardagen
i storstaden. Problemet var bara att ett samhälle som inte utvecklades
dog förr eller senare, och man kunde inte för alltid frysa bilden. Lägen-
heter behövdes och det gick inte att K-märka allt i Fjällbacka och tro att
det inte skulle påverka själva livsnerven i bygden. Turismen var nog bra,
men det fanns ju ett liv efter sommaren också, reflekterade Harald där
han i sakta mak gick mot kyrkan.

Innan han gick in genom den tunga porten hade han tagit till vana
att alltid stanna till och blicka upp mot tornet, med nacken lutad så
långt tillbaka som han bara kunde. I blåsigt väder, så som i dag, fick han
illusionen av att tornet svajade, och den imponerande synen av tusen-
tals ton granit, på väg att falla emot honom, fick honom alltid att kän-
na vördnad inför de män som byggt den mäktiga kyrkan. Ibland önska-
de han att han hade levt på den tiden och kanske till och med varit en
av Bohusläns stenhuggare, som med sina händer i obemärkthet skapat
allt ifrån de enklaste vägar till de ståtligaste statyer. Men han var till-
räckligt upplyst för att veta att det var en romantisk dröm. Livet hade
nog inte varit så roligt för dem, och han uppskattade nutidens bekväm-
ligheter alltför mycket för att kunna lura sig själv att han skulle ha trivts
bättre utan dem.

Efter att ha tillåtit sig en stunds drömmande öppnade han porten.
Skuldmedvetet insåg han att han höll tummarna för att Arne inte skul-
le vara där. Det var väl inget fel på karln egentligen och han gjorde ett
nog så gott jobb, men Harald var tvungen att erkänna att han hade lite
svårt för de gamla schartauanska relikerna och Arne var en av de värsta.
Maken till dyster människa fick man leta efter. Det var som om han fros-
sade i elände och ständigt sökte det negativa i allting. Ibland, när Arne
stod intill honom, kunde Harald känna hur han nästan bokstavligen sög
livsglädje ur honom. Inte hade han mycket till övers för det eviga tjatet
om kvinnliga präster heller. Hade Harald fått en femma för varje gång
Arne ondgjort sig över hans företrädare, så skulle han ha varit en rik

man i dag. Själv förstod han ärligt talat inte det fruktansvärda i att en kvinna förkunnade Guds ord istället för en man. När Arne orerade som värst fick han alltid bekämpa en lust att säga att det väl ändå inte var med snoppen som Guds ord förkunnades, men han bet sig alltid i tungan i sista stund. Stackars Arne skulle väl falla död ner på fläcken om han hörde en präst ta sådana ord i sin mun.

Väl inne i sakristian försvann hoppet om att kyrkvaktmästaren skulle befinna sig i hemmets trygga vrå. Harald hörde hans stämma och tänkte att det nog var några stackars turister som råkat ut för Svea rikes mest konservativa kyrkvaktmästare. För ett ögonblick var Harald frestad att smyga sig ut igen, men han suckade och tänkte att han fick göra det kristligt rätta och gå in och rädda stackarna.

Inga turister syntes till. Istället stod Arne högst upp i predikstolen och mässade med tordönsstämma ut över de tomma bänkarna. Harald stirrade häpet på honom och undrade i sitt stilla sinne vad som farit i karln.

Arne viftade och stod i som om han höll en bergspredikan och stoppade bara upp för ett ögonblick när han såg Harald komma in genom dörren. Sedan fortsatte han som om ingenting hänt, och nu såg Harald också att det låg fullt med vita ark nedanför predikstolen. De fick sin förklaring när Arne med yviga gester rev sidor ur psalmboken han höll i sin hand och lät dem singla ner mot golvet.

"Vad tar du dig för?" sa Harald upprört och klev fram genom mittgången med bestämda steg.

"Jag gör det som borde ha gjorts för länge sedan", svarade Arne stridslystet. "Jag river ur de hemska nymodigheterna. Ogudaktiga är vad de är", fnyste han och fortsatte att riva ur sida efter sida. "Jag förstår inte varför allt gammalt plötsligt ska ändras. Allt var ju så mycket bättre förr. Nu luckras all moral upp och folk dansar och sjunger vare sig det är torsdag eller söndag! För att inte tala om hur det kopuleras både här och där, utanför äktenskapets helgd."

Håret stod på ända och Harald undrade än en gång om stackars Arne fullständigt tappat vettet. Han förstod inte vad som påkallat detta plötsliga utbrott. Visserligen hade Arne surmulet muttrat ungefär samma åsikter år ut och år in, men han hade aldrig dristat sig till något sådant här.

"Ska du inte ta och lugna ner dig nu, Arne? Kom ner från predikstolen, så får vi prata lite."

"Prata och prata. Det görs inte annat", orerade Arne från sin upphöjda plats. "Det är ju det jag säger, det är dags att göra något istället! Och det här är ett ställe så gott som något att börja på", sa han, medan arken fortsatte att falla som stora snöflingor mot golvet.

Men nu ilsknade Harald till. Stå här och vandalisera i hans fina kyrka! Någon måtta på tokigheterna fick det vara!

"Kom ner därifrån, Arne, och det genast!" röt han, vilket fick kyrkvaktmästaren att tvärstanna mitt i en rörelse. Aldrig tidigare hade prästen höjt sin annars så milda stämma och effekten uteblev inte.

"Du har tio sekunder på dig att komma ner därifrån, annars kommer jag upp och hämtar dig, så stora karln du är!" fortsatte Harald, högröd i ansiktet av ilska och hans blick lämnade inget tvivel om att han menade allvar med sitt hot.

Det stridslystna pyste ur Arne lika fort som det hade kommit och han hörsammade spakt prästens begäran.

"Seså", sa Harald med betydligt mildare stämma när han gick fram till Arne och lade armen om hans axlar. "Nu går vi till prästgården, sätter på lite kaffe, tar lite av det goda kaffebrödet som Signe varit vänlig nog att baka, och så pratar vi igenom det här, du och jag."

Sedan gick de bort längs altargången. Den lille mannen med armen om den store. Som ett udda brudpar.

Hon kände sig lätt yr när hon klev ur bilen. Det hade inte blivit mycket till sömn under den gångna natten. Tanken på det fruktansvärda som Kaj stod anklagad för hade hållit henne vaken ända till morgontimmarna.

Det värsta var egentligen tvivlets frånvaro. När hon hörde polismannen uttala anklagelserna visste hon från första stund att det var sant. Så många bitar föll på plats. Så mycket under deras år tillsammans fick med ens sin förklaring.

En känsla av äckel fick det att vända sig i magen på henne och hon lutade sig mot bilen och spottade ut lite galla mot asfalten. Hon hade kämpat emot kräkreflexen hela morgonen. När hon anlände till jobbet på morgonen hade chefen kommit och sagt att hon inte behövde arbeta om hon inte ville, med tanke på omständigheterna. Men hon hade bara mumlat fram ett avböjande. Tanken på att sitta hemma hela dagen var motbjudande. Hon stod hellre ut med folks stirrande blickar än att gå omkring i hans hus, sitta i hans soffa, laga mat i hans kök. Tanken på att han rört vid henne, om än inte på väldigt, väldigt länge, fick henne att vilja slita skinnet från kroppen.

Men till slut hade hon inget val, efter att hon försökt hålla sig på benen i en timme hade chefen sagt åt henne att gå hem och vägrat att acceptera ett nej. Med en stor klump i magen hade hon sakta kört hemåt, och när hon hade kommit nedför Galärbacken hade hon nästan krypkört. Föraren i bilen bakom henne hade tutat irriterat, men Monica hade inte brytt sig nämnvärt.

Om det inte hade varit för Morgan skulle hon ha packat en väska och åkt hem till sin syster. Men hon kunde ju inte överge honom. Han skulle vantrivas någon annanstans än i sin lilla stuga och att de hade tagit hans datorer var nog med omvälvning i hans värld. I går hade hon funnit honom vandrande rastlöst fram och tillbaka mellan sina tidningsbuntar, vilse utan det som var hans förankring in i den verkliga världen. Hon hoppades att de snart skulle lämna tillbaka datorerna.

Monica tog fram nyckeln till ytterdörren och skulle precis låsa upp när hon hejdade sig. Hon var ännu inte redo att gå in. En plötslig längtan efter sonen fick henne att stoppa tillbaka nyckeln i fickan, gå nedför yttertrappan och bort längs gången mot Morgans stuga. Han skulle säkert bli irriterad över att hon bröt rutinerna och dök upp hos honom, men för en gångs skull brydde hon sig inte om det. Hon mindes hur han hade luktat som liten, hur den lukten hade fått henne att vilja försätta berg för hans skull. Nu kände hon ett behov av att återigen snusa honom i nacken, så stor han var, omfamna honom och låta honom vara hennes trygghet, istället för tvärtom, så som det hade varit i alla år.

Hon knackade försiktigt på dörren och väntade. Inget ljud hördes inifrån och hon kände oron stiga. Monica knackade igen, lite hårdare den här gången och väntade spänt på att få höra ljudet av steg inifrån. Ingenting.

Hon kände på dörren, men kunde snabbt konstatera att den var låst. Med fumliga fingrar kände hon ovanför dörren efter reservnyckeln och fick efter lite famlande fram den.

Var kunde han vara? Morgan gick ingenstans på egen hand. Det hade aldrig hänt tidigare att han hade gett sig iväg på en utflykt utan att antingen ta henne med eller åtminstone mycket ordentligt tala om vart han skulle gå. Oron rev som ett litet djur i halsen och hon väntade sig halvt om halvt att få se honom död inne i stugan. Det var det hon alltid hade fasat för. Att han en dag skulle sluta prata om döden och istället bestämma sig för att uppsöka den. Kanske hade förlusten av datorerna och intrånget i hans värld gjort att han slutligen bestämde sig för att ge sig iväg till den plats som ingen återvände från.

Men stugan var tom. Spänt tittade hon sig runt och hennes blick föll snabbt på en lapp som låg på en av tidningshögarna närmast dörren. Hon kände igen Morgans handstil innan hon såg vad där stod, och hjärtat hoppade över ett slag. Det lugnade sig strax när hon hade läst innehållet, och hon förstod inte förrän axlarna föll ner hur hårt uppdragna hon haft dem.

"Datorerna klara. Åkt med polisen för att hämta", stod det på lappen och oron återvände. Det var visserligen inget självmordsbrev som hon befarat, men det var något som om inte stämde. Varför skulle polisen hämta honom för att han skulle få sina datorer? Skulle de inte ha tagit med sig dem och lämnat dem direkt i så fall?

Monica bestämde sig på ett ögonblick. Hon småsprang mot bilen och körde iväg med en rivstart. Hela vägen till Tanumshede trampade hon gaspedalen i botten och händerna kramade ratten så hårt att de blev svettiga. När hon passerade korsningen vid Tanums Gestgifveri hörde hon sirener bakom sig och blev omkörd av en ambulans som kom i hög hastighet. Omedvetet ökade hon farten ytterligare och fullkomligt flög förbi Hedemyrs. Vid Mr Li's affär blev hon tvungen att tvärstanna och bältet låste sig hårt mot hennes bröstkorg. Ambulansen hade stannat strax framför polisstationen och en kö av bilar hade bildats från båda hållen, då de inte kom förbi vad som såg ut att vara en olycksplats. När hon sträckte på nacken såg hon ett mörkt bylte på vägen, och hon behövde inte se mer för att veta.

Som i slow motion tog hon av sig bältet, öppnade bildörren och lämnade den på vid gavel när hon klev ur. Med en känsla av förestående undergång gick hon sakta, sakta mot olycksplatsen.

Det första hon såg var blodet. Det röda, som runnit från hans huvud ner på asfalten och brett ut sig i en vid cirkel kring håret. Det andra hon såg var ögonen. Vidöppna, döda.

En man var på väg mot henne. Armarna beredda att stoppa henne. Hans mun rörde sig, sa något. Hon ignorerade mannen och fortsatte rakt fram. Tungt föll hon på knä bredvid Morgan. Hon lyfte upp hans huvud i sitt knä och omfamnade det hårt, utan att bry sig om blodet som fortfarande sipprade fram och nu vätte hennes byxben. Sedan hörde hon vrålet. Hon undrade vem det kunde vara som lät så sorgsen, så ångestfylld. Sedan insåg hon att det var hon själv.

De hade kört strax över den tillåtna hastigheten hela vägen till Udde-valla. Albin var i säkert förvar hos Veronika och Frida, hade Lilian för-säkrat dem, så de hade kunnat åka raka vägen från polisstationen. Char-lotte hoppades att de inte kom för sent. På hennes mor hade det låtit som om Stigs liv hängde på en tråd och hon kom på sig själv med att knäppa händerna som i bön, trots att hon inte var någon troende män-niska.

Stig var den vänligaste människa hon någonsin mött. Hon insåg först nu hur mycket hon hade kommit att tycka om honom under den tid som de bott hos honom och Lilian. Visst hade hon träffat honom innan dess, men det var alltid på så korta besök, och det var först sedan de flyttat in som hon verkligen kunnat lära känna honom. Mycket av hennes varma känslor berodde förstås på att han och Sara kom att stå varandra så nära. Han lockade fram saker inom dottern som Charlotte alltid vetat om men inte själv kunnat nå fram till. Sara var aldrig oförskämd mot Stig, hon fick aldrig några raseriutbrott, hon hoppade inte runt som en vettvilling, oförmögen att styra sin energi. Hos honom satt hon lugnt och fint på sängkanten och höll honom i handen och berättade hur dagen hade va-rit i skolan. Charlotte hade aldrig upphört att förundras över hur Sara var när hon umgicks med Stig, och hon ångrade nu innerligt att hon ald-rig sagt det till honom. Hon insåg att hon knappt ens hade pratat med honom sedan Sara dog. Hon hade gått så djupt in i sin egen sorg att hon inte ens hade tänkt på hans. Han måste ha varit förtvivlad där han låg på övervåningen, plågad och sjuk och med bara sina egna tankar som sällskap. Hon borde åtminstone ha gått upp till honom och pratat med honom.

Så fort bilen stannade på parkeringen kastade sig Charlotte ur. Hon sprang mot entrén och väntade inte på Niclas. Han hittade ju bättre än hon på sjukhuset, så han skulle snart hinna ikapp henne.

"Charlotte!" Lilian kom emot henne med utsträckta armar när hon kom in i väntrummet. Modern storgrät och allas blickar vändes mot henne. Gråtande människor hade samma effekt på sina medmänniskor som bilolyckor. Ingen kunde låta bli att titta.

Tafatt klappade Charlotte sin mor på ryggen. Lillian hade aldrig varit speciellt fysisk av sig och det kändes ovant med kroppskontakten.

"Åh, Charlotte, det var fruktansvärt! Jag kom upp för att ge honom lite te och han var helt borta! Jag försökte ropa på honom och skaka honom, men jag fick ingen reaktion alls. Och ingen kan tala om vad det är för fel på honom! De har honom här inne på akuten och låter inte mig komma in. Borde inte jag få vara nära honom, tycker du inte det?! Och tänk om han dör!"

Lilian skrek så högt att det hördes i hela rummet och för ett ögonblick tyckte Charlotte att det kändes pinsamt med alla blickar som var vända mot dem. Sedan skärpte hon sig och påminde sig själv om att hennes mor alltid haft en läggning åt det dramatiska, men att hennes oro inte var mindre äkta för det.

"Sätt dig ner, så ska jag gå och se om jag kan hitta en kopp kaffe till oss. Och Niclas är strax här, han kan säkert få besked på nolltid, det är ju hans gamla kollegor."

"Tror du det?" sa Lilian och klamrade sig fast vid dotterns arm.

"Säkert", sa Charlotte och lossade försiktigt greppet om sin arm. Det förvånade faktiskt henne själv hur lugnt och säkert hon förde sig. Förlusten av Sara hade trubbat av hennes känslor, vilket gjorde att hon trots sin egen oro för Stig ändå förmådde tänka praktiskt.

Tacksamt såg hon Niclas komma in i väntrummet och hon mötte honom i dörren.

"Mamma är rätt hysterisk. Jag ska gå och hämta en kopp kaffe till oss allihop, och sedan har jag lovat att du skulle försöka ta reda på mer om vad det är som händer med Stig."

Niclas nickade. Han höjde handen och smekte Charlotte över kinden. Det ovana i gesten fick henne att haja till. Hon kunde faktiskt inte påminna sig att han någonsin rört vid henne med sådan ömhet.

"Hur mår du?" frågade han henne med uppriktig oro och trots det sorgliga i situationen kände hon något som liknade glädje spritta till i bröstet.

"Det går bra", svarade hon och log mot honom som ett bevis för att hon inte skulle bryta ihop.

"Säkert?"

"Säkert. Gå och prata med dina kollegor nu, så vi får någon rätsida på det här."

Han gjorde som hon sa och en stund senare, när hon och Lilian satt och smuttade på var sin kopp kaffe, kom han tillbaka och satte sig bredvid dem.

"Nå? Fick du reda på något?" sa Charlotte och försökte med tankekraft tvinga fram positiva ord över hans läppar. Tyvärr fungerade det inte.

Niclas ansikte var sammanbitet när han sa: "Tyvärr får vi förbereda oss på det värsta. De gör vad de kan, men det är inte säkert att Stig överlever dagen. Vi kan bara vänta och se."

Lilian flämtade till och kastade sig nu om halsen på Niclas, som lika tafatt som Charlotte tröstande försökte stryka henne över ryggen. Charlotte fick en känsla av déjà vu. I det här tillståndet hade Lilian varit när Charlottes far dog och det hade slutat med att läkarna fick ge henne lugnande för att hon inte skulle falla samman helt och hållet. Det hela var så orättvist. Att förlora *en* make var illa nog. Charlotte vände sig mot Niclas.

"Kunde de inte säga något om vad det är för fel på honom?"

"De tar massor av tester och kommer säkert att komma underfund med vad det är. Men just nu är det viktigaste att hålla honom vid liv tillräckligt länge för att kunna sätta in rätt behandling. Som det ser ut nu kan det vara allt från cancer till någon virussjukdom. Det enda de sa var att han borde ha kommit in till sjukhus för länge sedan."

Charlotte såg skulden som en skugga i hans ansikte. Hon lutade huvudet mot hans axel.

"Du är bara människa, Niclas. Stig ville ju inte till sjukhus och det verkade inte vara så farligt när du undersökte honom, eller hur? Emellanåt var han ju uppe och var riktigt pigg, och han sa själv att han inte hade så ont."

"Men jag borde inte ha lyssnat på honom. Fan, jag är ju läkare, jag borde ha vetat bättre."

"Glöm inte att vi har haft en del annat i tankarna också", sa Charlotte lågt, men inte tillräckligt lågt för att inte Lilian skulle höra.

"Varför ska vi drabbas av alla världens olyckor? Först Sara, och nu Stig", ylade hon högt och snöt sig i servetten som Charlotte hämtat till henne. Folk i väntrummet som hade återgått till att läsa sina tidningar tittade nu åter på dem, och Charlotte kände irritationen komma krypande.

"Nu får du ta dig samman lite. Läkarna gör allt de kan", sa hon och försökte göra rösten så len det bara gick utan att för den skull ta udden ur det hon sa. Lilian gav henne ett förorättat ögonkast, men lydde och upphörde med snyftandet.

Charlotte suckade och himlade med ögonen åt Niclas. Hon tvivlade inte på att moderns oro över Stig var äkta, men hennes tendens att göra varje situation till ett drama med sig själv i huvudrollen var oerhört påfrestande. Lilian hade alltid trivts bäst när hon var i centrum för uppmärksamheten och hon använde alla medel som stod till buds för att uppnå det, till och med i en situation som denna. Men hon var som hon var och Charlotte kämpade för att försöka svälja förtreten. Den här gången var ju hennes lidande verkligt.

Sex timmar senare hade fortfarande inget besked kommit. Niclas hade gått iväg upprepade gånger för att prata med läkarna, men utan att ha fått någon ytterligare information. Utgången för Stig var fortfarande oviss.

"Någon av oss måste åka hem till Albin nu", sa Charlotte och riktade sig lika mycket till Lilian som till Niclas. Hon såg att modern öppnade munnen för att protestera, ovillig att släppa iväg vare sig dottern eller svärsonen, men Niclas förekom henne.

"Ja, du har rätt. Han blir vettskrämd om Veronika försöker lägga honom hemma hos sig. Jag åker, så kan du stanna."

Lilian såg irriterad ut, men hon visste att de hade rätt och avhöll sig motvilligt från att invända något.

Försiktigt kysste Niclas Charlotte på kinden och klappade sedan Lilian på axeln. "Det ska nog ordna sig, ska du se. Ring om ni hör något."

Charlotte nickade. Hon betraktade hans ryggtavla som avlägsnade sig och lutade sig sedan blundande tillbaka i den obekväma stolen. Det skulle bli en lång väntan.

350

Göteborg 1958

Besvikelsen åt henne inifrån. Inget hade blivit som hon tänkt sig. Ingenting hade förändrats. Förutom att hon nu inte ens fick de korta stunderna av förtroende och ömhet från sin mor. Nu när inte längre Åke fanns. Istället såg hon knappt till henne. Antingen var hon på väg ut för att träffa Per-Erik, eller så skulle hon till en fest någonstans. Mor verkade också ha släppt alla ambitioner att kontrollera hennes vikt och hon kunde nu äta fritt av allt som fanns i huset, med resultatet att hennes tidigare höga vikt exploderade. Ibland när hon såg sig själv i spegeln såg hon bara monstret som så länge växt inom henne. Ett glupskt, fett, äckligt monster, som ständigt omgavs av en kväljande svettlukt. Mor brydde sig inte ens om att dölja avsmaken hon kände när hon såg på henne, och en gång hade hon till och med demonstrativt hållit för näsan när hon gick förbi. Förödmjukelsen sved fortfarande.

Det var ju inte så här Mor hade lovat att det skulle bli. Per-Erik skulle bli en så mycket bättre far än Åke någonsin varit, Mor skulle vara lycklig och de skulle äntligen leva som en riktig familj. Monstret skulle försvinna, hon skulle aldrig mer behöva sitta i källaren och den där torra, kväljande, dammiga smaken skulle aldrig mer fylla hennes mun.

Lurad. Det var så hon kände sig. Lurad. Hon hade försökt fråga sin mor när saker och ting skulle bli som hon lovat, men bara fått snäsiga svar. När hon insisterat hade hon blivit instängd i källaren efter att först ha blivit matad med lite Ödmjukhet. Hon hade gråtit bittra tårar som innehöll mer besvikelse än hon kunnat hantera.

Sittande i mörkret kände hon monstret frodas. Det tyckte om det torra i hennes mun. Det åt det och gladdes.

Dörren slog tungt igen bakom honom. Med långsamma steg släpade sig Patrik in i hallen och krängde av sig jackan. Han lät den ligga på golvet, för utmattad för att bry sig om att hänga upp den.

"Vad har hänt?" sa Erica oroligt bortifrån vardagsrummet. "Har du fått reda på något mer?"

Patrik fick ett styng av dåligt samvete över att inte ha stannat hemma hos henne och Maja när han såg hennes ansiktsuttryck. Han måste se ut som ett vrak. Han hade visserligen ringt hem emellanåt, men kaoset på stationen efter det som hänt hade gjort att samtalen blivit ytterst korthuggna och stressade. Så fort han fått en bekräftelse på att allt var lugnt hemma, hade han mer eller mindre lagt på luren i örat på henne.

Han gick sakta in till Erica. Som vanligt satt hon i mörkret och tittade på TV med Maja i famnen.

"Förlåt att jag har varit så kort i telefon", sa han och strök sig trött över ansiktet.

"Har det hänt något?"

Han föll tungt ner i soffan och förmådde först inte svara.

"Ja", sa han efter en stund. "Ernst fick för sig att ta in Morgan Wiberg till förhör, helt på eget beväg. Han lyckades stressa upp den stackars killen så att han rymde genom ett fönster, sprang ut på vägen och blev påkörd."

"Gud, så fruktansvärt", sa Erica. "Hur gick det med honom?"

"Han dog."

Erica drog häftigt efter andan. Maja, som låg och sov, gnydde till, men sjönk sedan tillbaka in i sömnen.

"Det var så överjävligt, så det kan du inte fatta", sa Patrik och lutade sitt huvud mot ryggstödet och stirrade upp i taket. "När han låg där på gatan, så kom Monica och fick se honom. Hon rusade fram innan vi kunde stoppa henne, tog hans huvud i knät och satt sedan och vaggade honom och vrålade på ett sätt som knappt lät mänskligt. Vi fick slita honom från henne till slut. Fy fan, det var så hemskt!"

"Och Ernst", sa Erica. "Vad hände med honom?"

"För första gången tror jag faktiskt att han kommer att åka dit. Jag har aldrig sett Mellberg så förbannad. Han skickade hem honom på stört och efter det här tror jag inte att han kan komma tillbaka. Vilket vore en välgärning."

"Vet Kaj?"

"Ja, det är också en sak för sig. Martin och jag satt precis och förhörde honom när olyckan inträffade och vi var tvungna att springa därifrån. Hade det hänt några minuter senare, tror jag att vi hade fått honom att börja prata. Nu har han slutit sig fullkomligt och vägrar att säga någonting. Han anklagar oss för Morgans död och till viss del har han rätt. Det skulle komma några kollegor från Göteborg i morgon för att förhöra Kaj, men det har vi fått skjuta upp på obestämd tid. Kajs advokat har satt stopp för alla förhör tills vidare, med tanke på omständigheterna."

"Så ni vet fortfarande inte om han är knuten till mordet på Sara. Och till ... till det som hände i går."

"Nej", sa Patrik trött. "Det enda som är säkert är att det inte kan ha varit Kaj som tog Maja ur vagnen. Vi hade honom i förvar då. Har Dan varit här, förresten?" sa han och smekte dottern som han försiktigt lyft över till sitt eget knä.

"Jadå, han har varit en trogen vakthund", log Erica, men leendet nådde inte ända upp till ögonen. "Jag fick mer eller mindre köra iväg honom till slut. Han gick först för en halvtimme sedan. Skulle inte bli förvånad om han ligger ute i trädgården i en sovsäck i natt."

Patrik skrattade. "Ja, det låter faktiskt inte helt otroligt. Jag är i alla fall skyldig honom en tjänst nu. Det känns bra att veta att ni inte har varit själva i dag."

"Du, vi var precis på väg upp för att lägga oss, Maja och jag. Men vi kan sitta uppe lite till, om du vill ha sällskap?"

"Ta inte illa upp, men jag skulle nog föredra att sitta själv ett tag", svarade Patrik. "Jag har tagit med mig lite jobb hem, och sedan kanske jag sitter framför TV:n och varvar ner en stund."

"Du gör precis som du känner för", sa Erica. Hon reste sig och tog Maja från Patrik efter att först ha gett honom en puss på munnen.

"Förresten, hur har det gått för er i dag?" frågade han när hon var halvvägs uppför trappan.

"Bra", sa Erica, och Patrik hörde att det fanns en annan stuns i hennes tonfall.

"I dag har hon inte sovit vid bröstet någonting, utan bara i vagnen.

Och nu skrek hon inte mer än tjugo minuter, sista sovpasset bara fem faktiskt."

"Bra", sa han. "Det låter som om du börjar känna att du har koll på läget."

"Ja, det är fan ett mirakel att det faktiskt funkar", sa hon och skrattade. Sedan blev hon allvarlig. "Fast hon får bara sova inne nu. Jag vågar nog aldrig mer ställa henne ute igen."

"Förlåt att jag var så ... dum häromkvällen", sa Patrik tvekande. Han ville inte riskera att säga något korkat igen, så därför trevade han efter varje ord, även när han bad om ursäkt.

"Det är okej", sa hon. "Jag är lite överkänslig också. Men jag tror att det har vänt nu. Skräcken jag kände när hon var borta hade i alla fall det goda med sig att jag insett hur tacksam jag är för varje minut med henne."

"Ja, jag förstår vad du menar", sa han och vinkade till henne när hon fortsatte upp till sovrummet.

Han stängde av ljudet på TV:n, plockade fram bandspelaren och tryckte först på "rewind" och sedan på "play". Han hade redan hört det flera gånger på stationen. De få minuter som fanns inspelade av Ernsts så kallade "förhör" med Morgan. Det var inte mycket som sas, men det fanns ändå något där som gnagde i hans bakhuvud, något som han inte riktigt kunde sätta fingret på.

Efter tre genomlyssningar gav han upp, lade bandspelaren på soffbordet och gick bort till köket. En stunds stökande resulterade i en kopp varm choklad och tre Skogaholmsmackor med ost och kaviar. Han satte på ljudet på TV:n igen och satte på Crime Night på Discovery. Att se på rekonstruktioner av verkliga brott var kanske ett märkligt sätt att koppla av för en polis, men han fann det alltid rogivande. Brotten löstes ju alltid.

Medan han tittade på programmet började en tanke av högst privat natur ta form. En högst angenäm och upplivande tanke, som effektivt förträngde alla funderingar kring brott och död. Patrik log där han satt i mörkret. Han skulle behöva gå på en liten shoppingtur.

Ljuset var skarpt och oförsonligt i cellen. Han kände det som om det genomlyste varje del av honom, varje skrymsle. Han försökte gömma sig från det genom att dölja huvudet i armarna, men kände ändå ljuset stickande i nacken.

På bara några dagar hade hela hans värld rasat. I efterhand kanske det verkade naivt, men han hade känt sig så säker, så onåbar. Han hade varit del av en gemenskap som verkade stå över den vanliga världen. De var inte som andra. De var bättre, mer upplysta än alla andra. Det omvärlden inte förstod var att det handlade om kärlek. Bara om kärlek. Sex var endast en liten del av det hela. Sinnlighet var det sätt han närmast kunde beskriva det på. Ung hud var så ren, så oförstörd. Barns sinnen var oskuldsfulla, inte nedsmutsade av fula tankar som vuxnas blev förr eller senare. Vad de gjorde var att hjälpa dessa unga människor att utvecklas så att de kunde nå sin fulla potential. De hjälpte dem att förstå vad kärlek var. Sex var redskapet, men inte målet i sig. Målet var att uppnå en samstämmighet, en förening av själarna. En förening mellan ung och gammal, så vacker i sin renhet.

Men ingen skulle förstå. Det hade de pratat om många gånger i chattrummet. Hur de andras dumhet och snävhet i tanken gjorde att de inte ens ville försöka att förstå det som var så uppenbart för dem själva. Istället var de andra så ivriga att sätta en smutsig stämpel på det de gjorde, fastän de då gjorde barnen lika smutsiga.

Mot den bakgrunden kunde han förstå att Sebastian gjorde det han gjorde. Han hade insett att ingen skulle förstå, att han hädanefter skulle betraktas med avsky och förakt. Det Kaj däremot inte kunde förstå var varför han kom med sådana beskyllningar mot honom i sin sista hälsning till världen. Det sårade honom. Han hade verkligen trott att de nått en djup samförståelse under sina möten och att Sebastians själ, efter den första motvilligheten som alltid måste övervinnas, villigt hade gått hans själ till mötes. Det fysiska hade han betraktat som något underordnat. Det var känslan av att bokstavligen dricka ur ungdomens källa som hade varit den verkliga belöningen. Hade Sebastian verkligen inte förstått det? Hade han låtsats hela tiden, eller var det samhällets normer som hade fått honom att förneka deras samhörighet i sitt sista brev? Det smärtade honom att han aldrig skulle få veta det.

Det andra hade han försökt att inte tänka på. Ända sedan de kom med beskedet om Morgans död hade han försökt att skjuta bort tankarna på sonen. Det var som om hjärnan inte ville ta till sig den grymma sanningen, men det obarmhärtiga ljuset i cellen tvingade på honom bilder som han kämpade hårt för att hålla borta. Ändå hade en tanke illvilligt smugit sig på honom, en tanke om att det här kanske var straffet. Men han slog snabbt bort den. Han hade ju inte gjort något fel. Genom åren hade han kommit att älska några och de hade älskat honom. Så var det, och så måste det vara. Alternativet var för hemskt för att han ens skulle kunna föreställa sig det. Det måste ha varit kärlek.

Han visste att han aldrig hade varit någon vidare far till Morgan. Det hade varit så svårt. Redan från början hade sonen varit svår att älska och han hade ofta beundrat Monica för att hon förmådde ta honom till sig, det taggiga, kantiga barn som var deras. Ytterligare en tanke slog honom. Kanske skulle de nu försöka få det till att han rört Morgan? Tanken upprörde honom. Morgan var ju hans son, hans eget kött och blod. Han visste att det var vad de skulle säga. Men det var bara ett bevis på hur inskränkta och småsinta de var. Det var ju inte alls samma sak. Kärleken mellan far och son och kärleken mellan honom och de andra. Det var på helt olika plan.

Men han hade ändå älskat Morgan. Han visste att Monica inte trodde det, men det hade han. Han hade bara inte vetat hur han skulle nå fram till honom. Alla försök han gjort hade motats bort och han hade ibland undrat om inte Monica på ett subtilt sätt motarbetat hans försök att nå fram till sonen. Hon hade velat ha honom för sig själv. Velat vara den enda av föräldrarna som han vände sig till. Kaj stängdes effektivt ute och trots att hon skällde på honom och anklagade honom för att inte engagera sig i sonen, så visste han att det i hemlighet var precis så som hon ville ha det. Och nu var det för sent att ändra på något.

Medan lysrörens metalliska ljus blinkade mot honom, så lade han sig på sidan på golvet och kurade ihop sig i fosterställning.

Rättsläkarna på TV hade hittills löst tre fall på fyrtiofem minuter. De fick det att framstå som så enkelt, men Patrik var väl medveten om att så inte var fallet. Han hoppades dock att Pedersen skulle återkomma under morgondagen med besked om askan på Liams tröja och Majas overall.

Ett nytt fall presenterades. Patrik slötittade på programmet och kände sömnen smyga sig på där han halvlåg i soffan. Men sakta började fallets detaljer sjunka in i medvetandet och han satte sig upp och skärpte uppmärksamheten. Fallet var från USA och redan många år gammalt, men omständigheterna verkade oroväckande bekanta. Han skyndade sig att trycka på "record" på videon och hoppades att det inte var sista avsnittet av någon av Ericas alla dokusåpor som han spelade över. I så fall skulle familjejuvelerna hänga löst. Det var i sådana lägen som hans kära

356

livspartner brukade hota med att plocka fram en rostig sax.

Rättsläkaren som hade hand om analyserna talade länge och omständligt. Han visade diagram och bilder som skulle förklara förloppet så tydligt som möjligt och Patrik hade inga svårigheter att följa med. En aning började framträda i hans tankar och han kontrollerade oroligt att inspelningssymbolen verkligen visades på videons display. Det här skulle han behöva titta på ett par gånger till.

Tre uppspelningar senare kände han sig så säker som han kunde vara. Men han var ändå i behov av att få lite hjälp med minnet. Ivrig och väl medveten om ärendets brådskande natur smög han sig upp till Erica i sovrummet. Hon hade Maja bredvid sig, så han antog att dottern fått en liten belöning för att hon somnat så duktigt i vagnen under dagen.

"Erica", viskade han och ruskade försiktigt hennes axel. Han var livrädd att väcka Maja, men han var tvungen att prata med Erica

"Öhh ...", kom det bara till svar och hon gjorde ingen ansats att röra sig.

"Erica, du måste vakna."

Den här gången fick han mer respons. Hon ryckte till, tittade sig förvirrat omkring och sa: "Vad, vad är det? Är Maja vaken? Skriker hon? Bäst jag hämtar henne." Erica satte sig upp och var på väg upp ur sängen.

"Nej, nej", sa Patrik och tryckte försiktigt ner henne i sängen. "Schh, Maja sover som en stock." Han pekade på det lilla knytet som nu rörde lite oroligt på sig.

"Varför väcker du mig då?" sa Erica surt. "Väcker du Maja så mördar jag dig."

"För att jag måste fråga en sak. Och det kan inte vänta."

Han drog snabbt det han nyss lärt sig och ställde frågan som han behövde få svar på. Efter en stunds förbluffad tystnad svarade hon honom. Han sa åt henne att somna om, pussade henne på kinden och skyndade sig ner i undervåningen igen. Där knappade han med bister min in ett telefonnummer som han slagit upp i katalogen. Varje minut var nu viktig.

Göteborg 1958

Något var fel. Hon hade låtit det pågå alldeles för länge. Ett och ett halvt år hade gått sedan Åke dog, och Per-Erik hade med alltmer vaga ursäkter bemött hennes krav på handling. Den senaste tiden hade han knappt brytt sig om att svara och samtalen som kallade henne till Hotell Eggers hade kommit med allt längre mellanrum. Hon hade börjat hata det stället. De mjuka hotellakanen mot huden och den opersonliga inredningen fick henne numera bara att känna en kväljande motvilja. Hon ville ha något annat. Hon förtjänade något annat. Hon förtjänade att få flytta in i hans stora villa, att få vara värdinna på hans fester, att få respekt, status och omnämnanden i societetsspalterna. Vem trodde han egentligen att hon var?

Agnes darrade av vrede där hon satt bakom ratten. Genom fönstret på förarsidan såg hon Per-Eriks stora, vita tegelvilla och bakom gardinerna skymtade hon en skugga som rörde sig genom rummen. Hans Volvo stod inte parkerad på uppfarten. Det var tisdag förmiddag, så han var med all säkerhet på arbetet och Elisabeth var ensam hemma och ägnade sig väl åt att vara den präktiga lilla hemmafru som hon var. Fållade dukar eller putsade silver eller gjorde någon annan trist syssla som Agnes aldrig hade nedlåtit sig till. Säkerligen anade hon inte att hennes liv stod i begrepp att slås i spillror.

Agnes kände inte minsta tveksamhet där hon satt. Tanken föresvävade henne inte ens att Per-Eriks alltmer undanglidande sätt kunde bero på en falnande entusiasm för henne. Nej, det måste vara Elisabeths fel att han ännu inte hade kommit till henne som en fri man. Hon spelade så hjälplös, så ynklig och osjälvständig, bara för att binda honom till sig. Men Agnes såg igenom det spelet även om inte Per-Erik gjorde det. Och om han inte var man nog att våga konfrontera sin hustru, så hade Agnes inga sådana skrupler. Hon klev ur bilen med bestämda steg, svepte pälsen tätare om sig i novemberkylan och gick snabbt uppför infarten mot ytterdörren.

Elisabeth öppnade efter bara två signaler och sprack upp i ett leende som fick Agnes att vrida sig av förakt. Hon längtade intensivt efter att få torka bort det där leendet ur ansiktet på henne.

"Nej, men Agnes! Så trevligt att få besök av dig."

Agnes såg att Elisabeth menade vad hon sa, samtidigt som hon hade ett lätt undrande uttryck i ansiktet. Visserligen hade Agnes varit en gäst i deras hem tidigare, men enbart i samband med bjudningar och fester. Det hade aldrig hänt att hon bara tittat in oanmäld.

"Kom in", sa Elisabeth. "Men du får ursäkta att det är lite stökigt. Hade jag vetat att du skulle komma hade jag plockat undan."

Agnes klev in i hallen och tittade sig runt efter den röra som Elisabeth beskrev. Hon kunde dock inte se annat än att varje sak låg på sin plats, vilket bekräftade hennes bild av Elisabeth som den ultimata, patetiska hemmafrun.

"Slå dig ner, så serverar jag lite kaffe", sa Elisabeth artigt och innan Agnes hann hejda henne var hon på väg ut i köket.

Agnes hade inte tänkt sig att ha kafferep med Per-Eriks hustru utan istället se till att klara av det hon kommit för så fort som möjligt, men motvilligt hängde hon av sig pälsen och slog sig ner i soffan i vardagsrummet. Hon hann knappt sätta sig innan Elisabeth kom med en bricka med kaffekoppar och tjocka skivor sockerkaka som hon ställde på det mörka, blankpolerade soffbordet. Kaffet måste ha stått klart för hon hade inte varit borta mer än några minuter.

Elisabeth slog sig ner i fåtöljen bredvid soffan där Agnes satt.

"Varsågod, ta lite sockerkaka. Jag har bakat den i dag."

Agnes tittade med avsmak på den smör- och sockermättade kakan och sa: "Jag tar nog bara en slät kopp, tack", varpå hon sträckte sig efter en av de två porslinskopparna som stod på brickan. Hon läppjade på kaffet. Starkt och gott.

"Ja, du har ju en figur att se efter, du", skrattade Elisabeth och tog en av sockerkaksskivorna. "Själv förlorade jag den kampen när jag fick barnen", sa hon och nickade med huvudet åt ett foto av hennes och Per-Eriks tre barn, som nu samtliga var vuxna och utflugna. Agnes funderade ett ögonblick på hur de skulle motta nyheten om sina föräldrars skilsmässa och sin nya styvmor, men kände sig förvissad om att hon med lite tid skulle vinna över dem på sin sida. De måste ju också, tids nog, se hur mycket mer hon hade att erbjuda Per-Erik än vad Elisabeth hade.

Hon betraktade hur kakan försvann in i Elisabeths mun och hur värdinnan sträckte sig efter ytterligare en skiva. Det ohämmade glufsandet påminde henne om dottern och hon fick behärska sig för att inte kasta sig fram och rycka sockerkakan ur handen på Elisabeth, på samma sätt som hon brukat göra med flickan. Istället log hon förbindligt och sa: "Jo, jag förstår att du tycker att det är lite märkligt att jag dyker upp så här, oanmäld, men det är tyvärr så att jag har något tråkigt att berätta för dig."

"Något tråkigt, vad kan det vara?" sa Elisabeth med ett tonfall som borde ha varnat Agnes, om hon inte hade varit så uppfylld av det som hon stod i begrepp att göra.

"Jo, det är så, förstår du", sa Agnes och ställde avmätt ifrån sig kaffekoppen, "att Per-Erik och jag har kommit att ... ja, tycka väldigt mycket om varandra. Och det under ganska så lång tid."

"Och nu vill ni bygga ett liv tillsammans", fyllde Elisabeth i, och Agnes kände lättnad över att det hela verkade gå betydligt mer smidigt än hon trott. Sedan tittade hon på Elisabeth och insåg att något var fel. Något var åt helskotta fel. Per-Eriks hustru betraktade henne med ett sardoniskt leende och blicken hade ett kallt, klart ljus som Agnes aldrig tidigare sett hos henne.

"Jag förstår att det kommer som en chock ...", sa Agnes lamt, nu osäker på om hennes så noga instuderade manus fortfarande höll.

"Kära du, jag har känt till er lilla relation i princip sedan den började. Vi har ett samförstånd, jag och Per-Erik, och det fungerar utmärkt för oss. Men du trodde väl inte att du var den första – eller den sista?" sa Elisabeth med en elak ton i rösten som fick Agnes att vilja lyfta handen och ge henne en örfil.

"Jag förstår inte vad du pratar om", sa Agnes desperat och kände golvet gunga under fötterna.

"Säg inte att du inte märkt att Per-Erik har börjat tappa intresset. Han ringer dig inte lika ofta, du har svårt att få tag på honom när du söker honom, han verkar distré när ni träffas. Jo tack, jag känner min man tillräckligt väl efter fyrtio års äktenskap för att veta hur han skulle uppföra sig i en sådan situation. Och jag råkar dessutom veta att det nya objektet för hans heta åtrå är en trettioårig brunett som arbetar som sekreterare på firman."

"Du ljuger", sa Agnes och såg Elisabeths plufsiga ansiktsdrag som i en dimma.

"Du får tro vad du vill. Du kan fråga Per-Erik själv. Nu tycker jag att du ska gå."

Elisabeth reste sig, gick ut i hallen och höll demonstrativt upp Agnes gråskimrande päls. Fortfarande oförmögen att ta in det Elisabeth sagt, följde Agnes stumt efter. I chock stod hon sedan på yttertrappan och lät blåsten fösa henne lätt från sida till sida. Sakta kände hon det välbekanta raseriet byggas upp inom henne. Så mycket starkare eftersom hon kände att hon borde ha vetat bättre. Hon borde inte ha trott att hon kunde lita på en man. Nu straffades hon genom att än en gång bli förrådd.

Som om hon gick genom vatten rörde hon sig mot bilen som hon parkerat en bit nedåt gatan och satt sedan orörlig i förarsätet under lång tid. Likt myror kilade tankarna fram och tillbaka i huvudet på henne och grävde allt djupare gångar av hat och oförsonlighet. Allt det gamla som hon stoppat längst ner i minnets mörka skrymslen sipprade fram. Knogarna som höll om ratten vitnade. Hon lutade huvudet mot nackstödet och blundade. Bilder av de hemska åren i stenhuggarlängan kom för henne, och hon kunde känna lukten av dyngan och svetten från männen som kom hem efter arbetsdagen. Hon mindes smärtorna som fick henne att glida in och ut ur medvetslösheten när pojkarna föddes. Lukten av rök när husen i Fjällbacka brann, brisen på båten till New York, sorlet och ljudet av champagnekorkar som smällde, det njutningsfyllda stönandet från de namnlösa män som lägrat henne, Marys gråt där hon stod övergiven på kajen, ljudet av Åkes andetag som sakta stannade av och sedan upphörde, Per-Eriks stämma när han lovade och lovade. Löften han aldrig tänkt hålla. Allt det och mer därtill flimrade förbi bakom hennes stängda ögonlock, och inget hon såg dämpade raseriet som likt ett crescendo växte sig allt starkare. Hon hade gjort allt för att skapa sig det liv hon förtjänade, återskapa det liv hon var född till. Men ständigt hade livet, eller ödet om man så ville, lagt krokben för henne. Alla hade varit emot henne och gjort sitt bästa för att ta ifrån henne det som rätteligen tillhörde henne: hennes far, Anders, de amerikanska kavaljererna, Åke och nu Per-Erik. En lång rad av män vars gemensamma nämnare var att de på olika sätt utnyttjat och förrått henne. När skymningen föll samlades alla dessa verkliga och inbillade skymfer till en enda brännande punkt i Agnes hjärna. Med tom blick fixerade hon Per-Eriks uppfart och sakta lade sig ett lugn över henne där hon satt i bilen. En gång tidigare i sitt liv hade hon känt samma lugn, och hon visste att det kom ur vissheten att det nu bara fanns ett enda handlingsalternativ kvar.

När strålkastarna från hans bil slutligen klöv mörkret hade hon suttit blickstilla i tre timmar, men Agnes var själv omedveten om den tidsrymd som passerat. Tid hade inte längre någon relevans. Alla sinnen var fokuserade på den uppgift som låg framför henne, och det fanns inte tillstymmelse till tvivel. All logik, all vetskap om konsekvenser, allt det var utraderat till förmån för instinkt och en önskan att handla.

Med smala ögon såg hon hur han parkerade bilen, tog sin portfölj som alltid låg bredvid honom på passagerarsätet och klev ur. Medan han noggrant låste bilen startade hon försiktigt sin motor och lade i växeln. Sedan skedde allt mycket snabbt. Hon trampade gasen i botten och bilen rusade villigt framåt mot sitt intet ont anande mål. Hon genade över en bit av gräsmattan och inte förrän bilens front bara var några meter bort, anade Per-Erik att något var på färde och vände sig om. Under en bråkdels sekund möttes deras blickar, sedan träffades han rakt i mellangärdet och naglades fast mot sin egen bil. Med armarna utsträckta låg han framstupa på hennes motorhuv och hon såg hur hans ögonlock fladdrade till för att sedan sakta slutas.

Bakom ratten på sin bil log Agnes. Man förrådde inte henne ostraffat.

Anna vaknade med samma känsla av hopplöshet som hon kände varje morgon. Hon mindes inte när hon senast hade sovit en hel natt. Istället ägnade hon de mörka timmarna åt att fundera på hur hon och barnen skulle kunna ta sig ur den situation som hon försatt dem i.

Lucas snusade lugnt bredvid henne. Ibland vände han sig i sömnen och lade sin arm över henne och hon fick bita ihop tänderna för att inte äcklad rusa upp från sängen. Det var inte värt det som då skulle följa.

De senaste dagarna var det som om allt accelererat. Hans utbrott kom allt tätare och hon kände det som om de tillsammans satt fast i en spiral som med ökande hastighet snurrade dem ner i djupet. Bara en av dem skulle komma tillbaka ur det djupet. Vem av dem det skulle bli, det visste hon inte. Men båda kunde inte existera samtidigt. Hon hade läst någonstans om en teori som hävdade att det fanns en parallell jord med en parallell tvilling till varje levande varelse, och skulle man någonsin träffa sin tvilling skulle båda omedelbart förintas. Det var så det var med henne och Lucas, men deras förgörelse var långsammare och plågsammare.

De hade inte varit ur lägenheten på flera dagar nu.

När hon hörde Adrians stämma borta vid madrassen i hörnet reste hon sig försiktigt för att gå och hämta honom. Det var inte värt att han väckte Lucas.

Tillsammans gick de ut i köket och började förbereda frukosten. Lucas hade nästan inte ätit någonting på sistone och hade magrat så mycket att kläderna hängde löst på kroppen, men han krävde ändå att tre mål mat om dagen skulle stå framdukade och klara på bestämda tider.

Adrian kinkade och ville inte sätta sig i sin barnstol. Hon hyssjade desperat åt honom, men han var på uruselt humör, då även han sov dåligt på nätterna och verkade plågas av ständiga mardrömmar. Ljudnivån blev högre och högre och ingenting Anna gjorde hjälpte. Med en sjunkande känsla i bröstet hörde hon hur Lucas började röra på sig inne i rummet och i samma ögonblick började Emma ropa. Annas instinkt sa åt henne att fly, men hon visste att det var lönlöst. Det var bara att stålsätta sig och i bästa fall lyckas skydda barnen.

"What the fuck is going on here!" Lucas tornade upp sig i dörröppningen och det konstiga uttrycket i hans ögon var där igen. Det var tomt, galet och kallt och hon visste att det slutligen skulle bli deras undergång.

"Can't you get your children to shut the fuck up?" Nu var tonen inte längre högljudd och hotfull, utan nästan vänlig. Det var det tonfall hon fruktade mest.

"Jag gör så gott jag kan", svarade hon på svenska och hon hörde hur pipig rösten lät.

Från sin barnstol hade Adrian nu jobbat upp sig till hysteri och han skrek högt och bankade med skeden. "Inte äta. Inte äta", upprepade han om och om igen.

Desperat försökte Anna hyssja åt honom, men han var så uppe i varv att han inte kunde sluta.

"Du behöver inte äta. Du slipper. Du behöver inte", sa hon lugnande och började lyfta ner honom från stolen.

"He's gonna eat the bloody food", sa Lucas, fortfarande lika lugnt. Anna kände hur hon frös till. Adrian sprattlade nu vilt i protest över att hon inte släppte ner honom som utlovat utan istället försökte tvinga tillbaka honom i stolen.

"Inte äta, inte äta", skrek han för fulla lungor och det krävdes all Annas styrka för att hålla honom på plats.

Med kall beslutsamhet tog Lucas en av brödskivorna som Anna dukat fram på bordet. Han lade ena handen på Adrians huvud och höll det i ett järngrepp, och med andra handen började han att trycka in brödet i munnen på honom. Den lille fäktade vilt med armarna, först i ilska och sedan med stigande panik, när den stora brödbiten fyllde hans mun och gjorde det allt svårare att andas.

Anna stod först som förlamad, sedan vaknade den uråldriga modersinstinkten inom henne och all rädsla för Lucas försvann. Den enda tanken i hennes huvud var att hennes avkomma var i behov av beskydd och adrenalinet forsade in i hennes blodomlopp. Med ett primitivt, morrande läte slet hon bort Lucas hand, petade raskt ut brödet ur munnen på Adrian som nu satt med tårarna forsande nedför kinderna. Sedan vände hon sig om för att möta Lucas.

Snabbare och snabbare virvlade spiralen dem ner mot djupet.

Även Mellberg vaknade med en obehagskänsla, men av betydligt mer själviska orsaker. Under natten hade han flera gånger abrupt vaknat ur en svettig dröm, vars tema alltid var att han fick sparken under oceremoniella former. Det fick bara inte hända. Det måste finnas något sätt att friskriva sig själv från ansvar för den olycksaliga händelsen under gårdagen och första steget måste vara att sparka Ernst. Den här gången fanns inga andra alternativ. Mellberg visste med sig att han kanske hade varit aningen för släpphänt tidigare vad Lundgren anbelangade, men han hade i viss mån känt det som om de var besläktade. Han hade åtminstone haft betydligt mer gemensamt med honom än med de övriga mähäna på stationen. Men till skillnad från Mellberg hade Ernst nu visat en förödande brist på omdöme och det hade mycket riktigt blivit hans fall. Det var ett kardinalmisstag och han hade verkligen trott att Lundgren skulle veta bättre.

Han suckade och svängde benen över sängkanten. Han sov alltid i bara kalsongerna och nu letade han sig fram till skrevet under den stora magen, för att klia sig och rätta till attiraljerna som farit lite på sniskan under sömnen. Mellberg tittade på klockan. Strax före nio. Kanske i senaste laget för att komma till jobbet, men de hade trots allt inte kommit därifrån förrän vid åtta, då de hade varit tvungna att grundligt gå igenom allt som hänt. Han hade redan börjat fila på formuleringarna i rapporten till sina överordnade, och det gällde att han höll tungan rätt i munnen och inte tabbade sig där. Skademinimering var ordet för dagen.

Han gick ut till vardagsrummet och ställde sig för en sekund och beundrade Simon. Han låg på rygg med öppen mun och snarkade i soffan, med ena benet hängande ner mot golvet. Täcket hade fallit av honom och Mellberg kunde inte låta bli att stolt reflektera över att han hade vidarebefordrat sin fysik till sin son. Simon var ingen spinkig liten tönt, utan en kraftigt byggd ung man som säkerligen skulle gå i sin fars fotspår om han bara ryckte upp sig lite.

Han petade på honom med tån.

"Hör du, Simon, dags att vakna nu."

Pojken ignorerade honom och vände sig på sidan, med ansiktet in mot soffans ryggstöd.

Mellberg fortsatte skoningslöst att peta på honom. Visserligen uppskattade han själv att ta sig en sovmorgon, men det var inget jävla semesterläger, det här.

"Hör du, upp med dig, sa jag."

Fortfarande ingen reaktion och Mellberg suckade. Nåja, det fick väl bli det hårda artilleriet då.

Han gick ut i köket, lät vattnet i kranen rinna tills det var iskallt, fyllde en kanna med vatten och gick sedan lugnt ut i vardagsrummet. Med ett glatt leende på läpparna hällde han det iskalla vattnet över sonens oskyddade lekamen och fick precis den effekt han önskat.

"Vad i helvete!" skrek Simon och var uppe på två röda sekunder. Han huttrade och slet åt sig en handduk som låg slängd på golvet och torkade av sig.

"Vad fan håller du på med?" sa han surt och drog på sig en T-shirt med en dödskalle och namnet på något hårdrocksband på framsidan.

"Frukosten är serverad om fem minuter", sa Mellberg och gick visslande ut i köket. Han hade för en liten stund glömt sina karriärmässiga bekymmer och var istället extremt nöjd med den plan han utarbetat för de far-och-son-aktiviteter som de skulle ägna sig åt framöver. I brist på porrklubbar och spelhallar fick man ta vad som bjöds, och i Tanumshede var det hällristningsmuseet. Inte för att han själv var speciellt intresserad av krumelurer på stenhällar, men det var åtminstone något som de kunde göra tillsammans. Han hade nämligen bestämt sig för att det skulle vara det nya temat för deras relation – tillsammans. Inget mer spelande timme ut och timme in på egen hand, inget TV-tittande till sent på kvällarna vilket effektivt dödade all kommunikation, utan istället gemensam middag med givande dialog och möjligtvis ett parti monopol som avslutning på kvällen.

Han lade entusiastiskt fram sina planer för Simon över frukosten men var tvungen att erkänna att han blev lite besviken på pojkens reaktion. Här vinnlade han sig om att göra allt för att de skulle lära känna varandra. Han gav avkall på det han personligen uppskattade och offrade sig genom att gå på museum med pojken, och som tack satt Simon där och stirrade surt ner i sin skål med Rice Krispies. Bortskämd, det var vad han var. Det var i grevens tid som hans mor skickat honom hem till far sin för lite uppfostran.

Mellberg suckade när han gick till arbetet. Det var ett tungt ansvar att vara förälder.

Patrik var på arbetet redan vid åtta. Även han hade sovit dåligt och hade mer eller mindre bara väntat på att det skulle bli morgon så att han kunde komma igång med det som måste göras. Det första var att ta reda på om nattens samtal hade gjort någon skillnad. Han darrade lätt på fingret när han slog numret som han nu kom ihåg utantill.

"Uddevalla sjukhus."

Han uppgav namnet på läkaren som han behövde tala med och väntade otåligt medan han söktes. Efter vad som kändes som en evighet kopplades samtalet fram.

"Ja, hej, det här var Patrik Hedström. Vi talades vid i natt. Jag undrar om mina uppgifter har varit till någon nytta?"

Han lyssnade spänt och gjorde sedan en segergest med knuten näve. Han hade haft rätt!

När han lagt på luren började han visslande ta itu med de uppgifter som följde av att hans gissning hade visat sig vara korrekt. De skulle få mycket att göra under dagen.

Dagens andra samtal gick till åklagaren. Han hade ringt honom med en identisk förfrågan mindre än ett år tidigare, och eftersom det han begärde var så ovanligt hoppades han att åklagaren nu inte skulle få dåndimpen.

"Ja, du hörde rätt. Jag skulle behöva få tillstånd till en gravöppning. Igen, ja. Nej, inte samma grav. Den har vi ju redan öppnat, eller hur?" Han talade långsamt och tydligt och försökte att inte bli otålig. "Ja, det är brådskande även denna gång och jag skulle vara tacksam om förfrågan kunde behandlas omedelbart. Alla nödvändiga papper är på väg via faxen och ni har säkert redan mottagit dem. Och papprena gäller alltså två förfrågningar, dels gravöppningen och dels ytterligare en husrannsakan."

Åklagaren verkade fortfarande tveksam och Patrik kände irritationen komma krypande. Med aningen skärpa i rösten sa han: "Vi har ett mord på ett barn och ett liv som står på spel. Det här är ingen nöjesförfrågan från min sida utan jag gör den efter noggrant övervägande och enbart på grund av att utredningens fortsatta förlopp kräver det. Så jag räknar med att ni nu sätter till alla klutar hos er för att behandla detta så snart det bara går. Jag vill ha ett besked innan lunch. För båda ärendena."

Sedan lade han på och hoppades att hans lilla utbrott inte skulle få motsatt effekt och istället bli en bromskloss. Den risken fick han helt enkelt ta.

Med det värsta avklarat ringde han ett tredje samtal. Pedersen lät trött när han svarade. "Tjena Hedström", sa han.

"God morgon, god morgon. Låter som om du jobbat natt?"

"Ja, det körde ihop sig rejält här framåt nattkröken. Men nu börjar vi se slutet på det, bara lite pappersarbete kvar så kan jag gå hem."

"Det låter det", sa Patrik och fick lite dåligt samvete för att han ringde och jagade på honom ytterligare efter vad som uppenbarligen hade varit ett riktigt tufft skift.

"Jag antar att du vill ha provresultaten på askan från tröjan och overallen. Jag fick faktiskt in dem sent i går eftermiddag, men när det körde ihop sig så ..." Han suckade trött. "Hörde jag rätt att overallen är din dotters?"

"Jo, du hörde rätt", sa Patrik. "Vi hade en otäck incident här i förrgår, men hon är helt oskadd tack och lov."

"Det var skönt att höra", sa Pedersen. "Ja, då förstår jag att du suttit på nålar och väntat på resultatet."

"Ja, det kan jag inte förneka. Men jag hade faktiskt inte ens vågat hoppas på att du skulle ha fått resultaten än. Nå, vad har ni fått fram?"

Pedersen harklade sig. "Jo, nu ska vi se här ... Ja, det verkar inte råda någon tvekan. Askans sammansättning är identisk med den som vi fann i flickans lungor."

Patrik andades ut och insåg först då hur mycket han spänt sig.

"Det är så alltså."

"Så är det", svarade Pedersen.

"Har ni kunnat konstatera lite närmare var askan kommer ifrån? Är det från ett djur eller en människa?"

"Tyvärr kommer vi inte att kunna säga det. Resterna är för förstörda, allt är för finfördelat. Med ett lite större prov hade vi kanske kunnat konstatera det, men ..."

"Jag väntar på ett besked rörande en husrannsakan och att leta efter askan står överst på listan. Hittar vi den, så skickar jag över den omedelbart för analys. Kanske kan vi då hitta lite större partiklar", sa Patrik hoppfullt.

"Ja, men räkna inte med det bara", sa Pedersen.

"Jag räknar inte med någonting längre. Men jag hoppas."

Med formaliteterna avklarade trummade Patrik otåligt med fötterna mot golvet. Innan besluten kom från åklagaren fanns det inte så mycket praktiskt han kunde göra. Men han kände att han inte skulle klara av att sitta ett par timmar och bara rulla tummarna.

Han hörde att de andra anlände till arbetet en efter en och bestämde sig för att kalla till ett möte. Alla behövde informeras om vad som var på gång och ett och annat ögonbryn skulle nog höjas över vad han satt igång under natten och morgonen.

Han hade rätt. Frågorna blev många. Patrik svarade efter bästa förmåga, men mycket var fortfarande oklart. Alldeles för mycket.

Charlotte gnuggade sömngruset ur ögonen. Hon och Lilian hade fått varsin bädd i ett litet rum i närheten av avdelningen, men ingen av dem hade sovit särskilt mycket. Då Charlotte inte hade fått med sig några grejer hemifrån hade hon sovit i sina vanliga kläder och hon kände sig oerhört ofräsch när hon satte sig upp i sängen och försiktigt sträckte på sig.

"Har du någon kam?" frågade hon sin mor som också hade satt sig upp.

"Ja, jag tror det", sa Lilian och grävde i sin rejält tilltagna handväska. Hon fick fram en någonstans ur djupet och räckte den till Charlotte.

Inne i badrummet stod Charlotte och betraktade sig kritiskt i spegeln. Ljuset var obarmhärtigt starkt och visade tydligt de mörka ringarna under ögonen och håret som stod på ända i en märklig, psykedelisk frisyr. Försiktigt kammade hon ur de toviga partierna tills hon återfått något som åtminstone hjälpligt liknade hennes vanliga frisyr. Samtidigt kändes allt det som hängde ihop med hennes yttre så meningslöst nu. Sara svävade hela tiden i utkanten av hennes synfält och höll hennes hjärta i ett järngrepp.

Det kurrade i magen, men innan hon gick ner till kafeterian ville hon få tag i någon läkare som kunde tala om hur det stod till med Stig. Varje gång hon hört steg utanför dörren under natten hade hon vaknat till, förberedd på att få se en läkare komma in med allvarlig min. Men ingen hade väckt dem och hon antog att inga nyheter var goda nyheter i det här fallet. Men hon ville ändå få ett besked, så hon gick ut i korridoren, och undrade vilset var hon skulle börja leta. En sköterska som passerade förbi visade henne vägen till personalrummet.

Hon funderade på om hon skulle sätta på mobilen och ringa hem till Niclas först, men bestämde sig för att vänta med det tills hon pratat med läkaren. Han och Albin sov kanske fortfarande, och hon ville inte riskera att väcka dem eftersom hon visste att Albin i så fall skulle vara grinig resten av dagen.

Hon stack in huvudet genom dörren som sköterskan pekat ut och harklade sig försiktigt. En lång man satt och drack kaffe och bläddrade i en tidning. Efter vad Charlotte förstått av Niclas så var det en ovanlig företeelse för en läkare att han hann sitta ner en stund och hon kände sig nästan förlägen över att störa honom. Sedan påminde hon sig om sitt ärende och harklade sig ännu lite ljudligare. Den här gången hörde han henne och vände sig frågande om.

"Ja?"

"Jo ... det är så att min styvfar, Stig Florin, togs in i går och vi har inte hört något sedan sent i går kväll. Hur står det till med honom?"

Inbillade hon sig eller fick läkaren ett konstigt uttryck i ansiktet? Men i så fall fann han sig snabbt igen och det var borta lika fort som det kommit.

"Stig Florin. Jo, vi har stabiliserat hans hälsotillstånd under natten och han är vaken nu."

"Är han?" sa Charlotte glädjestrålande. "Kan vi få gå in till honom då? Ja, jag har ju min mor här."

Återigen det där märkliga ansiktsuttrycket. Charlotte började trots det glädjande beskedet bli lite orolig. Var det något som han inte berättade för henne?

Svaret kom dröjande. "Jag ... jag tror inte att det är så lämpligt just nu. Han är fortfarande svag och behöver vila."

"Ja, men ni kan väl i alla fall släppa in min mor till honom en kort stund. Det kan väl inte vara till skada, snarare tvärtom. De står varandra mycket nära."

"Det kan jag tänka mig", sa läkaren. "Men ni får nog finna er i att vänta, är jag rädd. Just nu släpps ingen in till Stig."

"Men varför ...?"

"Ni får avvakta besked", sa läkaren bryskt och hon började bli riktigt irriterad på honom. Fick de under sin utbildning inte genomgå någon form av träning i hur man skulle hantera anhöriga? Han var ju snudd på oförskämd. Han kunde tacka sin lyckliga stjärna att det var hon och inte Lilian som hade kommit och pratat med honom. Om han hade behandlat hennes mor på samma sätt, så skulle han ha fått en sådan avhyvling att öronen trillade av. Charlotte visste med sig att hon var alldeles för mjäkig vid sådana här tillfällen, och hon mumlade bara ett svar och drog sig hastigt tillbaka till korridoren.

Hon funderade på vad hon skulle säga till sin mor. Något hade känts mycket underligt. Saker och ting var inte som de skulle, men hon kunde inte för sitt liv förstå vad det berodde på. Kanske kunde Niclas förklara. Hon bestämde sig för att ta risken att väcka dem och slog numret hem på mobilen. Förhoppningsvis kunde han lugna henne. Hon kände faktiskt redan att hon nog bara inbillat sig.

Efter mötet satte sig Patrik i bilen och åkte till Uddevalla. Det hade känts omöjligt att bara vänta; något måste han göra. Hela vägen dit vred och vände han på alternativen. Alla var lika otrevliga.

Han hade fått vägen till avdelningen beskriven för sig, men gick trots det vilse några gånger innan han kom rätt. Att det skulle vara så förtvivlat svårt att hitta på sjukhus. Det kunde i och för sig ha med hans osedvanligt taskiga lokalsinne att göra. Det var Erica som var kartläsaren i familjen. Ibland tyckte han att det verkade som om hon hade något slags sjätte sinne för vilken som var rätt väg.

Han stannade en sköterska. "Jag söker Rolf Wiesel, var kan jag hitta honom?"

Hon pekade bortåt korridoren. En lång man i vit rock var på väg bort från honom och han ropade halvhögt: "Doktor Wiesel?"

Mannen vände sig om. "Ja?"

Patrik skyndade sig fram till honom och räckte fram handen. "Patrik Hedström, Tanumshedepolisen, vi talades vid i natt."

"Ja, just det", sa läkaren och pumpade frenetiskt Patriks hand. "Det var i grevens tid du ringde, ska du veta. Vi hade inte haft en aning om vad för behandling vi skulle ha satt in annars, och utan rätt behandling hade vi nog förlorat honom, är jag rädd."

"Vad bra", sa Patrik och kände sig förlägen inför mannens entusiasm. Fast lite stolt också. Det var inte var dag man räddade liv.

"Kom, vi går in här", sa doktor Wiesel och pekade med handen mot en dörr som ledde in till ett personalrum. Läkaren gick först och Patrik följde efter.

"Vill du ha kaffe?"

"Ja, tack", sa Patrik och insåg att han glömt att ta sig en kopp på stationen. Det hade varit så mycket som surrat i huvudet att han till och med hade missat en sådan väsentlig del av sin morgonrutin.

De slog sig ner vid det kladdiga köksbordet och smuttade på kaffet, vilket visade sig smaka nästan lika illa som det på stationen.

"Ursäkta, det har visst stått på lite för länge", sa doktor Wiesel, men Patrik satte upp handen som tecken på att det inte gjorde honom något.

"Så, hur kom du fram till att vår patient var arsenikförgiftad?" frågade läkaren nyfiket, och Patrik redogjorde för hur han hade sett Discovery-programmet under gårdagen och sedan kopplat ihop det med viss information som han fått tidigare.

"Ja, det tillhör ju inte vanligheterna direkt, det var därför vi hade så svårt att identifiera det", sa doktor Wiesel och skakade på huvudet.

"Hur ser prognosen ut nu då?"

"Han överlever. Men han kommer att få dras med men resten av livet. Han har troligtvis fått i sig arsenik under en lång tid, och det verkar som om den sista dosen han fick var massiv. Men allt det där kommer vi att kunna se senare."

"Genom analys av hår och naglar?" sa Patrik som hade snappat upp det under gårdagskvällens program.

"Ja, just det. Arsenik stannar kvar i kroppen i hår och naglar och genom att analysera mängden och ställa den mot hastigheten som hår och naglar växer med, så kan vi se nästan exakt när han har fått doser av arsenik och till och med hur stora doser han fått."

"Och ni har sett till att ingen släpps in till honom nu?"

"Ja, det gjorde vi direkt i natt när vi fick konstaterat att det var arsenikförgiftning det rörde sig om. Ingen släpps in överhuvudtaget, utom relevant medicinsk personal. Hans styvdotter var förresten här nyss och frågade efter honom, men jag sa bara att tillståndet var stabilt och att de ännu inte kan träffa honom."

"Bra", sa Patrik.

"Vet ni vem?" sa läkaren försiktigt.

Patrik funderade en stund innan han svarade. "Ja, vi har nog våra aningar. Förhoppningsvis får vi det bekräftat under dagen."

"Ja, det är viktigt att en människa som är kapabel till något sådant här inte får springa lös. Arsenikförgiftning ger synnerligen smärtsamma symptom innan döden inträffar. Det innebär ett stort lidande för offret.

"Ja, jag har förstått det", sa Patrik bistert. "Det finns visst en sjukdom som kan förväxlas med förgiftning med arsenik."

Läkaren nickade. "Guillain-Barré, ja. Det egna immunförsvaret börjar attackera kroppens nerver och förstör det så kallade myelinet. Det ger väldigt snarlika symptom som arsenikförgiftning. Hade inte ni ringt så är det inte helt långsökt att tro att det är den diagnosen som vi hade kommit fram till."

Patrik log. "Ja, ibland ska man ha lite tur." Sedan blev han allvarlig igen. "Men som sagt, se till att ingen kommer in till honom, så ska vi göra vårt jobb efter bästa förmåga i eftermiddag."

De skakade hand och Patrik gav sig ut i korridoren igen. Han tyckte för ett ögonblick att han skymtade Charlotte, långt bort. Sedan föll dörren igen bakom honom.

Göteborg 1958

Det var en tisdag som hennes liv nådde sin absoluta bottenpunkt. En kall, grå, disig novembertisdag som för evigt skulle vara inpräntad i hennes minne. Fast egentligen kom hon inte ihåg så många detaljer. Hon kom mest ihåg att vänner till hennes far kom och berättade att Mor hade gjort något förfärligt och att hon skulle följa med tanten från socialen. Hon hade sett i deras ansikten att de kände samvetskval över att de inte tog hem henne till sig själva åtminstone för ett par dagar, men ingen av Fars fina vänner ville väl ha hem en sådan osmaklig tjockis som hon själv. Så i brist på anhöriga hade hon fått packa en väska med det absolut nödvändigaste och följa med den lilla tanten som kom för att hämta henne.

Åren som följde mindes hon sedan bara i sina drömmar. Inte direkt några mardrömmar, hon hade egentligen ingen anledning att anföra några större klagomål mot de tre fosterhem som hon hann med före sin artonårsdag. Men de efterlämnade en förtärande känsla av att inte betyda något för någon, annat än som en kuriositet. För det var vad man blev om man var fjorton, obscent fet och dotter till en mörderska. Hennes olika fosterföräldrar hade varken lust eller ork att lära känna flickan som de fått sig anförtrodd av socialen, men de skvallrade gärna om hennes mor när deras nyfikna vänner och bekanta kom på besök för att begapa henne. Hon hatade dem allihop.

Mest av allt hatade hon Mor. Hatade henne för att hon övergav henne. Hatade henne för att hon själv betydde så lite i jämförelse med en karl att hon var beredd att offra allt för honom, men ingenting för henne. När hon tänkte på vad hon offrat för Mor kändes förnedringen än större. Mor hade bara utnyttjat henne, det förstod hon nu. Under sitt fjortonde år förstod hon också det som hon borde ha förstått för länge sedan. Att Mor aldrig älskat henne. Hon hade försökt intala sig att det som Mor sa var sant. Att hon gjorde det hon gjorde för att hon älskade henne. Slagen, källaren och skedarna med Ödmjukhet. Men det hade inte varit så. Mor hade njutit av att skada henne och föraktat henne och skrattat åt henne bakom hennes rygg.

373

Därför hade Mary valt att bara ta med en enda sak hemifrån. De hade låtit henne gå runt i lägenheten i en timme för att välja ut några få saker, resten skulle säljas, liksom lägenheten. Hon hade vandrat runt bland rummen, sett minnen passera förbi: Far i sin fåtölj med glasögonen på nästippen, djupt försjunken i en tidning, Mor framför sitt toalettbord, i färd med att göra sig i ordning för en fest, hon själv, smygande ner till köket för att försöka komma över något ätbart. Alla bilderna kom över henne som i ett sinnessjukt kalejdoskop och hon kände hur det rörde sig oroligt i magen. Sekunden efter rusade hon till toaletten och kräktes upp en illaluktande, geggig sörja som med sin fräna lukt fick tårarna att börja rinna. Snörvlande torkade hon sig om munnen med baksidan av handen, satte sig med ryggen mot väggen och grät med huvudet mellan knäna.

När hon lämnade lägenheten tog hon bara med sig en enda sak. Den blå träasken. Full med Ödmjukhet.

Ingen hade haft några invändningar mot att han tagit en ledig dag. Aina hade till och med muttrat något om att det minsann var på tiden och sedan bokat av alla dagens patienter.

Niclas kröp runt på golvet och jagade efter Albin som for som en skottspole mellan sakerna på golvet, fortfarande klädd i pyjamas trots att klockan var över tolv. Men det gjorde inget. Det fick vara en sådan dag och själv var han också fortfarande klädd i den t-shirt och de joggingbyxor som han sovit i. Albin skrattade hjärtligt på ett sätt som han aldrig tidigare hört honom göra, vilket fick Niclas att krypa ännu fortare efter honom och busa ännu mer.

Med ett hugg i hjärttrakten insåg han att han inte hade någon minnesbild av sig själv krypande efter Sara på samma sätt. Han hade varit så upptagen. Så full av sin egen betydelse och allt han ville göra och uppnå. Det där lekandet och tramsandet hade han lite överlägset tyckt att det skötte ju Charlotte så bra, men för första gången undrade han om det inte var han själv som dragit nitlotten. En insikt kom över honom som fick honom att tvärstanna och hastigt dra in andan. Han visste inte vilken Saras favoritlek hade varit. Eller vilket barnprogram som hon helst tittade på, eller om hon helst målade med blå eller röd krita. Eller vilket som varit hennes favoritämne i skolan, eller vilken bok hon helst ville att Charlotte skulle läsa för henne på kvällen. Han visste inget av väsentlighet om sin egen dotter. Absolut ingenting. Hon hade lika gärna kunnat vara grannens unge att döma av hur litet han visste om henne. Det enda han hade trott sig veta om henne var att hon var besvärlig, obstinat och aggressiv. Att hon gjorde illa sin bror, förstörde saker i hemmet och gav sig på kamraterna i skolan. Men inget av det hade ju varit Sara, det var bara saker hon gjorde.

Insikten fick honom att plågat kura ihop sig på golvet. Nu var det för sent att lära känna henne. Hon var borta.

Albin verkade känna på sig att något var fel. Han avbröt sitt vilda tjoande, kröp tätt intill Niclas och kurade ihop sig som ett litet djur mot hans kropp. Sedan låg de där, bredvid varandra.

Några minuter senare ringde det på dörren. Niclas ryckte till och Albin tittade sig oroligt runt.

"Det är ingen fara", sa Niclas till honom. "Det är bara någon tant eller farbror som vill något."

Han tog honom på armen och gick och öppnade. Utanför stod Patrik med några okända män bakom sig.

"Vad är det om nu?" sa Niclas trött.

"Vi har tillstånd till en husrannsakan", sa Patrik och räckte fram ett dokument som bevis.

"Ni har ju redan varit här", sa Niclas undrande och ögnade samtidigt igenom dokumentet. När han kommit halvvägs vidgade sig ögonen och han tittade undrande på Patrik. "Vad fan? Mordförsök på Stig Florin? Ni måste skämta?"

Men Patrik skrattade inte. "Tyvärr. Han behandlas just nu för arsenikförgiftning. Det var på håret att han överlevde natten."

"Arsenikförgiftning?" sa Niclas med ett dumt tonfall. "Men hur…?" Han kunde fortfarande inte riktigt greppa vad det var som hände och rörde sig inte ur dörröppningen.

"Det är det vi tänkte ta reda på nu. Så om du vänligen kan släppa in oss…"

Utan ett ord steg Niclas åt sidan. Männen bakom Patrik tog sina väskor och sin utrustning och klev med ett sammanbitet uttryck in över tröskeln.

Patrik stannade kvar hos Niclas i hallen och verkade tveka en stund innan han åter öppnade munnen: "Vi har också fått tillstånd att öppna Lennarts grav. Det arbetet har nog redan påbörjats."

Niclas kände hur han bara gapade. Det som hände var för overkligt för att han skulle kunna förstå någonting alls.

"Varför…? Vad…? Vem…?" stammade han.

"Vi kan inte redogöra för allt nu, men vi har god anledning att tro att han också blev arsenikförgiftad. Utan att ha samma tur som Stig", lade Patrik till med bister min. Han fortsatte: "Men nu skulle jag uppskatta om du kunde hålla dig ur vägen och låta mannarna sköta sitt jobb." Patrik väntade inte på hans svar, utan gick in i huset.

Osäker på vart han skulle ta vägen gick Niclas in i köket och satte sig vid köksbordet, fortfarande med Albin i famnen. Han placerade honom i barnstolen och mutade honom med ett smörgåsrån för att hålla honom lugn. Inombords tumlade frågorna runt.

376

Martin huttrade i snålblåsten. Uniformsjackan skyddade föga mot de bistra vindar som blåste över kyrkogården, och bara en liten stund efter att de kommit dit hade det dessutom börjat dugga.

Hela företaget äcklade honom. Han hade knappt ens varit på några begravningar, och att stå här och se hur en kista lyftes upp ur jorden, inte ner, kändes lika fel som att se på en film som kördes baklänges. Han förstod varför Patrik hade bett honom att åka den här gången. Patrik hade ju redan varit med om det här en gång, bara ett par månader tidigare, och en gång i livet var säkerligen fullt tillräckligt. Som en bekräftelse på det han tänkte hörde han hur en av gravgrävarna muttrade i hans riktning: "Måste ha blivit en sport hos er där borta på stationen att se hur många gubbar ni kan få oss att gräva upp på kortast möjliga tid."

Martin svarade inte, men tänkte att det nog inte var värt att komma med några fler sådana förfrågningar till åklagaren inom den närmaste tiden.

Torbjörn Ruud kom och ställde sig bredvid honom. Inte heller han kunde låta bli att kommentera. "De får väl snart börja sätta gummiband på kistorna här i Fjällbacka. Så det bara är att dra upp dem vid behov, menar jag."

Martin kunde inte låta bli att dra på munnen trots det olämpliga tillfället, och de kämpade båda med att hålla tillbaka skrattet när Torbjörns telefon ringde.

"Ja, det är Ruud." Han lyssnade, lade sedan på luren och sa till Martin: "De går in i Florins hus nu. Vi har avdelat tre man dit och två hit, så får vi väl se om vi behöver omgruppera."

"Vad behöver ni göra här, nu på direkten, menar jag?" sa Martin nyfiket.

"Det är inte så mycket vi kan göra. Just nu övervakar vi bara att allt forslas iväg med så lite kontaminering som möjligt, och sedan tar vi prov på jorden också. Men det mesta handlar som sagt om att få iväg kroppen till rättsläkaren, så att han kan börja ta de prover som behövs. Så snart kistan har forslats iväg sticker vi bort till Florins och hjälper till med husrannsakan. Du ska också dit, antar jag?"

Martin nickade. "Jo, jag hade väl tänkt det." Han tystnade en stund. "Vilken jävla röra det här har visat sig vara."

Torbjörn Ruud nickade i sin tur. "Ja, det kan man lugnt säga."

Sedan sinade samtalsämnena och de stod tysta och väntade på att männen vid graven skulle slutföra sitt arbete. En liten stund senare

377

skymtade kistlocket ovanför kanten. Lennart Klinga var ovan jord igen.

Hela kroppen smärtade. Han såg suddiga skuggfigurer som svävade runt honom för att sedan försvinna igen. Stig försökte öppna munnen för att prata, men ingen del av kroppen verkade lyda honom. Det kändes som om han hade gått en rond mot Tyson och förlorat stort. För ett kort ögonblick undrade han om han var död. Så här kunde man bara inte känna sig och fortfarande leva.

Tanken gav honom panik och han använde all kraft han hade kvar till att försöka frambringa ljud med stämbanden, och någonstans långt, långt borta tyckte han sig höra ett kraxande ljud som kanske kunde vara hans egen röst.

Det var det. En av skuggfigurerna kom nära och fick allt fastare konturer. Ett vänligt kvinnoansikte kom inom synhåll och han kisade med ögonen för att försöka fokusera.

"Var?" fick han fram, och han hoppades att hon skulle förstå vad han menade. Det gjorde hon.

"Du är på Uddevalla sjukhus, Stig. Du har legat här sedan i går."

"Lever?" kraxade han fram.

"Ja, du lever", log sköterskan med sitt runda, öppna ansikte. "Men det var på håret, ska du veta, men nu är du igenom det värsta."

Om han kunde skulle han ha skrattat. "Igenom det värsta." Jo, jo, det var lätt för henne att säga. Hon kände inte hur det brann i varje fiber i kroppen och hur det värkte ända in i skelettet. Men levde gjorde han i varje fall tydligen. Han formade med möda läpparna på nytt.

"Fru?" Han orkade inte få fram hennes namn. För ett ögonblick tyckte han att ett underligt uttryck for över sköterskans ansikte, sedan var det borta. Säkert var det bara smärtan som spelade honom ett spratt.

"Nu måste du bara få vila", sa sköterskan, "tids nog blir det tillfälle att ta emot besök."

Han lät sig nöja med det. Tröttheten vällde in över honom och han lät sig villigt sköljas med. Han var inte död, det var huvudsaken. Han var på ett sjukhus, men han var inte död.

Långsamt, långsamt gick de igenom huset. De fick inte ta risken att missa något och det fick hellre ta hela dagen. När de var färdiga skulle det se ut som om en stormvind hade gått genom huset, men Patrik visste vad

378

de måste hitta och han var säker på att det fanns någonstans. Han tänkte inte gå härifrån innan de funnit det.

"Hur går det?"

Han vände sig om när han hörde Martins röst från dörröppningen. "Vi har väl kommit halvvägs i undervåningen ungefär. Inget än. Ni då?"

"Jo då, kistan är på väg. Jävligt surrealistisk upplevelse, förresten."

"Ja, räkna med att scenen dyker upp i någon mardröm förr eller senare. Jag har haft ett par, med skeletthänder som kommer upp genom kistlocket och så där."

"Sluta", sa Martin och grimaserade med hela ansiktet. "Ni har inte hittat något än?" sa han sedan, halvt frågande och halvt konstaterande. Mest som ett sätt att få bort bilderna som Patrik nyss placerat i hans huvud.

"Nej, ingenting", svarade Patrik frustrerat. "Men det bara måste finnas här, jag känner det på mig."

"Ja, jag har ju alltid tyckt att du har ett feminint drag, så det är väl kvinnlig intuition", sa Martin och log.

"Äh, gå och gör dig lite nyttig istället för att stå här och förolämpa min manlighet."

Martin tog honom på orden och gick iväg för att leta upp ett eget hörn att rota i.

Ett leende hängde kvar på Patriks läppar men försvann lika snabbt som det kommit. Framför sig såg han Majas lilla kropp i händerna på en mördare, och vreden han kände var så stark att det svartnade för ögonen på honom.

Två timmar senare började han känna sig modstulen. Hela undervåningen och källaren var avklarade och de hade inte hittat någonting. Däremot hade de kunnat konstatera att Lilian var en synnerligen nitisk städerska. Teknikerna hade visserligen samlat ihop en mängd behållare de hittat i källaren, men de skulle behöva tas till labbet och analyseras. Kanske hade han ändå fel? Men sedan mindes han innehållet på videobandet som han suttit och spelat upp gång på gång under gårdagskvällen och han kände beslutsamheten återvända. Han hade inte fel. Det kunde han inte ha. Det fanns här. Frågan var bara var?

"Ska vi fortsätta där uppe?" sa Martin och nickade med huvudet mot trappan till övervåningen.

"Ja, det är väl lika bra. Jag tror inte att vi kan ha missat något här nere. Vi har ju gått över varenda millimeter."

I samlad tropp gick de uppför trappan. Niclas hade gått ut på en promenad med Albin, och de kunde arbeta ostört.

"Jag börjar i Lilians sovrum", sa Patrik.

Han gick in genom dörröppningen strax till höger om trappan och tittade sig först sökande omkring. Lilians sovrum var lika välstädat som övriga huset och sängen var så stramt bäddad att den skulle ha klarat en lumpeninspektion. Rummet var i övrigt mycket feminint. Stig kunde inte ha känt sig vidare hemma där innan han fick flytta in i det andra rummet. Gardinerna och överkastet hade volanger och det låg spetsdukar på nattduksborden och på byrån. Överallt stod små porslinsfigurer och väggarna var täckta av änglar i keramik och tavlor med änglar som motiv. Färgtemat var otvetydigt rosa. Det var så sockersött att Patrik nästan mådde illa. Han tyckte att det liknade ett rum i en liten flickas dockhus. Precis så här skulle en femåring inreda sin mammas sovrum om hon fick fria händer och ingen hindrade henne.

"Blä", sa Martin och stack in huvudet. "Ser ju ut som om en flamingo har kräkts här inne."

"Ja, det här rummet lär knappast komma med i Sköna hem."

"Det skulle vara som en 'före'-bild innan den totala renoveringen i så fall", konstaterade Martin. "Vill du ha hjälp här, förresten? Det ser ju ut att finnas lite att gå igenom."

"Ja, för sjutton. Här inne vill jag inte vistas längre än nödvändigt."

De började i var sin ände av rummet. Patrik satte sig ner på golvet för att bättre kunna gå igenom nattduksbordet och Martin gav sig på längan med garderober som täckte ena väggen.

De arbetade under tystnad. Martins rygg knakade till när han sträckte sig efter några skolådor som stod på översta hyllan i den ena garderoben. Han satte försiktigt ifrån sig dem på sängen och stannade sedan upp en kort stund och masserade korsryggen. Allt flyttpackande satt fortfarande kvar i ryggen och han insåg att han nog skulle behöva göra ett besök hos kiropraktorn.

"Vad har du där?" sa Patrik och kikade upp från sin plats på golvet.

"Några skolådor." Han tog av locket på första lådan, undersökte försiktigt innehållet men lade sedan ner det igen och satte på locket. "Bara en massa gamla fotografier." Han lyfte på locket till nästa kartong och tog ur den upp en sliten blå träask. Locket på den hade satt sig, så han fick ta i med lite kraft för att få upp det. När Patrik hörde hans flämtning tittade han snabbt upp.

"Bingo."

Patrik log. "Bingo", sa han triumferande.

Charlotte hade vankat av och an framför godisautomaten men kapitulerade nu. Om man inte kunde unna sig en chokladbit i sådana här stunder, när kunde man det då?

Hon lade i några mynt och tryckte på knappen som skulle få en Snickers att trilla ner i luckan. En "Big size" för säkerhets skull.

Hon övervägde att trycka i sig den innan hon gick tillbaka, men visste att hon bara skulle bli illamående om hon åt den för snabbt. Därför stålsatte hon sig och gick in i väntrummet där Lilian satt. Mycket riktigt. Hennes mors ögon sökte sig omedelbart till chokladbiten i hennes hand och hon tittade anklagande på Charlotte.

"Vet du hur många kalorier en sådan där innehåller? Du behöver gå ner i vikt, inte upp, och den där kommer att sätta sig på ändan med en gång. När du nu äntligen lyckats bli av med några kilon..."

Charlotte suckade. Hela sitt liv hade hon hört samma visa. Lilian hade aldrig tillåtit några sötsaker hemma och själv höll hon ständigt igen och hade aldrig haft ett gram mer än nödvändigt på kroppen. Men det var kanske just därför det hade varit så lockande, och Charlotte hade istället ätit i smyg. Letat småpengar i föräldrarnas fickor och sedan smugit sig iväg till Centrumkiosken för att köpa chokladbollar och lösgodis som hon njutningsfyllt åt upp innan hon gick hem igen. Övervikten hade därför funnits där redan i mellanstadiet och Lilian hade varit rasande. Ibland hade hon tvingat av Charlotte kläderna, ställt henne framför helfigursspegeln och nypt henne skoningslöst i bilringarna.

"Titta här. Du ser ju ut som en fet gris! Vill du verkligen se ut som en gris, vill du det?"

Charlotte hade hatat henne i de ögonblicken. Och hon hade bara vågat göra så när inte Lennart var hemma. Han skulle aldrig tillåta det. Pappa hade varit Charlottes trygghet. Hon hade varit vuxen när han dog, men utan honom kände hon sig som en liten hjälplös flicka.

Hon betraktade sin mor där hon satt mittemot henne. Hon såg som vanligt välvårdad ut, en skarp kontrast till Charlotte som inte haft med sig något ombyte hemifrån. Lilian, däremot, hade hunnit packa en liten övernattningsväska och hade både bytt kläder och lagt på makeup på morgonen.

Trotsigt stoppade Charlotte in sista smulan av den stora chokladbiten i munnen och ignorerade Lilians ogillande ögonkast. Att hon bara orkade bry sig om Charlottes matvanor nu när Stig låg och kämpade för sitt liv. Hennes mor upphörde aldrig att förvåna henne. Men med tanke på hur mormor var, så var det kanske inte så konstigt.

"Varför får vi inte komma in till Stig?" sa Lilian frustrerat. "Jag förstår bara inte. Hur kan de stänga ute de anhöriga så där?"

"De har säkert sina skäl", sa Charlotte lugnande, men såg för ett kort ögonblick läkarens underliga ansiktsuttryck framför sig. "Vi skulle säkert bara vara i vägen."

Lilian fnyste och reste sig från stolen och började demonstrativt vanka fram och tillbaka.

Charlotte suckade. Hon försökte verkligen att behålla det medlidande hon känt med sin mor under gårdagskvällen, men hon gjorde det så förbaskat svårt. Charlotte plockade fram mobiltelefonen ur handväskan för att kolla att den var på. Det var lite märkligt att inte Niclas ringt. Displayen var död och hon insåg att den laddat ur utan att hon märkt det. Fan också. Hon reste sig för att gå och ringa från mynt- och korttelefonen som fanns ute i korridoren, men höll på att springa in i två män. Förvånat såg hon att det var Patrik Hedström och hans rödlätta kollega som bistert tittade över hennes axel in mot väntrummet.

"Hej, vad gör ni här?" sa hon undrande, men sedan slog henne tanken med full kraft. "Har ni hittat något? Något om Sara? Det har ni, inte sant? Vad är det? Vad …?" Hon tittade ivrigt och samtidigt bävande fram och tillbaka mellan Patrik och Martin, men fick inget svar.

Till slut sa Patrik: "Vi har just nu inget konkret att tala om för dig när det gäller Sara."

"Men varför …?" sa hon förvirrat utan att avsluta meningen.

Åter en stunds tystnad, sedan sa Patrik: "Vi är här för att vi behöver tala med din mor."

Förvånad klev Charlotte åt sidan när de markerade att de ville passera. Som i ett dis såg hon hur de andra i väntrummet spänt betraktade skådespelet när polismännen gick fram och bredbent ställde sig framför Lilian, som stod med armarna i kors och betraktade dem med ett höjt ögonbryn.

"Vi vill att du följer med oss."

"Det kan jag inte, förstår du väl", sa Lilian stridslystet. "Min man ligger för döden och jag kan inte lämna honom." Hon stampade med foten för att markera sin ståndpunkt, men ingen av poliserna verkade påverkas.

"Stig kommer att överleva och du har tyvärr inget val. Jag kommer bara att be vänligt en gång", sa Patrik.

Charlotte trodde inte sina öron. Det måste vara fråga om ett gigantiskt missförstånd. Om bara Niclas hade varit här, så hade han säkert kunnat lugna alla och reda ut alltihop på nolltid. Själv kände hon sig bara handfallen. Hela situationen var så absurd.

"Vad är det frågan om?" fräste Lilian. Hon upprepade högt det Charlotte nyss hade tänkt: "Det måste ha blivit något missförstånd på något sätt."

"Vi har under förmiddagen grävt upp Lennart. Rättsläkarna håller på att ta prover från hans kropp och prover från Stig analyseras just nu för fullt. Vi har dessutom utfört ytterligare en husrannsakan hemma hos er under dagen och har...", Patrik tittade bakåt på Charlotte men vände sig sedan åter mot Lilian, "gjort vissa andra fynd. Vi kan diskutera dem här om du vill, inför din dotter, eller så åker vi till stationen." Hans röst var fullkomligt fri från känslor, men ögonen innehöll en kyla som hon inte trott att han var kapabel till.

Lilians blick mötte Charlottes för ett ögonblick. Charlotte förstod ingenting av det som Patrik pratade om. En hastig glimt i Lilians ögon ökade hennes förvirring och fick en kall kyla att sprida sig längs ryggraden. Något var definitivt fel.

"Men pappa hade ju Guillain-Barré. Han dog av en nervsjukdom", sa hon, både förklarande och frågande i riktning mot Patrik.

Patrik svarade inte. Tids nog skulle Charlotte få reda på mer än hon någonsin önskat veta.

Lilian vände bort blicken från sin dotter, verkade fatta ett beslut och sa lugnt till Patrik: "Jag följer med."

Tafatt stod Charlotte kvar, osäker på om hon skulle stanna eller följa med. Till slut fällde hennes obeslutsamhet avgörandet. Hon såg hur deras ryggtavlor försvann bortåt korridoren.

Hinseberg 1962

Det var det enda besök hos Agnes som hon tänkte göra. Hon tänkte inte längre på henne som Mor. Bara som Agnes.

Hon hade precis fyllt arton och utan att se tillbaka hade hon lämnat sitt senaste fosterhem. Hon saknade inte dem, och de saknade inte henne.

Under åren hade breven kommit tätt. Tjocka brev som doftade Agnes. Hon hade inte öppnat ett enda. Men hon hade heller inte kastat dem. De låg i en koffert och väntade på att kanske en dag bli lästa.

Det var också det första Agnes frågade: "Darling, har du läst mina brev?"

Mary betraktade Agnes utan att svara. Hon hade inte sett henne på fyra år, och hon behövde lära in hennes ansiktsdrag igen, innan hon kunde säga något.

Det förvånade henne hur lite fängelsevistelsen verkade ha påverkat Agnes. Klädseln hade hon inte kunnat påverka, så de eleganta dräkterna och klänningarna var ett minne blott, men i övrigt syntes det att hon vårdade sig själv och sitt utseende med samma frenesi som tidigare. Håret var nylagt, nu i den hövolmsfrisyr som var på modet, eyelinern var tillika moderiktigt tjock med den rätta kråksparken i ögonvrån och naglarna var lika långa som Mary mindes dem. Nu trummade hon otåligt med dem i väntan på ett svar.

Det dröjde ytterligare en stund innan Mary tog till orda. "Nej, jag har inte läst dem. Och kalla mig inte för 'darling'", sa hon och väntade med nyfikenhet på svaret. Hon var inte längre rädd för kvinnan framför henne. Den rädslan hade monstret inom henne ätit upp, efterhand som hatet växt. Med så mycket hat fanns det inte plats för rädsla.

Agnes missade inte ett så ypperligt tillfälle till ett dramatiskt utspel.

"Har du inte läst dem?" skrek hon. "Här sitter jag inlåst medan du är ute i friheten och roar dig och gör Gud vet vad, och den enda glädje jag har är att veta att min kära dotter läser de brev jag lägger ner så många timmar på att skriva. Och inte ett enda brev har du skrivit till mig, inte ett enda telefonsamtal på *fyra år!*" Agnes snyftade nu högt, men inga tårar kom. De skulle ju förstöra den perfekta eyelinern.

"Varför gjorde du det?" sa Mary tyst.

Agnes slutade tvärt att gråta och plockade istället lugnt fram en cigarett och tände den omsorgsfullt. Efter några djupa bloss svarade hon med samma kusliga lugn: "För att han svek mig. Han trodde att han kunde lämna mig."

"Kunde du inte bara låta honom gå?" Mary lutade sig fram för att inte missa ett ord. Hon hade ställt de här frågorna rakt ut i luften så många gånger att hon nu inte kunde riskera att förlora en stavelse.

"Ingen man lämnar mig", upprepade Agnes. "Jag gjorde det jag var tvungen att göra", sa hon. Sedan flyttade hon sin kalla blick mot Mary och tillade: "Du vet ju allt om det, eller hur?"

Mary vände bort blicken. Monstret inom henne rörde sig oroligt. Hon sa abrupt: "Jag vill att du skriver över huset i Fjällbacka på mig. Jag tänker flytta dit."

Agnes såg ut att vilja protestera, men Mary skyndade sig att lägga till: "Om du vill ha någon kontakt med mig i framtiden, så gör du som jag säger. Om du skriver över huset på mig så lovar jag att både läsa dina brev och skriva till dig."

Agnes tvekade, så Mary fortsatte snabbt: "Jag är det enda du har kvar nu. Det kanske inte är mycket, men jag är det enda du har kvar."

Under några outhärdligt långa sekunder vägde Agnes för och emot, bedömde vad som skulle gagna henne själv bäst, och slutligen verkade hon ha bestämt sig.

"Nåväl, vi säger väl så. Inte för att jag kan förstå vad du ska till den där hålan och göra, men om du nu vill det så…" Hon ryckte på axlarna och Mary kände glädjen stiga inom sig.

Det var en plan som hade vuxit fram under det senaste året. Hon skulle börja om från början. Bli en helt ny människa. Skaka av sig allt det gamla som klängde sig fast vid henne som en unken gammal filt. Begäran om namnbyte låg redan inne, att få tillgång till huset i Fjällbacka var steg två och hon hade redan påbörjat arbetet med att förändra sitt yttre. Inte en enda onödig kalori hade kommit över hennes läppar på en hel månad och den entimmeslånga promenaden varje morgon hade också gjort sitt till. Allt skulle bli annorlunda. Allt skulle bli nytt.

Det sista hon hörde när hon lämnade Agnes sittande i besöksrummet var hennes förvånade stämma: "Har du gått ner i vikt?"

Mary vände sig inte om för att svara. Hon var på väg att bli en ny människa.

Dagen därpå hade stormen mojnat och höstvädret visade sig istället från sin allra bästa sida. De löv som överlevt stormbyarna var röda och guldgula och vajade nu sakta i en lätt bris. Solen som sken gav ingen värme, men lyfte ändå humöret och fick bort det värsta av råheten i luften, det där som kröp innanför kläderna och fick kroppen att kännas kall och fuktig.

Patrik suckade där han satt i köket. Lilian vägrade fortfarande att prata, trots alla bevis som fanns mot henne. De hade åtminstone räckt för att de skulle kunna omhäkta henne och än hade de tid att bearbeta henne.

"Hur går det?" sa Annika som kom in för att fylla på sin kaffekopp.

"Inget vidare", sa Patrik och suckade djupt ännu en gång. "Hon är stenhård. Säger inte ett ljud."

"Men behöver vi en bekännelse då, bevisen är väl tillräckliga ändå?"

"Ja, visserligen", sa Patrik. "Men det som saknas är motivet. Att hon hade ihjäl en make och försökte ha ihjäl nästa kan jag väl med lite fantasi hitta på ett antal plausibla motiv till, men Sara?"

"Hur visste du att det var hon som mördade Sara?"

"Det visste jag inte", sa Patrik. "Men det här fick mig att inse att någon ljugit om morgonen då Sara försvann, och denna någon måste vara Lilian." Han slog på den lilla bandspelaren han hade framför sig på köksbordet. Morgans röst fyllde rummet: "Jag har inte gjort det. Jag kan inte sitta i fängelse resten av livet. Jag hade inte ihjäl henne. Jag vet inte hur jackan hamnade hos mig. Hon hade den på sig när hon gick in till sig. Snälla, lämna mig inte här."

"Hörde du?" sa Patrik.

Annika skakade på huvudet. "Nej, jag hörde inget särskilt."

"Lyssna en gång till, riktigt noga." Han spolade tillbaka bandet och tryckte på "play" igen.

"Jag har inte gjort det. Jag kan inte sitta i fängelse resten av livet. Jag hade inte ihjäl henne. Jag vet inte hur jackan hamnade hos mig. Hon hade den på sig när hon gick in till sig. Snälla, lämna mig inte här."

"Hon hade den på sig när hon gick *in till sig*", sa Annika tyst.

"Just det", sa Patrik. "Lilian påstod att hon gick ut och sedan inte kom tillbaka igen, men Morgan såg henne gå in i huset igen. Och den enda som kunde ha någon anledning att ljuga om det var Lilian. Varför skulle hon annars inte ha berättat att Sara kom hem igen?"

"Hur fan kan man dränka sitt eget barnbarn, och varför tvingade hon i henne aska?" sa Annika och skakade långsamt på huvudet.

"Ja, det är just det jag skulle vilja få veta", sa Patrik frustrerat. "Men hon bara sitter där och ler och vägrar säga någonting, vare sig för att erkänna eller för att försvara sig."

"Och den lille killen då?" fortsatte Annika. "Varför gav hon sig på honom? Och Maja?"

"Liam tror jag bara var en förvillande manöver", svarade Patrik och snurrade kaffekoppen mellan händerna. "Jag tror att det bara var en slump att det blev han och att det var ett sätt att avleda uppmärksamheten från hennes familj, ja, främst från Niclas, troligtvis. Och att hon gav sig på Maja antar jag var ett sätt att hämnas för att jag utredde henne och hennes familj."

"Ja, jag hörde att du hade lite flax också, när du avslöjade mordet på Lennart och mordförsöket på Stig."

"Jo, tyvärr kan jag inte hävda skicklighet där. Hade inte jag tittat på Crime Night på Discovery så hade vi nog aldrig upptäckt det. Men när de beskrev det där fallet med en kvinna i USA som förgiftade sina män, och att en av dem först fick diagnosen Guillain-Barré, så klickade det till i huvudet. Erica hade nämnt att Charlottes pappa dog i en nervsjukdom och med Stigs sjukdom lagd till det ... Två makar med samma sällsynta symptom, då börjar man ju undra. Så jag väckte Erica, och hon bekräftade att det var Guillain-Barré som Charlotte hade sagt att hennes pappa dog i. Men jag var inte helt säker när jag ringde sjukhuset, ska du veta. Det var skönt när provresultaten blev klara och de visade på skyhöga halter av arsenik. Men jag önskar bara att jag kunde få ur henne varför. Hon vägrar säga någonting!" Han drog frustrerat handen genom håret.

"Ja, du kan inte göra mer än ditt bästa", sa Annika och vände sig om för att gå. Sedan vände hon sig mot Patrik igen och sa: "Har du hört nyheten, förresten"?

"Nej, vad då?" svarade Patrik trött och med måttlig entusiasm.

"Ernst har verkligen fått sparken. Och Mellberg har rekryterat hit nå-

387

gon brud. Fick visst lite påtryckningar från högre ort om den skeva könsfördelningen här."

"Oj, oj, stackars människa", skrockade Patrik. "Vi får hoppas att det är en kvinna med skinn på näsan."

"Ja, jag vet inget mer om henne, så vi får väl se vad det är som dyker upp. Hon kommer om en månad, tydligen."

"Det blir säkert bra", sa Patrik. "Allt är ju en förbättring jämfört med Ernst."

"Ja, det är då ett som är sant", sa Annika. "Och muntra upp dig lite nu. Huvudsaken är ju att mördaren är fast. Varför får bli något mellan henne och vår skapare."

"Jag har inte gett upp än", muttrade Patrik och reste sig för att göra ett nytt försök.

Han gick och hämtade Gösta och tillsammans förde de Lilian till förhörsrummet. Hon såg aningen tilltufsad ut efter ett par dagar i häktet, men hon var helt lugn. Bortsett från irritationen hon visat när de hämtade henne i sjukhusets väntrum, hade hon uppvisat en ytterst behärskad fasad. Inget de sagt hade kunnat rubba henne och Patrik hade börjat förtvivla om att de skulle lyckas. Men en sista gång måste han bara försöka. Sedan fick åklagaren ta över. Bevisen var trots allt tillräckliga redan nu. Men han ville verkligen få ur henne ett svar om Maja. Han var själv imponerad över hur han lyckats hålla sin ilska gentemot henne i schack, men han hade hela tiden försökt att ha en klar målfokusering. Det viktiga var att få Lilian fälld och om möjligt få en förklaring. Att ta ut sina egna privata känslor på henne hade inte gagnat det syftet. Han visste också att minsta utbrott från hans sida skulle medföra att han omedelbart uteslöts från förhören. Han hade redan de övrigas ögon på sig genom sin personliga koppling till fallet.

Han drog ett djupt andetag och började.

"Sara begravs i dag. Visste du det?"

Han och Gösta hade satt sig på ena sidan av bordet med Lilian mittemot. Hon skakade på huvudet.

"Hade du velat vara med?"

Hon ryckte bara lätt på axlarna och log ett underligt sfinxartat leende.

"Hur tror du Charlotte känner för dig nu?" Han bytte hela tiden ämne, i hopp om att hitta något ställe som var sårbart, som kunde få henne att reagera. Men hittills hade hon varit nästintill omänskligt oberörd.

"Jag är hennes mor", svarade Lilian lugnt. "Det kan hon aldrig ändra på."

"Tror du att hon skulle vilja det?"

"Kanske. Men vad hon vill förändrar inget."

"Tror du att hon skulle vilja veta varför du gjorde vad du gjorde?" flikade Gösta in. Han betraktade Lilian intensivt, också han sökande efter en spricka i vad som syntes vara en ogenomtränglig rustning.

Lilian svarade inte, utan betraktade istället likgiltigt sina naglar.

"Vi har bevisen, Lilian, det vet du. Vi har gått igenom dem tidigare. Vi tvivlar inte en sekund på att du har mördat två personer och är skyldig till mordförsök på en tredje. Arsenikförgiftningen av Lennart och Stig kommer att ge dig många, många år i fängelse. Så det kostar dig ingenting att tala om mordet på Sara. Att ha ihjäl sin make är inget nytt, det kan jag säkert komma på tusen anledningar till, men varför ditt barnbarn, varför Sara? Retade hon upp dig? Blev du förbannad på henne och kunde inte hejda dig? Fick hon ett av sina utbrott och du skulle lugna ner henne med ett bad och det gick överstyr? Berätta för oss!"

Men precis som vid tidigare förhör fick de inga svar från henne. Hon log bara överseende.

"Vi har bevisen!" upprepade Patrik, nu med stigande irritation. "Lennarts prover visade höga halter av arsenik, Stigs likaså, och vi har till och med kunnat visa att arsenikförgiftningen har skett under det sista halvåret i allt högre doser. Arseniken hittade vi i en gammal behållare med råttgift som du förvarade nere i källaren. Sara hade spår av askan som du hade i ditt sovrum i sina lungor. Du smetade ner ett litet barn med samma aska för att förvilla oss, och du lade också Saras jacka i Morgans stuga för att lägga skulden på honom. Att Kaj visade sig vara pedofil var bara tur för din del. Men vi har också Morgans vittnesmål på band, där han säger att han såg Sara gå in igen, vilket du ljög om för oss. Vi vet att det var du som mördade Sara. Hjälp oss nu, hjälp din dotter att gå vidare. Tala om för oss varför! Och min dotter, vad hade du för anledning att ta henne ur vagnen? Var det mig du ville komma åt? Tala med mig!"

Lilian ritade små cirklar på bordet med ena pekfingret. Hon hade hört Patriks vädjan flera gånger tidigare och den förblev lika resultatlös.

Patrik kände hur han började tappa greppet om humöret och insåg att det var bäst att avsluta innan han gjorde något dumt. Han reste sig häftigt upp, rabblade de nödvändiga uppgifterna för att avsluta förhöret och gick mot dörren. I dörröppningen vände han sig om.

"Det du gör nu är oförlåtligt. Du har makten att ge din dotter ett avslut, men du väljer att inte göra det. Det är inte bara oförlåtligt, det är omänskligt."

Han bad Gösta föra Lilian tillbaka till cellen. Han förmådde inte titta på henne en sekund till. För ett ögonblick hade han tyckt sig titta rakt in i ondskan.

"Jävla fruntimmer som man jämt ska pådyvlas", muttrade Mellberg. "Nu ska man behöva dras med dem på jobbet också. Jag fattar inte vitsen med sådan där jävla kvotering. Jag trodde i min enfald att jag skulle få välja min egen personal, men inte, istället ska de skicka på mig ett kjoltyg som säkert knappt lärt sig att knäppa uniformen. Är det rätt det?"

Simon svarade inte utan tittade bara ner i sin mattallrik.

Det kändes ovant att äta lunch hemma, men det var ännu ett led i far-och-son-projektet som Mellberg initierat. Han hade till och med ansträngt sig och skurit upp några grönsaker, något som aldrig ens brukade förekomma i hans kylskåp. Mellberg noterade dock irriterat att Simon inte hade rört vare sig gurkan eller tomaterna, utan istället koncentrerade sig på makaronerna och köttbullarna som han täckt med enorma mängder ketchup. Nåja, ketchup var i och för sig tomater det med, så det fick väl gå an.

Han lämnade det enerverande ämnet. Det gav honom bara förhöjt blodtryck av att fundera över den nya medarbetaren. Istället fokuserade han på sonens framtidsplaner.

"Så, har du funderat på det där med jobb? Om du nu inte tycker att gymnasiet har något att erbjuda dig, så kan jag säkert hjälpa dig att fixa ett kneg. Alla kan ju inte ha läshuvud och är du hälften så praktiskt lagd som far din ...", skrockade Mellberg.

En mer orutinerad förälder skulle kanske ha blivit bekymrad över sonens brist på initiativ rörande sin egen framtid, men Mellberg kände stor tillförsikt. Det var säkert bara en tillfällig svacka och inget att bekymra sig över. Han funderade på om han helst ville att pojken skulle bli advokat eller läkare. Advokat, bestämde han sig för. Läkare tjänade inte så mycket pengar längre. Men fram tills han kunde få in honom på det spåret gällde det att backa undan, låta grabben få lite svängrum. Om han fick känna på livets hårda villkor så skulle han säkert ta sitt förnuft tillfånga. Visserligen hade ju Simons mor informerat honom om att pojken hade streck i nästan vartenda ämne, och det var klart, det kunde lägga vissa hinder i vägen. Men Mellberg tänkte positivt. Det hela berodde säkert på brist på stöd hemifrån, för intelligensen måste ju bara finnas där, annars måste Moder Natur ha spelat dem ett särdeles lustigt spratt.

Simon tuggade slött på en köttbulle och verkade inte särskilt benägen att svara på Mellbergs fråga.

"Nå, vad säger du om ett jobb?" upprepade Mellberg, aningen mer irriterat. Här ansträngde han sig för att knyta band dem emellan och så kunde Simon inte ens göra sig omaket att svara.

Utan att sluta med sitt idisslande sa Simon efter en stunds tystnad: "Nä, jag tror inte det."

"Vad då tror inte det?" sa Mellberg upprört. "Vad tror du då? Att du ska bo här under mitt tak och äta min mat och bara sitta och slöa hela dagarna. Tror du det?"

Simon blinkade inte ens. "Nä, jag drar nog tillbaka till morsan."

Tillkännagivandet träffade Mellberg som ett slag i pannan. Någonstans i hjärttrakten kändes det märkligt, det var nästan som om det högg till.

"Tillbaka till din morsa?" sa Mellberg dumt, som om han inte kunde tro det han hörde. Vilket han heller inte gjorde. Det var ett alternativ som han inte ens övervägt.

"Men, jag trodde att du inte trivdes där? Att du 'hatade den jävla kärringen', som du sa när du kom."

"Äh, morsan är bra", sa Simon och tittade ut genom fönstret.

"Men jag då?" sa Mellberg med grinig röst, och han kunde inte dölja besvikelsen som hade krupit sig in. Han ångrade att han varit så hård. Det kanske inte var så nödvändigt för grabben att börja jobba redan nu. Tids nog fick man ju knega, så kunde man ta det lite lugnt ett tag var väl inte det hela världen.

Han skyndade sig att tillkännage sitt nya synsätt, men det fick inte den förväntade effekten.

"Äh, det var inte så mycket det, morsan kommer säkert också att tvinga mig att jobba. Men det är polarna, vet du. Jag har ju massa polare hemma och här känner jag inte en kotte och så där ..." Han lät meningen dö ut.

"Men alla grejer vi har gjort ihop", sa Mellberg. "Far och son, du vet. Jag trodde att du gillade att äntligen få umgås lite med din gamla farsa. Lära känna mig och så."

Mellberg famlade efter argument. Han kunde inte fatta att han bara två veckor tidigare hade känt sådan panik inför sonens uppdykande. Visst hade han retat sig på honom emellanåt, men ändå. För första gången hade han faktiskt känt förväntan när han satte nyckeln i låset efter en arbetsdag. Och nu var allt det på väg att försvinna.

Pojken ryckte på axlarna. "Du har varit schysst. Det har inget med dig att göra. Men det var aldrig meningen att jag skulle flytta hit. Det är bara sådant morsan säger när hon blir förbannad. Hon har skickat mig till mormor förut, men sedan hon blev sjuk så visste väl inte morsan var hon skulle göra av mig. Men jag snackade med henne i går och hon har lugnat ner sig nu och vill att jag kommer hem. Så jag åker med niotåget i morgon", sa han utan att titta på Mellberg. Men sedan höjde han blicken. "Fast det har varit kul. Honest. Och du har varit jävla schysst och försökt och så. Så jag kommer gärna och hälsar på ibland, om det är okej …", han såg ut att tveka en stund, men lade sedan till: "farsan?"

En värme spred sig i bröstet på Mellberg. Det var första gången pojken kallat honom för farsan. För helvete, det var första gången någon kallade honom för farsan.

Med ens kändes det lite lättare att ta nyheterna om att grabben skulle åka. Han skulle ju komma och hälsa på honom. Farsan.

Det var det svåraste de någonsin gjort, men samtidigt gav det en känsla av avslut som gjorde att de kunde bygga en grund att stå på inför framtiden. Den lilla vita kistan som försvann ner i marken fick dem att klamra sig fast vid varandra. Inget i världen kunde vara svårare än det här. Att ta farväl av Sara.

De hade valt att vara ensamma. Ceremonin i kyrkan hade varit kort och enkel. De hade velat ha det så. Bara de och prästen. Och nu stod de ensamma vid graven. Prästen hade uttalat de ord som stunden krävde och sedan stilla avlägsnat sig. En enkel ros hade de kastat ner på kistan och den lyste skarpt rosa mot det vita träet. Rosa hade varit hennes favoritfärg. Kanske just för att det skar sig så mot hennes röda hår. Sara hade aldrig valt de enkla vägarna.

Hatet mot Lilian var fortfarande färskt och pulserande. Charlotte kände hur hon skämdes över att stå mitt i stillheten på kyrkogården, med så mycket hat forsande ur varje por i hennes kropp. Kanske skulle det stillas med tiden, men i ögonvrån såg hon kullen av jord som formats över hennes fars grav, när han för andra gången lades i vila, och då undrade hon hur hon någonsin skulle kunna känna något annat än vrede och sorg.

Lilian hade inte bara tagit Sara ifrån henne, utan även fadern, och hon skulle aldrig kunna förlåta henne det. Hur skulle hon kunna göra det? Prästen hade pratat om förlåtelse som ett sätt att få smärtan att vika undan, men hur förlåter man ett monster? Hon förstod inte ens varför modern hade begått dessa fruktansvärda handlingar, och meningslösheten i dåden mångdubblade ilskan och smärtan hon kände. Var hon helt galen, eller hade hon handlat enligt någon egen sorts skruvad logik? Att de kanske aldrig skulle få veta gjorde förlusten oerhört mycket svårare att bära och hon ville slita orden, förklaringen ur sin mors mun.

Förutom alla blommor från folk i samhället som ville visa sitt deltagande, så hade två små kransar kommit till kyrkan. Den ena var från Saras farmor. Den hade lagts bredvid kistan och hade nu burits ner till kyrkogården för att placeras vid den enkla lilla gravstenen. Asta hade också tagit kontakt med dem och frågat om hon fick närvara. De hade vänligt avböjt, de ville ha stunden för sig själva, men istället frågat om hon kunde tänka sig att passa Albin under tiden. Det hade glatt henne oerhört.

Den andra kransen var från Charlottes mormor. Den hade Charlotte, utan att egentligen veta varför, vägrat ha vid kistan och hon hade beordrat att den skulle slängas. Hon hade alltid tyckt att Lilian var så lik sin mor. På något sätt visste hon instinktivt att ondskan kom från henne.

Länge stod de tysta vid graven, med armarna om varandra. Sedan vandrade de sakta därifrån. För en kort sekund stannade Charlotte till vid sin fars grav. Hon nickade lätt till farväl. För andra gången i sitt liv.

I den lilla cellen kände hon sig märkligt nog trygg för första gången på många, många år. Lilian låg på sidan på den smala britsen och andades med lugna, djupa andetag. Hon förstod inte frustrationen hos dem som ställde alla frågor till henne. Vad spelade det för roll *varför?* Det var väl bara konsekvensen, resultatet som räknades. Så var det ju alltid. Men nu var de plötsligt intresserade av vägen dit, av resonemang, av vad de trodde sig kunna hitta av logik, av förklaringar, av sanningar.

Hon hade kunnat tala med dem om källaren. Om den tunga, söta doften av Mors parfym. Om rösten som var så förförande när den kallade henne "darling". Och hon hade kunnat berätta om den sträva, torra smaken i munnen, om monstret som rörde sig inom henne, ständigt vaksamt, ständigt redo att agera. Framförallt hade hon kunnat beskriva hur hennes händer, som darrade av hat, inte av fruktan, försiktigt lade giftet i Fars te och sedan noggrant rörde om och såg det lösas upp och försvinna ner i den heta drycken. Det var tur att han alltid ville ha sitt te så sötat.

Det hade blivit hennes första läxa. Att inte tro på löften. Mor hade ju lovat att allt skulle bli så annorlunda. Om bara Far försvann, så skulle de leva ett helt annat liv. Tillsammans, nära. Aldrig mer källaren, ingen mer skräck. Mor skulle röra vid henne, smeka henne, kalla henne "darling" och aldrig låta något komma emellan dem igen. Men löften bröts lika lätt som de gavs. Det hade hon lärt sig och aldrig tillåtit sig att glömma. Ibland hade hon låtit hjärnan snudda vid tanken att det Mor hade sagt om Far kanske inte hade varit sant. Men den möjligheten tryckte hon långt ner i djupet av sin själ. Den möjligheten fick hon inte ens tänka.

Hon hade lärt sig en annan viktig läxa också. Att aldrig mer låta sig överges. Far hade övergett henne. Mor hade övergett henne. Den räcka av familjer som hon forslats mellan som ett själlöst kolli hade också övergett henne enbart genom sitt ointresse.

När hon hälsade på sin mor i fängelset i Hinseberg, hade hon redan bestämt sig. Hon skulle skapa ett nytt liv, ett liv där hon själv hade kontrollen. Det första steget hade varit att byta namn. Hon ville aldrig mer höra det namn som sipprat som ett gift övre Mors läppar. "Mary. Maaaryyy." När hon hade suttit nere i källaren hade namnet ekat mellan väggarna i mörkret och fått henne att krypa ihop för att göra sig så liten, så liten.

Namnet Lilian hade hon valt för att det lät så annorlunda jämfört med Mary. Och för att det lät som en blomma, spröd och eterisk, men samtidigt stark och smidig.

Hon hade också arbetat hårt för att förändra sitt yttre. Med militärisk disciplin hade hon nekat sig allt det hon tidigare frossat i och med förvånande snabbhet rann kilona av henne, tills fetman var ett minne blott. Och hon hade aldrig mer tillåtit sig att bli fet. Noga hade hon sett till så att vikten inte ökade med ett enda gram och hon föraktade dem som inte hade samma styrka, som dottern. Charlottes övervikt äcklade henne och påminde henne alltför mycket om en tid som hon inte ville tänka på. Det sladdriga, lösa, slappa fick en känsla av raseri att vakna, och ibland hade hon fått bekämpa en lust att med händerna slita loss hullet från Charlottes kropp.

De hade hånfullt frågat henne om hon kände sig besviken över att Stig överlevt. Hon hade inte svarat dem. Skulle hon vara ärlig så visste hon inte själv. Det var inte så att hon noggrant hade suttit och planerat det hon gjort. Det hade bara fallit sig naturligt på något sätt. Och det hade ju börjat med Lennart. Med hans prat om att det nog skulle vara bäst för dem båda om de separerade. Han hade sagt något om att nu när Charlotte flyttat så hade han upptäckt att de inte hade så mycket gemensamt kvar. Hon visste inte om hon redan då, vid de första orden, hade bestämt sig för att han skulle dö. Det var som om hon bara gjorde det hon var avsedd att göra. Hon hade hittat burken med råttgift redan när de köpte huset. Varför hon inte kastat den, det visste hon inte. Kanske för att hon visste att den en dag skulle komma till användning.

Lennart hade aldrig gjort något förhastat i hela sitt liv, så hon visste att det skulle ta tid innan han kom sig för med att flytta. Hon hade börjat med små doser, tillräckligt små för att han inte skulle dö omedelbart, men tillräckligt stora för att han skulle bli rejält sjuk. Gradvis hade han brutits ner. Hon hade tyckt om att ta hand om honom. Det blev inget mer prat om att separera. Istället hade han tittat på henne med tacksamhet när hon matade honom, bytte kläder på honom och torkade svetten ur pannan.

Ibland hade hon känt hur monstret rörde sig oroligt. Otåligt.

Tanken att hon skulle bli påkommen hade aldrig slagit henne, konstigt nog. Allt kom ju så naturligt och det ena händelseförloppet avlöste det andra. När han fick den där diagnosen, Guillain-Barré, hade hon tagit det som ett bevis för att allt var som det skulle. Hon gjorde ju bara det hon var avsedd att göra.

Till slut lämnade han henne ändå. Men då var det på hennes villkor. Löftet hon gett sig själv, att ingen någonsin mer skulle få överge henne, höll fortfarande.

Och sedan träffade hon Stig. Han var så trofast, så tillitsfull till sin natur att hon var säker på att han aldrig skulle komma på tanken att lämna henne. Han gjorde allt hon sa, accepterade till och med att bo kvar i huset som hon bott i med Lennart. Det var viktigt för henne, hade hon förklarat. Det var hennes hus. Köpt för pengarna från försäljningen av huset som hon fått Mor att skriva över på henne och som hon bott i fram till dess att hon gifte sig med Lennart. Då hade hon till hennes stora sorg varit tvungen att sälja. De fick inte plats i det lilla huset. Men hon hade alltid ångrat det, och huset i Sälvik hade alltid känts som ett dåligt substitut. Men det var åtminstone något som var hennes. Och det hade Stig förstått.

Men efterhand som åren gått hade hon märkt ett begynnande missnöje hos honom. Det var som om hon aldrig kunde räcka till för någon. Ständigt jagade de något annat, något bättre. Till och med Stig. När han så började tala om att de växt ifrån varandra, om behovet av att börja om på egen hand, så hade hon inte behövt fatta något beslut. Handlingen följde hans ord lika självklart som tisdag följde efter måndag. Och lika självklart hade han, precis som Lennart, åter lutat sig mot henne i tillförsikt när hon blev den som vårdade, den som skötte om, den som älskade. Han hade också varit så tacksam över allt hon gjorde. Även denna gång visste hon att avskedet skulle bli oundvikligt, men vad gjorde det när hon bestämde takten, bestämde stunden.

Lilian vände sig på andra sidan och vilade sitt huvud mot händerna. Oseende stirrade hon in i väggen, såg bara det förflutna. Inte nuet. Inte framtiden. Det enda som räknades var den tid som gått.

Hon hade kunnat se avskyn i ansiktet på dem när de frågade om flickan. Men de skulle aldrig förstå. Ungen hade varit så hopplös, så obändig, så respektlös. Inte förrän Charlotte och Niclas flyttat hem till henne och Stig, hade hon fått upp ögonen för hur illa det var. Hur ond flickan var. Det hade chockerat henne först. Men sedan hade hon sett ödets hand i det. Flickan var så lik hennes mor. Kanske inte till utseendet, men hon hade sett samma ondska i ögonen på henne. För det var vad hon med åren sakta hade insett. Att Mor var en ond människa. Njutningsfullt hade hon sett hur åren brutit ner henne. Hon hade placerat henne nära. Inte för att kunna besöka henne, utan för den känsla av kontroll som det gav henne att förneka modern de besök som hon trängtade efter i sin leda. Inget gladde henne mer än att veta att Mor satt där, så nära, men ändå så långt bort, och ruttnade inifrån.

Mor var ond och flickan likaså. Lilian hade sett hur flickan sakta hade söndrat familjen och förstört det sköra kitt som höll samman Niclas och Charlottes äktenskap. Hennes ständiga utbrott och krav på uppmärksamhet nötte sakta ner dem och snart skulle de inte se någon annan utväg än att gå skilda vägar. Det kunde hon inte låta ske. Utan Niclas skulle Charlotte vara obetydlig. En outbildad, överviktig, ensamstående småbarnsmor, utan den respekt som åtföljde en framgångsrik man. Vissa i Charlottes generation skulle nog säga att det där var förlegat, att det inte var på modet att gifta upp sig. Men Lilian visste bättre. I det samhälle där hon levde hade status fortfarande betydelse och hon ville ha det på det sättet. Hon visste att folk när de pratade om henne ofta lade till: "Lilian Florin, ja, hennes svärson är läkare, du vet." Det gav henne viss respekt. Men flickan höll på att förstöra allt det.

Så hon hade gjort det som krävts av henne. Hon passade på när Sara vände tillbaka på väg till Frida eftersom hon glömt sin mössa. Egentligen visste hon inte varför det blev just då. Men plötsligt fanns bara tillfället där. Stig sov djupt av sina sömntabletter och skulle inte vakna ens om en bomb exploderade i huset, Charlotte låg utslagen nere i källaren och Lilian visste att inte många ljud trängde dit ner, Albin sov och Niclas var på sitt arbete.

Det hade varit lättare än hon trott. Flickan hade tyckt att det var en rolig lek, att få bada med kläderna på. Hon hade visserligen stretat emot när hon matade henne med Ödmjukhet, men hon hade inte varit tillräckligt stark. Och att hålla hennes huvud under vatten hade inte varit någon svårighet alls. Det enda knepiga hade varit att få ner henne till vattnet utan att någon såg. Men Lilian visste att hon hade ödet på sin sida, att hon inte skulle kunna misslyckas. Hon hade skylt Sara med en filt, burit henne i sina armar och sedan tippat ner henne i vattnet och sett henne sjunka. Det tog bara några minuter och precis som hon visste, så hade turen stått henne bi och ingen hade sett något.

Det andra hade bara varit stundens ingivelse. När poliserna började sniffa runt Niclas visste hon att hon var den enda som kunde rädda honom. Hon var tvungen att skaffa ett alibi åt honom och hittade lämpligt nog det sovande barnet utanför Järnboden. Fruktansvärt ansvarslöst att lämna ett barn så. Hans mor förtjänade verkligen att få sig en läxa. Och Niclas var på arbetet, det hade hon kollat, så polisen skulle bli tvungen att avföra honom från utredningen.

Att hon gav sig på Ericas dotter var också menat som en läxa. När Niclas nämnde att Erica sagt åt honom att det var dags att de skaffade sig ett eget hem, hade vreden hon känt varit så stark att det svartnat för ögonen. Vad hade Erica för rätt att komma med åsikter! Vad hade hon för rätt att lägga sig i deras liv! Det hade varit en lätt sak att bära den sovande ungen till andra sidan huset. Askan hade varit en varning. Hon hade inte vågat stanna för att se Ericas min när hon öppnade ytterdörren och upptäckte att ungen var borta. Men hon hade sett det för sitt inre och glatt sig.

Sömnen smög sig på henne där hon låg på britsen och hon slöt villigt ögonen. Bakom de stängda ögonlocken dansade ansikten förbi i en surrealistisk dans. Far, Lennart och Sara dansade runt i ring. Tätt bakom

397

dem såg hon Stigs ansikte, tärt och magert. Men i mitten av ringen fanns Mor. Hon dansade med monstret i en innerlig pardans, tätt, tätt, kind mot kind. Mor viskade: Mary, Mary, Maaaryyy ...

Sedan rullade sömnens mörker in.

Agnes tyckte innerligt synd om sig själv där hon satt vid fönstret på ålderdomshemmet. Utanför slog regnet mot rutan igen och hon tyckte sig nästan kunna känna hur det piskade mot ansiktet.

Hon förstod inte varför Mary inte kom och hälsade på. Varifrån kom allt detta hat, all denna hätskhet? Hade hon inte alltid gjort allt hon kunnat för dottern? Hade hon inte varit den bästa mor hon kunnat vara? Allt som blivit fel längs vägen var ju inte hennes skuld. Det var andras fel, inte hennes. Om hon bara hade haft turen på sin sida någon gång, så hade saker och ting varit annorlunda. Men Mary förstod inte det. Hon trodde att Agnes själv kunde rå för det olycksaliga som hände och hur hon än hade försökt förklara det, så hade inte flickan velat lyssna. Många, långa brev hade hon skrivit från fängelset, där hon i detalj förklarat varför hon inte kunde skyllas för något av det inträffade, men det var på något sätt som om flickan inte var mottaglig, som om hon förhärdat sig.

Orättvisan i det fick Agnes gamla ögon att tåras. Aldrig hade hon fått något från dottern, trots att hon själv gett och gett och gett. Alla de saker som Mary hade uppfattat som elakheter från hennes sida, var egentligen bara för hennes eget bästa. Det var ju inte så att hon funnit någon glädje i att straffa dottern eller tala om för henne att hon var fet och ful, tvärtom. Nej, det hade minsann smärtat henne att behöva vara så hård, men det var hennes plikt som mor. Och en del av det hade ju gett resultat. Hade inte Mary tagit sig i kragen till slut och fått bort allt det där fläsket? Jo, och det var hennes mors förtjänst, men inte fick hon något tack för det.

En häftig vindby utanför fick en gren att slå mot fönstret. Agnes hoppade till där hon satt i sin rullstol, men log sedan åt sig själv. Var det till att bli lättskrämd på gamla dar? Hon som aldrig hade varit rädd för något. Utom för att vara fattig. Det hade åren som stenhuggarhustru lärt henne. Kölden, hungern, smutsen, förnedringen. Allt det hade gjort henne livrädd för att någonsin bli fattig igen. Hon hade trott att männen i USA skulle bli hennes biljett ut ur eländet, sedan Åke, sedan Per-Erik. Men alla hade de svikit henne. Alla hade de brutit sina löften till henne, precis som far. Och alla hade de straffats.

I slutändan var det alltid hon som fick sista ordet. Den blå träasken och dess innehåll hade tjänat som en ständig påminnelse om att bara hon styrde sitt eget öde. Och att alla medel var tillåtna.

Askan i träasken hade hon hämtat kvällen innan båten avgick till Amerika. I skydd av mörkret hade hon smugit sig till platsen för branden och samlat ihop aska där hon visste att Anders och ungarna hade legat. Varför visste hon inte då, men allt eftersom åren gått hade hon förstått sitt impulsiva beslut. Träasken med askan tillät henne aldrig att glömma hur lätt det var att genomföra något för att nå sina egna mål.

Planen hade sakta smugit sig på henne efterhand som dagen för avfärd mot Amerika närmade sig. Hon visste att hennes öde skulle vara beseglat om hon lät sig skeppas över som en kossa med familjen som en dödvikt kring benen på henne. Men ensam skulle hon ha en möjlighet att skapa sig en annan framtid. En där fattigdomen enbart skulle bli ett avlägset och märkligt minne.

Anders hann aldrig märka vad det var som hände. Kniven sjönk ända in till skaftet, djupt in i hjärtat på honom, och han föll som ett dött stycke kött fram över köksbordet.

Pojkarna låg och sov. Sakta smög hon sig in i deras rum, lirkade fram kudden under Karls huvud och placerade den över hans ansikte. Sedan lade hon sig på den med hela sin tyngd. Det gick så lätt. Han sprattlade en liten stund, men inga ljud nådde fram under kudden, så Johan sov lugnt vidare medan hans tvillingbror dog. Därefter blev det hans tur. Hon upprepade proceduren och den här gången var det lite svårare. Johan hade alltid varit lite kraftigare och starkare än Karl, men han orkade inte heller streta emot någon längre stund utan blev snart lika livlös som sin bror. Med oseende ögon låg de där och tittade upp i taket, och Agnes kände sig märkligt tom på känslor. Det var som om hon återställde saker och ting till dess rätta ordning. De borde aldrig ha fötts, och nu fanns de inte mer.

Men innan hon kunde gå vidare med sitt liv fanns det en sak till hon måste göra. Mitt på golvet samlade hon ihop en stor hög med pojkarnas kläder och gick sedan ut till Anders vid köksbordet. Hon drog ut kniven ur ryggen och släpade honom mödosamt in i pojkarnas rum. Han var så mycket större och tyngre än hon att hon var helt genomsvett då han till slut låg som ett bylte på golvet. Hon hämtade lite av brännvinet de hade hemma, hällde det på högen med kläder och tände sedan en cigarett. Njutningsfullt drog hon några bloss innan hon försiktigt placerade den tända cigaretten invid de spritindränkta kläderna. Förhoppningsvis skulle hon hinna en bra bit innan det började brinna ordentligt.

Röster ute i korridoren väckte Agnes ur minnena. Hon väntade spänt tills de passerat, hoppades att de inte var på väg till henne, och slappnade av först när hon hörde dem gå förbi och avlägsna sig alltmer.

Hon hade inte behövt spela chockad när hon kom tillbaka från sitt ärende och såg branden. Aldrig hade hon trott att den skulle bli så kraftig och sprida sig så fort. Men allt hade blivit utplånat, det hade åtminstone gått precis enligt planerna. Ingen hade ens för ett ögonblick tänkt tanken att Anders och barnen inte dog i branden.

Under dagarna som följde kände hon sig så underbart fri att hon ibland fick titta på sina fötter för att försäkra sig om att hon faktiskt inte svävade. Utåt hade hon hållit skenet uppe, spelat den sörjande änkan och modern, men inom sig hade hon skrattat åt hur lättlurade de dumma, enfaldiga människorna var. Och den största idioten av dem alla hade varit hennes far. Det hade kliat i henne av lust att berätta vad hon gjort, att hålla upp brottet för honom som en blodig skalp och säga: "Se vad du gjort, se vad du drev mig till när du tvingade bort mig som en babylonsk sköka den där dagen." Men hon besinnade sig. Hur mycket hon än ville dela skulden med honom, så skulle hon vara mer betjänt av att ha hans medlidande.

Det hade fungerat så bra. Planen hade utfallit precis som hon önskat och hoppats, men ändå hade oturen förföljt henne. De första åren i New York hade varit allt hon drömt om, när hon satt där i stenhuggarbaracken och fantiserade, men sedan hade hon åter förvägrats det liv hon förtjänade. Ständigt denna orättvisa.

Agnes kände vreden stiga i bröstet. Hon ville slå sig fri ur det här gamla, äckliga skalet. Kränga av sig det som en puppa och kliva fram som den vackra fjäril hon en gång var. Hon kände sin egen lukt av ålderdom i näsborrarna och den fick henne att vilja kräkas.

En tröstande tanke kom för henne: Kanske kunde hon be dottern skicka över den blå asken till henne. Hon kunde ju inte själv ha någon nytta av den, och Agnes skulle gärna vilja sila dess innehåll mellan fingrarna igen, en sista gång. Tanken livade upp henne. Det skulle hon göra. Hon skulle be Mary om att få hit asken. Om dottern kom hit med den själv, skulle hon kanske till och med berätta vad det egentligen var den innehöll. Inför dottern hade hon alltid kallat det Ödmjukhet när hon matade henne med det nere i källaren. Men egentligen hade det varit Målmedvetenhet som hon velat ge flickan. Styrkan att göra det som krävdes för att uppnå allt man ville. Hon trodde sig ha lyckats när flickan uppfyllt hennes önskningar så väl vad gällde Åke. Men sedan hade allt rasat samman.

Nu kunde hon inte tåla sig tills hon fick hålla i asken igen. Agnes sträckte sig med en darrande, rynkig hand efter telefonen, men frös mitt i rörelsen. Sedan ramlade handen med en duns ner mot sidan, och huvudet föll mot bröstet. Ögonen stirrade oseende in i väggen och en rännil av saliv rann från mungipan ner över hakan.

En vecka hade gått sedan han och Martin hämtade Lilian på sjukhuset och det hade varit en vecka full av både lättnad och frustration. Lättnad över att de funnit Saras mördare men frustration över att hon fortfarande vägrade säga något om varför.

Patrik lade upp benen på soffbordet och sträckte på sig med händerna bakom huvudet. Han hade kunnat vara hemma mer den senaste veckan, vilket lugnade samvetet lite. Dessutom verkade saker och ting börjat ordna till sig hemma. Han betraktade leende Erica där hon med bestämda tag gungade vagnen med Maja fram och tillbaka över halltröskeln. Nu hade också han tränat upp tekniken och det brukade inte ta mer än fem minuter för dem att få Maja att somna.

Försiktigt sköt Erica in barnvagnen i arbetsrummet och stängde dörren. Det betydde att Maja sov och att de skulle få minst fyrtio minuter i lugn och ro tillsammans, han och Erica.

"Så där ja, nu sover hon", sa Erica och kröp upp intill Patrik i soffan. Det mesta av hennes tungsinne verkade ha försvunnit, även om han fortfarande kunde se korta glimtar av det, om Maja hade en extra kinkig dag. Men de var definitivt på väg åt rätt håll och han tänkte göra sitt för att hjälpa upp situationen ytterligare. Planen som hade utformats en vecka tidigare hade nu utkristalliserat sig och den sista praktiska detaljen hade fallit på plats under gårdagen, med benäget bistånd från Annika.

Han skulle precis öppna munnen när Erica sa: "Usch, jag gjorde misstaget att väga mig i morse."

Hon tystnade och Patrik kände paniken komma. Borde han säga något? Borde han inte säga något? Att ge sig in i en diskussion om sin kvinnas vikt var som att beträda ett emotionellt minfält, och han var tvungen att noggrant överväga varje ställe där han valde att sätta ner fötterna.

Det var fortfarandet tyst och han gissade att det nog var meningen att han skulle skjuta in någon kommentar. Han letade febrilt efter en lämplig replik och kände att munnen blev torr när han försiktigt sa: "Jaså?"

Han ville slå sig själv i huvudet. Var det det mest intelligenta han kunde komma på att säga? Men än så länge verkade han ha klarat sig från minorna och Erica fortsatte med en suck: "Ja, jag väger fortfarande tio kilo mer än jag gjorde innan jag blev gravid. Trodde faktiskt det skulle gå fortare att gå ner graviditetskilona."

Försiktigt, försiktigt trevade han sig fram på jakt efter säker mark. Till slut sa han: "Maja är ju inte så gammal. Du får ha lite tålamod. Jag är säker på att de försvinner allt eftersom nu när du ammar. Du ska se att när hon är ett halvår så är alltihop borta." Patrik höll andan medan han väntade på hur hon skulle reagera.

"Ja, du har nog rätt", sa Erica och han drog en lättnadens suck. "Jag känner mig bara så himla osexig. Magen hänger, brösten är enorma och det läcker mjölk från dem, jag är jämt svettig, för att inte tala om de här jävla tonårspletorna jag börjat få av hormonerna..."

Hon skrattade som om det hon just sagt var ett skämt, men han hörde hur desperat den underliggande tonen var. Erica hade aldrig varit särskilt utseendefixerad, men han förstod att det måste vara svårt att hantera att kroppen och utseendet förändrades så mycket på relativt kort tid. Han hade ju själv lite svårt att förlika sig med gubbkaggen som växt fram runt midjan på honom i takt med att Ericas mage växt. Inte heller den hade minskat nämnvärt i omfång sedan Maja kom.

I ögonvrån såg han att Erica strök bort en tår ur ögonvrån och med ens visste han att han inte skulle kunna hitta ett bättre tillfälle.

"Sitt kvar där", sa han upphetsat och studsade upp från soffan. Erica tittade frågande på honom, men lydde. Han kände hennes ögon i ryggen när han rotade efter något i sina jackfickor, som han sedan snyggt smusslade undan innan han återvände till henne.

Med en tjusig åtbörd föll han ner på knä framför henne och tog högtidligt hennes hand i sin. Han såg att polletten redan trillat ner och han hoppades att det var en glimt av glädje han såg i hennes ögon. Hon såg i alla fall förväntansfull ut. Han harklade sig, då rösten plötsligt började kännas ostadig.

"Erica Sofia Magdalena Falck, skulle du kunna tänka dig att göra mig till en ärbar man och gifta dig med mig?"

Han väntade inte på svaret innan han med darrande fingrar plockade fram asken han gömt i bakfickan. Med viss möda fick han upp locket på den blå sammetsasken och hoppades att han och Annika med gemensamma ansträngningar hade lyckats hitta en ring som skulle falla henne i smaken.

Det började värka lätt i korsryggen där han stod på knä och tystnaden började också kännas oroväckande lång. Han insåg att han inte ens tänkt tanken att hon skulle säga nej, men nu kom en känsla av olust krypande och han önskade han inte hade varit så kaxig.

Sedan sprack Erica upp i ett stort leende och tårarna började rinna nedför kinderna. Hon skrattade och grät på samma gång och sträckte fram ringfingret för att han skulle kunna sätta på förlovningsringen.

"Är det ett ja?" sa han leende och hon nickade bara.

"Och jag skulle aldrig fria till någon annan än den vackraste kvinnan i världen, det vet du", sa han och hoppades att hon skulle höra den oförfalskade tonen av uppriktighet och inte tycka att han bredde på för tjockt.

"Åh, din ...", sa hon och letade efter rätt epitet. "Vet du, ibland vet du precis vad du ska säga och när. Inte alltid, men ibland." Hon lutade sig fram och gav honom en lång, varm kyss, men lutade sig sedan tillbaka och sträckte ut handen framför sig för att beundra sitt nya smycke.

"Den är fantastisk. Den kan du inte ha valt själv."

För ett ögonblick kände han sig lite förorättad över misstroendeförklaringen mot hans smak och hade god lust att säga "det har jag visst", men sedan besinnade han sig och insåg att hon faktiskt hade rätt.

"Annika följde med som smakråd. Så, den är bra alltså? Helt säkert? Du vill inte byta? Jag väntade med att låta gravera den tills du hade sett den, ifall du inte tyckte om den."

"Jag älskar den", sa Erica med känsla och han hörde att hon menade det. Hon lutade sig fram och gav honom ännu en kyss, den här gången var den ännu längre och innerligare ...

Den gälla signalen från telefonen avbröt dem och Patrik kände irritationen stiga. Maken till dålig tajming! Han reste sig och gick för att svara och lät kanske lite mer burdus än nödvändigt.

"Ja, det är Patrik."

Sedan tystnade han och vände sig sakta om mot Erica. Hon satt fortfarande och log och beundrade sin ringprydda hand, och när hon såg att han tittade på henne fyrade hon av ett brett leende i hans riktning. Sedan dog det gradvis när hon såg att han inte besvarade det.

"Vem är det?" sa hon och en ängslig ton hade smugit sig in i rösten.

Patriks min var allvarlig när han sa: "Det är polisen i Stockholm. De vill prata med dig."

Sakta reste hon sig och gick fram och tog luren ur hans hand.

"Ja, det är Erica Falck." Tusen farhågor doldes i den enkla meningen.

Patrik iakttog henne spänt medan hon lyssnade på vad mannen i andra änden hade att säga. Med ett klentroget uttryck i ansiktet vände hon sig mot Patrik och sa: "De påstår att Anna har dödat Lucas."

Sedan föll luren ur handen på henne. Patrik hann precis fram för att fånga henne innan hon föll i golvet.

Tack

Först och främst vill jag tacka min man Micke för hans aldrig svikande entusiasm och stöd. Vi har haft ett ganska arbetsamt år, med en liten vildbasare i tvåårsåldern hemma och en ny liten dotter som anlänt. Det har självklart varit roligt också, men väldigt slitsamt. Men genom gott samarbete har vi klarat det. Den här boken är i allra högsta grad ett familjeprojekt.

Det är som vanligt också många som har ställt upp och läst och kommenterat: Martin Persson, Gunnel Läckberg, Zoli Läckberg, Anders och Ida Torevi samt Mona Eriksson – eller "svärmor" som jag trots hennes protester gärna kallar henne...

Som alltid vill jag också tacka Gunilla Sandin, Peter Gissy och Ingrid Kampås, som var och en på sitt sätt bidrog till att bollen sattes i rullning.

Ett mycket stort tack ska mitt förlag Forum och dess medarbetare ha. Det är roligt att arbeta med er, och jag känner att jag är i trygga händer. Min redaktör och förläggare Karin Linge Nordh är jag alldeles särskilt glad för, då hon har det otacksamma jobbet att med vässad rödpenna gå in och rensa bland mina emellanåt vidlyftiga språkliga utflykter.

Tack också till Ann-Christine Johansson på Bohusläns museums bibliotek, som hjälpte mig med material om stenhuggare.

Bengt Nordin Agency med Bengt Nordin och Maria Enberg har också en självklar plats i detta tack. Att arbeta med er är både roligt och produktivt och har bland annat resulterat i att mina böcker kommer att ges ut i ett flertal andra länder.

Poliserna på Tanumshede polisstation är inte att förglömma i det här sammanhanget. Jag lånar ju deras arbetsplats för diverse upptåg och de låter sig villigt kompenseras genom att bjudas på fika när jag är i krokarna. Folke Åsberg från Tanumshedepolisen har också denna gång tagit sig tid att läsa manus och komma med kommentarer. Han är också min sons stora idol sedan han lånade ut sin polismössa och i min lillkilles värld är därför alla poliser jättesnälla och heter "farbror Folke".

Tack till personalen på Gimo herrgård för att ni under en veckas tid

405

tog så väl hand om mig när jag slutförde boken.

Till er läsare som mejlat mig under det gångna året vill jag också på detta sätt skicka ett stort och varmt TACK. Blir lika glad varje gång det trillar in ett läsarmejl!

Slutligen vill jag tacka den person som den här boken är dedicerad till: Ulrica Lundbäck. Underbara, fina, fantastiska Ulle! Jag har känt Ulle i över tio år och hon har varit med från början. Hon har hejat på mig, läst manus och framförallt – varit stolt över mig, på det där sättet som Ulle alltid varit stolt över vad hennes vänner åstadkommit. Hon tog också det fina porträtt av mig som prytt mina första två böcker. Därför tillägnar jag henne denna bok.

Ulle, jag tackar också för att jag fick förmånen att ha dig som vän. Du är varm, charmig, smart, omtänksam och en förstaklassens glädjespridare. Jag skriver "är", för du är fortfarande allt detta för mig, det kan ingen våg i världen ändra på!

Tack för alla fina minnen. Jag lovar att göra mitt bästa för att försöka leva i enlighet med det som du tillsammans med mannen i ditt liv hade som motto i livet: "Mesta möjliga lycka."

Du fattas oss,

Camilla Läckberg-Eriksson

info@camillalackberg.com
www.camillalackberg.com

PS. Alla fel i boken är som vanligt helt och hållet författarens fel …